BIBLIOTHÈQUE D

AUSTRALIE

Traduit de l'anglais et adapté par Hughes Festis,
Alexis Galmot, Paul-Jacques Lévêque-Mignam, Laurent Mariot,
Jean-Noël Mouret et Sophie Paris

guides Gallimard

Aucun guide de voyage n'est parfait. Des erreurs, des coquilles se sont certainement glissées dans celui-ci, malgré toutes nos vérifications. Les informations pratiques, adresses, numéros de téléphone, heures d'ouverture, peuvent avoir été modifiés ; certains établissements cités peuvent avoir disparu. Nous serions très reconnaissants à nos lecteurs de nous faire part de leurs commentaires, de nous suggérer des corrections ou des compléments qui pourront être intégrés dans la prochaine édition.

biblio-voyage@guides.gallimard.tm.fr
www.guides-gallimard.fr

Dépôt légal : juin 2007
1er dépôt légal : juin 2004
N° d'édition : 150575
ISBN : 978-2-74-242084-1

Imprimé à Singapour

CEUX QUI ONT FAIT CE GUIDE

Les premières éditions du *Grand Guide de l'Australie* ont été mises au point par trois habitants de Sydney : **Phil Jarrat**, **David MacGonigal** et **John Borthwick**. Écrivain et photographe, ce dernier a voyagé aux quatre coins du monde ; il est l'auteur des quatre chapitres historiques, qui donnent une vision synthétique de l'histoire australienne.

La présente édition a été coordonnée par **Jeffery Pike**, journaliste indépendant installé à Londres et photographe pour de nombreuses publications périodiques.

Craig McGregor, l'un des plus éminents observateurs de la société australienne, a apporté toutes ses compétences au chapitre consacré au réveil culturel australien.

A. D. Aird a présenté Perth ; il est aussi l'auteur du chapitre sur la flore et la faune.

Tony Perrottet a mis à jour les chapitres qu'il avait rédigés pour les éditions précédentes, parmi lesquels celui sur Sydney.

Charles Perkins, ancien secrétaire ministre des Affaires aborigènes, haut fonctionnaire souvent critiqué pour son rôle en faveur de la défense des droits de cette communauté, a mis à jour sa présentation de la situation des Aborigènes.

Mungo MacCallum, chroniqueur de la vie politique de Canberra, a écrit le chapitre consacré à la capitale de l'Australie.

Amanda Burton, qui a réactualisé les chapitres sur Sydney et la Nouvelle-Galles du Sud, est née dans cet État et a été journaliste à Sydney pendant dix ans.

Victoria Kyriakopoulos, auteur des chapitres sur Melbourne et le Victoria, est correspondante à Melbourne de l'hebdomadaire *Bulletin*.

Amanda Gryst, diplômée de l'université d'Adélaïde, qui a enseigné l'anglais en Bulgarie, monté des restaurants en Grande-Bretagne et visité son État natal en long, en large et en travers, est l'auteur du chapitre sur l'Australie-Méridionale.

Paul Phelan, qui a traité du Queensland et de la Grande Barrière de Corail, est spécialisé dans l'aviation et les transports aériens : il a en effet été pilote dans l'*outback*.

Dennis Schultz, journaliste photographe de Darwin, couvre l'Australie du Nord et l'Asie du Sud-Est pour de nombreuses publications dans le monde. Il a écrit sur le Territoire du Nord, l'art aborigène, la vie sauvage.

Victoria Laurie est une Britannique qui a visité les quatre coins du monde avant de se poser sur la côte ouest de l'Australie, où elle est journaliste pour la presse et la radio. Elle traite de l'Australie-Occidentale.

Rick Eaves, auteur du chapitre consacré à la Tasmanie, son île natale, est journaliste photographe et collabore régulièrement à des revues, en Australie et ailleurs.

Robert Maynes, auteur de quatre livres sur le vin, a écrit comme il se doit les chapitres sur ce sujet.

Joe Rollo, spécialiste de l'architecture, décrit les monuments de Melbourne.

Cette présente édition a été mise à jour par **Vic Waters**, **Paul Phelan** and **Robert James Wallace**. Doivent également être remerciés **Sylvia Suddes**, **Noami Everton** et **Paul Burton**.

J. Pike

T. Perrottet

D. McGonigal

J. Borthwick

TABLE

CARTES

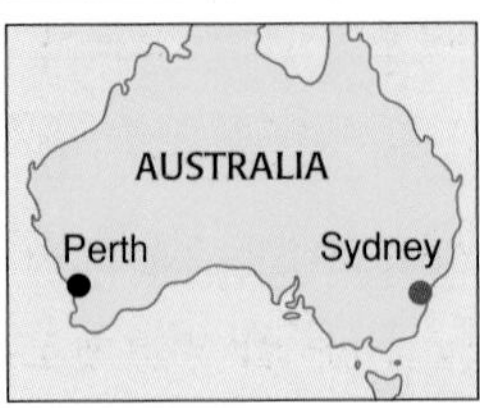

HISTOIRE ET SOCIÉTÉ

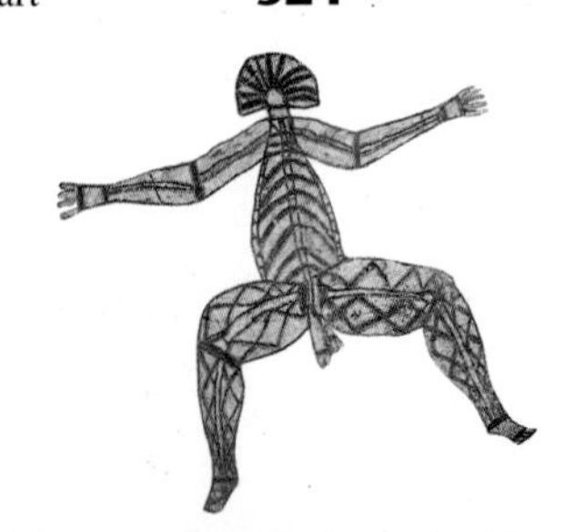

TABLE

ITINÉRAIRES

INFORMATIONS PRATIQUES

BIENVENUE EN AUSTRALIE

Cette île-continent que ses admirateurs qualifient de « magique » a un extraordinaire pouvoir d'émerveillement. Point de ville des Mille et Une Nuits, pourtant, mais des mégalopoles : Sydney, Melbourne, Adélaïde ou Perth, dont les fascinantes architectures dominent des fleuves majestueux et de gigantesques installations portuaires. Aux portes des villes, d'interminables routes couvertes de poussière rougeâtre filent sur des milliers de kilomètres à travers les immensités désertiques de l'*outback*.

Au retour de leurs expéditions, les découvreurs de l'Australie suscitaient l'incrédulité lorsqu'ils décrivaient ces kangourous qui avaient l'air de rats géants transportant leurs bébés dans une poche ventrale, ou encore ces ornithorynques avec leur bec de canard et leur queue de castor, capables à la fois de pondre des œufs et d'allaiter leurs petits.

En Australie, à tout instant, éclatent les contradictions : c'est la plus grande île du monde mais le plus petit continent. Sur les côtes du Sud-Est et du Sud-Ouest prospèrent d'immenses métropoles dont les aéroports et les autoroutes attestent d'une opulence tout occidentale. Mais, à quelques centaines de kilomètres de là, l'intérieur des terres est habité par des tribus aborigènes qui y mènent une vie diamétralement opposée.

C'est aussi un pays dont la géographie se prête aux superlatifs. Le cœur du continent n'est que chaleur et sécheresse, avec quatre déserts d'une superficie de 2 000 000 km². Au beau milieu s'élève Ayers Rock, appelé également Uluru, le plus grand monolithe du monde. La côte nord-ouest du continent est baignée par la mer de Corail, dont la barrière de récifs est la plus longue du monde. Qui plus est, les champs de neige des montagnes centrales sont plus vastes que ceux des Alpes suisses.

Quant à la culture du pays, elle est multiple et contrastée. La culture aborigène et sa spiritualité sont désormais mieux connues et, si la plupart de ses rites demeurent secrets, de nombreuses peintures nous parlent de ses rêves et de ses mythologies. Dans les grandes villes, l'explosion artistique des années 1970 a porté sur le devant de la scène internationale les créations australiennes dans les domaines du cinéma, du théâtre et de la littérature. Mais il ne faut pas oublier la culture de l'Ancien Monde importée par des immigrants qui sont venus de Grèce et d'Italie, du Liban et de Yougoslavie, du Vietnam, du Chili ou de Corée, dont les coutumes se sont adaptées à ce nouvel environnement.

Effaçant cette image de contrée lointaine, aride et désertique, ce pays que l'on situait aux antipodes est devenu un terrain de découvertes fascinantes tant pour le visiteur occasionnel que pour celui qui y réside depuis sa naissance.

Pages précédentes : île de la Grande Barrière de Corail ; le front de mer de la Grande Baie Australienne ; les Three Sisters des Blues Mountains ; une crique de Fraser Island. A gauche, sur les pas de Crocodile Dundee.

LES PAYSAGES AUSTRALIENS

Plus grande île du monde (7 682 300 km²), l'Australie est aussi le plus ancien et le plus isolé des cinq continents, ce qui en a fait le dernier refuge de diverses espèces animales, tels les monotrèmes et les marsupiaux. Elle aurait pris forme lorsque le Gondwana, supercontinent qui la réunissait à l'Inde, à l'Afrique, à l'Amérique du Sud et à l'Antarctique, commença à se morceler il y a cent cinquante millions d'années. L'Australie aurait alors lentement dérivé vers le nord-est pour atteindre sa position actuelle quatre-vingts millions d'années plus tard.

LE CONTINENT LE PLUS PLAT

Cette vénérable terre s'est lentement usée, érodée par les vents et un climat brûlant dès l'ère tertiaire. Par ailleurs, elle n'a pas connu d'activité volcanique ni d'érosion glaciaire marquées et ne possède aucune chaîne de montagnes de type alpin. Aussi son relief est-il étonnamment plat : l'altitude moyenne y est de 210 m.

On peut découper l'Australie en trois grandes régions. Tout d'abord le Grand Plateau occidental, partie la plus ancienne (plus de trois milliards d'années), qui occupe plus d'un tiers du pays. Ce vieux socle précambrien, à peine modifié depuis l'ère primaire, réunit le Grand Désert de sable, le désert de Gibson, et le Grand Désert Victoria, immenses étendues arides de sable et de grès, relativement plates. Le Grand Plateau est dominé, à l'ouest, par le plateau de Kimberley et le massif de Hamersley, mais seuls les monts Musgrave et Macdonnell, à l'est, s'élèvent au-dessus de 1 000 m. Au sud s'étend le vaste plateau calcaire de Nullarbor, creusé de grottes, et, au sud-ouest, la plaine de Swanland.

Deuxième ensemble géomorphologique, les immenses plaines alluviales du Centre-Est (1 500 000 km²) forment deux bassins sédimentaires datant de l'ère secondaire occupés par des lacs salés et des bassins argileux vers lesquels convergent des rivières intermittentes (*creeks*). Le plus grand de ces lacs salés, l'Eyre, se trouve à 11 m au-dessous du niveau de la mer. Il forme le fond du Grand Bassin artésien, vaste dépression qui recèle d'énormes quantités d'eau potable. Le second bassin sédimentaire, au sud, est drainé par le Murray, principal fleuve d'Australie, et ses affluents.

Dernier élément, la Cordillère australienne, ou Great Dividing Range, qui suit la côte orientale sur près de 3 000 km, de la péninsule du cap York au promontoire de Wilson. Formée au tertiaire, elle réunit les plus hauts sommets du pays. Sa végétation est plus contrastée que celle de toute autre chaîne au monde puisqu'elle est tropicale à son extrémité nord et

subalpine à l'autre. Dans le Queensland, son altitude moyenne est de 600 m. Son relief s'accentue plus au sud avec le plateau de Nouvelle-Angleterre, les Blue Mountains à l'ouest de Sydney et le mont Kosciusko à l'est de Melbourne, point culminant de la Cordillère (2 228 m) couvert de neige en hiver.

La Tasmanie (70 000 km²), prolongement de cette chaîne, présente un relief plus varié, fortement marqué par l'érosion glaciaire du quaternaire. Un massif ancien, surélevé à l'ouest, culmine au mont Ossa (1 600 m).

Les côtes, d'une longueur totale de 37 000 km, sont spectaculaires et variées : grandes falaises crayeuses de la côte sud-ouest, formations rocheuses déchiquetées du

Pages précédentes : Ayers Rock (Uluru), le mégalithe le plus grand du monde ; à gauche, lac asséché au lever du soleil; à droite, un orage électrique à Katherine Gorge.

sud-est du Victoria et de Tasmanie, mangroves à palétuviers, dans le nord, sans oublier la somptueuse Grande Barrière de Corail, plus grand récif-barrière du monde (2 400 km de long) qui borde, au nord-est, le littoral du Queensland.

Un climat extrêmement sec

Situé dans l'hémisphère sud, entre les 10° et 40°de latitude, à l'exact opposé du Sahara, l'Australie connaît dans l'ensemble un climat chaud et sec, au caractère continental. Seules les côtes nord et est, ainsi que la Tasmanie, sont bien arrosées.

On distingue quatre zones climatiques. Le climat tropical du Nord et le Nord-Est se caractérise par des températures élevées (27 °C en moyenne à Darwin), des étés chauds et pluvieux (décembre), parfois sujets à des cyclones, et des hivers doux (juillet).

Dans la zone aride, la plus vaste, située au centre du continent, on recense des températures élevées (23,3 °C en moyenne à Alice Springs) accompagnées de très faibles précipitations. Toutefois, il peut faire très chaud le jour et geler la nuit.

En Tasmanie et dans le Victoria, au sud-est, le climat est tempéré, de type océanique, avec des précipitations en toutes saisons, des étés chauds et des hivers froids.

Enfin, dans le Sud-Ouest (Perth) comme dans le Sud (Adélaïde) règne un climat méditerranéen marqué par des étés chauds et secs et des hivers doux et pluvieux.

Ce climat extrêmement sec (470 mm d'eau en moyenne par an) explique la médiocrité du système hydrographique (64 % du continent sont insuffisamment drainés). Hormis les rivières de la côte orientale, bien alimentées mais courtes, le seul grand bassin fluvial est celui du Murray et de ses affluents (1 000 000 km^2). Irrégulièrement alimenté, il n'autorise pratiquement pas la navigation.

Une flore riche et une faune unique

Malgré ses vastes étendue arides, le continent australien dispose d'une importante végétation. L'arrivée des Européens a vu l'introduction de nouvelles espèces s'ajoutant à de nombreux spécimens endémiques.

Ainsi, l'eucalyptus (*gum tree*), reconnaissable à son odeur si caractéristique, appartient à une famille botanique purement australienne, riche de quelque 600 espèces aux formes les plus diverses. Très résistant, cet arbre se retrouve sur presque tout le contient australien. On dénombre également une importante végétation d'acacia (400 espèces).

L'originalité de la flore, comme de la faune, tient à la présence de formes archaïques préservées grâce à l'isolement du milieu. Les marsupiaux géants, apparus il y a cinq millions d'années (comme le procoptodon, un kangourou de 3 m de haut), purent ainsi, en l'absence de grands carnassiers, poursuivre librement leur évolution, se développant en plus de 120 espèces différentes qui vont du kangourou roux (le plus grand), à l'étonnant pétaure volant, qui se déplace en planant d'arbre en arbre grâce aux membranes qui relient ses membres.

Les contrées australiennes comptent aussi quelques étonnantes espèces animales archaïques, tels l'ornithorynque et l'échidné, derniers représentants au monde de la branche des monotrèmes (mammifères ovipares) ainsi que le poisson à poumons, ou *Neoceratodus*, qui peut respirer à la fois dans l'eau et à l'air libre. Rien d'étonnant dès lors que l'Australie ait été surnommée « la contrée des fossiles vivants » !

A gauche, l'Australie demeure une région sauvage; à droite, certains Aborigènes occupent encore les mêmes grottes qu'il y a dix mille ans.

CHRONOLOGIE

Il y a 50 millions d'années. L'Australie se détache de la masse continentale qu'elle formait avec l'Antarctique et dérive vers le nord.
50 000 av. J.-C. Les premiers Australiens arrivent à pied sec de Nouvelle-Guinée.
12 000 av. J.-C. La Tasmanie et la Nouvelle-Guinée sont séparées par la montée du niveau des mers à la fin du dernier âge glaciaire.
2 000 av. J.-C. Le dingo est introduit au sud du pays, probablement par des navigateurs.
800 av. J.-C. Perfectionné, le boomerang sert pour la chasse.

150 apr. J.-C. Le géographe Ptolémée suppose l'existence d'une *terra australis incognita*.

Les premiers visiteurs

IXe siècle. Des navigateurs chinois atteignent probablement la côte nord de l'Australie.
Vers 1290. Le journal de Marco Polo fait allusion à une terre au sud de Java, riche en or et en coquillages.
1606. Premier débarquement européen certain. Le Hollandais Willem Janz, faisant voile à l'est de Java, jette l'ancre sur la côte ouest de la péninsule du Cap York.
1642. Abel Tasman aborde la côte ouest de l'Australie, à laquelle il donne le nom de Terre de Van Diemen.
1688. Le boucanier anglais William Dampier explore la côte nord-ouest.

Colonisation et exploration

1770. Le capitaine James Cook accoste à Botany Bay, puis se dirige vers le nord, dressant le relevé de 4000 km de côtes. Il baptise ce territoire Nouvelle-Galles du Sud et en prend possession au nom du roi d'Angleterre.
1788. La « première flotte » arrive à Sydney Cove, avec une cargaison de forçats. Naissance du premier enfant blanc d'Australie.
1790. Arrivée de la « deuxième flotte ».
1793. Arrivée des premiers émigrants libres.
1797. Introduction du mouton mérinos, en provenance du cap de Bonne-Espérance.
1803. Premiers journaux australiens : la *Sydney Gazette* et le *New South Wales Advertiser*.
1801-1803. Matthew Flinders fait le tour complet de l'Australie, prouvant qu'il s'agit d'une seule île.
1813. L'Australie dispose de sa propre monnaie. Première traversée des Blue Mountains.
1817. Le nom d'Australie remplace celui de Nouvelle-Hollande. Première banque installée à Sydney.
1829. Les premiers occupants débarquent à Fremantle et fondent Perth deux jours plus tard.
1830. Tous les Aborigènes de Tasmanie sont parqués dans des réserves.
1831. Publication de *Quintus Servinton*, premier roman australien, écrit par un ancien bagnard, Henry Savery.
1836. Établissement de la colonie d'Australie-Méridionale.
1837. Fondation d'Adélaïde. Un village fondé l'année précédente au bord de la Yarra River est baptisé Melbourne.
1838. Massacre de Myall Creek : 28 Aborigènes sont abattus par des colons.

La ruée vers l'or et la croissance

1842. Découverte de cuivre en Australie-Méridionale.
1851. Découverte d'or en Nouvelle-Galles du Sud, puis dans tout le Victoria.
1854. Bataille de la barricade d'Eureka (Eureka Stockade) entre les troupes d'État et les mineurs en révolte contre les tarifs des licences d'exploitation. Elle est la date symbolique du début de la politique en Australie.
1855. La Terre de Van Diemen devient la Tasmanie.
1859. Introduction du lapin d'Europe dans la région de Geelong. Vers 1868, cet animal aura ravagé en quasi-totalité le Victoria occidental.

1860. Première traversée sud-nord du continent, de Melbourne au golfe de Carpentarie, expédition menée par Burke et Wills.
1868. Abolition de la déportation des forçats.
1883. Découverte d'argent en Nouvelle-Galles du Sud. Le Queensland prend possession de la Papouasie (Nouvelle-Guinée).
1895. Le poète Banjo Paterson écrit *Waltzing Matilda*, « second hymne national » australien.
1896. L'athlète Edwin Flack représente l'Australie aux jeux Olympiques.

Une nouvelle nation

1901. Fédération des six colonies dans le Commonwealth d'Australie. Le premier parlement fédéral du Commonwealth a son siège à Melbourne.
1914-1918. 300 000 soldats australiens prennent part à la Première Guerre mondiale. Ils combattent héroïquement lors du siège de Gallipoli (elles y perdent 8 000 morts).
1923. Le chimiste Cyril Callister invente la *vegemite*, aliment national australien.
1927. Le parlement fédéral quitte Melbourne pour Canberra.
1928. Le Royal Flying Doctor Service (service sanitaire aérien) est fondé par le révérend John Flynn à Cloncurry, dans le Queensland.
1930. La Grande Dépression ; 25 % de chômage.
1932. Ouverture du Harbour Bridge de Sydney, plus grand pont en arc du monde.
1939. L'Australie déclare la guerre à l'Allemagne. L'aviation australienne combat en Grande-Bretagne, la marine en Méditerranée, et les troupes en Afrique du Nord.
1941. L'Australie déclare la guerre au Japon.
1942. Quinze mille Australiens sont faits prisonniers par les Japonais lors de la chute de Singapour. L'aviation japonaise bombarde Darwin.
1945. L'Australie compte 7 millions d'habitants.
1950. Pic d'immigration, avec 150 000 nouveaux arrivants.
1956. Jeux Olympiques de Melbourne. Lancement de la télévision australienne.
1959. L'architecte danois Jorn Utzon remporte le concours pour l'opéra de Sydney.
1965. Rétablissement de la conscription. Le premier bataillon de l'armée régulière est envoyé au Vietnam.
1967. Le droit de vote et la citoyenneté australienne sont accordés par référendum aux Aborigènes.
1973. Achèvement de l'opéra de Sydney.
1974. Darwin est ravagé par le cyclone Tracy.
1975. Indépendance de la Papouasie Nouvelle-Guinée.
1985. Ayers Rock (Uluru), les Olgas (Kata Tjuta) et les territoires du parc national environnant sont attribués aux Aborigènes.
1988. Le bicentenaire de l'Australie attire plus de 2 millions de touristes. La reine Élisabeth II, chef de l'État australien, inaugure le nouveau Parlement de Canberra.
1990. L'Australie compte 17 millions d'habitants.
1995. Vigoureuses protestations australiennes contre la reprise des essais nucléaires français dans le Pacifique.
1996. Le grand prix d'Australie de formule 1 se déroule pour la première fois à Melbourne.
2000. Les premiers Jeux Olympiques du millénaire sont organisés par la ville de Sydney, à Homebush Bay.
2001. Centenaire de la Fédération.
2003. Le gouvernement conservateur soutient l'action militaire américaine en Irak.
2004. John Howard remporte son quatrième mandat de premier Ministre.
2005. Emeutes ethniques à Sydney.
2006. Le premier Ministre John Howard célèbre ses 10 ans au pouvoir. Melbourne organise les jeux du Commonwealth.

A gauche, témoignage des premiers occupants : peintures rupestres d'esprits Namarkain à Sorcery Rock, Arnhem Land, dans le Territoire du Nord ; à droite, le Mining Exchange de Ballarat, dans le Victoria, souvenir de la ruée vers l'or.

CINQUANTE MILLE ANS DE RÊVE

Bien avant l'épanouissement des civilisations antiques en Europe, au Moyen-Orient ou en Amérique, vivait déjà sur le continent australien un peuple doté d'une culture riche et complexe. En effet, c'est lors de la dernière glaciation que, profitant de l'abaissement général du niveau des mers, les premiers Aborigènes seraient arrivés d'Asie du Sud-Est sur de frêles embarcations. Dans le sud de l'Australie, on a découvert des objets taillés témoignant de leur présence il y a 50 000 ans.

Historiens et anthropologues estiment qu'en 1778, à l'arrivée des premiers colons blancs, la population aborigène, d'environ 300 000 âmes, se répartissait entre quelque 500 tribus possédant chacune un territoire et une langue (ou un dialecte) : on a ainsi recensé autant de dialectes se rattachant à un système linguistique complexe qui compte 31 langues en tout.

UN ENVIRONNEMENT MAÎTRISÉ

Les tribus étaient divisées en groupes de dix à cinquante individus rassemblés en familles exerçant chacune des droits de chasse sur un secteur déterminé du territoire tribal.

Un lien très étroit unissait la tribu à sa terre, qui lui offrait la matière première nécessaire à la confection d'outils. Pierre, obsidienne et bois servaient ainsi à réaliser boomerangs, lances, javelots, gourdins et boucliers. Ne pratiquant ni l'agriculture ni l'élevage, le groupe voyait son alimentation assurée par la chasse, la pêche et la cueillette. Guidées par leur connaissance exceptionnelle du territoire et des cycles de la nature, certaines tribus aborigènes se déplaçaient sur des milliers de kilomètres, au rythme des cueillettes, des chasses ou des rites à célébrer, le degré de sédentarité du groupe dépendant principalement des ressources alimentaires disponibles. Les groupes se rassemblaient parfois pour se livrer au troc ou à des échanges cérémoniels, avant de se disperser à nouveau.

LE « TEMPS DU RÊVE »

Ce que les Australiens traduisent par *Dreamtime* (« le temps du rêve ») constitue l'héritage culturel et historique ancestral, à la base de toutes les pratiques et croyances aborigènes : le *Dreamtime* renvoie à l'aube de la création, à une dimension parallèle, hors du temps historique. Les êtres éternels (les *dreamings*) qui la peuple sont à l'origine de toute chose, vivante ou inanimée (les montagnes, les rivières, la pluie, le feu ainsi que tous les êtres vivants).

Tout nouveau-né est ainsi censé incarner un « esprit-enfant » semé par un rêve (un rêve pluie, un rêve kangourou, etc.) en un lieu particulier qui revêt donc une forte puissance symbolique. Chaque individu est ainsi considéré comme le gardien du site de sa naissance, dépositaire des mythes et des rites s'attachant à la puissance divine à laquelle le lieu est associé.

Éloigner un Aborigène de son territoire, comme par exemple l'exiler pour le punir de sa désobéissance aux lois du groupe (ou à celles de l'État australien), revient à l'anéantir spirituellement. Le déposséder de son territoire équivaut en effet à le priver de son lien avec le *Dreamtime*.

LA TRANSMISSION DU « RÊVE »

Les anciens de la tribu étaient les détenteurs du savoir du *Dreamtime*. Leur connaissance exceptionnelle du groupe et du territoire leur conférait donc la charge de préserver l'identité du clan par l'observance des rites totémiques qui s'y attachent.

La transmission du « rêve » s'effectuait à travers des cérémonies d'initiation qui déterminaient les droits d'un individu et ses responsabilités envers le groupe. Le secret du *Dreamtime* était ainsi révélé aux adolescents à la condition qu'ils s'engagent à respecter la tradition de la tribu. Dans la société aborigène, le pouvoir politique et religieux est rarement héréditaire, il s'acquiert par le mérite.

Une religion totémique

Ce lien vital, véritable filiation unissant chaque être humain à un rêve particulier, explique la relation de chaque individu à un totem (animal, plante, phénomène météorologique, etc.), à un lieu, ou à une personne née sous le même « signe ».

Symbole de l'identité du clan, le totem assure à ses membres protection et assistance, leur transmettant certaines informations par le biais des rêves. En contrepartie, ses « enfants » sont astreints à des règles précises incluant notamment un certain nombre d'interdits alimentaires.

Pages précédentes : peintures rupestres aborigènes à Nourlangie Rock, dans le territoire du Nord ; à gauche, le « didgeridoo » censé évoquer un appel aux esprits : ci-dessus, motifs aborigènes gravés dans la pierre.

Des cérémonies rituelles

Les Aborigènes célèbrent les actes héroïques des *dreamings* à travers leurs peintures, chants et danses sacrées. Ce sont les gravures rupestres qui supportent les valeurs rituelles les plus fortes du groupe. En l'absence de langage écrit, ces peintures, accompagnées des récits des aînés, assurent la transmission du « rêve » de génération en génération.

Lors du *corroboree,* cérémonie de célébration du *Dreamtime*, la musique, rythmée par l'entrechoquement des boomerangs, entraîne les corps peints des danseurs. La geste du groupe est ainsi mimée dans le temps de la danse. A l'évocation des mythes fondateurs du groupe viennent également s'ajouter des thèmes plus quotidiens relatant des épisodes de chasse, la quête de nourriture ou la célébration de la fertilité. Le *didgeridoo*, étrange instrument à vent constitué d'un long tube de bois, vient parfois se mêler au rituel. Sa sonorité grave et profonde est censée invoquer les esprits du *Dreamtime.*

Les rites funéraires revêtent également une importance considérable. A l'issue de cette cérémonie rituelle l'individu quitte son enveloppe corporelle et retrouve sa condition d'esprit du *Dreamtime*, en attendant de se réincarner, plus tard, dans un rocher, un arbre, un animal ou un être humain.

LA DÉCOUVERTE DU CONTINENT

Terra australis incognita, « Lokach », « Nouvelle-Java », *Austrialia del Espiritu Santo*, « Nouvelle-Hollande », nombreux furent les noms donnés au continent australien, avant même sa découverte. Dès l'Antiquité, les Grecs avaient soupçonné l'existence d'un vaste continent méridional, censé équilibrer les terres situées au nord de l'équateur. Aussi, les Européens pensèrent-ils longtemps que cette *Terra australis incognita* allait jusqu'au pôle Sud et qu'elle était soudée à la Nouvelle-Guinée. Les premiers explorateurs du Pacifique devaient être hantés par la vision de ce continent mythique, l'identifiant au pays de Lokach (l'actuel Cambodge) dont Marco Polo avait vanté les fabuleux gisements aurifères.

Aussi est-ce parce qu'il ne satisfaisait ni les rêves de richesse, ni les visions mystiques de ses découvreurs, que le plus ancien des cinq continents fut paradoxalement le dernier colonisé. Si les Hollandais reconnurent les côtes de l'Australie dès le XVIIe siècle, il fallut attendre 1770 pour que James Cook donne corps au continent, avec une carte et un drapeau, avant de dissiper le mythe d'une Grande Terre du Sud en sillonnant les océans antarctiques.

NAVIGATEURS VENUS D'ASIE

Il semblerait toutefois que les explorateurs européens aient été devancés par des navigateurs chinois, en quête de bois de santal et d'épices. On sait que dès les XIIIe et XIVe siècles, leurs jonques pénétrèrent l'archipel indonésien et qu'ils naviguèrent ensuite jusqu'à la côte est africaine. En 1879, on découvrira enterrée près de Darwin une statuette Ming de Shou Lao, dieu taoïste de la Longévité, ce qui laisse à penser que des scieurs de bois chinois originaires de Timor, à 500 km de là, avaient dû accoster sur les côtes nord australiennes au XIVe siècle.

Il est également possible que les navigateurs arabes, qui avaient débarqué en Indonésie dès le XIIIe siècle, diffusant l'islam à travers l'Asie du Sud-Est, aient eux aussi touché la côte septentrionale de l'Australie.

A gauche, l'une des premières représentations d'un camp aborigène; à droite, l'« Endeavour », navire charbonnier du capitaine Cook, traversant une tempête du Pacifique sud.

On sait par ailleurs qu'au XVe siècle les navigateurs bugis de Macassar, dans les Célèbes, se rendaient chaque année sur la côte septentrionale de l'Australie pour y pêcher des holothuries, échinodermes dont les Chinois faisaient leurs délices.

EXPLORATIONS PORTUGAISES

En 1497, Vasco de Gama doubla le cap de Bonne-Espérance, ouvrant la route des Indes aux Portugais. Ces derniers, établis à Malacca dès 1511, entreprirent bientôt de diffuser le catholicisme et d'étendre leur commerce en Asie depuis leurs bases de Timor et d'Am-

boine, dans l'archipel indonésien. Ils explorèrent dès 1526 le littoral nord de la Nouvelle-Guinée, mais rien ne permet d'affirmer qu'ils poussèrent alors jusqu'en Australie.

En décembre 1605, le Portugais Pedro Fernández de Quirós, au service du roi d'Espagne, appareilla du port péruvien de Callao, décidé à découvrir le mythique continent austral, avant les hérétiques protestants et les musulmans, et à en convertir les habitants à la vraie foi. Lorsqu'il atteignit les Nouvelles-Hébrides, en mai 1606, Quirós crut avoir touché au but et, dédiant cette contrée au Saint-Esprit et à Philippe III d'Autriche, roi d'Espagne, la baptisa *Austrialia del Espiritu Santo*. Toutefois, pressé par son équipage, il dut bientôt se résoudre à rentrer en Espagne. Il n'avait pas découvert l'Australie, mais avait involontairement contribué au choix de son nom.

Son second, Luis Váez de Torres, décida pour sa part de faire voile vers les Moluques. Au lieu de longer la côte nord de la Nouvelle-Guinée, il fut poussé vers le sud de l'île, devenant le premier Européen à passer le détroit qui la sépare de l'Australie, auquel il donna son nom. Son journal de bord laisse même penser qu'il aperçut certaines îles au large du continent. Il atteignit Manille en 1607, ayant démontré l'insularité de la Nouvelle-Guinée, mais les terres australiennes conservaient tout leur mystère.

DÉCOUVREURS HOLLANDAIS

Si Torres avait manqué de peu l'Australie, l'année même de son voyage, le Néerlandais Willem Jansz mit pied sur le continent. Parti du port de Bantam, dans l'île de Java, en novembre 1605, à bord de son navire, le *Duifken*, il avait pour mission de reconnaître les côtes sud et ouest de la Nouvelle-Guinée. Il accosta en 1606 dans le golfe de Carpentarie, croyant avoir rempli sa mission, mais, déçu de ne trouver là ni noix de muscade, ni poivre, ni or ni argent, et après avoir perdu une partie de son équipage au cours d'une échauffourée avec les indigènes, Jansz écrivit dans son journal de bord que ce pays n'était *« en grande partie qu'un désert peuplé de Noirs, sauvages et féroces »* et qu'il était contraint de repartir, *« n'y pouvant rien trouver d'intéressant »*. S'il n'y fit en effet aucun profit, ce fut bien le premier Européen à mettre le pied en Australie à une date qui nous soit connue. Une rue de Canberra porte aujourd'hui son nom et commémore son passage.

TERRE DE NAUFRAGE

Au cours des trois décennies suivantes, les navires hollandais en partance pour Java prirent l'habitude de doubler le cap de Bonne-Espérance, de passer les « quarantièmes rugissants » et, arrivés au large de l'actuelle Perth, de remonter vers le nord en se laissant porter par les vents. Mais comme ils éprouvaient quelque difficulté à calculer la longitude, il leur arrivait de toucher involontairement la côte ouest ou sud de l'Australie.

C'est ainsi que Dirk Hartog accosta en octobre 1616 sur une île de la baie Shark (au nord de l'actuelle Geraldton) et y cloua à un arbre un plat d'étain en guise de carte de visite. De même, c'est parce que Peter Nuyts se trompa de cap qu'il se retrouva 1 600 km plus au sud, dans la Grande Baie australienne. C'est cependant grâce à ces erreurs de navigation que les Néerlandais purent dresser la carte des côtes sud, ouest et nord de la Nouvelle-Hollande, soit des deux tiers ou presque du continent.

Partis avec l'espoir de découvrir le paradis sur terre, une contrée aux mille ressources inexploitées, ils ne trouvèrent ni épices, soie ou autres fruits merveilleux et conclurent donc à l'impossibilité d'y établir une colonie. Comment admettre dès lors que cette terre hostile était la Grande Terre australe tant convoitée ?

Nombre de navires firent aussi naufrage sur ces côtes inhospitalières. Ainsi, en 1629, le *Batavia*, galion qui faisait voile vers Java avec à bord 313 personnes dont des femmes et des enfants, s'échoua sur un récif des Abrolhos, au large de la côte occidentale de l'Australie. Le capitaine et quelques matelots purent rallier Java à bord d'une chaloupe, et un vaisseau fut affrété pour récupérer les naufragés. A leur retour, ils découvrirent qu'une partie de l'équipage s'était mutiné, s'était approprié les femmes et avait tué les matelots restés fidèles au capitaine. Les meurtriers furent tous pendus, sauf deux jeunes mutins qui furent déposés sur la côte de la Nouvelle-Hollande, non loin de l'actuelle Geraldton, devenant ainsi les premiers *convicts* australiens.

LES VOYAGES DE TASMAN

En 1642, Abel Tasman fut chargé par Anton van Diemen, gouverneur général des Indes orientales, d'explorer le golfe de Carpentarie. Parti de Java en août, il aborda la côte sud-ouest de la Tasmanie, qu'il baptisa « terre de Van Diemen » avant de découvrir le détroit de Bass, la côte occidentale de la Nouvelle-Zélande, qu'il prit pour la Grande Terre du Sud, et les îles Tonga. C'était là le plus grand voyage de découverte effectué depuis Magellan, ce qui n'empêcha pas les bourgmestres de Batavia (Jakarta) de se montrer quelque peu déçus.

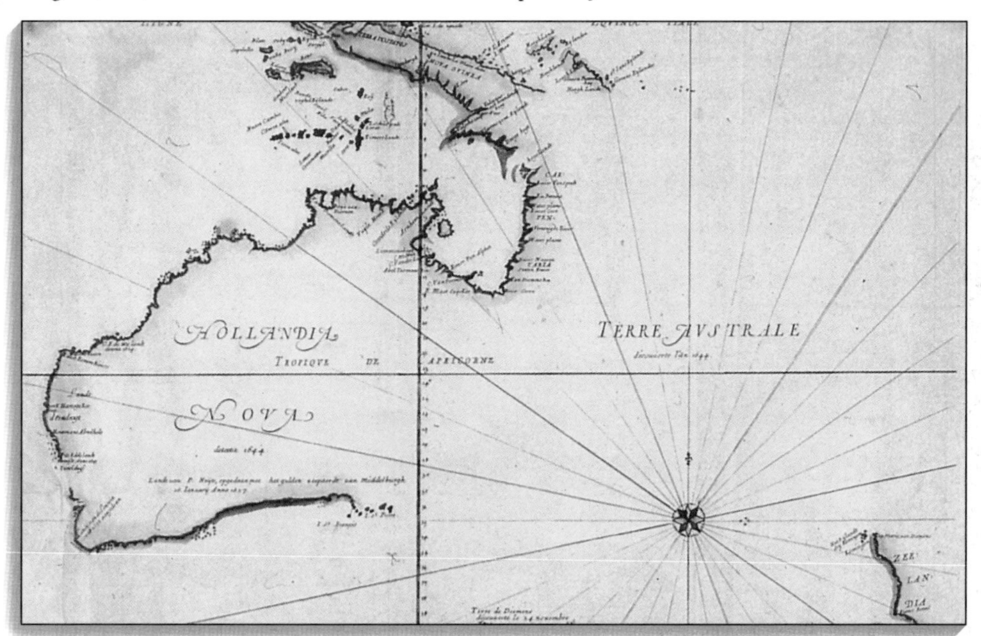

Ils renvoyèrent donc Tasman en mission en 1644. Le grand navigateur explora en détail la côte nord de l'Australie mais, à son retour, ne put indiquer clairement à ses commanditaires si la Nouvelle-Guinée touchait ou non la Nouvelle-Hollande. Pire encore, il ne rapportait de son périple aucune indication concernant d'éventuelles mines ou épices, ni de renseignements sur des populations intéressées par le troc ou susceptibles d'être évangélisées. Lorsqu'il leur décrivit les sauvages rôdant le long des plages, les dirigeants de la Compagnie des Indes néerlandaises, découragés, décidèrent de ne pas donner suite à cette expédition, abandonnant là leur quête de la Grande Terre australe.

A gauche, « Fishing », tableau de John Heaviside Clark ; ci-dessus, carte française de la Nouvelle-Hollande, 1644.

Explorateurs anglais

Les Britanniques ne pouvaient pas manquer de s'intéresser, eux aussi, à la Nouvelle-Hollande. C'est ainsi que le corsaire William Dampier, qui naviguait dans le Pacifique, cherchant à ouvrir de nouvelles routes maritimes au commerce britannique, fut le premier sujet britannique à poser le pied sur le continent australien. Il explora la côte nord-ouest de l'Australie en 1688, puis en 1699, mais, comme les Néerlandais avant lui, il fut horrifié par l'aridité de cette contrée et par la nudité des sauvages. S'il dressa un terrible portrait des Aborigènes, il fut néanmoins le premier à porter attention à leur mode de vie communautaire, notant avec étonnement leur esprit de partage.

Explorateurs français

Le récit de ses voyages devait réveiller la curiosité des Français pour la fameuse mais toujours inconnue Grande Terre du Sud et, en 1766, Bougainville entreprit son grand voyage à travers le Pacifique. Après avoir visité Tahiti, il fit escale aux Nouvelles-Hébrides, découvertes par Quirós, qui se révélèrent être un archipel, puis décida de faire voile vers la Nouvelle-Hollande. Mais, arrivé au large de l'Australie, il fut arrêté par la Grande Barrière de Corail et se résolut à virer vers le nord. ignorant qu'il venait de manquer de débarquer sur le sol australien. Puis, par un beau matin d'automne 1769, tournant décisif dans l'histoire de l'Australie, un trois-mâts, l'*Endeavour*, aborda la côte sud-est du continent...

Le capitaine Cook

Le capitaine du vaisseau, James Cook, lieutenant de la marine royale anglaise, avait alors quarante et un ans. Fils d'un journalier écossais du Yorkshire, il n'avait reçu qu'une instruction rudimentaire et s'était embarqué, à dix-huit ans, comme mousse sur un navire charbonnier qui cabotait en mer du Nord, étudiant les mathématiques à ses heures de loisir. Ses dons pour cette science et ses talents de pilote lui valurent de devenir officier à vingt-trois ans. En 1755, sacrifiant un avenir prometteur à sa soif d'aventure, il s'engagea comme simple matelot dans la Royal Navy. Il gravit tous les échelons de sous-officier au cours de la guerre de Sept Ans, qui opposait la France et l'Angleterre. Là encore, son sens de la navigation fit merveille. Nommé maître à bord du *Pembroke*, il effectua en 1759 un relevé hydrographique du Saint-Laurent qui contribua à la victoire décisive des Anglais et lui valut d'être considéré comme le meilleur cartographe de la marine de guerre britannique.

La paix revenue, Cook repartit pour Terre-Neuve en qualité d'ingénieur géographe. En 1768, l'amirauté le dépêcha à Tahiti, à la requête de l'Académie royale des sciences, afin d'y observer le passage de la planète Vénus entre la Terre et le Soleil (observation qui devait permettre de calculer avec plus de justesse la distance de la Terre au Soleil). Mais Cook avait aussi reçu pour mission secrète du gouvernement britannique de rechercher la fameuse Grande Terre australe. En sus des 94 hommes d'équipage de l'*Endeavour*, navire charbonnier réarmé pour la circonstance, deux botanistes, Daniel Carl Solander et Joseph Banks, prenaient part à l'expédition.

Après avoir rempli sa mission à Tahiti, Cook cingla au sud-ouest vers la Nouvelle-Zélande et passa six mois à dresser la carte des côtes, démontrant qu'il s'agissait de deux îles et non d'une partie d'un hypothétique continent méridional. Il avait ordre de rallier ensuite l'Angleterre par le cap de Bonne-Espérance ou par le cap Horn. Au lieu de quoi il réunit ses officiers au carré et décida de faire voile vers l'ouest jusqu'à la côte orientale de la Nouvelle-Hollande, puis de la suivre en direction du nord et des Indes avant de reprendre la route de l'Europe.

Le 28 avril 1770, l'*Endeavour* jeta l'ancre sur la côte sud-est de l'Australie. Aucun naturaliste, avant Solander et Banks, n'avait en si peu de temps ni collecté tant de nouveaux spécimens de plantes ni observé tant d'oiseaux et d'animaux inconnus. Pendant ce temps, les membres de l'équipage se gavaient de poisson et de crustacés, ce qui incita Cook à nommer cet endroit Stingray Harbour (la baie des Pastenagues), du nom des raies que l'on pêchait sur ses fonds sablonneux. Plus tard, il la rebaptisa Botany Bay (la baie de la Botanique) en raison des découvertes effectuées par Solander et Banks.

FONDATION DE PORT JACKSON

Poursuivant sa route vers le nord, Cook aperçut une magnifique baie, dans laquelle il ne mouilla pas mais qu'il baptisa Port Jackson ; ce site deviendra plus tard le grand port de Sydney. Le 22 août, sur l'île de la Possession, au large du cap York, il hissa les couleurs de l'Angleterre et baptisa Nouvelle-Galles du Sud, au nom du roi George III, toute la côte orientale du continent australien.

Lors de son voyage de retour, il évoqua, dans son journal de bord, la condition des Aborigènes et donna d'eux une appréciation tout à fait conforme au mythe du « bon sauvage » : *« En réalité, ils sont beaucoup plus heureux que nous autres, Européens ; ignorant non seulement le luxe, mais même le confort, si recherché en Europe, [...] ils vivent dans une tranquillité que ne trouble pas l'inégalité des conditions [...], la terre et la mer leur fournissent spontanément tout ce dont ils ont besoin. »*

A gauche, portraits du capitaine Cook (par Nathaniel Dance) et de Joseph Banks (par Joshua Reynolds) ; ci-dessus, gravure de 1802 représentant un kangourou et ses deux petits réfugiés dans sa poche ventrale.

Une fois de retour à Londres, en juillet 1771, Cook fit son rapport à l'amirauté et déclara qu'il avait découvert la côte orientale de la Nouvelle-Hollande, mais point la Grande Terre australe – si tant est qu'un tel continent existât.

Au cours de son second voyage d'exploration (1772-1775), le capitaine Cook mit fin au mythe d'une *Terra australis* s'étendant jusqu'aux latitudes moyennes, en sillonnant les océans antarctiques jusqu'au cercle polaire. Il profita ensuite des alizés pour explorer le Pacifique et ses îles.

C'est au cours d'un troisième voyage d'exploration, entrepris en 1776, que Cook fut tué par des « bons sauvages » des îles Hawaï, le 14 février 1779.

COLONISATION ET EXPLORATION

Au XVIIIe siècle, la Grande-Bretagne amorça sa révolution industrielle, et l'afflux massif des ruraux vers les villes entraîna une hausse sensible de la criminalité. La déportation des criminels vers les colonies d'outre-Atlantique permit un temps de résorber le trop-plein des prisons anglaises, mais la perte du Maryland et de la Géorgie, à l'issue de la guerre d'indépendance américaine, en 1776, priva Londres d'une terre où reléguer ses criminels. On les parqua provisoirement dans des pontons sur la Tamise, aux abords de la capitale, mais ces geôles infectes se trouvèrent vite surpeuplées, tandis que les effroyables conditions de détention suscitaient l'indignation de l'opinion publique. Le gouvernement, qui jusqu'alors s'était désintéressé de l'Australie, se résolut, en janvier 1787, à installer à Botany Bay une colonie pénitentiaire, suivant la proposition de Joseph Banks. Le paradis terrestre rêvé par les premiers explorateurs ne tarda pas à se transformer en véritable enfer : un repère de rebelles, de brigands, de prostituées et meurtriers...

LES PREMIERS COLONS

Le 13 mai 1787, une première flotte de onze vaisseaux, placée sous le commandement du capitaine Arthur Phillip, quittait Portsmouth. Huit mois plus tard, le 18 janvier 1788, ses 1 000 passagers, dont 750 forçats, débarquèrent à Botany Bay. On découvrit rapidement que Cook, homme des « lumières », avait fait une description quelque peu optimiste de ce lieu dépourvu d'eau potable. Phillip partit alors explorer la côte plus au nord et, à son retour, le 24, eut la désagréable surprise de voir que deux vaisseaux français, commandés par le comte de La Pérouse, mouillaient dans la baie.

Afin de devancer d'éventuelles visées françaises sur le continent australien, l'escadre anglaise cingla en toute hâte vers la vaste baie de Port Jackson, à 20 km au nord. Le 26 janvier, dans une crique que Phillip baptisa Sydney Cove en l'honneur du ministre de l'Intérieur, débarquèrent de cette nouvelle arche de Noé moutons, chèvres, chevaux, bovins, forçats et hommes de troupe. Le médecin-major de la flotte, émerveillé, s'écria que Port Jackson était *« la plus belle et la plus vaste rade du monde »*. On rapporte même que les bagnards poussèrent des hourras en apercevant ses superbes criques bleu azur dominées par de scintillantes falaises de grès. Le 7 février, après un baroud d'honneur, on hissa l'Union Jack, et Phillip prit officiellement son poste de premier gouverneur de la Nouvelle-Galles du Sud. Toutefois, l'enthousiasme devait être de courte durée.

A peine remis de leur éprouvante traversée, les premiers habitants de la Galles du Sud découvrirent que le blé, gâté par l'humidité lors de la traversée, refusait de germer dans le sol sablonneux. Le bétail se perdit dans le bush ou tomba aux mains des forçats, des Aborigènes ou des dingos. Six mois après le débarquement ne subsistait plus qu'un mouton. On comptait plusieurs décès et un grand nombre de malades parmi les *convicts* et, au bout de trente mois de cantonnement dans la baie de Sydney, véritable prison naturelle gardée par le bush, il fallut réduire les rations de moitié. Fort heureusement, en juin 1790, se profilèrent à l'horizon les bâtiments tant attendus de la deuxième flotte, chargés de déportés mais aussi de provisions. La colonie était sauvée.

A gauche, Sydney Cove après l'arrivée des premiers colons ; à droite, gravure de 1792 montrant le départ de bagnards embarquant pour Botany Bay.

La colonie maudite

Au début, les bagnards durent trimer sans relâche pour le compte du gouvernement, défrichant et construisant routes et bâtiments. Ces déportés (opposants irlandais, prostituées, voleurs ou simples vagabonds) étaient soumis à une autorité souvent brutale. Aussi les premiers explorateurs de l'arrière-pays furent-ils des candidats à l'évasion. Certains croyaient naïvement que la Chine les attendait de l'autre côté des Blue Mountains, d'autres que des colonies de Blancs vivaient libres à l'intérieur des terres. Mais le plus sûr moyen d'échapper à cette dure condition était encore de commettre

un meurtre dans l'espoir d'être pendu haut et court.

Certains forçats bénéficièrent bientôt de remises de peine et purent ainsi échapper aux travaux forcés et travailler pour leur propre compte. Puis ces *emancipists* se virent, comme les militaires, concéder des parcelles de terrain. Ainsi se forma une nouvelle classe de propriétaires terriens. Les colons s'approprièrent par la force les terres des Aborigènes, et les tentes et huttes plantées sur les rivages de la baie de Sydney firent bientôt place à des maisonnettes en brique.

La colonie de Sydney s'étendit à l'ouest vers les terres fertiles de Parramatta, mais se trouva limitée dans son extension par les escarpements encore impénétrables des Blue Mountains. Des explorateurs s'enfoncèrent dans l'arrière-pays en quête de nouvelles terres exploitables ou prirent la mer à la recherche de lieux encore plus isolés et sauvages où interner les récidivistes. C'est ainsi que s'ouvrirent des bagnes sur les petites îles de la baie de Sydney (Cockatoo et Goat), puis sur l'île de Norfolk, à 1 600 km au large, à Moreton Bay (l'actuelle Brisbane), enfin en Tasmanie.

Comme la colonie manquait de réserves monétaires, la plupart des paiements se firent bientôt en nature (tabac, thé, sucre, farine et surtout rhum du Bengale, unique échappatoire à une rude condition). Les militaires, seuls à toucher une solde, s'élevèrent contre les exigences exorbitantes imposées par la marine marchande. Puis ils instaurèrent, en 1798, leur propre monopole commercial, achetant tous les biens importés pour les revendre ensuite aux conditions qui leur convenaient. Comme la force de police locale contrôlait le commerce du rhum, denrée prisée entre toutes par les colons, elle reçut le surnom de *Rum Corps.*

L'urbanisation de Sydney

Les deux premiers successeurs de Phillip tentèrent vainement de restaurer l'ordre, interdisant l'importation et le commerce de l'alcool. Mais les militaires eurent tôt fait de ravitailler la colonie en alcool de contrebande.

Le capitaine William Bligh, nommé en 1806 quatrième gouverneur de la colonie, fut chargé de mettre un terme à la contrebande de l'alcool et au monopole commercial des officiers, et d'encourager l'installation de colons libres. Mais le *Rum Corps*, sous les ordres de John Macarthur, se révolta contre le gouverneur (comme s'étaient mutinés contre lui, en 1789, les matelots de la *Bounty*) et le déposa en 1808. La Nouvelle-Galles du Sud devait rester pendant deux ans aux mains des officiers.

Toutefois, les réformes du gouverneur Lachlan Macquarie (1810-1821) mirent un frein au désordre et à la corruption qui régnaient sur la colonie. Cet Écossais autoritaire restaura la liberté de commerce, émit en 1813 une unité monétaire spécifique et fonda la première banque australienne en 1817. Il lança ensuite, avec le concours de l'architecte Francis Greenway, un vaste programme d'urbanisation de Sydney.

Introduit en 1797 par John Macarthur, l'élevage des mérinos se trouva freiné par le manque de pâturages. Macquartie encouragea donc, en 1813, le franchissement des Blue Mountains. Les colons eurent l'agréable surprise de découvrir de nouvelles plaines verdoyantes qui permettront l'essor de l'élevage et de la production lainière, qui allaient devenir les premières sources de revenus de la colonie. Nommant l'ancien *convict* Francis Greenway, architecte en chef de la colonie, Macquarie prit le parti de traiter sur un pied d'égalité forçats émancipés et émigrants libres. Son libéralisme ne lui portera malheureusement pas chance : il sera relevé de son poste en 1821.

L'EXPLORATION DU CONTINENT

Avant que Wentworth, Blaxland et Lawson n'effectuent la première traversée des Blue Mountains, l'exploration de l'Australie se fit principalement par voie de mer.

Georges Bass et Matthew Flinders prouvèrent ainsi l'insularité de la Tasmanie en 1798. Flinders, premier à effectuer la circumnavigation de l'Australie, en étudia la côte sud en détail en 1802, où il rencontra les deux corvettes du Géographe et Naturaliste Nicolas Baudin. Craignant l'établissement de comptoirs commerciaux français en Tasmanie, la Grande-Bretagne prit officiellement possession de l'île en 1803.

Entre 1823 et 1826, Allan Cunningham explora le futur Queensland, alors que Hamilton Hume et William Hovell reconnaissaient à la même période les alentours de l'actuelle Melbourne. L'année suivante, Londres, inquiétée par le passage du Français Dumont d'Urville, s'empressa d'annexer l'Australie-Occidentale.

Charles Sturt entreprit, dans les années 1820, de reconnaître les fleuves de Nouvelle-Galles du Sud. En 1829, avec plusieurs coéquipiers, il descendit ainsi le cours du Murrumbidgee, puis ceux du Lachlan et du Murray, persuadé que ce dernier se jetait dans l'océan, sur la côte sud-ouest du continent. Le Murray se révéla, hélas ! terminer sa course dans le lac Alexandrina, à une cinquantaine de kilomètres de la mer. Contraints de rebrousser chemin, les explorateurs remontèrent le courant jusqu'à Sydney, effectuant plus de 1 000 km à la rame, dans de terribles conditions. Cette équipée de quarante-sept jours est l'un des épisodes les plus héroïques de l'exploration australienne.

A gauche, Bungaree, Aborigène célèbre pour ses imitations des officiers : il accompagna Matthew Flinders dans ses voyages exploratoires à travers l'Australie ; ci-dessus, peinture d'Augustus Earle représentant des bagnards cassant des pierres dans les plaines de Bathurst.

UN TOURISTE DANS LA COLONIE

John Hood, Écossais pétri de civilisation, se rendit dans la colonie de Nouvelle-Galles du Sud en 1841 afin de rendre visite à son fils. Arrivé à Sydney juste après la fin de la déportation des bagnards, il fut selon toute probabilité le premier touriste d'Australie.

Mais après avoir lu le récit de son voyage, *Australia and the East*, on n'avait guère envie de le suivre. Il avait trouvé la colonie encore plus sauvage qu'il n'aurait pu l'imaginer. Outre les rigueurs de la vie dans le bush, le

vétilleux Écossais fut confronté aux Aborigènes, aux bagnards évadés, à des voleurs des chevaux et à des fous, qui tous le mirent au désespoir.

Dès son arrivée à Sydney, sa sensibilité fut mise à rude épreuve. Cette ville de 40 000 habitants était dépourvue d'égout. Les bagnards enchaînés hantaient les rues bordées de baraques en planches et de pas moins de 215 pubs. Horreur suprême, les colons toléraient l'alcoolisme et exprimaient même ouvertement leur intention de « *sortir pour se soûler* »...

John Hood retrouva son fils Alexandre, qui était parti dix ans plus tôt avec un fidèle serviteur et était devenu depuis un *squatter* prospère de la région de Mount Connobolas, à l'extrême limite de la colonisation.

Alexandre fit visiter le pays à son père. Le voyage tourna au cauchemar. La traversée des Blue Mountains – qui est aujourd'hui une excursion magnifique – exigeait alors une chevauchée éreintante. La route faisait des détours invraisemblables et Hood la trouva « *interminable* ». Bientôt, la pluie tomba. Son cheval perdit deux fers, et il n'y avait aucun maréchal-ferrant en vue. Ses bagages disparurent. La petite ville de Bathurst était lugubre...

Quand Hood arriva enfin en vue de l'élevage de moutons de son fils, près de l'actuelle ville d'Orange, il fut mortifié. Le *gunyah* où il allait vivre « *n'appartenait à aucun ordre architectural connu* ». Ce n'était qu'une hutte d'écorce dont les parois disjointes laissaient passer la lumière et les insectes.

« *Vous les mangez, vous les buvez, vous les respirez* », nota Hood à propos des mouches omniprésentes du bush. A tous les repas, il y avait invariablement du mouton. Mais le pire était la solitude. Le policier, le médecin ou le pasteur le plus proche étant à des kilomètres, la propriété de Connobolas risquait en permanence d'être attaquée par les *bushrangers*. Hood fut si terrifié qu'il enterra tous ses objets de valeur sous le plancher.

Les Hood se rendirent à Wellington. Aujourd'hui, la route est bordée de gommiers-spectres et de champs verdoyants, mais à l'époque le paysage était aride et désolé. Ils firent étape à Molong dans « *l'auberge la plus mal tenue dans laquelle j'ai jamais pénétré* », écrivit-il. « *Tous les ivrognes du district semblaient s'être donné rendez-vous entre ses murs, nous empêchant de dormir et nous harcelant toute la nuit de toutes les basses canailleries possibles et imaginables.* »

Ce fut à Noël que le mal du pays envahit Hood avec le plus d'intensité : « *La chaleur étouffante contredit désagréablement toutes nos impressions de cette heureuse saison de froidure, de neige et de bien-être au coin du feu.* » La société, les livres et le courrier lui manquaient, les journaux ne lui parvenaient qu'une fois par semaine. Il décida donc de retourner en Écosse.

Lorsque John Hood fit ses adieux définitifs à Alexandre, il émit de sérieux doutes sur le bien-fondé de sa décision d'envoyer son fils en Australie : « *Je confesse qu'à mes yeux une telle vie n'a aucun charme susceptible d'en compenser les désagréments.* »

L'extraordinaire voyage d'Edward John Eyre et de son guide Aborigène Wilye entrera lui aussi dans la légende. Il quitta Adélaïde en avril 1841, accompagné d'un Blanc, John Baxter, et de trois Aborigènes, et entreprit de longer la côte de la Grande Baie australienne d'est en ouest. Quatre mois et demi plus tard, après avoir parcouru 2000 km à pied et traversé le terrible désert de Nullarbor, il entra à Albany, à l'extrémité sud-ouest du continent, en compagnie du seul Wylie, les deux autres Aborigènes ayant pris la fuite, après avoir assassiné Baxter et emporté armes et provisions. On se souvient de ces exploits, mais nombre d'explorateurs ne revinrent jamais.

LES NOUVELLES COLONIES

A mesure que la reconnaissance du continent progressait, de nouvelles colonies virent le jour.

Le 25 décembre 1826, le major Lockyer fonda King George Sound (l'actuelle Albany), à la pointe sud-ouest de la Grande Baie australienne. En 1829, avec la fondation de Perth par James Stirling, l'Australie-Occidentale commença à s'organiser. La colonie pénitentiaire de Moreton Bay, rebaptisée Brisbane en 1834, allait devenir en 1859 la capitale du Queensland. En 1835, des colons venus de Tasmanie fondèrent Melbourne ; la colonie devait se détacher en 1851 de la Nouvelle-Galles du Sud, prenant le nom de Victoria. En 1836, des colons libres fondèrent Adélaïde et la proclamèrent capitale de l'Australie-Méridionale.

Dès 1836, on avait dressé la carte de l'important système fluvial qui arrose le sud-est du continent et exploré la Tasmanie. Dix ans plus tard, la majeure partie de la Nouvelle-Galles du Sud, la moitié du Queensland ainsi que les côtes sud et nord de l'Australie étaient reconnues. Toutefois, l'intérieur du continent qui, pensait-on, recelait une vaste mer, restait encore à découvrir.

A gauche, « Le Propriétaire terrien », par William Buelow Gould; ci-dessus, construction d'un nouveau baraquement destiné aux forçats.

LA TRAVERSÉE DU CONTINENT

En 1842 débarqua à Sydney un déserteur prussien de vingt-neuf ans nommé Ludwig Leichhardt. Ayant réuni des subsides, cet explorateur doté d'un piètre sens de l'orientation entreprit, en 1844, d'ouvrir une route entre Brisbane et Port Essington, l'actuelle Darwin, à la pointe septentrionale du continent. Quatorze mois plus tard, alors qu'on les croyait morts depuis longtemps, Leichhardt et ses huit compagnons arrivèrent en titubant à Port-Essington, après avoir couvert 4800 km à pied.

De là, ces revenants prirent la mer pour rallier Sydney, où ils reçurent un accueil triomphal.

En avril 1848, Leichhardt reprit le départ, mais, cette fois-ci, il s'agissait de traverser le continent en chariot, de Roma, dans le sud du Queensland, à Perth, sur l'océan Indien, accompagné de cinq Blancs, deux Aborigènes et 77 animaux. On ne retrouva jamais trace de cette expédition, dont la disparition devait constituer l'une des plus grandes énigmes du bush australien. Entre 1852 et 1953, neuf expéditions de secours puis d'enquête furent organisées, mais en vain.

Cette tragédie ne devait pas décourager les amateurs d'aventure. En 1860, l'Écossais John

McDouall Stuart rejoignit le centre de l'Australie à partir d'Adélaïde, dissipant définitivement le mythe d'une mer intérieure. Il repartit en septembre 1861 et atteignit la mer de Timor, non loin de Port Essington, en juillet 1862.

La première traversée sud-nord du continent fut réalisée en 1860-1861 par Robert O'Hara Burke et John Wills, personnages dont la tragique épopée fait à présent partie intégrante du folklore australien. Burke, officier de police de son état, ne connaissait rien à l'exploration mais ne manquait ni d'assurance ni d'ambition. Son coéquipier, en revanche, avait de bonnes connaissances en météorologie. Ils quittèrent Melbourne en août 1860 avec 12 hommes, un solide équipement et 25 chameaux importés d'Afghanistan. Après avoir parcouru 600 km, Burke laissa le gros de la troupe et des provisions à Menindee, sur le Darling, et partit vers le nord avec six hommes et 15 chameaux. Il établit en novembre un campement à Cooper Creek, au nord-est du lac Eyre, et envoya chercher les autres membres de l'expédition. Mais au bout de six semaines d'attente, ne voyant rien venir, il prit avec lui Wills, Grey et King, un cheval, six chameaux et des provisions pour trois mois et décida d'aller plus avant malgré la chaleur torride. En février 1861, la petite troupe atteignit le golfe de Carpentarie et rebroussa aussitôt chemin, afin de ménager ses vivres. Grey succomba en route à la faim et à la fatigue.

Les trois survivants, hâves et exténués, atteignirent finalement Cooper Creek en avril, où ils avaient laissé un homme, Brahe, et comptaient retrouver le reste de l'expédition. Mais Brahe, qui les avait attendus quatre mois, venait de repartir pour Menindee sept heures plus tôt avec ses compagnons. Burke et Wills moururent en traversant le désert de Pierres. Seul King, soigné par des Aborigènes, put survivre et raconter cette terrible épopée.

Si la découverte de l'Australie remonte aux années 1780, et sa première traversée du nord au sud à 1861, l'exploration du continent ne fut achevée que dans les années 1930.

L'ABOLITION DE LA DÉPORTATION

La mise en valeur de ces nouvelles terres exigeait une main-d'œuvre abondante. Si l'on enregistra 173 000 arrivées de colons libres ou *free settlers* entre 1830 et 1840, l'Australie continuait à souffrir d'une déplorable réputation et d'un régime autoritaire. Aussi, dans les années 1840-1850, les diverses colonies, sauf l'Australie-Occidentale, se mirent-elles à réclamer l'arrêt de la déportation, les bagnards étant moins productifs que des travailleurs libres.

Les déportations vers l'Australie cessèrent en 1868. En quatre-vingts ans, ceux-ci avaient absorbé 160 000 détenus, dont 25 000 femmes seulement, disproportion qui détermina pour les décennies à venir le caractère de la société australienne.

A gauche, John Wills, John King et Charles Grey en 1860, lors de leur pénible exploration des territoires intérieurs; à droite, peinture de Tom Robert représentant un occupant tentant d'arrêter son troupeau.

CHERCHEURS D'OR ET « BUSHRANGERS »

L'exploration de nouveaux territoires et l'afflux d'immigrants libres permirent le développement de l'agriculture. Mais aux premiers *free settlers*, cultivateurs installés sur des terres octroyées par la Couronne britannique, s'opposèrent à partir des années 1830 les *squatters*. Ces derniers étaient des officiers enrichis ou des colons libres aisés qui, dans le sillage des explorateurs, s'étaient tout bonnement approprié les pâturages de l'intérieur pour se lancer dans l'élevage ovin. Si ces aventuriers connurent des débuts difficiles, menant une existence rude dans un milieu hostile, certains surent se tailler des domaines de 8000 ha et plus, et constituèrent en deux décennies une véritable aristocratie terrienne.

Aux clivages entre *emancipists* et *exclusionists* (colons libres attachés à leurs prérogatives), aux rivalités entre *currency lads* (Australiens de naissance) et immigrés de fraîche date s'ajoutèrent bientôt des tensions entre éleveurs et cultivateurs, entre grands propriétaires terriens et petits exploitants. Parallèlement, les heurts avec les indigènes se multiplièrent, les Aborigènes se voyant repoussés vers les déserts de l'intérieur tandis que les Tasmaniens étaient exterminés.

Cette société coloniale fortement cloisonnée et majoritairement anglo-saxonne allait connaître en 1851 un véritable bouleversement.

LA DÉCOUVERTE DE L'OR

Comme de nombreux Australiens, Edward Hargraves avait pris part à la ruée vers l'or de Californie, en 1849. Il rentra à Sydney en décembre 1850, convaincu, d'après certaines similitudes géologiques entre les terrains aurifères américains et les Blue Mountains, qu'il devait y avoir de l'or dans les Nouvelle-Galles du Sud. Parti en janvier 1851 prospecter dans la montagne entre Wellington et Bathurst, à 170 km à l'ouest de Sydney, il remonta le cours de la Macquarie et, dans une crique, remplit une batée de sable et de gravier, qui, passée au crible, se révéla contenir des paillettes : *« Nous y voici*, annonça-t-il à son guide ébahi, *c'est un jour mémorable dans l'histoire de la Nouvelle-Galles du Sud. Je serai fait baronnet. Tu seras anobli et mon vieux cheval sera empaillé, placé dans une vitrine et exposé au British Museum ! »*

La nouvelle de cette découverte, le 15 mai 1851, provoqua une véritable onde de choc dans toutes les colonies australiennes. Le 19 du même mois, quelque 400 prospecteurs prirent la route de la Summer Hill Creek, près de Bathurst. Fin mai, la fièvre de l'or gagna Sydney. Deux mois plus tard, 3000 personnes prospectaient les berges de la Turon. La colonie de Victoria craignit que cette ruée vers l'or ne compromette son propre essor économique et démographique. Aussi, en juin, la municipalité de Melbourne offrit-elle une récompense de 200 livres à quiconque découvrirait de l'or à moins de 300 km de la ville. Dès juillet, la prime fut réclamée, et bien avant la fin de l'année, des champs aurifères d'une exceptionnelle richesse étaient exploités à Ballarat, Bendigo et Castlemaine. Si les prix de la farine, des couvertures, du pain, de l'équipement minier doublèrent, voire triplèrent, il ne resta bientôt plus personne pour les vendre. Dès octobre, les rues de Melbourne et de Geelong commencèrent à se vider, et les femmes, abandonnées, durent s'organiser en groupes d'autodéfense.

A gauche, « The Prospector », tableau de Julian Ashton (1889) ; à droite, portrait du poète Banjo Paterson, qui contribua à immortaliser la légende des « bushrangers ».

JOURS DE GLOIRE

Une activité frénétique régnait dans les champs aurifères. Dormant dans des camps de toile parmi les collines dévastées, les prospecteurs besognaient de l'aube au crépuscule. Après avoir épuisé les filons alluviaux, ils avaient dû creuser le flanc des montagnes à la recherche de nouveaux gisements. Généralement rassemblés en équipes de quatre à six personnes sur une même concession, les mineurs creusaient des puits, remontaient la terre et les gravats, qu'ils charriaient jusqu'aux bacs en bois. Suivait alors l'opération du « lavage », qui permettait à l'or de se déposer.

Certains voyaient leurs efforts pleinement récompensés, comme ce fut le cas de l'heureux découvreur de la célèbre pépite *Welcome Stranger* (78 kg). Le sol et le sous-sol australiens appartenant légalement à la Couronne britannique, l'administration délivrait des concessions contre une licence d'exploitation mensuelle, payable d'avance. En échange, elle assurait la sécurité des personnes et des biens et, en fin de mois, se chargeait de convoyer, sous bonne garde, l'or collecté. Aussi, la prohibition de l'alcool aidant, une grande solidarité et une certaine discipline régnaient-elles sur les placers.

La dilapidation de l'or était devenue monnaie courante dans les *townships* environnantes. Dès leur arrivée en ville, les prospecteurs auxquels la chance avait souri, oubliant soudain toute retenue, dépensaient sans compter des centaines de livres en une seule journée. Les scènes d'hystérie étaient fréquentes. Certains régalaient les braves citadins de champagne et d'histoires rocambolesques, tandis que d'autres, paradant en calèche, allumaient leurs cigares avec des billets de cinq livres.

Un spectateur raconte ainsi qu'à l'issue d'une représentation au théâtre de Melbourne, les acteurs *« durent venir saluer devant les feux de la rampe pour recevoir une pluie de pépites en guise de fleurs et de bouquets, dont certaines, manquant leur cible, tombèrent dans la fosse d'orchestre ».*

LES BARRICADES

En 1852, outre les 5000 à 7000 prospecteurs qui affluaient chaque mois des autres régions d'Australie et de Tasmanie, arrivèrent en Nouvelle-Galles du Sud et au Victoria 95000 aventuriers européens et américains, souvent plus instruits et épris de liberté que leurs prédécesseurs.

Il devint de plus en plus difficile de percevoir les taxes d'exploitation dans les camps de mineurs et d'y faire respecter l'interdiction de vente d'alcool, d'autant plus que la corruption régnait au sein de la police coloniale. Sir Charles Hotham, nommé gouverneur du Victoria fin 1853, décida de multiplier les contrôles en vue d'activer le recouvrement des taxes. La tension monta sur les placers, d'autant que la production minière ne cessait de baisser. La colère que suscitaient les brimades des percepteurs, dont certains se livraient à une véritable extorsion de fonds, se doubla bientôt de revendications politiques. Les mineurs, largement majoritaires dans la province, refusèrent de payer plus longtemps une redevance alors qu'ils étaient privés de toute représentation parlementaire. Un cahier de doléances circula bientôt de camp en camp.

Le 6 octobre 1854, au lieu-dit Eureka, un aubergiste tua un prospecteur au cours d'une bagarre et fut acquitté en dépit de son évidente culpabilité. Près de 5 000 mineurs manifestèrent le 17 pour réclamer sa condamnation. Les idées libertaires, diffusées par les révolutionnaires irlandais et les utopistes américains, gagnèrent du terrain. Une ligue réformiste, constituée le 11 novembre, exigea l'abolition des licences et l'instauration du suffrage universel à bulletin secret. Les mineurs, reçus fraîchement par Hotham le 27 novembre, brûlèrent toutes leurs licences le 29. La révolte était désormais ouverte.

Un Irlandais, Peter Lalor, prit la tête de la rébellion. Cinq cents mineurs jurèrent solennellement de défendre coûte que coûte leurs droits et leurs libertés. Une barricade fut érigée sur la route de Melbourne et le drapeau de la « république des Mineurs » – étoiles de la croix du Sud sur fond azur – flotta bientôt sur la colline de Ballarat.

Hotham réagit avec fermeté. Le 3 décembre 1854, à l'aube, la troupe attaqua par surprise la barricade endormie, tuant une trentaine d'insurgés. Lalor parvint à s'échapper, mais la « république des Mineurs » avait vécu. Le gouverneur fit toutefois preuve de mansuétude, ce qui lui permit de désamorcer la crise: en février 1855, il amnistia les rebelles, supprima les licences et accorda aux mineurs une représentation parlementaire tant réclamée.

A gauche, « On the Wallaby Track », tableau de Frederick McCubbin (1889) représentant un chercheur d'or et sa famille; ci-dessus, la troupe s'empare de la barricade d'Eureka, à l'aube du 3 décembre 1854.

NAISSANCE DE LA DÉMOCRATIE

La barricade d'Eureka (*Eureka Stockade*) devait entrer dans la légende, demeurant aux yeux des communistes australiens le symbole de la révolte contre l'oppression « bourgeoise » et, pour certains historiens, la première étape de l'instauration de la démocratie en Australie. Comme le fit remarquer Mark Twain, ce fut un nouvel exemple d'une *« victoire remportée grâce à une bataille perdue »*. Le monument commémoratif érigé en 1923 porte une inscription ambiguë, puisqu'il est dédié *« aux héroïques pionniers morts au combat, en ce lieu sacré, pour la cause de la liberté »*, mais aussi *« aux soldats tombés victimes du devoir »*.

De fait, le suffrage universel et le vote à bulletin secret furent adoptés en 1856. Deux ans plus tard, l'Australie-Méridionale, la Nouvelle-Galles du Sud et le Victoria se dotèrent d'une constitution démocratique. Les femmes d'Australie-Méridionale devaient être les premières au monde à obtenir le droit de vote, en 1894.

L'épopée de la barricade d'Eureka marqua cependant la fin des temps héroïques pour les mineurs. L'exploitation du quartz aurifère exigea en effet une plus grande mécanisation et, dès 1855, on encouragea la constitution de grandes compagnies. Après 1860, nombre d'aventuriers s'embarquèrent vers d'autres contrées aux gisements prometteurs. L'or continua toutefois d'assurer la prospérité du pays, dont la population passa de 405 000 habitants en 1840 à 1 600 000 en 1870.

La découverte de l'or eut aussi pour conséquence d'amorcer l'industrialisation de l'Australie.

L'INDUSTRIALISATION

L'essor du marché intérieur stimula le commerce et l'agriculture (laine, céréales), tandis que s'ébauchait un secteur industriel (mines, chantiers navals, minoteries, brasseries). On assista parallèlement à une révolution des moyens de communication : l'installation du télégraphe dans les années 1860, puis l'arrivée du chemin de fer, remplaçant la diligence (15 000 km de voies ferrées furent posés entre 1870 et 1890).

Dès 1855, les syndicats de Melbourne obtinrent la journée de huit heures. La pratique des hauts salaires, due au manque de main-d'œuvre qualifiée, et l'enrichissement global de la population firent naître une hostilité face à toute nouvelle vague d'immigration – attitude dont les Chinois furent les premières victimes.

De 1854 à 1859, les placers du Victoria avaient en effet attiré 40 000 Chinois. Bientôt majoritaires parmi les mineurs étrangers, ces travailleurs acharnés s'étaient vu reprocher de former une communauté à part, tandis que leur « chance » suscitait la jalousie des mineurs blancs. A l'issue de violentes émeutes antichinoises, les diverses colonies adoptèrent des lois restreignant l'immigration asiatique. En 1901, le parlement fédéral adopta une loi visant à interdire toute immigration de couleur en Australie. Cette politique devait être maintenue jusqu'en 1966.

LES « BUSHRANGERS »

Si l'or fut l'une des causes de l'industrialisation de l'Australie, il entraîna aussi l'apparition de bandits.

Le *bushranger*, ou « bandit de la brousse », demeure l'une des grandes figures de la mythologie australienne. Les premiers *bushrangers*, Irlandais évadés du bagne et réfugiés dans le bush, détroussaient les voyageurs ou volaient le bétail des colons. Dans les années 1850, les convois d'or suscitèrent vite la

convoitise des colons ruinés, et l'on assista à une recrudescence du *bushranging*.

Ces brigands de grand chemin bénéficiaient souvent de la sympathie, sinon de la complicité des travailleurs agricoles et des petits exploitants. Ces derniers, pour la plupart eux-mêmes descendants de déportés politiques ou immigrants irlandais, et fanatiquement républicains, admiraient en effet ces rebelles qui osaient défier la police coloniale, qu'ils jugeaient souvent corrompue, et les grands propriétaires terriens d'origine anglaise.

A gauche, « Bailed Up », peinture de Tom Roberts datant de la fin du XIXe siècle, représentant une attaque de diligence; ci-dessus, masque mortuaire de Ned Kelly, l'un des plus célèbres « bushrangers » d'Australie.

LA LÉGENDE DE NED KELLY

De tous ces *bushrangers*, le plus célèbre est Ned Kelly, dont la figure fut immortalisée par la littérature et par le cinéma. Ce fils de paysans irlandais déshérités, né en 1854 dans le nord du Victoria, apprit dès l'âge de dix ans à voler des chevaux. En 1877, après avoir tiré sur un commissaire de police, le blessant au poignet, il se réfugia dans le bush en compagnie de son frère et de deux amis. L'année suivante, au cours d'une fusillade, il abattit trois des quatre policiers qui le pourchassaient.

Dès lors, il entra dans la légende : les petites gens, tant en ville qu'à la campagne, virent en lui un nouveau Robin des Bois, ne volant que les riches et défendant les faibles contre l'oppression et l'injustice. Au lieu d'attaquer les diligences, comme la plupart des *bushrangers*, la bande de Kelly s'en prenait à des villes entières, dont il dévalisait la banque après avoir coupé les fils du télégraphe, avant de s'évanouir dans la nature, échappant à toutes les poursuites.

En juin 1880, apprenant qu'ils avaient été trahis et qu'un train entier de policiers s'apprêtaient à les arrêter, Ned Kelly et ses comparses sortirent de leur cachette. Après avoir exécuté le vieil ami qu'ils soupçonnaient de les avoir dénoncés, ils s'emparèrent de la ville de Glenrowan, en bordure de la voie ferrée, et emprisonnèrent ses habitants dans la taverne locale. Les quatre hommes démantelèrent une partie de la voie ferrée afin de faire dérailler le train, mais l'un des villageois sut convaincre Ned de le relâcher et put prévenir à temps le convoi. Bientôt cernée par les forces de l'ordre, la bande se retrancha dans la taverne et une terrible fusillade éclata. Ned endossa l'armure qu'il s'était fabriquée, tenta une percée mais fut blessé et capturé. La police mit alors le feu à l'auberge, où, plutôt que de se rendre, les trois autres *bushrangers* périrent dans les flammes.

En octobre, Ned Kelly passa en jugement à Melbourne et fut condamné à la potence, malgré le soutien de milliers de personnes. Quand le juge Barry prononça la sentence, Ned lui donna *« Rendez-vous là-haut »* d'une voix claire et posée. Ned Kelly fut pendu le 11 novembre 1880. Quinze jours plus tard, Redmond Barry mourait d'une congestion pulmonaire.

FÉDÉRATION ET GUERRES MONDIALES

Dans les années 1890, l'Australie connut une grave crise économique : les cours de la laine et du blé chutèrent de moitié, les investisseurs étrangers se retirèrent, entraînant la faillite des banques. Réductions de salaires et licenciements se multiplièrent, suscitant des mouvements de grève massifs. Devant l'échec de ses revendications, le mouvement syndical décida d'entrer en politique et, en 1891, naquit le parti travailliste, ou *Labor* australien.

Les colonies australiennes, qui jusqu'alors n'entretenaient pratiquement aucune relation et que séparaient des barrières douanières, des régimes fiscaux et sociaux différents, souffrirent alors de leur isolement. L'idée d'une fédération se fit donc jour peu à peu, d'autant que les ambitions allemandes dans le Pacifique suscitaient de grandes inquiétudes (en 1885, l'Allemagne reçut la Nouvelle-Guinée orientale en partage avec la Grande-Bretagne).

Une constitution, approuvée par référendum dans les diverses colonies, fut ratifiée par le parlement britannique le 9 juillet 1900 et le 1er janvier naquit le Commonwealth d'Australie. Les six colonies, devenues des États, conservaient leurs institutions propres mais confiaient au gouvernement fédéral le soin de régler les questions d'intérêt commun (défense, relations extérieures et finances). Le gouverneur général, représentant de la Couronne, et le parlement fédéral, composé d'un sénat et d'une chambre des représentants, se partageaient le pouvoir législatif fédéral. Les membres du cabinet ministériel, chargés de l'exécutif, étaient désignés par le gouverneur général sur avis du premier ministre, et responsables devant la chambre des représentants. Enfin, une haute cour de justice était chargée de veiller à la constitutionnalité des lois.

Melbourne demeura le siège de la confédération australienne en attendant que la Communauté se choisisse une capitale. Le Victoria et la Nouvelle-Galles du Sud, États rivaux de longue date, souhaitaient tous deux voir le gouvernement fédéral installé sur leur territoire, déniant à l'autre ce privilège. En conséquence, au terme de débats houleux, on décida en 1908 d'établir la nouvelle capitale sur un territoire indépendant de 2434 km², situé à égale distance de Melbourne et de Sydney. La cité, qui prit en 1913 le nom aborigène de Canberra, devait connaître un essor assez lent.

A gauche, « Flower Sellers », de Tom Roberts, représentant King Street à Sydney dans les années 1890; à droite, parade donnée en l'honneur de lord Hopetoun lors de l'ouverture du parlement fédéral, en mai 1901.

La politique australienne et la guerre

La vie politique de la jeune fédération fut fort agitée. On assista rapidement à une montée du *Labor* face aux deux partis traditionnels :

conservateurs tenants du libre-échange et libéraux, partisans du protectionnisme. Ces trois formations demeurèrent à égalité à la Chambre (situation qui se traduisit par une succession de gouvernements de coalition) jusqu'à ce que, en 1910, les travaillistes obtiennent la majorité absolue. L'opposition de droite fusionna alors en un parti libéral. Travaillistes et libéraux devaient dès lors alterner au pouvoir jusqu'à nos jours.

Les travaillistes étaient, comme les libéraux, partisans d'une Australie blanche, protégée par une politique sociale et de hautes barrières douanières. Ils instaurèrent la journée de travail de huit heures et le principe du salaire minimal, prirent de nouvelles mesures de protection sociale (pensions de vieillesse et d'invalidité) et relevèrent les tarifs douaniers. Entre 1905 et 1914, l'élevage fit de nouveaux progrès tandis que l'industrie connaissait un lent développement. A la veille de la Première Guerre mondiale, les 5 millions d'Australiens bénéficiaient d'un des niveaux de vie les plus élevés du monde.

Le baptême d'une nation

L'Australie indépendante n'en conservait pas moins des liens économiques, stratégiques et affectifs avec la mère patrie. Aussi, lorsque la Grande-Bretagne déclara la guerre à l'Allemagne, le 4 août 1914, l'Australie entra-t-elle immédiatement dans le conflit. Fin octobre, les 20 000 volontaires du 1er corps d'infanterie australien s'embarquèrent pour l'Égypte, après avoir suivi un rapide entraînement. Le 3 novembre, les Alliés déclarèrent la guerre à la Turquie qui s'était rangée au côté de l'Allemagne et de l'Autriche-Hongrie.

En février 1915, à l'instigation de Winston Churchill, alors premier lord de l'amirauté, une flotte franco-anglaise fut envoyée dans les Dardanelles. L'objectif était d'abattre les défenses turques du Détroit afin d'ouvrir la route d'Istanbul. Au terme d'une première offensive navale infructueuse, les divisions australiennes et néo-zélandaises (ou Anzac, d'après les initiales d'*Australian & New Zealand Army Corps*) reçurent l'ordre de rejoindre les forces alliées et de débarquer dans la péninsule de Gallipoli le 25 avril 1915.

Sous le commandement de Mustapha Kemal, les Turcs se retranchèrent le long des crêtes fortifiées de Sari Bayir, qui dominaient la côte. Attaques et contre-attaques se succédèrent, au cours desquelles les Anzac se signalèrent par leur héroïsme. Malgré d'énormes pertes en vies humaines, aucun progrès notable ne fut enregistré de part et d'autre. Les combats s'enlisèrent et les Alliés durent se résoudre à évacuer la presqu'île de Gallipoli le 20 décembre.

Ces huit mois de combat à Gallipoli firent 78 500 blessés et 33 500 morts, côté britannique, dont 8 500 Anzac. Les Australiens oublient facilement le fait que presque autant de Français, deux fois plus d'Anglais, Indiens et Népalais trouvèrent également la mort, ainsi que 250 000 Turcs.

Cet oubli était peut-être dû au fait que ces nations possédaient déjà, à la différence de l'Australie, leur mythe fondateur. L'Australie venait quant à elle de faire l'expérience dans le sang, de l'émergence d'un sentiment national. *Anzac Day*, commémoré chaque année le 25 avril, demeure pour beaucoup le jour de naissance de la nation australienne.

Le front en Europe occidentale

Les *diggers* (« poilus ») australiens partirent pour la France à partir de mars 1916. Ayant dû affronter le froid, les terribles attaques, les gaz dans d'abominables conditions, les pertes étaient déjà lourdes au bout de neuf semaines. En juillet 1916, 23 000 Australiens périrent au cours de la bataille de la Somme. La nation australienne venait de naître, et se trouvait déjà amputée d'une bonne partie de ses hommes.

Le nombre des volontaires n'ayant cessé de diminuer, le premier ministre travailliste, William Morris Hughes, voulut instaurer la conscription afin de fournir aux Britanniques les renforts demandés. Le projet suscita de vives réticences jusque dans les rangs du *Labor*, certains Australiens estimant en effet que les intérêts du pays devaient passer avant ceux de l'Angleterre engagée dans une « sordide guerre économique ». Le projet fut repoussé à une courte majorité lors d'un référendum organisé en octobre et Hughes dut quitter le parti travailliste et forma alors un gouvernement « national » de coalition.

Un second référendum, organisé en décembre 1917, vit une nouvelle fois la victoire du non. Entre-temps, 38 000 Anzac étaient tombés à Ypres, près d'Arras. De son côté, la cavalerie légère australienne participa brillamment à la prise de Jérusalem en décembre 1917 puis à celle de Damas en octobre 1918, qui mit les Turcs en déroute.

Le bilan de la Grande Guerre devait être lourd pour l'Australie : 226 000 soldats tués ou blessés, soit près de 65 % des effectifs engagés dans les combats. Le conflit permit toutefois au dominion britannique de faire son entrée sur la scène internationale. A la conférence de Versailles, en 1919, Hughes obtint que l'Australie partage avec la Nouvelle-Zélande les anciennes possessions allemandes situées au sud de l'équateur (à l'exception des Samoa).

La grande dépression

A partir de 1921, 5 millions d'Australiens purent saluer le retour de la prospérité. Le secteur industriel se développa tandis que les exportations de produits miniers et agricoles reprenaient. Le Japon devint alors l'un des principaux acheteurs de laine et de viande ovine australiennes. Les six États entreprirent des campagnes de grands travaux, tandis que le gouvernement fédéral instaurait de nouvelles réformes sociales, indexant notamment les salaires sur le coût de la vie. Ainsi les Australiens purent-ils continuer à bénéficier d'un niveau de vie élevé. Cette prospérité devait toutefois rapidement montrer ses limites, les dépenses gouvernementales étant largement financées par des prêts britanniques.

A gauche, poster de la Première Guerre mondiale encourageant les Australiens du Sud à s'engager aux côtés des Britanniques; à droite, la bataille de Gallipoli, au cours de laquelle l'Australie connut son baptême du feu.

La crise mondiale de 1929 toucha de plein fouet une Australie par trop dépendante des marchés et des capitaux étrangers. Les prix de la laine et du blé s'effondrèrent, la Grande-Bretagne suspendit ses prêts, privant l'Australie des 20 millions de livres qu'elle avait pris l'habitude de recevoir chaque année. Le chômage toucha bientôt 30 % de la population active, plongeant les classes les plus défavorisées dans la misère.

Sir Otto Niemeyer fut dépêché par la Banque d'Angleterre pour convaincre les Australiens d'adopter une politique de rigueur, tout en s'assurant que les intérêts de la dette continueraient à être payés. Les travaillistes, revenus aux affaires en octobre 1929, durent ainsi accepter de réduire les salaires de 10 % et les dépenses de l'État de 20 %. Enfin, une dévaluation de 25 % devait permettre de relancer les exportations. Ces mesures ne firent pas l'unanimité, loin s'en faut! Le travailliste James Scullin, battu aux élections de novembre 1931, céda la place à Joseph Lyons, ancien travailliste ayant pris la tête d'une coalition conservatrice. L'United Australia Party devait rester au pouvoir jusqu'en 1941.

La reprise s'amorça en 1933, et quatre ans plus tard l'Australie avait retrouvé son niveau de vie d'avant la crise. La nécessité d'assurer des débouchés aux matières premières australiennes détermina les gouvernements successifs à adopter une politique conciliante à l'égard du Japon, malgré la menace que les

velléités d'expansion nippones dans le Pacifique faisaient peser sur l'Australie. En 1937, les conservateurs décidèrent toutefois de mettre sur pied un programme de réarmement.

La Seconde Guerre mondiale

Durant les années précédant le conflit, l'Australie commençait déjà à se méfier du Japon. Quand, en septembre 1939, la Grande-Bretagne déclara la guerre à l'Allemagne pour la seconde fois en un quart de siècle, l'Australie s'engagea aussitôt dans le conflit. Un deuxième corps expéditionnaire fut envoyé en Europe et au Moyen-Orient.

Tandis que les forces australiennes étaient engagées dans les combats en Angleterre, en Méditerranée, en Afrique du Nord et au Proche-Orient, les Japonais progressaient en Asie, se rendant d'abord maîtres de l'Indochine française. Les Anzac furent alors envoyés en Malaisie, en Indonésie et en Nouvelle-Guinée, afin de contenir l'avance nippone. Le premier ministre, sir Robert Menzies, à qui l'on reprochait d'avoir, comme Chamberlain, essayé avant la guerre de négocier avec les forces de l'Axe, ne put sauver ni son parti ni son portefeuille. En octobre 1941, le travailliste John Curtin prit la tête du gouvernement (Menzies devait cependant faire un retour triomphal aux affaires en 1949 et se maintenir au pouvoir jusqu'en 1966).

Un nouveau protecteur, les États-Unis

Le 9 décembre 1941, deux jours après le raid nippon sur Pearl Harbour, l'Australie déclara la guerre au Japon. Sachant que la Grande-Bretagne, engagée sur le front européen, ne pourrait lui porter aucun secours en cas d'invasion japonaise, et consciente de sa propre vulnérabilité, elle se résolut à demander protection aux États-Unis. Le 22 décembre, le premier contingent américain débarqua à Brisbane.

Pendant ce temps, les Japonais poursuivaient leur progression dans le Pacifique et en Malaisie. Ils s'emparèrent de Singapour le 15 février 1942 et firent 130000 prisonniers, dont 17000 Australiens, soit le quart des forces engagées par la fédération. Churchill voulut alors déployer en Birmanie les Anzac qui avaient combattu en Afrique du Nord, sans en référer au premier ministre australien. Curtin réagit promptement et, au grand dam de Churchill, exigea le retour des deux divisions en Australie afin de les affecter à la défense directe du territoire national. Dès lors, l'Australie allait devenir l'alliée privilégiée des États-Unis dans la guerre du Pacifique. Pour certains, si la nation australienne vit le jour à Gallipoli, elle devint adulte après la chute de Singapour.

Les Japonais bombardèrent Darwin le 19 février et Broome le 3 mars, et Curtin réussit cette fois à faire accepter la conscription. Des réserves d'armes et de munitions furent alors entreposées sur la côte septentrionale du continent, afin de faire face à la menace d'une éventuelle invasion japonaise. Le 17 mars, le général MacArthur, commandant suprême des forces alliées dans le Pacifique sud-ouest, débarqua en Australie et installa son quartier général à Melbourne puis à Brisbane.

En mai, une flotte australo-américaine mit les forces japonaises en échec au cours de la bataille de la mer de Corail, sauvant ainsi l'Australie. Puis la victoire américaine lors de la bataille de Midway, en juin, assura aux Alliés le contrôle du Pacifique. Cependant, les Japonais, qui avaient débarqué en mars dans le nord de la Nouvelle-Guinée, se dirigeaient vers la base australienne de Port Moresby. En août, ils tentèrent de débarquer à Milne Bay, où ils furent repoussés par un détachement australien au terme d'une semaine de violents combats au milieu d'une jungle hostile. Les Japonais n'en continuèrent pas moins leur progression vers Port Moresby, sur une piste réputée impraticable qui traversait les monts Owen Stanley. Cette « piste de Kokoda » fut, durant plusieurs mois, le théâtre d'une sanglante guérilla menée par la 25e brigade australienne, qui bénéficiait du soutien des *Fuzzy Wuzzy Angels* de la résistance papoue.

En septembre, les Japonais, qui n'étaient plus qu'à 52 km de Port Moresby, furent enfin repoussés vers la côte nord-est où ils avaient débarqué. En janvier 1943, la Papouasie était libérée.

Les Australiens participèrent aussi par la suite à la libération des îles Bismarck et Salomon, de Bornéo et de Timor.

A gauche, foule de personnes faisant la queue pour de la nourriture, dans les années 1930; ci-dessus, la construction du Harbour Bridge de Sydney, qui fut achevée en 1932.

Le retour des beaux jours

En ce début d'année, le vent avait également tourné sur le front occidental. La 9e division australienne avait pris part en octobre 1942 à la bataille d'El-Alamein, qui devait entraîner la retraite allemande d'Afrique du Nord. Les Russes allaient écraser les Allemands à Stalingrad. L'Axe était désormais sur la défensive, mais la guerre dura encore près de trois ans.

John Curtin, artisan de la victoire, mourut dans l'exercice de ses fonctions en mai 1945, trop tôt pour en recevoir les honneurs. Le samedi 15 août, à 9 heures, son successeur Ben Chifley annonça que la guerre était finie. L'événement fut célébré dans tout le pays. Sur les 550 000 Australiens engagés dans le conflit, près de 10 000 avaient trouvé la mort sur le front occidental et plus de 17 000 dans le Pacifique. Plus de 30 000 avaient été faits prisonniers, dont 20 000 par les Japonais ; 8 000 de ces prisonniers succombèrent aux terribles privations et humiliations qui leur furent infligées.

PIX
Vol. 18, No. 11
September 14, 1946
Registered at G.P.O., Sydney, for transmission by post as a newspaper
CHIPS RAFFERTY IN
"THE OVERLANDERS"
(Pages 16-19)

L'AUSTRALIE CONTEMPORAINE

Les années 1940 furent la période la plus difficile que l'Australie ait vécue. Très atteinte par la longue guerre menée contre le Japon, fragilisée par un sentiment d'abandon de la part de la Grande-Bretagne, la société australienne prit conscience de sa vulnérabilité. La guerre ébranla en effet la société australienne très profondément. De nombreuses femmes avaient servi dans les forces armées ou travaillé dans des usines et bureaux, exerçant des tâches jusque-là réservées aux hommes, ce qui était un grand changement.

Malgré l'arrêt du conflit, les travaillistes, dirigés par Ben Chifley, maintinrent la politique dirigiste imposée par la guerre (contrôle des prix, rationnement des sources d'énergie et de certaines matières premières) tout en s'efforçant d'instaurer un *welfare state*, notamment par un programme élargi de sécurité sociale et des mesures en faveur du logement et de l'éducation, avec en particulier l'ouverture de l'université nationale de Canberra.

Le changement le plus radical intervint en 1946. Le ministre Arthur Calwell décida alors de lancer le programme d'immigration le plus ambitieux de l'histoire australienne : recevoir chaque année 70 000 immigrants d'origine européenne, afin de doter le pays d'une main-d'œuvre indispensable à son essor économique et de faciliter sa défense en cas d'agression extérieure.

LES « NOUVEAUX AUSTRALIENS »

De 1946 à 1950, l'Australie accueillit ainsi de nombreux immigrants originaires d'Europe centrale (Polonais, Baltes, Yougoslaves), puis, à partir de 1951, des Espagnols, Grecs, Italiens, Néerlandais, Allemands, etc. Entre 1945 et 1965, plus de 2 millions d'immigrants s'installèrent ainsi en Australie, dont 40 % seulement en provenance du Royaume-Uni.

Cette soudaine immigration allait produire des effets à long terme sur la société australienne. En 1945, l'Australie était un pays conformiste dont la population était à prédominance anglo-saxonne : 98 % de la population avait une ascendance britannique. Ce pays, toujours hanté par son rêve d'une Australie blanche (« *keep Australia white* »), se devait de composer avec une nouvelle population d'origine grecque, italienne, allemande, hollandaise et yougoslave. Cette politique évolua lentement pour être abolie en 1973.

Ces « nouveaux Australiens » devaient largement contribuer par leur travail dans les mines, les aciéries, les usines ou sur les chantiers de construction à la remarquable expansion économique que connut le pays dans les années 1950 et 1960. Grâce à eux, les Australiens découvrirent également les *delicatessen* et diverses spécialités culinaires européennes,

A gauche, l'acteur Chips Rafferty a souvent incarné à l'écran l'archétype de l'Australien du bush; à droite, programme souvenir du carnaval de Bondi Beach de 1957.

le football « européen », les terrasses de café, toutes sortes de musiques, en bref, d'autres traditions, d'autres modes de vie et de pensée. A la fin des années 1940, l'Australie commença ainsi à émerger de son splendide isolement géographique et culturel.

RÉFORMES ÉCONOMIQUES

En 1947, le ministre travailliste Ben Chifley tenta de nationaliser les banques, mais la loi fut annulée par la Haute Cour en août 1948, puis par le conseil privé de la Couronne. Robert Gordon Menzies, chef de file des conservateurs, engagea alors la bataille contre le dirigisme économique des travaillistes et, en cette période de guerre froide, accusa le *Labor* d'être sous l'emprise des communistes. Dans le même temps, les réformes sociales entreprises par le gouvernement Chifley se trouvèrent menacées par l'inflation.

Lors de la campagne électorale de 1949, Menzies promit de mettre un terme au rationnement des produits de base et d'entamer une offensive contre le parti communiste. Il remporta aisément la victoire, et remplit sa double promesse, faisant voter un projet de loi déclarant le parti communiste australien illégal. Déclaré anticonstitutionnel par la Haute Cour, ce projet fut ensuite rejeté par référendum.

POLITIQUE EXTÉRIEURE

Tout en restant fidèle au Commonwealth, l'Australie décida de calquer sa politique extérieure sur celle des États-Unis. Ce changement de cap se traduisit en 1951 par la signature d'un traité d'alliance avec la Nouvelle-Zélande et les États-Unis (Anzus), par la reconnaissance de Taïwan en 1950 et par l'envoi de troupes en Corée entre 1950 et 1953. Son adhésion à l'Otase, en 1954, confirma son engagement aux côtés des Occidentaux dans la défense de la zone Asie-Pacifique. L'Australie fut la seule, avec la Nouvelle-Zélande, à s'engager dans la guerre du Vietnam au côté des États-Unis.

« THE LUCKY COUNTRY »

L'économie australienne connut dans les années 1950 un essor remarquable, grâce à la découverte de nouveaux gisements miniers – minerai de fer de la région de Pilbara, en Australie-Occidentale, d'uranium, d'argent, de zinc et de cuivre de Mount Isa, dans le Queensland –, et à la hausse du prix de la laine. L'apport massif de main-d'œuvre immigrée permit aussi la mise en œuvre d'un programme de grands travaux – dont la construction du complexe hydroélectrique des Snowy Mountains et de l'Australian National University.

Parallèlement, on assista à un certain recul de l'agriculture (hormis l'élevage ovin) au profit de l'industrie, qui connut alors une diversification exceptionnelle, le nombre des usines doublant et la valeur des produits manufacturés triplant entre 1940 et 1960. L'afflux de main-d'œuvre, l'accroissement de la demande intérieure et la politique libérale du gouvernement à l'égard des investisseurs étrangers stimulèrent l'accroissement des exportations ainsi que le développement de nouvelles industries destinées au marché australien. Pour la première fois, une grande partie de la population pouvait acquérir des biens d'équipement (réfrigérateurs, machines à laver, aspirateurs et automobiles). En 1948, General Motors montait la première usine automobile d'Australie qui commença à produire la Holden, véhicule qui occupa bientôt la première place sur le marché national. Ford, qui s'implanta peu après, ne réussit jamais à imposer la Falcon.

CONFORT ET CONFORMISME

Dans les années 1950, on vit fleurir les affiches prônant la paix, la prospérité et le progrès tandis que se créaient quelques groupes de jeunes rebelles tels les *bodgies* et les *widgies*, dont les actions les plus radicales consistaient à enfourcher une motocyclette et à écouter les disques d'Elvis Presley. Le *Push* de Sydney, groupuscule de libres-penseurs, se réunissait dans des pubs pour stigmatiser l'atmosphère comateuse des faubourgs. Ce groupe compta même deux femmes, Germaine Greer, auteur de *La Femme eunuque*, et Lillian Roxon (auteur de la première *Encyclopédie du rock*). Rien ne semblait pourtant entamer le conformisme ambiant.

La presse de l'époque dépeint une société fidèle aux valeurs nationales et traditionnelles.

Les hommes vivaient en effet une vie indépendante des femmes, à travers le *mateship* (la fidélité aux copains), la passion du jeu et de la bière, et peu de femmes exerçaient une profession salariée.

L'Église catholique jouissait d'une large audience en raison de la présence d'une forte communauté irlandaise et de l'afflux récent d'immigrants italiens et espagnols, contribuant au maintien des valeurs morales de la société australienne. Ainsi, bien que légal, le divorce était fort mal vu et difficile à obtenir. La tradition anglo-saxonne avait cependant instauré un certain puritanisme, ou *wowserism*, pour reprendre l'expression locale.

Aussi, chaque année, des milliers de jeunes Australiens avides d'idées nouvelles et de divertissements effectuaient-ils, comme les aristocrates anglais au XVIIIe siècle, un « grand tour » sur le Vieux Continent, berceau de leur civilisation. Confrontés à l'anti-intellectualisme de la société australienne, nombre d'artistes et d'écrivains, tels la cantatrice Joan Sutherland et l'écrivain Patrick White, furent contraints de s'expatrier aux États-Unis ou en Europe pour se faire un nom. Le quartier d'Earls Court, à Londres, se transforma ainsi en une sorte de ghetto australien surnommé *« la vallée des Kangourous »*.

A gauche, le premier ministre Ben Chifley présidant au lancement de Holden, en 1948 ; ci-dessus, Surfers Paradise, sur la Gold Coast du Queensland.

La société d'abondance

Suite au net accroissement du tertiaire et des industries de service, le nombre des cols blancs dépassa celui des cols bleus au début des années 1960. Ces représentants de la classe moyenne habitaient, pour la plupart, de confortables maisons de banlieue, possédaient un compte en banque, une voiture, un poste de télévision et votaient libéral (la droite australienne). L'Australie, longtemps considérée comme *« le dernier bastion de la démocratie égalitaire »*, était insensiblement devenue l'un des pays les plus riches de la planète. En 1965, les Australiens jouissaient du niveau de vie le plus élevé du monde, après les Américains.

L'Australie est aussi le pays le plus urbanisé : les trois quarts de sa population habitent dans les villes, et plus de la moitié dans les métropoles de la côte est.

Toutefois, la politique fondée sur le principe d'une Australie blanche (*« keep Australia white »*), conformiste et matérialiste, n'allait pas tarder à être ébranlée, très contestée par une frange grandissante de l'opinion publique. Cette politique ne fut définitivement abolie qu'en 1973.

Les années de turbulence

Menzies se retira des affaires en 1966, au terme de seize années de pouvoir. Ses successeurs, Harold Holt, qui mourut dans un accident en 1967, ou John G. Gorton, élu en janvier 1968, suivirent la même politique pro-américaine.

L'envoi au Vietnam de conscrits (désignés par tirage au sort) devenant de plus en plus impopulaire, l'opposition travailliste s'éleva massivement contre la poursuite de cette politique qui compromettait le rapprochement avec les pays d'Asie et se faisait complice de l'« impérialisme américain ».

La politique raciale, également de plus en plus contestée, finit par connaître quelques assouplissements. De même qu'en 1966 le pays entrouvrit ses portes aux immigrants asiatiques, les électeurs accordèrent en 1967, par référendum, la nationalité australienne aux Aborigènes et créèrent dans la foulée le ministère des Affaires aborigènes.

La tournée des Springboks, l'équipe de rugby sud-africaine, soutenus par la toute-puissante Confédération australienne des syndicats (ACTU), alors présidée par Bob Hawke, suscita ainsi en 1969 de multiples mouvements de protestation de l'opinion publique. Le consensus conservateur se trouvait ainsi largement remis en question.

Le retour au pouvoir des travaillistes

En 1972, après une éclipse de vingt-trois années, les travaillistes revinrent au pouvoir. Nombre d'Australiens pensèrent alors pouvoir saluer l'avènement d'une ère nouvelle.

Restructuré, le parti travailliste, dirigé par Gough Whitlam, réclamait haut et fort des réformes tous azimuts, relayant les demandes des étudiants, des féministes et des militants aborigènes.

De fait, le gouvernement Whitlam s'attela rapidement aux réformes, entreprenant de se démarquer de la politique américaine sur le plan extérieur. Il mit ainsi fin à l'engagement australien au Vietnam, reconnaissant la République populaire de Chine ainsi que la République démocratique du Vietnam. Par ailleurs, la Papouasie-Nouvelle-Guinée, dont les Nations unies avaient confié l'administration à l'Australie au lendemain de la Première Guerre mondiale, accéda à l'autonomie interne le 1er janvier 1973.

En matière de politique intérieure, les travaillistes imposèrent une hausse des salaires, entreprirent de réformer le système de protection sociale et de rendre aux Aborigènes leurs terres ancestrales, riches en bauxite. Battant en brèche l'image d'une Australie anti-intellectualiste, Whitlam décida, en 1972, de débloquer des crédits en faveur des jeunes artistes. Le premier ministre semblait toutefois avoir sous-estimé la résistance des milieux conservateurs et le coût des réformes. L'économie australienne entra bientôt dans une phase de récession caractérisée par une inflation et un chômage dangereusement élevés, et accentuée par le choc pétrolier de 1973 ; alors qu'au même moment le gouvernement se trouvait compromis dans une série de scandales financiers.

En avril 1974, le Sénat, dominé par les conservateurs conduits par Malcolm Fraser, refusa de voter le budget soumis par le gouvernement. Whitlam décida alors de dissoudre le Parlement et le pays sombra dans la crise politique et constitutionnelle la plus grave de son histoire.

La solution apportée au problème divisa l'opinion tout au long de la décennie : par une utilisation controversée de la constitution, le gouverneur général sir John Kerr limogea Whitlam en octobre 1975, et nomma Fraser à la tête d'un gouvernement par intérim. En décembre, les électeurs accordaient une victoire écrasante au parti libéral, confirmant ainsi la décision du gouverneur. Fraser, réélu trois fois à la tête du gouvernement fédéral, jura aux Australiens, las de tout ce remue-ménage et peu enclins à faire les frais de nouvelles réformes, que, sous son mandat, toute politique politicienne serait abolie.

Le gouvernement conservateur s'attacha par la suite à effacer bon nombre d'initiatives de Whitlam. Le projet de protection sociale universelle fut ainsi abrogé, et la politique étrangère australienne à nouveau alignée sur celle de Washington.

Dans le même temps, les échanges commerciaux, gravement affectés par l'entrée de la Grande-Bretagne dans le Marché commun, en 1971, étaient désormais réorientés vers l'Asie. En 1978, de nouveaux accords furent signés avec le Japon, qui devint le premier partenaire commercial de l'Australie.

Les conservateurs ne parvinrent pas, malgré tout, à redresser la situation économique, affectée par la crise mondiale comme par les troubles intérieurs. L'inflation doubla et le chômage, aggravé par la rigidité structurelle de larges secteurs industriels et par l'arrivée des nouvelles technologies, notamment l'informatique, affecta bientôt 9 % de la population active. La classe moyenne se découvrait vulnérable, et les syndicats de « cols blancs » ne tardèrent pas à réagir.

A gauche, Gough Whitlam écoutant le secrétaire du gouverneur Kerr promulguer l'édit démettant son gouvernement (Canberra, 1975) ; à droite, peinture de rue malmenant la reine.

LES ANNÉES 1980

Dans ce contexte de crise, les travaillistes remportèrent haut la main les élections de mars 1983, sous l'égide de Robert Hawke, ancien chef de l'ACTU. Le nouveau premier ministre, pragmatique, décida d'associer les syndicats à la gestion du pays. Par une politique économique monétariste, il sut regagner

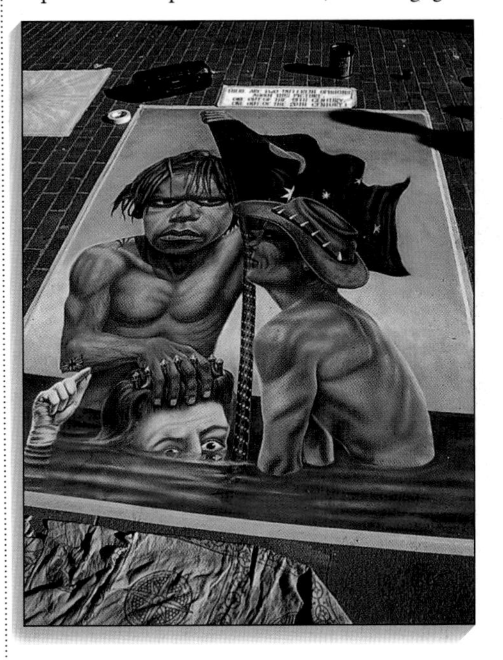

la confiance des milieux d'affaires. La percée politique du mouvement écologiste marqua considérablement la décennie. Hawke décida ainsi d'instaurer un contrôle strict de l'exploitation minière et un programme de reboisement, tandis qu'en matière de politique extérieure, l'Australie resserrait ses liens avec les pays d'Asie-Pacifique par divers programmes de coopération économique, stratégique et politique.

Exploit sans précédent pour un premier ministre travailliste, Hawke fut élu une quatrième fois en mars 1990. Toutefois, sa politique libérale et l'aggravation de la situation économique suscitèrent de nombreuses critiques au sein de son propre parti. Remercié en décembre 1991, il fut remplacé à la tête du *Labor* et du gouvernement par son ancien ministre des Finances, Paul Keating.

Le nouveau premier ministre travailliste avait pour ambition de faire entrer une Australie nouvelle dans le XXIe siècle. P. Keating concentra ainsi toute son attention sur les « grandes questions » : la réconciliation avec les Aborigènes, la poursuite des réformes économiques, l'intégration de l'Australie à l'Asie et la proclamation de la république (et donc la nomination d'un nouveau chef d'État investi des missions de l'actuel gouverneur général : convoquer et dissoudre le Parlement, nommer les ministres et les juges et promulguer les lois).

En matière de politique étrangère, le pays intensifia ses échanges avec les pays asiatiques, tant dans le cadre de l'ONU, lors de l'organisation des élections générales au Cambodge, en 1993, que dans les propositions faites au sein de l'APEC (Coopération économique de la zone Asie-Pacifique).

Les douze ans de gestion travailliste et de politique libérale ont fait évoluer les structures de production et les comportements. En 1993, l'Australie sortait de la crise mondiale, affichant une croissance de 5%, une inflation maîtrisée et une baisse du chômage. Cependant, les inégalités sociales s'accentuèrent, les Aborigènes, les femmes et les immigrés étant les premiers touchés.

Le nouveau millénaire

Les élections de 1996 ont porté au pouvoir le conservateur John Howard. Peu enclin à hâter l'instauration de la république, il fit porter ses efforts sur la réconciliation nationale. Mais la validité des baux pastoraux, enjeu de luttes entre Aborigènes et fermiers, restait un problème épineux (voir p. 84).

John Howard fut réélu en 1999, mais les mauvais résultats économiques ont remis en question la politique du gouvernement. En effet, l'instauration d'une taxe à la valeur ajoutée de 10 % sur les biens et services, en 2000, a affaibli les petites entreprises. L'effet positif des JO de Sydney s'est estompé : la crise s'est installée et les inégalités sociales demeurent.

En 2001, appuyant sa campagne sur le 11-septembre et l'affaire du *Tampa*, J. Howard remporte à nouveau les élections législatives. Malgré les révoltes des demandeurs d'asile clandestins, en 2002, la confiance des Australiens envers leur gouvernement, qui bénéficie d'une forte reprise économique, n'est pas ébranlée et sera même confirmée lors des élections de 2004. Howard est élu pour un quatrième mandat et, en 2006, il célèbre ses 10 ans au pouvoir.

Ci-dessus, le premier Ministre, John Howard, et son épouse, Jeannette ; à droite, affiche réclamant la fin des essais nucléaires dans le Pacifique.

L'AUSTRALIE «VERTE»

Avec ses plages de toutes tailles et de toutes formes, ses forêts tropicales humides, repaires de nombreux oiseaux, ses forêts tempérées d'eucalyptus, ses hauts plateaux neigeux, ses plaines et ses déserts interminables de l'*outback*,l'Australie offre des paysages et une vie sauvage d'une incomparable diversité, et était prédestinée à devenir ce qu'elle est aujourd'hui : un acteur majeur du combat écologique.

Depuis la fondation, en 1879, du Royal National Park, au sud de Sydney (deuxième parc naturel au monde après celui de Yellowstone, aux États-Unis), jusqu'à des engagements plus récents comme le traité de l'Antarctique et la politique nationale de biodiversité, l'Australie a de solides références en matière d'écologie. Ainsi, dans le Queensland, à Fraser Island, plus grande île de sable au monde, l'exploitation forestière et l'extraction du sable ont été interdites avant que les dommages soient irréversibles. L'île est ainsi préservée tout comme la Grande Barrière de Corail, sur laquelle la menace bien réelle des forages pétroliers a cessé de planer.

Récemment encore, le gouvernement et les industriels (surtout les exploitants forestiers, les agriculteurs et l'industrie minière) ne se préoccupaient guère de l'environnement, persuadés que les ressources naturelles étaient illimitées. Cette attitude était inhérente au point de vue des Blancs d'Australie sur leur pays : trop vaste, trop inhospitalier, trop différent des terres ancestrales pour qu'ils puissent en prendre d'emblée la mesure.

Il y eut cependant quelques pionniers de la défense de la nature, en particulier des *bushmen* d'origine irlandaise, comme Paddy Pallin, Myles Dunphy et son fils Milo, grands explorateurs de la brousse de Nouvelle-Galles du Sud. Leur enthousiasme entraîna la fondation de nombreux parcs nationaux, parmi lesquels ceux des Blue Mountains et du Kanangra-Boyd, au milieu du XXe siècle.

Le bush reste encore étonnament méconnu. Ainsi, à la fin de 1994, dans l'immense parc de Wollemi, à moins de deux heures de route de Sydney, un garde, à l'issue d'une descente en rappel dans une gorge profonde de 600 m, découvrit la plus vieille espèce d'arbre connue, le pin de Wollemi, âgée de cent soixante à cent soixante-dix millions d'années. C'est une relique de l'époque à laquelle le continent était recouvert par les forêts humides du Gondwana.

Un mois plus tard, une autre découverte spectaculaire eut lieu dans le nord-ouest de la Tasmanie : celle d'un pin huon vieux de dix mille cinq cents ans, l'un des plus vieux organismes vivants du monde.

La défense de la nature a pris son essor en 1972, année de la fondation du premier parti écologiste au monde, l'United Tasmania Group, constitué en vue de sauver le lac Pedder. Bataille perdue, car le lac fut englouti par un barrage, mais, depuis, la Tasmanie est restée à la pointe du combat « vert ». Ses militants ont ainsi lutté contre les usines de pâte à

papier de Wesley Vale, pour sauver la Franklin River (victoire décisive qui aboutit à la préservation du sud-ouest de l'île) et le Tarkine Wilderness. La Tasmanie a l'air et l'eau les plus purs du monde habité et comprend la plus grande densité de parcs nationaux d'Australie (ils recouvrent près du quart de son territoire).

Parmi les douze pays qui ont la plus grande biodiversité, l'Australie est le seul pays industriel. Cette particularité est à la fois un honneur et une responsabilité pour la nation, qui se doit de mettre de l'ordre chez elle et d'être un modèle pour des pays moins riches. L'Australie doit maintenant démontrer que la préservation de l'environnement est économiquement viable, voire rentable.

Mr GOSS
NOW!
LIONS
LICENSEE:
PERMITTED
"Last
DOGS are
in

PASSENGER AGENCY
ORIENT LINE
ROYAL MAIL STEAMER
LONDON
DOG

SURF

RESCUE

L'AUSTRALIEN DES VILLES

Selon le mythe, le véritable Australien apparaît sous les traits d'un *stockman* à la peau tannée par le soleil. Si en Australie la densité démographique est parmi les plus faibles de la planète, il ne faut pas oublier que la population australienne est la plus urbanisée du monde. Aujourd'hui, 70 % des Australiens sont des citadins. A l'exception de Canberra, la capitale fédérale, les treize plus grandes villes d'Australie – dont six atteignent ou dépassent à peine le million d'habitants – sont établies sur la côte et abritent quelque 12 millions d'habitants.

Ce déséquilibre, loin d'être dû à un exode rural récent, comme dans la plupart des pays occidentaux, remonte pratiquement aux origines de la colonisation. En 1850, 40 % de la population australienne était déjà concentrée dans les six principaux ports côtiers. Comme l'a fait observer un jour un journaliste britannique, les Australiens se sont établis de préférence sur les côtes, comme s'ils n'avaient pas l'intention de se fixer ni d'explorer l'arrière-pays.

Ce phénomène s'explique par l'origine urbaine de la plupart des immigrants et par la crainte que le bush inspirait. Aujourd'hui encore, même s'il est coiffé d'un *akubra hat* (le chapeau de feutre que porte Paul Hogan dans *Crocodile Dundee*), l'Australien moyen ne connaît pas grand-chose de l'*outback* et serait tout étonné de voir un troupeau de moutons. Même le célèbre romancier Patrick White (auteur de *Voss*), qui décrit avec tant de réalisme dans nombre de ses romans la canicule et la poussière rouge des étendues désertiques de l'*outback*, n'y a pourtant jamais mis les pieds (ses descriptions s'inspiraient des peintures de son ami Sydney Nolan).

De fait, la côte – et plus spécifiquement la plage – a exercé une plus grande influence que l'*outback* sur les mentalités australiennes. Comment pourrait-il en être autrement dans un pays bénéficiant d'un tel climat ?

Pourtant, c'est bien dans la mythologie du bush – les virils pionniers s'efforçant de domestiquer une nature hostile au péril de leur vie et au mépris de l'existence douillette des citadins – que l'Australie se reconnait chaque fois que l'identité nationale est menacée.

Pages précédentes : habitants de Helenvale, dans le Queensland, posant devant le Lion's Den Pub; Bondi Beach vue du Pavilion; à gauche, Surfers Paradise, dans le Queensland; à droite, concentration avant une partie de lawnbowling.

UN PASSÉ DIFFICILE

Chaque pays est façonné par son passé, et aucun ne connut de débuts plus étranges que l'Australie, une île de prisonniers, refuge de bandits et brigands en tout genre. Comme le fait remarquer l'écrivain Robert Hughes dans *The Fatal Shore*, c'est une des grandes ironies de l'histoire qu'un pays fondé par des criminels ait ainsi évolué pour devenir une des sociétés les plus soucieuses de la loi, de l'ordre et de la sécurité.

Bien des sociologues ont tenté de tirer des conclusions de l'origine délicate du pays. Les premiers *convicts* avaient instauré un rejet de toute autorité, héritage qui engendra une société au conformisme exacerbé, menant durant une bonne partie du XXe siècle une politique de restriction des libertés civiles.

Curieusement, cet épisode peu glorieux de l'histoire du pays ne constitue plus, pour l'Australien d'aujourd'hui, une période tabou, mais peut même parfois devenir un élément de fierté. Il n'est pas rare de croiser un Australien affichant avec panache sa filiation avec un bandit de grand chemin. Au Hyde Barracks

Museum de Sydney, les écoliers peuvent consulter un ordinateur qui leur révélera l'existence d'une éventuelle filiation avec l'un des premiers *convicts*. Les Australiens aiment à se donner une image de rebelles, de bagarreurs, parlant fort dans les pubs : attitudes que certains sociologues expliquent comme étant un héritage de leur passé criminel. Cela dit, ils se soumettent en général à l'autorité sans trop se poser de question au moment critique.

Mais peu d'Australiens descendent réellement des premiers *convicts*. La plupart de leurs ancêtres étaient en fait des colons libres, anglais, écossais ou irlandais – arrivés pour la plupart après 1850 – ou d'origines plus diverses, issus de la vague d'immigration du siècle suivant.

L'influence anglo-saxonne

L'influence anglo-saxonne a considérablement évolué au cours des dernières décennies. Dans les années 1950 et même 1960, il était de rigueur pour les jeunes *Aussies* de faire le « grand tour », c'est-à-dire de passer plusieurs mois, voire plusieurs années, sur le Vieux Continent, et plus précisément en Angleterre. Cinquante ans après avoir acquis leur indépendance, les Australiens demeuraient farouchement attachés aux valeurs de l'empire et aux coutumes britanniques – le puritanisme, le culte de la famille royale, l'architecture « faux Tudor », la passion du cricket et du thé, les clubs et les pubs, etc. –, encouragés en cela par leurs dirigeants, tel sir Robert Menzies, pour qui être en Angleterre signifiait être chez soi. Certes, chaque victoire sportive était l'occasion de brandir le drapeau australien, mais un peu comme on défend les couleurs de son université. Finalement, l'Australie ne devait s'affranchir de la tutelle culturelle britannique que pour mieux subir l'influence américaine.

Depuis la Seconde Guerre mondiale, l'Australie semblait avoir trouvé dans les États-Unis un nouveau protecteur et un modèle de développement avec qui partager sa passion de la vie au grand air et du confort, leur empruntant au passage pêle-mêle le surf, l'architecture californienne et les supermarchés, sans toutefois témoigner d'une recherche approfondie de qualité ou de variété, et encore moins de valeurs proprement intellectuelles.

Vers une identité nationale

Le pays prit ses distances à l'égard des États-Unis sous le gouvernement du premier ministre travailliste Edward Gough Whitlam. De 1972, date à laquelle il mit un terme à la participation australienne à la guerre du Vietnam, à 1975, cet homme politique pugnace et cultivé travailla au rapprochement avec les pays asiatiques. Dès son entrée en fonctions il fit également abroger les lois ségrégationnistes (*« keep Australia white »*) réglementant l'immigration.

Finalement, les Australiens semblent avoir surmonté tous leurs complexes d'infériorité. L'accent australien, assez proche du *cockney* londonien et que les Britanniques trouvent effroyable, suscite désormais plus de fierté que de honte. Les classes supérieures, nombre de personnalités politiques, de journalistes, présentateurs de radio et de télévision préfèrent désormais parler avec l'accent *aussie* plutôt qu'avec celui d'Oxford. Cette assurance s'est sans doute renforcée devant la vague d'intérêt sans précédent que les créations australiennes et le pays lui-même ont suscitée dans le monde entier depuis le début des années 1980.

L'AUSTRALIEN MOYEN

L'image traditionnelle représentant l'Australien sous les trait d'un robuste travailleur de la brousse n'a pas grand-chose à voir avec le monde moderne, même si elle a pu, néanmoins, être pertinente à un moment donné. Dans les années 1890, écrivains, poètes et peintres suggéraient en effet que les grandes contrées sauvages avaient engendré un homme nouveau, acquis aux valeurs démocratiques, excellant dans le sport, un homme viril, ne mâchant pas ses mots.

L'inconvénient majeur de ce mythe australien était qu'il n'incluait pas les femmes. Très actives durant les temps de guerre, les femmes avaient réussi à marcher sur les brisées des hommes. Ce ne fut que de courte durée. Dès les années 1950, tous les espoirs semblaient balayés, le pays apparaissant à l'époque comme l'une des sociétés occidentales où les sexes étaient les plus séparés.

Aux yeux de certains, la pire manifestation de ce fossé s'incarnait alors dans l'image de l'*ocker*, terme de mépris pour caricaturer l'Australien moyen, considéré comme à la fois cynique et conformiste, blasphémateur et sentimental, méprisant à l'égard des intellectuels et des femmes, et devenu synonyme d'un certain nationalisme – toujours considéré comme de mauvais aloi par certains intellectuels et les faiseurs d'opinion.

A gauche, pique-nique en famille sur la plage de Brighton Beach, à Melbourne; à droite, intermède romantique sur le port de Sydney.

Dans un monde qui nivelle les valeurs, les différences culturelles et abolit les distances, quelques agences de publicité australiennes s'accrochent encore et toujours à ces clichés qui représentent l'Australien comme un mâle obsédé par le sport, la bière et ses copains. Ce culte de l'*ockerdom* a fini par imprégner un certain nombre d'aspects de la vie quotidienne des citadins. Même dans les milieux urbains aisés, il est de bon ton d'ingurgiter des litres de bière autour d'un *barbie* (barbecue) ou en assistant à un match de cricket, de raconter des histoires grivoises ou racistes – à prendre au second degré, bien sûr ! –, et d'exalter la camaraderie masculine.

De même, le personnage de *Crocodile Dundee*, incarné à l'écran par l'acteur australien Paul Hogan, et sa popularité auprès du public anglo-saxon ont engendré un important changement des mentalités. Son vieux chapeau de feutre est aujourd'hui un des « must » de la mode masculine dans les villes, alors qu'il y a quelques années, un citadin aurait préféré mourir plutôt que d'être vu coiffé d'un chapeau de brousse. Le manteau imperméable que portent les *bushmen* est maintenant de rigueur dans les réunions en plein air. Il y a quelques années, cette tenue aurait paru aussi incongrue que l'étui pénien des Aborigènes !

La littérature et le cinéma ont largement contribué à perpétuer le mythe du gardien de bestiaux tanné par le soleil, vivant au milieu de vastes étendues – d'un vide à la fois physique et culturel.

Il est intéressant de noter que, dans les années 1970 et 1980, période de renouveau du cinéma australien, les films qui ont connu le plus grand succès étaient précisément ceux qui reprenaient ce thème. Des productions comme *Mad Max* (version futuriste du desperado australien) ou *Crocodile Dundee* ont été de véritables mines d'or, alors que les films qui avaient pour décor les villes (cadre de la vie quotidienne de la plupart des Australiens), comme *Un cri dans la nuit*, n'ont pas rencontré une telle audience.

LE RÊVE AUSTRALIEN

Les grandes villes australiennes, n'ayant jamais été limitées dans leur expansion, se caractérisent par des banlieues tentaculaires, nées dès le XIXe siècle grâce à l'essor des transports en commun.

Les citadins, ou plutôt les habitants de la banlieue, le cœur des grandes villes étant réservé aux activités de service, habitent pour la plupart un pavillon de banlieue en brique ou en bois dont ils sont généralement propriétaires. Car si l'Australien moyen est un citadin, il n'en dispose pas moins de beaucoup de place. Un habitant de Melbourne jouit ainsi de trente-cinq fois plus de place qu'un Parisien.

La position de la banlieue devient alors l'indicateur déterminant de la position sociale : la nouvelle bourgeoisie habite les *inner-suburbs* (les banlieues les plus proches du centre) comme Paddington, à Sydney, ou Carlton, à Melbourne, tandis que la classe moyenne réside plutôt dans les *outer-suburbs*, plus lointaines.

Mais où qu'il soit situé, le *cottage* (pavillon) comporte l'incontournable jardin formé du *front-yard* (devant la maison) et du *back-yard* (derrière la maison), l'espace anglo-saxon par excellence, avec son barbecue, sa pelouse, sa piscine, etc. Le jardinage vient d'ailleurs en tête des loisirs favoris des Australiens devant le pub, la plage et la télévision.

Les citadins travaillent toute la semaine – trente-cinq heures en moyenne (dès le milieu du XIXe siècle, l'Australie connut des mouvements réclamant la réduction du temps de travail) –, en usine ou dans un bureau du centre de la ville. Sept Australiens sur dix occupent un emploi dans le secteur des services et seulement 7 % de la population active se consacre directement à la production de richesses.

L'État-providence est un aspect fondamental de la société australienne : emplois hyperprotégés, protection sociale étendue, fiscalité lourde, tout contribue à la redistribution des richesses.

Cependant, les Australiens sont confrontés aux mêmes problèmes que les habitants des métropoles occidentales : embouteillages, pollution, criminalité, stress. Derrière l'apparence conformiste des banlieues et la volonté égalitariste des institutions (certains parlent de *Dreamtime* blanc), derrière le confort, la plage et le surf se dissimule un véritable malaise.

Les loisirs jouent également un rôle crucial dans la vie des Australiens. La plage a sûrement une plus grande influence sur l'Australien que l'*outback*. Sydney possède à ses alentours 70 plages tandis qu'à Melbourne, un parc national occupe un tiers du territoire. La nature « civilisée » est à la porte de tous les Australiens des villes, tandis que la nature sauvage de l'*outback* exerce encore un sentiment de mystère inquiétant pour la plupart des Australiens, qui n'y ont jamais mis les pieds.

A gauche, tenue de soirée pour nuit chaude à Sydney ; à droite, les citadins australiens ne se privent pas des activités de plein air que leur immense pays leur offre en grand nombre.

LES « BUSHMEN »

Le bush est un terme générique désignant les contrées sauvages dans lesquelles on pénètre, une fois quittées les gigantesques banlieues de la côte. S'enfonçant un peu plus dans les terres on gagne l'*outback*, terme désignant le fin fond de la brousse. Les paysages du bush sont extrêmement divers, allant de la savane, en passant par la forêt, les plaines verdoyantes comme le désert le plus aride. On rencontre de nombreux grands domaines de plusieurs hectares, les *stations*, gardés par des vachers surnommés *stockmen* ou *squatters* élevant moutons et bœufs – ainsi que de petites villes (*townships*) habitées par des mineurs et des éleveurs.

« Au cours de l'année qui suivit la plus grande période de sécheresse du siècle, la récolte record de blé, à peine sauvée de l'inondation, fut en un rien de temps anéantie par un feu de brousse. » Les agriculteurs doivent souvent faire face à nombre de calamités naturelles sûrement pour partie responsables du caractère fataliste et de ce sens de l'humour si particulier des agriculteurs australiens. C'est aussi ce qui les pousse à se rendre en masse dans les pubs de l'*outback* pour y ingurgiter un (deux, trois...) verres de bière ou de rhum Bundaberg.

Un mythe australien

L'Australie rurale est parfois appelée *West of the Divide* (en référence aux grandes plaines qui s'étendent à l'ouest de la Great Dividing Range), le Bush, le Back o' Beyond (« l'au-delà »), le Mulga (« le néant »). C'est, en un mot, une sorte d'antipode mythique. Lorsque chaque matin la plupart des Australiens se lèvent pour se rendre à l'usine ou à leur bureau, un grand nombre d'entre eux ont véritablement l'impression que leur place serait davantage à tondre les moutons dans un ranch, ou à marcher le sac sur l'épaule, un brave chien de berger trottant sur leurs talons.

Mais paradoxalement, si ces citadins s'imaginent à plaisir sur la « piste des Wallabies », ils se moquent ouvertement de quiconque manifeste l'intention réelle de retourner à la terre. Lorsqu'un étranger exprime le désir de renoncer aux délices de Sydney pour aller visiter Bourke ou Kalgoorlie, on le prend pour un fou. Tout le monde pense qu'il n'y trouvera rien à « bouffer », *bugger all to eat* pour employer l'expression courante ; qu'il y tombera malade (*crook*), que tous les moyens de transport tomberont en panne ; qu'il sera assailli par les moustiques (*mozzies*) et les mouches (*blowies*), et que le seul bistrot de la ville sera infesté de tondeurs de moutons ivres, de vantards (*speilers*), de voleurs (*bots*) et de chiens enragés.

Le bush vu par les écrivains

Sans être tout à fait fausse, cette vision du bush n'en est pas moins une caricature. L'écrivain Donald Horne, voulant revoir les lieux qu'il avait visités dans sa jeunesse, découvrit avec effroi que la véritable richesse des villes et des villages de l'intérieur était menacée de disparition : *« Non seulement la bière est à présent servie glacée, mais la plupart des pubs ont l'air conditionné. »* La vision romanesque de la vie du bush et le dédain qu'elle inspire est clairement perceptible chez Henry Lawson, poète du début du XXe siècle, héros de la littérature populaire australienne.

Après avoir passé une enfance malheureuse sur les placers de Nouvelle-Galles du Sud, Lawson retourna régulièrement dans le bush à la seule fin de renforcer l'aversion qu'il en avait. Il détestait la lugubre grisaille verdâtre des eucalyptus, la *« monotonie désespérante »* des paysages, la chaleur écrasante sur la piste de Hungerford, les *« saloperies de mouches »*, les tenanciers de bar voleurs, les patrons, les *squatters* et la police. Mais, en même temps, il aimait les bagarreurs de la brousse, les premiers syndicalistes (*staunchy*), et la grande tradition de camaraderie (*mateship*) de cet arrière-pays. Aux citadins, Lawson présenta la vie du bush comme une punition divine.

Lawson écrivit ses plus belles pages à une époque où les familles de pionniers menaient encore une vie rude dans des cabanes couvertes de pierres plates, sans eau courante, où les caravanes de chameaux afghans étaient le seul et rare contact avec le monde extérieur. Aussi, pour ces lointains habitants de la brousse, Lawson était-il un véritable chantre.

Lawson mourut en 1922, alcoolique et sans ressources, mais sa vie de poète errant devait durablement influencer les citadins dans leur vision de l'*outback*. Aujourd'hui encore, même si depuis des années personne n'a croisé de *swagman* (vagabond) sur la piste de Wallaby, ils s'imaginent que les 170 000 fermiers de l'*outback* vivent encore comme en 1890. En réalité, ils se sont très vite ajustés à la technologie : gestion optimisée par ordinateur, surveillance des troupeaux par hélicoptère…

ENTRE TRADITIONS ET MODERNITÉ

En réalité, les broussards sont devenus des *agro-businessmen* parfaitement équipés, qui rassemblent les bêtes à moto, communiquent par CB (les enfants suivent également les cours à distance grâce à la radio), se déplacent en hélicoptère ou dans leur avion personnel et tirent le meilleur parti de leur télécopieur et de leur ordinateur.

Contrairement à une autre idée reçue, loin de ressembler à Paul Hogan ou à Bryan Brown, nombre de fermiers ont la peau noire. La prospérité de l'Australie rurale doit beaucoup à l'habileté et au dur labeur des *jackaroos*, cavaliers (*boundary riders*), tondeurs et pisteurs aborigènes. Depuis quelques années, ces Aborigènes sont de plus en plus nombreux à se lancer dans l'élevage, ce qui leur assure l'indépendance économique tout en leur permettant de demeurer sur leurs terres, sujet de perpétuelles discordes avec les agriculteurs blancs.

Malgré les apparences, les habitants du bush savent se montrer coopératifs, non sans une certaine malice. Si, par exemple, on demande son chemin, on risque d'obtenir en guise de réponse un lent *« j'en sais foutre rien »* immédiatement suivi d'une série d'indications précises. Jamais les broussards ne donneront délibérément de mauvais renseignements car quiconque se perd dans le bush risque de mourir de soif ou de périr dans un feu de brousse.

Ci-dessus, les Aborigènes ont toujours exercé la profession de gardiens de troupeaux.

Pour découvrir cet autre monde, nul besoin de partir avec un baluchon sur l'épaule ni de prendre la piste menant jusqu'au cœur du continent, là où le seul bâtiment à 700 km à la ronde est un bistrot perdu qui sert de la bière tiède sous le regard vide d'un émeu enfermé dans un poulailler. Cette même atmosphère se retrouve dans n'importe quelle petite ville de campagne, aux maisons de style vaguement colonial, dont les habitants donnent l'impression de sortir tout droit d'un roman de Henry Lawson. Tout comme ses personnages, ils se révèlent rapidement des gens chaleureux et accueillants, *fair dinkum* en australien.

LES NOUVEAUX AUSTRALIENS

En 1939, quand un sondage révéla que 98 % de la population avait une filiation anglo-celtique, les journaux locaux proclamèrent avec fierté que l'Australie était le pays le plus « britannique » du monde. Cette société monochrome commença à évoluer en 1945, avec un des programmes d'immigration les plus ambitieux de l'ère moderne.

Les heureux élus sont de moins en moins nombreux de nos jours : pour l'année fiscale 1995-1996, 82 560 demandeurs obtinrent gain de cause, tandis que pour l'année suivante, seuls 74 000 candidats ont obtenu leur visa. Pour 1997-1998, 68 000 demandes auraient été déclarées recevables.

Pour beaucoup de candidats à l'émigration, vivre en Australie, le pays de la deuxième chance, ne sera jamais qu'un beau rêve. Sur les centaines de milliers d'individus qui, chaque année, se renseignent sur les possibilités d'immigration, seule une poignée viendront au bout de leur peine. Dans un pays de 20 millions d'habitants dont six sont des immigrés de la première ou de la deuxième génération, seuls les regroupements familiaux sont facilités par les autorités.

Les politiques de l'immigration

Comme dans la plupart des pays occidentaux, l'Australie affiche des taux de natalité (1,9 enfant par femme en 1994) et d'accroissement naturel trop faibles pour assurer le renouvellement des générations, ni à plus forte raison permettre la croissance de la population. L'immigration permet de rajeunir la population et se procurer une main-d'œuvre déjà formée. Le nombre d'immigrants autorisé varie donc au gré des performances économiques du pays.

L'organisation de l'immigration suscite cependant de vives polémiques, certains écologistes ayant préconisé une croissance démographique nulle afin d'éviter d'aggraver les problèmes liés à l'environnement. Les partis conservateurs estiment quant à eux qu'il faut contrôler très strictement l'immigration afin de protéger le marché du travail australien et empêcher les demandes d'immigration enregistrées sous des motifs fallacieux.

A gauche, jeunes filles en costume traditionnel lors de la célébration de la fête nationale grecque, à Sydney ; à droite, chauffeurs de taxis d'origine vietnamienne et sikh.

Les années 1970 ont vu la réorientation du pays vers l'Asie, devenue son principal marché. En 1972, une politique d'immigration très permissive permit ainsi à plusieurs dizaines de milliers d'Asiatiques de s'installer en Australie.

Les réformes amorcées fin 1988 tendent à réduire le regroupement familial tout en favorisant l'arrivée de travailleurs qualifiés (*skilled migrants*) recommandés par une entreprise leur assurant un contrat de travail. La candidature des immigrants non recommandés et

des parents de résidents australiens ont ainsi commencé à faire l'objet d'un examen tenant compte de l'âge, de la formation, de la connaissance de la langue anglaise et du degré de parenté.

Le but était d'attirer en Australie des jeunes gens en évitant toute forme de discrimination fondée sur la race, le sexe ou la religion. Le gouvernement travailliste de Bob Hawke décida d'abandonner la politique d'immigration sélective en vigueur depuis 1901. Mais, du coup, le recrutement de travailleurs qualifiés n'a pas donné les résultats escomptés, nombre d'entre eux ayant été incapables de s'adapter.

Revenu au pouvoir en 1994, le gouvernement travailliste a fait adopter une loi qui assure des critères d'examen des candidatures plus sévères pour les regroupements familiaux que pour les travailleurs qualifiés. Ainsi, la loi se fonde sur le principe de la *Business Skill Migration*, qui favorise l'immigration des personnes ayant eu une expérience professionnelle réussie les quatre dernières années précédant leur demande.

Depuis 1945, l'Australie a accueilli 435 000 réfugiés et personnes déplacées, dont 100 000 en provenance d'Asie (Vietnam et Cambodge) depuis 1975. Plusieurs milliers de Russes, des Indonésiens de Timor, des Chiliens, des Libanais, des juifs d'Union soviétique, des Tchèque, des Slovaques et des Hongrois y ont trouvé asile. L'Australie est le pays du monde qui accueille le plus grand nombre de réfugiés politiques *per capita*.

Pour certains, le débat est déjà clos, mais d'autres enjeux se profilent. « *Installez-vous aux stations de Kings Cross ou de Town Hall*, vous dira un Australien qui compte des ancêtres anglais, irlandais, polonais et espagnols, *et regardez qui fréquente le centre de Sydney : un passant sur quatre est philippin, coréen, malais, indonésien ou chinois, et il ne s'agit pas de touristes.* » Reste à savoir si les mariages interethniques éviteront les ghettos.

Ce débat rappelle les idées qui ont prévalu dans la période 1945-1965, les Australiens, fiers de leurs origines et attentifs à préserver le lien culturel avec la mère patrie, souhaitaient que l'Australie, pays britannique, entende bien le rester.

Les zones de peuplement prioritaire

Dans les années 1980, le gouvernement australien a déterminé des régions de peuplement prioritaire. Les candidats à l'immigration qui s'engagent à s'installer dans ces zones se voient octroyer des points supplémentaires à leur test de candidature. Néanmoins, le ministère de l'Immigration reconnaît que ce plan n'a pas donné les résultats escomptés, pour la raison principale que ces zones changent sans cesse selon les États et que cette décentralisation est difficile à réaliser, beaucoup d'immigrants rejoignant leurs familles déjà installées dans les grandes villes. La plupart des immigrants s'installent donc dans les villes, qui offrent plus d'emplois.

L'époque où le voyageur, au terme d'un séjour d'agrément, décidait de rester est révolue. Les Néo-Zélandais sont désormais les seuls étrangers dispensés de visa.

Les nouveaux visas

Celia Smith, infirmière anglaise de trente et un ans, est venue en Australie avec un visa d'un an, dans le cadre du programme « Vacances et

Travail », qui permet aux visiteurs de 18 à 35 ans originaires de certains pays (Royaume-Uni, Irlande, Canada, Japon et Pays-Bas, France... qui pratiquent tous la réciprocité envers l'Australie), d'obtenir des emplois temporaires dans le cadre d'un séjour d'agrément. Elle acheta une voiture d'occasion et sillonna le pays pendant six mois. Elle raconte que la perspective de pouvoir voyager, et les possibilités nouvelles qu'offrait la vie aux antipodes furent à l'origine de sa décision de rester.

Les diplômes et qualifications britanniques étant reconnus en Australie, Celia n'eut aucun mal à trouver un emploi dans le service des urgences d'un hôpital. Avant l'expiration de son visa, elle demanda à bénéficier du statut de résident permanent, statut qui lui fut accordé neuf mois plus tard. Mais comme c'est le cas pour beaucoup de nouveaux arrivants britanniques ou canadiens, et bien qu'elle ait appris à aimer ce pays, Celia n'a pas l'intention de demander la citoyenneté australienne.

On peut aussi émigrer en Australie dans le cadre d'un projet économique et commercial (*Business Migration Scheme*). Il faut pouvoir investir 500 000 dollars australiens, avoir les capacités et la volonté de fonder une entreprise et de s'installer en Australie. Le gouvernement actuel a redéfini des règles d'admission, exigeant une certaine expérience des affaires et contrôlant la viabilité du projet.

Les personnes qui ont atteint l'âge de la retraite et qui possèdent le capital suffisant pour s'installer et subvenir à leurs besoins peuvent se voir accorder un visa de résident temporaire de plusieurs années.

Les personnes reconnues dans les domaines sportif et artistique, celles dont on estime que le talent est précieux pour le pays ont elles aussi des chances d'y être accueillies à titre de résidents permanents.

A gauche, une famille fête le Nouvel an iranien à l'Obsevatory Park de Sydney ; ci-dessus, deux Australiens originaires des îles Tiwi posant devant un magasin aborigène, à Nguiu.

Autre mode d'immigration en pleine expansion : le mariage. Des milliers d'Australiens ont ainsi épousé des Asiatiques : mariages par correspondance proposés par des agences matrimoniales. Originaires de Thaïlande, des Philippines, de Malaisie ou des îles Fidji, ces femmes ne découvrent souvent l'Australie et leur conjoint qu'une fois mariées – pour le meilleur et pour le pire. Beaucoup se retrouvent isolées en pleine campagne, ou mariées à des conjoints peu capables de surmonter les inévitables barrières culturelle et linguistique. Mais elles peuvent aussi tomber sur un petit groupe de compatriotes, et bénéficient d'avantages économiques inconnus dans leur pays d'origine. En 1971, on comptait 1 000 Philippines. En 1985, elles étaient 19 000. En 1987, 4 100 Philippines immigrèrent, dont 1 900 étaient, à leur arrivée, déjà mariées ou fiancées à des hommes de nationalité australienne.

L'immigration clandestine, elle, est souvent le fait de personnes arrivant avec un visa de tourisme et restant au-delà du terme fixé par la loi. On estime qu'il y a 50 000 immigrants clandestins en Australie, dont certains séjournent plusieurs années avant d'être expulsés.

La dernière vague d'immigration a principalement été composée d'Asiatiques – réfugiés venus rejoindre leur famille ou admis pour leurs compétences professionnelles : 50 000 Malais (dont une grande partie d'origine chinoise) se sont déjà établis en Australie ; 16 700 Chinois de Malaisie, de Hong Kong, du Brunei et de Singapour ont émigré en Australie en 1988 et 1989. On compte déjà plusieurs centaines de milliers d'Australiens d'origine chinoise ; on en prévoyait 200 000 autres pour les années 1990-2000, de telle sorte que, dès le début du XXIe siècle, les immigrés asiatiques devraient dépasser en nombre les immigrés d'origine européenne.

Les Méditerranéens

Les nombreux commerçants ou restaurateurs d'origine méditerranéenne que l'on rencontre dans toutes les grandes villes du continent témoignent de la forte immigration méditerranéenne qui toucha l'Australie : 275 000 Grecs et Italiens arrivèrent entre 1950 et 1970, marquant les grandes villes de leur empreinte. Même si l'on observe aujourd'hui une baisse du nombre d'immigrants méditerranéens, on estime que 800 000 personnes environ, soit 5 % de la population, sont d'origine italienne. Melbourne est la deuxième ou troisième plus grande ville grecque du monde.

Teresa Cupri, arrivée de Naples en 1970, patienta deux ans avant que sa famille reçoive le permis d'immigrer. Quand l'autorisation leur parvint, les dix membres de la famille durent se séparer. Teresa et les aînés partirent avec leur père, et les plus jeunes suivirent avec leur mère environ six mois plus tard.

Le gouvernement prit en charge leur trajet et leur hébergement. Ils séjournèrent d'abord dans un centre d'accueil. Teresa commença à travailler en usine trois jours après son arrivée, mais les dures conditions de travail et le maigre salaire l'incitèrent à chercher une autre place. Elle travailla ensuite cinq ans dans une clinique et apprit l'anglais avant de rencontrer John, son mari. John avait quitté l'Italie pour travailler en Allemagne, avant d'immigrer en Australie avec la caution de l'un de ses frères.

Les Cupri possèdent aujourd'hui un restaurant italien réputé. La plupart des frères et sœurs de Teresa sont également à la tête d'une entreprise. Quatorze heures de travail par jour ont permis aux siens de sortir de leur pauvreté initiale et de trouver l'aisance attendue, en dépit de leur méconnaissance de l'anglais. Il reste ensuite peu de temps aux Cupri pour faire partie d'un club ou d'une quelconque association. Teresa estime que seul un tiers des immigrants italiens n'entretiennent plus de liens étroits avec leur communauté.

Grecs, Italiens et Libanais ont acquis en Australie une certaine notoriété en raison de leur esprit d'entreprise. Leur acharnement à réussir n'est d'ailleurs pas sans susciter un certain ressentiment chez les Australiens d'origine anglo-saxonne, par tradition plus nonchalants. Les habituels problèmes de langue se combinent avec la couleur de la peau. Comme il leur est difficile de devenir de « vieux » Australiens, certains immigrés qui bénéficient pourtant de la nationalité australienne depuis de nombreuses années se sentent toujours rejetés. C'est pourquoi, face à ce rejet relatif, la majorité d'entre eux reconstitue des communautés linguistiques. Ainsi, Melboune elle-même pourrait être qualifiée d'Athènes australienne.

Une nation polyglotte

On estime que plus de 2 millions d'Australiens parlent une autre langue que l'anglais une fois rentrés chez eux, repli sur la communauté de langue relayé par l'émergence de radios et de chaînes de télévisions « ethniques », comme le réseau *Special Broadcastind Service* (SBS) qui commença à émettre dans les années 1980. Cette chaîne semi-publique est diffusée dans toutes les grandes ville du continent.

Elle propose des programmes variés, en une soixantaine de langues, sous-titrés en anglais : émissions de variétés brésiliennes, films israéliens, comédies chinoises... Le journal télévisé du soir couvre un large panel de sujets, réservant une large place à l'information internationale. SBS s'est récemment imposée comme la manifestation publique la plus révélatrice de la diversité culturelle.

Le gouvernement estime qu'un million de nouveaux Australiens ne parlent pas couramment l'anglais, sur 20 millions d'habitants. D'autre part, plus d'un million d'immigrés n'ont pas opté pour la nationalité australienne, parmi lesquels 500000 ressortissants de pays du Commonwealth, comme le Canada et la Nouvelle-Zélande. C'est pourquoi, en 1989, le gouvernement a lancé une campagne destinée à encourager ces résidents à adopter la nationalité australienne.

A gauche, terrasse de café à Saint Kilda (Melbourne) ; à droite, trois nouveaux Australiens d'origine asiatique fêtant sur la plage l'acquisition de leur citoyenneté australienne.

De l'immigration à l'intégration

L'expérience australienne de l'immigration semble être l'une des plus réussies au monde. Cette nouvelle population a été absorbée par la société avec étonnamment peu de frictions, et constitue même une des clefs de la vitalité

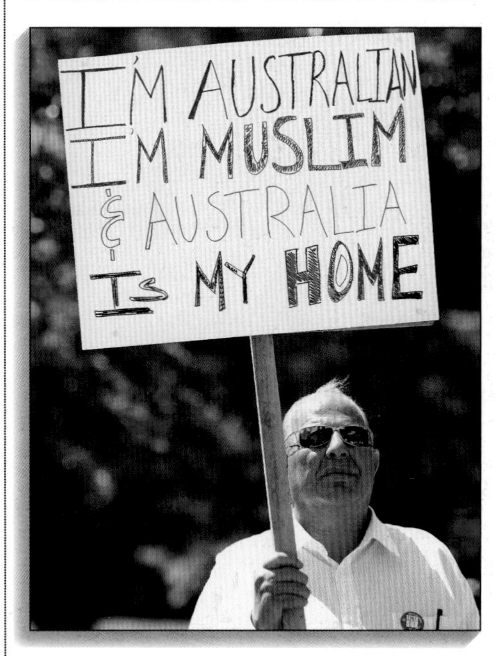

du pays. Jerzy Zubzycki (lui-même d'origine polonaise et professeur à l'Université nationale australienne) a résumé que l'immigration *« était devenue l'image la plus dynamique et constructive de la société australienne. Nous devons apprendre à partager notre pays avec les autres. Nous avons besoin du talent, de l'énergie de divers groupes d'immigrants afin de nous aider à développer un potentiel manifestement important. L'acceptation de notre diversité ethnique est la principale clef nous permettant d'atteindre ce but. »*

Si le multiculturalisme semble être pleinement assumé par la société australienne, les Aborigènes se considèrent toujours comme les éternels oubliés du système.

LES ABORIGÈNES

La communauté aborigène, qui compte environ 300 000 membres, constitue le groupe ethnique le plus défavorisé du continent. Désignés communément par le mot « Aborigènes » (*Aboriginals* en anglais), les intéressés préfèrent qu'on les appelle par le nom de leur tribu ou par une référence géographique, le terme *koori* s'appliquant aux Aborigènes « détribalisés ».

Installés dans les villes pour les trois quarts d'entre eux, les Aborigènes du Queensland et de la Nouvelle-Galles du Sud sont environ 160 000; leurs intérêts diffèrent sensiblement de ceux du Territoire du Nord, qui sont très attentifs à l'évolution du droit foncier. Les quelque 46 000 Aborigènes de cet État vivent en effet pour la plupart dans l'*outback*, soit dans des réserves aborigènes, soit dans des fermes (*outstations*).

Ainsi, le monde aborigène est plus divisé qu'il n'y paraît. Tandis qu'une minorité exige l'indépendance politique, les autres cantonnent leurs revendications à la restitution de leurs terres ancestrales. Mais tous exigent une égalité de traitement entre les Australiens, qui n'est que théorique dans le cas des Aborigènes.

L'ARRIVÉE DES PREMIERS COLONS

Pour comprendre la situation actuelle des Aborigènes, des explications chronologiques s'imposent. L'arrivée des premiers colons Européens sur le continent fut un choc pour les populations aborigènes. Expulsées de leurs territoires ancestraux, les nombreuses tribus aborigènes connurent une déchirante rupture avec leur mode de vie communautaire et leurs traditions millénaires. La population aborigène, qui d'après les estimations dépassait les 300 000 individus en 1788, ne comptait plus que 60 000 personnes au commencement du XXe siècle.

Au milieu du XIXe siècle, dirigeants et missionnaires, considérant les Aborigènes comme des êtres par essence inférieurs, cherchèrent à les « protéger » contre l'hégémonie de la civilisation occidentale. Cette politique impliquait leur marginalisation sociale et économique et entraîna, bien sûr, de nombreux drames humains. De 1880 à la fin des années 1960, entre 40 000 et 100 000 enfants furent enlevés à leurs parents et placés dans des familles blanches ou des orphelinats.

LOIS SÉGRÉGATIONNISTES

Nombre de mesures discriminatoires furent mises en place face à une demande sans cesse croissante de terres à exploiter. Un système de ségrégation raciale fut ainsi instauré. Considérés au regard de la loi comme un groupe ethnique au statut inférieur, les Aborigènes furent regroupés dans des réserves.

A gauche, la cérémonie du « corroboree », toujours célébrée de nos jours; à droite, jeune Aborigène près d'un site d'observation des crocodiles.

Au début des années 1930, le peuple aborigène, loin de s'éteindre, s'accrochait à sa terre. Une politique d'intégration favorisant l'accès des métis aborigènes dans la société australienne fut alors instaurée, en même temps que le maintien d'une ségrégation rigoureuse envers les Aborigènes de pure race, dont on pensait qu'ils viendraient à disparaître. Mais ces derniers ne se comportèrent pas en victimes consentantes.

En dépit d'une marginalisation et d'une exploitation accrues, un certain nombre d'entre eux finirent par s'intégrer à la société australienne. Dès les années 1860, certains commencèrent à travailler dans les fermes de l'*outback*. Le développement de l'industrie bovine aurait été impensable sans la présence de *stockmen* aborigènes (beaucoup moins bien payés que les Blancs).

L'ACCÈS À LA CITOYENNETÉ AUSTRALIENNE

Leur rôle politique s'accrut jusqu'au milieu des années 1960, période à laquelle ils commencèrent à organiser d'importantes manifestations pour obtenir l'abolition de ces mesures discriminatoires. La grève des gardiens de bétail kurindji, en 1967, afin d'obtenir un salaire égal à celui des Blancs, fut la première action d'envergure menée par les Aborigènes.

Le référendum de 1967, approuvé à 90 %, accorda enfin la citoyenneté australienne aux Aborigènes. A la même époque fut également lancée une campagne pour obtenir la reconnaissance de leurs droits territoriaux, ainsi que l'amélioration de leur statut social et économique.

Malgré l'acquisition de la citoyenneté australienne en 1967, la lutte continue. En 1972, une ambassade aborigène fut improvisée devant le Parlement de Canberra tandis que des manifestations dégénéraient en affrontements violents avec les forces de l'ordre, propulsant la cause aborigène en première page des journaux et sur les écrans de télévision des classes moyennes blanches australiennes. Les activistes demandaient l'abolition des lois discriminatoires et le droit à jouir des mêmes libertés que tous les Australiens.

Une nouvelle conscience politique vit le jour au début des années 1970, ce qui amena le gouvernement fédéral, dirigé par Gough Whitlam, à proposer une politique d'autodétermination, permettant aux Aborigènes de prendre les décisions relatives à leur avenir, à la préservation de leur identité et de leurs valeurs culturelles. Le département des Affaires aborigènes fut ainsi créé en 1972. Il adopta pour la première fois des critères de sélection ne faisant pas référence à des caractéristiques génétiques, à la différence des quelque 67 définitions précédentes. Ainsi est aborigène *« toute personne qui se reconnaît comme telle, qui en fait la déclaration formelle et qui est reconnue comme telle par sa communauté aborigène »*. Il sera relayé en 1980 par l'institution d'une commission au développement aborigène.

Une amélioration significative des conditions économiques et sanitaires commence à se faire sentir, même si tous les problèmes sont loin d'être résolus. Les subventions, passées de 31 millions de dollars en 1972 à 1,161 milliard en 1993, ont permis la construction de logements décents, le lancement de programmes éducatifs, et surtout la création d'entreprises locales. De plus, des communautés aborigènes ont commencé à acquérir des terres dont la signification spirituelle leur était particulièrement précieuse.

LES DROITS TERRITORIAUX

Le droit au retour des propriétés ancestrales est la véritable raison de vivre des Aborigènes ruraux. Cette revendication fut non recevable devant les tribunaux jusqu'en 1992 en raison du concept juridique de *terra nullius* selon lequel le continent était vide à l'arrivée des colons, en 1788. En vertu de ce principe, il était impossible que les Aborigènes puissent être considérés comme propriétaires des terres sur lesquelles ils étaient installés.

Un premier pas vers la reconnaissance de la spoliation de leurs terres intervint en 1976 grâce au vote de la loi du Territoire du Nord (seulement applicable dans cet État), qui autorisait la revendication des terres non aliénées du domaine de la Couronne à condition que les Aborigènes apportent la preuve d'une possession ancestrale. Cette loi leur permit ainsi d'exercer sur ces territoires un contrôle significatif sur les activités minières. La loi prévoyait qu'un intéressement à l'exploitation du sol pourrait être octroyé sur tout terrain affecté à des groupes aborigènes, et ce sur toute l'étendue de ce territoire.

LE JUGEMENT MABO

Il fallut attendre juin 1992 et le jugement rendu par la Haute Cour lors de l'affaire Mabo (du nom d'Eddie Mabo, insulaire du détroit de Torres) pour que la législation fédérale soit véritablement bouleversée.

Rejetant le concept de *terra nullius*, cette haute juridiction reconnut enfin que les Aborigènes pourraient encore détenir des droits de propriété sur des terres en vertu du droit coutumier. Deux conditions étaient cependant requises : ces droits ne devaient pas avoir été perdus à la suite d'actes légaux du gouvernement et les liens traditionnels à la terre devaient avoir été conservés. Mais ces changements juridiques ne concernaient alors que 5 % des cas litigieux. Un an plus tard, la loi fédérale institua le titre de propriété aborigène, au grand dam des forces économiques et des intérêts territoriaux des États. Un autre arrêt rendu en décembre 1996 au profit de la tribu wik a confirmé le droit de propriété des Aborigènes sur leurs terres, provoquant une vague de protestation chez les fermiers.

A gauche, Aborigènes européanisés; ci-dessus, inauguration d'un nouveau centre culturel aborigène.

VERS LA RÉCONCILIATION NATIONALE ?

Le destin des Aborigènes prit un tournant significatif lors des célébrations du bicentenaire de l'Australie, en 1988. Le premier ministre travailliste, Bob Hawke, manifesta la volonté d'engager la nation sur le chemin d'une réconciliation historique.

Déjà, en septembre 1987, il avait annoncé que son gouvernement entamerait une politique de négociations destinées à rédiger un traité sur la question aborigène. En juin 1988, à Barunga, dans le Territoire du Nord, il donna enfin son accord pour qu'un traité dont les Aborigènes seraient les auteurs soit négocié avec le Commonwealth.

Mise en place en 1990 par le gouvernement travailliste de Paul Keating, l'ATSIC, commission des Aborigènes et des habitants du détroit de Torres (soit 28 000 personnes originaires des îles situées entre l'extrémité nord du Queensland et la côte sud de la Papouasie-Nouvelle-Guinée), remplaça les institutions gouvernementales créées au cours des vingt années précédentes. Dirigée par 20 commissaires représentant 60 conseils régionaux (soit

790 membres), l'ATSIC a pour but de permettre la participation de la communauté aborigène au processus de décision du gouvernement.

Il est désormais question de reconnaissance et d'excuses, les Aborigènes accepteraient des compensations symboliques, l'opinion publique d'origine européenne n'étant pas disposée à payer les « erreurs passées » de leurs ancêtres.

Tenue à Melbourne en mai 1997, la Convention sur la réconciliation avec les Aborigènes a coïncidé avec la présentation au parlement du rapport officiel sur la politique d'enlèvements d'enfants aborigènes à leurs parents (1880-fin des années 1960). Même si, lors de l'inauguration de la Convention, le premier ministre conservateur, John Howard, exprima sa *« peine profonde »* et ses regrets pour le mal commis, les quelque 1 800 participants lui manifestèrent leur réprobation en lui tournant le dos délibérément. Les solutions proposées, jugées insuffisantes par ces derniers, sont également rejetées par les fermiers et le lobby minier.

Paradoxe de l'histoire, l'espoir d'émancipation des Aborigènes semble plus faible aujourd'hui que dans les années 1970. Ainsi, une partie de l'opinion publique australienne est de plus en plus séduite par les idées du parti nationaliste One Nation et de sa député Pauline Hanson, qui conteste les privilèges des Aborigènes.

Remise en question des droits fonciers aborigènes

Le jugement rendu en 1996 par la Haute Cour et relatif aux droits pastoraux de la tribu wik provoqua de vives protestations de la part des fermiers et des exploitants de mines. Soucieux de préserver ses relations avec ces deux lobbys, le gouvernement de John Howard rédigea un « plan en dix points » destiné à les protéger des revendications territoriales aborigènes.

Ce brusque retour en arrière provoqua de vives réactions de part et d'autre. Toutefois, menaçant de dissoudre les deux chambres en cas de rejet, John Howard réussit à faire passer cette loi le 7 juillet 1998, après huit mois de polémiques. Ce résultat témoigne, aux yeux des Aborigènes, d'une sérieuse régression des mentalités, confortée par la montée en puissance du parti nationaliste One Nation. Atterrés par ce brusque revirement de situation, ils ont introduit un recours devant la Haute Cour australienne et compté sur le soutien de la communauté internationale. Malgré cela, et à la suite d'une interminable série de scandales financiers, le gouvernement dissoudra la commission ATSIC en début d'année 2004.

PRÉSERVATION D'UNE CULTURE ANCESTRALE

Les artistes « traditionalistes » du centre et du nord de l'Australie continuent de représenter les animaux comme le faisaient leurs ancêtres, en peignant des rêves ou des légendes sur des écorces d'eucalyptus, du sable, des pierres, de la peau, ou en sculptant des poteaux funéraires. Dans le Centre, certains artistes locaux ont intégré l'usage de la peinture acrylique. De même, les danseurs font jaillir du sol des nuages de poussière rouge, en s'accompagnant de chants et d'instruments, véritable résurgence et lien indispensable avec un passé

vieux de quarante mille ans, mais aussi avec l'avenir.

Les gouvernements australiens successifs n'ont officiellement reconnu les traditions aborigènes que depuis le début des années 1970, admettant également la nécessité de protéger les sites, les objets mobiliers et les rites secrets dont la signification est essentielle pour ce peuple. Le caractère éphémère et sacré de ces œuvres rend toute conservation difficile, ainsi, seul l'Institut des études aborigènes de Canberra est habilité à les collecter.

A gauche, abattage d'un arbre afin de récolter le miel du bush, Barthurst Island; ci-dessus, Cathy Freeman, médaillée d'or aux JO 2000 de Sydney..

En dépit de l'intrusion de la culture européenne, la population aborigène continue d'observer les rites traditionnels de la vie quotidienne, qui sont différents selon les régions, les groupes et les individus.

UN ART MODERNE ABORIGÈNE

Des communautés d'artistes aborigènes se sont implantées çà et là dans le désert ou sur la Terre d'Arnhem. James Simon, Trevor Nickolls, Fiona Foley, Bluey Roberts ou Lin Onus figurent parmi les plus célèbres artistes peintres du mouvement de la nouvelle peinture aborigène.

Au cours des années 1970 se développa un nouveau courant pictural. Certains peintres aborigènes, s'éloignant un peu de la tradition, reproduisent ainsi les symboles picturaux traditionnels sur de nouveaux supports telle la toile. La peinture acrylique est également utilisée par certains artistes, tandis que le marché de l'art commence à s'intéresser à l'art aborigène.

Les progrès dans la reconnaissance des droits des Aborigènes conduisirent dans les années 1970 à la naissance d'une nouvelle forme d'art, très politisée, dénonçant violemment le racisme et les spoliations territoriales. Robert Campbell Junior, Gordon Benett ou Leslie Greggs sont les porte parole de cette génération.

Dans les villes, certains Aborigènes assimilés expriment la fusion des deux cultures à travers des pièces de théâtre, des ballets, écrits et exécutés par des Aborigènes citadins.

L'assimilation culturelle a néanmoins pu se révéler tragique pour certains Aborigènes. Tel fut le cas d'Albert Namatjira (1912-1959), premier peintre aborigène à avoir su restituer les paysages de l'Australie centrale. Ayant découvert les séductions d'une vie à l'européenne, il dut faire face à l'incompréhension du monde occidental qui ne se sentait aucune obligation envers sa tribu. Il sombra dans l'alcoolisme avant de prendre le chemin de la prison.

Mais nombreux sont les Aborigènes qui ont réussi par leurs propres moyens à intégrer la société australienne. Sur la scène politique, outre le sénateur Neville Bonner, le pasteur sir Douglas Nichols (gouverneur de l'État d'Australie-Méridionale en 1976) est ainsi devenu une véritable célébrité. On peut aussi citer d'autres personnalités comme Evonne Goolagong, vainqueur des Internationaux de tennis de Wimbledon, le poète Kath Walker, ou encore la championne olympique Cathy Freeman.

CAIQ
RELAY RACES

CULTURE SAVANTE ET CULTURE POPULAIRE

En deux cents ans à peine, les arts majeurs ont connu en Australie un essor remarquable. Ce pays a produit par exemple un nombre de chanteurs d'opéra de niveau international unique compte tenu de sa population. Mais l'originalité de la culture australienne est aussi à chercher dans les arts populaires (cinéma, rock, musique country) et dans certains faits de civilisation qui tiennent à la relation particulière des Australiens avec l'Occident d'une part et leur cadre naturel (le bush et l'océan) d'autre part.

EXIL DES ARTISTES

Les beaux-arts connurent longtemps une très faible audience. L'Australie demeure avant tout un pays de pionniers très peu peuplé. Dans les années 1940 et 1950, les artistes étaient donc contraints de s'expatrier en Europe et aux États-Unis où ils se faisaient un nom pour, le plus souvent, revenir quelques dizaines d'années plus tard. Ce fut le cas des cantatrices Nellie Melba et Joan Sutherland, du danseur classique Robert Helpmann, du romancier Patrick White, du peintre Sidney Nolan et du sculpteur Clement Meadmore. Nombre de leurs œuvres se trouveront fortement influencées par cet exil.

L'audience s'est aujourd'hui élargie, et il est désormais possible (souvent avec l'aide des subventions de l'État) de vivre de son art en Australie, tandis que les techniques de communication permettent de toucher un public international sans quitter le pays.

Il existe désormais une culture spécifiquement australienne, et son effervescence dans les années 1980, favorisée par le coup de pouce des mesures du gouvernement Whitlam en 1972, est l'aboutissement d'un long processus d'autonomisation.

LE MODÈLE BRITANNIQUE

A l'origine, le modèle britannique dominait toutes les activités culturelles. Les premiers colons blancs, les premiers descendants des *convicts* et de leurs geôliers ont fait peu de cas de la culture aborigène, pourtant vieille de cinquante mille ans. L'art européen, ses conceptions et ses aspirations furent transplantés en même temps que les produits agricoles, les institutions politiques et le système judiciaire britannique.

Au XIXe siècle, la peinture et la poésie coloniales ne reflétaient presque rien du milieu australien. Dans les premiers paysages de la peinture coloniale, même les arbres semblaient européens. Il faudra attendre la fin du siècle pour voir apparaître une littérature revendiquant son attachement à l'Australie et enracinée dans son terroir. L'univers du bush fascine et devient un élément central de la production littéraire de l'époque.

Cette évolution des mentalités se poursuit au XXe siècle. Au cours de la Grande Guerre, les Australiens se battirent vaillamment à Gallipoli et sur le front occidental, faisant entrer dans la langue usuelle les mots *digger* (« chercheur d'or », désignant les soldats australiens et néo-zélandais) et *cobber* (pote). Alors que dans les années 1920, la célèbre course de chevaux de la *Melbourne Cup* acquérait une réputation internationale.

L'Australie commençait à se distinguer et semblait enfin s'émanciper tant politiquement que culturellement de sa tutelle britannique, même si cette empreinte est demeurée très forte dans la civilisation australienne. L'opéra, le cricket drainent toujours les foules et *Santa Claus* (le Père Noël) n'a pas quitté sa houppelande, tandis que givre et neige décorent toujours les cartes de Noël.

AMÉRICANISATION

Dès les années 1930, l'Australie se mit à son tour à subir l'influence des États-Unis alors en plein essor. Comme en Europe, la musique, la radio, la télévision et le cinéma américains commencèrent à envahir le marché australien, tandis que les motels, les supermarchés et l'argot américain faisaient leur apparition dans les conversations, la publicité, les affaires et les finances.

Le domaine artistique fut également très touché. La mainmise des Américains sur les réseaux de distribution ébranla fortement une industrie cinématographique australienne pourtant très créatrice. En 1970, les librairies ne vendaient pratiquement plus que des auteurs américains et les marchands de journaux présentaient un nombre incalculable de

Pages précédentes : sculpture contemporaine de l'Art Gallery of South Australia, à Adélaïde ; à gauche, sculpture en plein air dans le parc Captain John Burke, à Brisbane.

bandes dessinées américaines tandis que les acteurs de cinéma américains étaient devenus de véritables idoles.

RÉSISTANCE CULTURELLE

Malgré la force de cette vague d'américanisation, une culture spécifiquement australienne continuait de se développer.

Si les médias de masse demeuraient très vulnérables à l'influence américaine, une forte résistance existait notamment dans les arts majeurs – musique, théâtre, opéra, danse classique – toujours attachés à leurs racines européennes. La culture américaine, y compris la culture savante, était même dans certains milieux jugée inférieure.

Sur les ondes, une lutte acharnée s'était engagée entre les présentateurs de l'Australian Broadcasting Commission (radio d'État et de niveau culturel élevé), à l'accent britannique impeccable, et les animateurs des radios commerciales affectant un accent américain forcé, qui leur valut le sobriquet de *« Woolloomooloo Yanks »*. L'accent australien ne fut quant à lui admis à la radio qu'à partir de 1970, grâce notamment aux commentateurs de courses de chevaux.

Des signes de rejet allaient apparaître également dans les milieux populaires. Entre 1939 et 1945, des bagarres éclatèrent entre soldats australiens et soldats américains stationnés en Australie ; des graffiti *« Yanks go Home »* ornaient les murs des usines ; les voitures américaines étaient surnommées *« Yank Tanks »*, tandis que circulaient de nombreuses blagues anti-américaines. Si elle séduisait incontestablement, la culture américaine suscitait aussi un sentiment de méfiance.

Cette résistance prit parfois des formes plus subtiles. Dans les années 1930, par exemple, les vieilles chansons du bush cédèrent le pas à des imitations d'interprètes américains de *Hillbilly* (musique country). Les chanteurs, qui se donnaient des noms américains (Tex Morton, Buddy Williams, Slim Dusty), finirent par s'approprier ce modèle pour composer leurs propres chansons abordant des thèmes australiens tels les rodéos, les pubs, les *bushrangers*, les pique-niques dans le bush et les contes locaux. Ainsi naquit un style hybride de musique country aussi typiquement australien que le crapaud du Queensland (importé lui aussi) ; une musique très populaire avec ses vedettes, ses disques, ses stations de radio et ses tournées *« music and rodeo »*.

L'INFLUENCE EUROPÉENNE

Les épreuves de la dépression de 1929 et de la Seconde Guerre mondiale renforcèrent la conscience nationale des Australiens.

La période de croissance économique des années 1960 et le programme d'immigration massive, qui attira des millions d'Européens sortirent l'Australie de son isolement. Les Australiens découvrirent la pizza, l'épicerie fine et le vin blanc, les *hippies*, les mouvements féministes et la contestation étudiante… autant d'éléments importés, adoptés, puis adaptés.

L'attachement traditionnel à la culture savante britannique s'affaiblissait, l'apport américain semblait en partie absorbé, on commençait à parler de crise d'identité et de tempérament australien : toutes les conditions nécessaires à un développement de la culture étaient enfin réunies. Encouragé par les mesures mises en œuvre par le gouvernement travailliste à partir de 1972, l'essor spectaculaire des vingt dernières années concerna tous les domaines de la création et tous les publics.

LA LITTÉRATURE

Comme toujours, les poètes ont joué le rôle de précurseurs. Henry Lawson (1867-1922) fut sans doute le premier écrivain national australien. Poète et conteur, il puisa ses thèmes dans la vie quotidienne du bush. Il fut plus tard relayé par David Malouf, Bruce Dawe, Bruce Beaver. qui pratiquèrent une écriture plus libre sur des thèmes australiens.

A gauche, l'orchestre symphonique de Sydney; ci-dessus, répétition à l'opéra de Sydney.

Les années 1960 et 1970 furent celles de la résurgence de l'art de la nouvelle, que certains considèrent comme la forme littéraire la plus achevée de l'Australie d'aujourd'hui. Parmi les écrivains qui excellèrent dans ce genre : Morris Lurie, l'humoriste Frank Moorhouse et son ironie féroce et Peter Carey, qui se plut à imaginer d'étranges fables.

Le roman, dominé par Patrick White, auteur de plusieurs livres considérés comme importants, a connu une progression plus régulière. Il reçut le Prix Nobel de littérature en 1974, et sa prose élaborée et poétique a influencé bien des jeunes auteurs, comme Randolph Stow, tandis que la génération suivante, représentée par Peter Mathers, David Ireland (*The Glass Canoe*, *Woman of the Future*), Thomas Kenneally (*The Chant of Jimmie Blacksmith*, 1972, *Schindler's Ark*) et, surtout, Peter Carey, auteur d'*Oscar and Lucinda*, a su inventer son propre style évoquant les tensions de la société contemporaine australienne.

Les auteurs féminins tiennent aussi une place importante depuis le début du XXe siècle ; ainsi Thelma Forshaw et Judith Wright furent-elles suivies, entre autres, par Andrea Stretton, Rosa Safransky, Elizabeth Jolley,

Olga Masters et Helen Garner, qui décrit dans *Monkey Grip* la vie des marginaux de Carlton, le quartier chic de Melbourne.

Dramaturges et scénaristes

C'est dans les années 1970 que l'on vit apparaître pour la première fois, à Melbourne, un théâtre politique au ton extrêmement incisif. Les précurseurs avaient été Ray Lawler, auteur de la pièce *Summer of the Seventeeth Doll* (« l'été de la dix-septième poupée », 1955), et Alan Seymour, auteur de *One Day of the Year*, décrivant les cérémonies de l'*Anzac Day*, qui commémorent la défaite de Gallipoli pendant la Grande Guerre.

La Mama et la Pram Factory, deux théâtres expérimentaux du quartier de Carlton, à Melbourne, accueillirent les œuvres subversives et sans concessions d'une nouvelle génération de dramaturges, parmi lesquels John Romeril (*The Floating World*), Barry Oakley (*The Feet of Daniel Mannix et Scanlon*), Jack Hibberd, auteur de *Dimboola* (œuvre de café-théâtre à grand succès), et surtout David Williamson, auteur d'une série de pièces provocantes (*Don's Party*, 1972, *The Club*, *Travelling North*, *Emerald City*) où il met en scène la classe moyenne australienne. Mais bientôt, Sydney, plus dynamique culturellement, plus puissante financièrement, sorte de New York des antipodes, attira bientôt les jeunes auteurs de Melbourne, comme Williamson et Oackley.

Le nouvel « âge d'or » du cinéma australien, dont les œuvres furent bien accueillies en Europe et aux États-Unis, est quant à lui principalement issu du théâtre politique né à Melbourne. Nombre de dramaturges s'essayèrent en effet au métier de scénariste. David Williamson adapta ainsi plusieurs de ses pièces pour le cinéma et écrivit les scénarios d'un grand nombre de films tels que *Gallipoli* et *Phar Lap*.

De leur côté, les romanciers participèrent également à la renaissance de l'industrie cinématographique en faisant adapter leurs œuvres ; ainsi *Monkey Grip* (Helen Garner), qui révéla l'actrice Noni Hazelhurst, et *The Chant of Jimmie Blacksmith* (Thomas Keneally), qui ouvrit au réalisateur Fred Schepsi les portes de Hollywood.

La qualité du cinéma né de ces mouvements (*Picnic at Hanging Rock*, *Gallipoli*, *Emerald City*, *The Navigator*) tend à effacer la frontière séparant arts mineurs et arts majeurs. Par ailleurs, l'Australie, qui excelle dans les effets spéciaux, a produit nombre de films « grand public » tels *Mad Max*, *Crocodile Dundee*, *Muriel*, *Priscilla folle du désert*, *Babe* (d'après un livre de l'Anglais Dick King-Smith) ou la série télévisée *Neighbours*, qui s'imposèrent comme autant de succès internationaux.

Toutes ces productions ont considérablement contribué à la reconnaissance de l'identité culturelle australienne et donné à quelques réalisateurs comme Peter Weir (*L'Année de tous les dangers*, *Witness*, *Le Cercle des poètes disparus*) une réputation internationale.

Côté acteurs, Nicole Kidman, Cate Blanchett, Toni Collette, Geoffrey Rush et Hugh Jackman ont, quant à eux, suivi la voie lactée tracée par Judy Davis et Mel Gibson, et figurent à présent en haut d'affiche des plus grandes productions hollywoodiennes.

Côté studios, l'Australie ne demeure pas en reste. Ces derniers temps, les producteurs et leur myriade de stars ont un penchant pour les Fox Studios de Sydney, où a été tourné le fameux *Moulin Rouge* de Luhrman, en 2001.

Parallèlement, certains acteurs et metteurs en scène australiens œuvrent pour promouvoir leurs films 100 % *aussies* dans le monde, tandis que d'autres, plus intimistes telle Leah Purcell, préfèrent travailler à une échelle beaucoup plus confidentielle. L'Australie le lui a bien rendu, puisqu'elle est aujourd'hui une comédienne et une réalisatrice reconnue. Comme elle, Philip Noyce retrace, dans *Rabbit-Proof Fence* (2003) l'aventure de trois jeunes filles métisses dans l'*outback*.

Deux films australiens à succès : « Dirty Deeds » (à gauche) et « Rabbit-Proof Fence » (à droite).

LES ARTS PLASTIQUES

C'est à Melbourne, après la Seconde Guerre mondiale, qu'apparut ce qu'on a appelé l'école australienne de peinture, représentée par Lloyd Rees, Clifton Pugh, Albert Tucker, Arthur Boyd (qui illustra la couverture du livre de l'historien Donald Horne *The Lucky Country*), et Sydney Nolan, qui peignit une série de toiles relatant la saga de Ned Kelly.

Puis dans les années 1960 et 1970 se développa à Sydney le mouvement de l'expres sionnisme abstrait. John Olsen exécuta dans cette lignée une série de paysages intitulée *The You Beaut Country*, véritable illustration de l'optimisme ambiant.

Citons, parmi la nouvelle génération, Brett Whiteley, David Aspden, Michael Johnson et Tim Storrier, tandis que Fred Williams s'impose comme le paysagiste le plus important des années d'après-guerre et, peut-être, de l'histoire de la peinture australienne. Avant sa mort, Fred Williams disait en riant s'être lassé du bush ; pourtant, comme Streeton et Drysdale avant lui, la force de ses évocations du désert sut offrir aux Australiens une image puissante de leur pays.

Lors de l'essor artistique du milieu des années 1970, de nombreux acheteurs acquéraient au prix fort peintures et sculptures. La

National Art Gallery de Canberra, à peine construite, enrichit ainsi sa collection d'œuvres prestigieuses (dont *Blue Poles* de Pollock). Des crises périodiques au cours des années 1980 n'empêchèrent pas l'émergence d'une génération d'artistes postmodernistes de premier plan, comme Imants Tillers, Juliz Brown-Rrap, Mike Parr, Juan Davila et Dale Frank. Il existe aujourd'hui deux grandes expositions d'art moderne : la Biennale et la Perspecta, qui se tiennent à la National Gallery de Sydney.

Tandis que les peintres apprivoisent les teintes et la lumière brûlantes du bush, les dessinateurs humoristiques, héritiers d'une tradition illustre datant du XIXe siècle, connaissent un grand succès populaire en réalisant des portraits au vitriol des travers australiens dans les colonnes d'une presse quotidienne par ailleurs assez conservatrice. Parmi eux, Bruce Petty, réalisateur du film d'animation *Leisure*.

L'effervescence culturelle que connaît l'Australie depuis les années 1970 s'est également traduite par la construction de nombreux édifices comme la National Art Gallery et la Cour suprême de Canberra, l'Art Centre de Brisbane et celui de Melbourne, le Festival Centre d'Adélaïde, tous conçus par des architectes australiens. Toutefois, c'est un Danois, Jorn Utzon, qui conçut l'œuvre architecturale la plus réputée du pays : l'opéra de Sydney.

S'est imposé également un style caractéristique (inauguré par Glenn Mercutt) employant les matériaux traditionnels du bush (bois et tôle galvanisée). Mais ce sont les maisons mitoyennes (*terrace houses*) avec balcons de fer forgé des premiers quartiers résidentiels qui demeurent les réalisations les plus typiques de l'architecture australienne.

MUSIQUE ET DANSE

Si un certain nombre de compositeurs contemporains font jouer leurs œuvres sur les scènes australiennes et étrangères, les musiciens australiens sont plus interprètes que créateurs. La tradition populaire, longtemps vivace, des concours de musique et de poésie (les *eisteddfords* d'origine galloise), où se distinguaient les artistes locaux, a probablement favorisé l'éclosion de plusieurs générations d'interprètes de grande classe ; la cantatrice Joan Sutherland est issue de cette tradition-là. L'opéra de Sydney joue un rôle déterminant ; il a ainsi favorisé l'essor d'une longue lignée de chanteurs de renommée internationale, dont Nellie Melba (qui a donné son nom au célèbre dessert) fut la première représentante.

La danse a bénéficié de l'essor récent des arts majeurs. Les danseurs-chorégraphes Kai Tai Chan et Graeme Murphy défendent une approche originale de leur art, désormais affranchi de l'influence de la danse classique britannique.

L'Australie a également produit d'excellents groupes de musique rock au succès international : While Men at Work, The Little River Band, AC/DC, Air Supply et, plus récemment, INXS. Presque tous demeurent néanmoins fortement influencés par les modèles anglais et américains. Le groupe Midnight Oil revendique en revanche avec vigueur son identité, militant pour une Australie *« indépendante et non nucléaire »*.

La musique country et le rock australien font partie des arts populaires qui ont su inventer à partir d'un modèle importé un style original, enraciné dans le contexte australien. Le meilleur moyen de découvrir le rock australien est de faire le tour des pubs et des clubs où se produisent des centaines de groupes.

STÉRÉOTYPES AUSTRALIENS

L'Australie n'a pas peur des clichés et stéréotypes, qu'elle utilise à profusion en publicité comme dans les médias. Le bush, les champions sportifs, les plages immenses sont autant d'images sur papier glacé, conçues par les mêmes publicitaires qui promotionnent les partis politiques, les banques, les compagnies d'assurances et les agences immobilières. Les médias n'hésitent pas, quant à eux, pour vanter certains produits, à marteler des slogans populistes aussi recherchés que : *« En avant les Aussies ! »*

Dans la plupart des publicités télévisées, le style britannique policé a laissé place à l'accent épais de bourrus Australiens en chemisette, short et nu-pieds. Incarnation télévisée de ce type national de « prolo » sympathique, buveur de bière et non dénué d'humour, le comique Paul Hogan délaissa le petit écran pour partir à la conquête du bush et du public international, dans *Crocodile Dundee*. Le satiriste Barry Humphries, auteur sur la scène, à l'écran et en bandes dessinées d'une série de stéréotypes australiens contemporains, doit sans doute son énorme succès, y compris en Grande-Bretagne, à cet aspect particulier (appelé *ockerism*) de la toute jeune conscience nationale australienne.

A gauche, Leah Purcell, dramaturge, metteur en scène et actrice de talent, lors d'une cérémonie de remise de prix; ci-dessus, Yothu Yindi, groupe de musique aborigène mêlant instruments traditionnels et musique rock.

Les activités de plein air

Comme les plages, le bush offre tout un éventail d'activités : randonnées, camping, baignades, caravaning, barbecues, excursions en véhicules tout terrain, chasse, tourisme, ski, escalade, alpinisme, défense de l'environnement. Toutes ces activités révèlent des préoccupations qui ont de fortes répercussions dans les domaines politiques et artistiques. Le bush est en effet beaucoup plus qu'un lieu d'évasion. Cette terre rouge est à l'opposé de tout ce qu'incarne la pelouse verte des banlieues, elle porte d'autres valeurs et nourrit des rêves bien différents.

C'est ce que tentent de démontrer les communautés alternatives de la côte de Nouvelle-Galles du Sud, qui mènent une vie d'autosubsistance dans le bush, mais font également de la musique, du théâtre de rue et poursuivent une action politique pour la défense de l'environnement. « Ockerisme » dans les médias (Paul Hogan), cinéma, dessin satirique dans la presse quotidienne, musique country (Slim Dusty), rock'n'roll dans les pubs et omniprésence de la nature : c'est bien dans la culture populaire qu'est née et que s'exprime le plus visiblement toute la spécificité de la culture australienne, dérivée de la culture occidentale mais désormais réconciliée avec son terroir et avec elle-même.

L'ART ABORIGÈNE

A la fois contemporain et traditionnel, actuel et éternel, l'art aborigène est aussi inclassable que ses significations et ses symboles, liés au Temps du Rêve, la mythologie aborigène célébrée à travers les rituels sacrés, restent impénétrables. L'explosion actuelle de l'art aborigène, aujourd'hui apprécié dans le monde entier, débuta vers 1970 comme une petite étincelle dans le Territoire du Nord, d'abord dans plusieurs tribus d'Arnhem Land et dans la communauté du désert de Payuna, à l'ouest d'Alice Springs. À Arnhem Land, les missionnaires encouragèrent les Aborigènes à peindre sur des panneaux d'écorce d'eucalyptus des motifs inspirés par les peintures corporelles et rupestres traditionnelles. Simultanément, en Australie centrale, un professeur de dessin, Geoffrey Bardon, fit découvrir aux habitants du désert la peinture acrylique, produisant un genre d'art totalement nouveau : le style « pointilliste », essentiellement symbolique, était né. La National Gallery de Canberra, les galeries des États et nombre de galeries privées présentent des œuvres d'art aborigènes. Plus récemment, d'autres communautés aborigènes du nord ont aussi gagné une solide réputation d'artistes, comme les insulaires Tiwi pour leurs gravures et leurs peintures tout à fait originales (ci-dessus, décoration d'un coquillage par un Tiwi) ; les œuvres de la région de Kimberley, avec Rover Thomas et Paddy Carlton comme chefs de file ; les acryliques flamboyants d'Eubana Nampitjin de Balgo Hills. En Australie-centrale, les travaux d'Emily Kngwarreye, aujourd'hui décédée, ont fait connaître la communauté d'Utopia ; sa nièce, Kathleen Petyarre, continue dans la même voie.

◀ *Presque inconnue dans son pays, Muntja Nungurayai, de la communauté du désert de Balgo (Australie-Occidentale), est considérée par certains en Europe comme un maître. Ses peintures s'inspirent de son mode de vie et des rituels des femmes de la tribu.*

Chez les Tiwi, la gravure et la peinture sur bois reprennent les décors des poteaux funéraires « tutini ». ▼

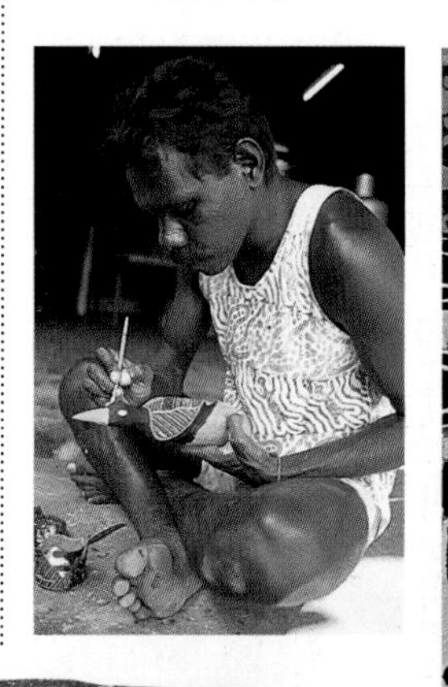

L'art est omniprésent dans les îles Bathurst et Melville. Des œuvres contemporaines décorent les immeubles publics. La tôle ondulée est un des support favoris des artistes tiwi. ▶

▲ *Outre le « pointillisme », les peintres de Balgo Hills pratiquent un graphisme très coloré, comme dans ce triptyque des frères Tjakkamarra.*

L'autel de l'église Sainte-Thérèse, dans l'île de Bathurst (Territoire du Nord), est une version typiquement tiwi des symboles du catholicisme. La croix est bien entendu toujours omniprésente, mais dans un décor du plus pur style tiwi. ▶

Cette combinaison « pointilliste » d'éléments traditionnels, tortue et lézards, et d'empreintes de mains est typique de l'art rupestre aborigène. ▶

UNE HISTOIRE EN IMAGES

L'art aborigène s'exprime à travers les peintures et les gravures rupestres. Les plus anciennes auraient environ cinquante mille ans. Près de Kimberley, un site découvert en 1996 a même été estimé à cent dix mille ans. Les plus belles œuvres se trouvent à Arnhem Land et dans le parc voisin de Kakadu, Territoire du Nord.

A l'abri sous roche d'Ubirr, à Kakadu, la plupart des peintures datent d'avant le dernier âge glaciaire (8 000 ans). Un ensemble de figurations animales (dont des espèces disparues) est oblitéré par des tracés « dynamiques ». Pardessus, des peintures de poissons barramundi, dont les organes internes apparraissent commme radiographiés dans le style « rayons X ». Enfin, des grands voiliers témoignent de l'arrivée des Européens. Chaque couche est une page d'histoire du continent.

La tradition des poteaux funéraires « tutini » est toujours vivace dans le rites d'enterrrement « pukamani » des Tiwi. Le nombre de poteaux érigés correspond au rang du défunt dans la communauté. ▼

ILLAWARRA
STEELERS

L'AMOUR DU SPORT, LA PASSION DU JEU

On n'insistera jamais assez sur la place que le sport occupe dans la société australienne. L'Australie compte plus de 130 organisations sportives et plusieurs milliers de clubs dans les États et les régions. La moitié de la population s'adonne à une activité sportive (sept Australiens sur dix suivent régulièrement les compétitions ou leur retransmission à la télévision), et cette proportion ne tient pas compte de ceux, encore plus nombreux, qui pratiquent des activités comme la randonnée pédestre ou équestre, la navigation de plaisance ou la pêche.

Il est vrai que le climat s'y prête tout particulièrement, que la proximité de la mer permet de pratiquer la natation, le surf, la voile, la pêche, celle de l'*outback,* la randonnée, le canoë, le ski, l'escalade. En ville, l'étalement des banlieues a laissé des espaces suffisants pour la pratique du cricket, du golf, du rugby, du jeu de boules sur gazon. L'Australie est un véritable paradis pour les sportifs, comme elle l'a démontré lors des jeux Olympiques de Sydney, en 2000.

Le sport : un atout politique

Plus que le passe-temps favori des Australiens, on pourrait dire du sport qu'il constitue un véritable ciment social. Comme l'explique Xavier Pons, dans l'Australie et ses populations, *« l'importance du sport est inculquée aux enfants dès l'école, et la réussite en ce domaine fait beaucoup plus d'envieux que la réussite purement scolaire [...]. Les sportifs, particulièrement ceux de haut niveau, bénéficient d'un prestige considérable, parce qu'ils sont une incarnation de la virilité telle qu'on la conçoit en Australie. »*

Les Australiens ont tendance à confondre succès sportifs et prospérité et à reléguer les problèmes socio-économiques à l'arrière-plan chaque fois que les exploits des champions australiens font la une de l'actualité. Les hommes politiques ont toujours su exploiter cette passion pour asseoir leur popularité. C'est ainsi que, lors de la campagne électorale de 1975, Malcolm Fraser, candidat conservateur, promit de *« ramener le sport à la une des journaux »*, formule que les électeurs devaient interpréter comme l'assurance d'un retour des beaux jours.

De même, sir Robert Menzies, qui battit tous les records de longévité ministérielle, était un fanatique de cricket et un supporter assidu de l'équipe nationale. Mais aucun homme politique ne sut mieux que Bob Hawke faire du sport une véritable plateforme pour gagner la faveur de la classe moyenne. Lui-même ancien champion universitaire, le premier ministre travailliste ne manqua jamais, au cours de ses quatre mandats (1983-1991), d'assister aux rencontres internationales de cricket, aux grandes régates, ni de faire un commentaire sur les matches de rugby.

A gauche, rugbymen en pleine action; à droite, supporters d'une équipe d'« Australian rules football ».

L'âge d'or du sport australien

Dans les années 1950, l'Australie produisit une écurie de champions dont la pugnacité, soutenue par un fervent patriotisme, devait faire merveille dans les stades. A cette époque, les joueurs de tennis et les nageurs australiens dominèrent la compétition internationale ; l'Australie fit alors une arrivée remarquée dans des disciplines comme le cyclisme, le cyclo-cross, la boxe, l'aviron et le golf. Ces disciplines qui, à la différence du cricket et du rugby, jouissaient d'une audience internationale, permirent à ce pays de faire parler de lui dans le monde entier.

C'est au cours de cette décennie fastueuse que John Landy, Herb Elliott, Marjorie Jackson et Betty Cuthbert s'illustrèrent en athlétisme, relayés en natation par Murray Rose, Dawn Fraser, John Henricks, Lorraine Crapp, John et Ilsa Konrads, tandis que Frank Sedgman, Lew Hoad et Ken Rosewall émergeaient en tennis. Les jeunes Australiens firent de tous ces athlètes leurs héros.

Cet âge d'or connut son apogée en 1956, lorsque l'Australie remporta la coupe Davis (battant les États-Unis en finale 5-0) et que ses

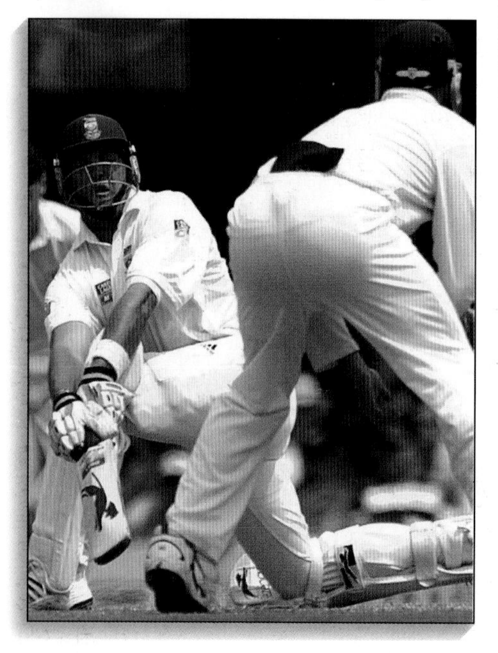

athlètes remportèrent 35 médailles, dont 13 médailles d'or, aux jeux Olympiques de Melbourne.

Patriotisme, esprit contestataire, *fair-play* et une sainte horreur de l'échec caractérisent le sportif australien, attitudes dont le public se délecte. Il peut aussi bien faire preuve d'une insolente agressivité dans les stades que d'un authentique esprit de camaraderie après les rencontres.

Figures de proue

Les Australiens étant des individualistes acharnés, rien d'étonnant que les sports individuels soient à l'honneur en Australie. L'Australie a ainsi remporté de nombreuses victoires en coupe Davis grâce à de grands joueurs comme Rod Laver, le seul à avoir remporté deux grands chelems en 1962 et 1969 (au total, 125 tournois gagnés), Ken Rosewall, vainqueur de Roland-Garros en 1953 et 1968, de Forest Hills à deux reprises et brillant équipier de Lewis Heard et de Rod Laver en coupe Davis, John Newcombe, Evonne Goolagong Cawley, Pat Cash, Wally Masur. Vainqueur de l'US Open en 1997, Patrick Rafter réitéra l'exploit en 1998.

Les clubs d'entreprise ont mis, en Australie, le golf à la portée de toutes les bourses. Ce sport compte plusieurs joueurs australiens de premier plan: Bruce Devlin, Graham Marsh, Peter Thomson, Jan Stephenson et Greg Norman, surnommé « le grand requin blanc », qui a remporté presque tous les grands tournois du monde. Premier au classement mondial de 1986 à 1990, détrôné depuis par l'Américain Nick Faldo.

Autres grands champions, les boxeurs Johnny Famechon, Lionel Rose, Jimmy Carruthers et Jeff Fenech ; et les cyclistes Anderson, Mockridge, Sutton et Bishop.

Un sport adulte

Dans les années 1970-80, il devint évident que les atouts que représentaient le climat, la propension naturelle des Australiens à faire du sport et l'existence d'amateurs particulièrement doués ne suffisaient plus à se maintenir au niveau international. En fait, les jeux Olympiques de Séoul placèrent l'Australie (14 médailles) derrière les États-Unis et l'ensemble des pays d'Europe de l'Est, mais également derrière la plupart des pays d'Europe occidentale.

En revanche, aux jeux Olympiques de Barcelone, en 1992, l'Australie remporta 27 médailles, effaçant la modeste performance de Séoul mais restant en deçà des 35 médailles (dont 13 médailles d'or) des jeux de Melbourne, en 1956.

Grâce à la fondation d'un Institut australien du sport (établi à Canberra), qui s'appuie sur de nombreux entraîneurs de grande valeur, l'Australie peut désormais former des sportifs selon les méthodes médicales et psychologiques modernes. Cet organisme prend en charge, à plein ou à mi-temps, environ 300 jeunes sportifs, dans diverses disciplines. Au lendemain des jeux de Séoul, l'Institut australien du sport a été le premier à renoncer à l'emploi d'anabolisants. Il lui reste cependant à égaler les résultats obtenus, dans d'autres pays, par des instituts similaires dont le budget est proche de celui de la défense nationale, vu la portée politique de l'enjeu.

LES FOOTBALLS AUSTRALIENS

En Australie, le mot football désigne quatre sports différents : le football tel qu'on le connaît en Europe, le rugby à quinze (*Rugby Union*), le jeu à treize (*Rugby League*) et enfin le *footie*, la version australienne du football (*Australian Rules Football*). Ce dernier est dérivé du football gaélique, tel que le pratiquaient les mineurs irlandais sur les placers du Victoria dans les années 1850. En 1858, le premier club fut fondé à Melbourne, et en 1866 ce sport se dota d'un règlement officiel. Il se joue sur un vaste terrain ovale et consiste, comme le football, à envoyer un ballon dans les buts adverses. Le *footie* utilise un ballon ovale, qui peut être saisi avec les mains, et il n'y a pas de gardien de but. Chaque équipe se compose de 18 joueurs. Ce sport compte ses plus fervents amateurs dans le Victoria.

A gauche, rencontre amicale au Sydney Cricket Ground entre l'Australie et l'Afrique du Sud ; ci-dessus, bonne passe de Cameron Ling lors de l'Australian Rules Wizard Cup Final.

Le *footie*, pratiquement inconnu à l'étranger, est surtout populaire à Melbourne, ville de 3,3 millions d'habitants. La compétition la plus célèbre est le championnat de la Victorian Football League (VFL). On estime que chaque samedi, en hiver, un Melbournien sur seize assiste à une rencontre de la VFL et que des milliers d'autres en suivent la retransmission télévisée. Le record revient à la finale opposant Carlton à Collingwood (deux clubs de Melbourne) qui, en 1970, attira 121 696 spectateurs. La finale annuelle de AFL (Australian Football League) qui se tient chaque année au Cricket Ground de Melbourne est un événement sportif majeur rivalisant par ses couleurs, le déchaînement de passions et son incroyable ambiance avec la finale du Superbowl aux États-Unis.

LE RUGBY À QUINZE

Le rugby à quinze, resté quant à lui au statut amateur, est également très populaire au Queensland et en Nouvelle-Galles du Sud. A en croire leurs supporters, les « quinzistes » australiens jouent comme des dieux. Ainsi, les deux ou trois rencontres annuelles entre les meilleures équipes du Queensland et de Nouvelle-Galles du Sud donnent lieu à de rudes engagements. Les joueurs de rugby amateurs font preuve d'un esprit d'équipe qui fait souvent défaut aux joueurs professionnels. Fortement implanté dans les universités et les collèges privés, le rugby à quinze jouit d'une bien meilleure réputation que le jeu à treize.

Toutefois, tous les joueurs australiens ne sont pas des fils de famille. Ainsi, les trois frères Ella, Aborigènes originaires des faubourgs populaires de Sydney, ont-ils eux aussi obtenu la consécration en entrant dans l'équipe nationale des Wallabies, dont Mark Ella fut le capitaine en 1984 (année où l'équipe des Wallabies battit les quatre nations britanniques). Son club, Randwick, dont les joueurs sont surnommés les « Verts foudroyants », est considéré comme l'un des meilleurs clubs mondiaux, ayant remporté plusieurs années de suite les championnats de Sydney.

La victoire des Wallabies lors de la coupe du monde de 1991 revêt une forte valeur symbolique. C'est sur le sol anglais qu'ils ont battu l'Angleterre en finale, après avoir triomphé des All Blacks de Nouvelle-Zélande. Ils ne réitéreront pas cet exploit en 1995, éliminés par ces mêmes anglais en quart de finale.

Le rugby à treize

Le rugby à treize, pratiqué par des professionnels dans une demi-douzaine de pays (dont le Japon), est le premier sport « d'hiver » au Queensland et en Nouvelle-Galles du Sud. L'Australian Rugby Football League regroupe plus de 400 000 licenciés et la seule ville de Sydney compte une douzaine d'équipes professionnelles.

Si le rugby à treize n'a pas la popularité du *footie*, les clubs professionnels traitent cependant leurs joueurs avec panache grâce aux recettes tirées de la publicité et de leurs à-côté commerciaux (bars, restaurants, machines à sous et autres activités des *club houses*).

Ce sport trouve ses principaux amateurs dans les faubourgs de Brisbane et de Sydney, mais il se pratique dans toute l'Australie, où les rencontres inter-États sont aussi prisés que les rencontres internationales. En 1982, l'équipe nationale, les Kangourous, remporta toutes les parties de sa tournée en France et en Grande-Bretagne, performance unique à ce jour qui lui valut même l'admiration des Australiens inconditionnels du rugby à quinze !

Le football

Importé à la fin du XIXe siècle par des immigrants britanniques, le football a vu croître sa popularité avec l'arrivée en force des nouveaux Australiens (Italiens, Grecs, Turcs, Croates, Néerlandais, etc.).

A l'heure actuelle, la plupart des clubs de division souffrent de rivalités ethniques internes, de tracasseries administratives ainsi que d'une faible couverture médiatique. Malgré tout, cette discipline connaît un succès grandissant auprès des jeunes Australiens. Le résultat le plus spectaculaire que l'Australie ait récemment obtenu sur la scène internationale a été la victoire des Socceroos contre le Brésil au cours des demi-finales de l'Australian Bicentennial Cup, en 1988.

Le basket-ball mérite lui aussi une mention puisque l'équipe nationale se classe aujourd'hui parmi les dix meilleures du monde. La Ligue australienne de basket-ball a limité à deux par équipe le nombre de joueurs « achetés » à l'extérieur. C'est pourquoi ce sport est aujourd'hui considéré comme « propre », à l'abri des combines, une image que lui envient bien d'autres disciplines.

Le cricket

Les sports d'origine britannique sont évidemment à l'honneur dans cet ancien dominion de la Couronne. En été, le pays tout entier se retrouve autour d'une même passion : le cricket. Les matches opposant l'équipe nationale à sa rivale de toujours, l'Angleterre, ou aux anciens pays membres du Commonwealth (Nouvelle-Zélande, Inde, Antilles britanniques, Pakistan, etc.) réveillent les passions.

Ils durent généralement cinq jours et un néophyte trouvera sans doute les règles du cricket fort compliquées et le jeu sans grand intérêt. Mais des millions d'Australiens, formés par les exploits de Greg Chapell ou de Don Bradman – qui fut au cricket, dans l'entre-deux-guerres, ce que Pelé devait être au football dans les années 1970 –, suivent ces rencontres à la télévision comme une grand-messe.

Sydney, Melbourne, Adélaïde, Brisbane et Perth possèdent toutes leur stade de cricket, d'une capacité de 30 à 90 000 spectateurs. Les inconditionnels vous diront qu'il n'est rien de plus exaltant que d'assister à une rencontre d'ouverture Australie-Angleterre sur le stade de Melbourne. Attention toutefois, si ce jeu n'est autre qu'une version ultrarapide du croquet, le cocktail de bière, de passion et de soleil peut rendre les foules hystériques, voire dangereuses.

Ce sport se joue à tous les niveaux, des parties inter-États aux rencontres entre juniors et, en été, les amateurs se retrouvent le dimanche autour des terrains de cricket, où ils disputent des parties dans une atmosphère bon enfant, même si certains, la bière aidant, se prennent parfois pour Don Bradman.

Ci-dessus, les pilotes abordent le virage lors du grand prix de Formule 1 à Melbourne; à droite, fan de tennis comblé, Open d'Australie.

Les sports nautiques : l'orgueil de l'Australie

Mais c'est sans doute dans les sports nautiques que les Australiens donnent le meilleur d'eux-mêmes. Si l'Australie, qui revendique l'invention du crawl, a perdu sa suprématie en natation, c'est néanmoins la discipline qui lui a valu le plus grand nombre de distinctions

internationales, suivie de près par le tennis. Son dernier champion est Ian Thorpe, avec trois médailles d'or et deux d'argent aux Jeux Olympiques de l'an 2000. Il est devenu en 2003 le premier nageur à gagner trois titres mondiaux consécutifs en 400 m nage libre.

Les surfeurs australiens dominent également la compétition internationale : ils ont gagné une grande partie des championnats professionnels et amateurs depuis leur création. Mark Richard a remporté le titre mondial professionnel en 1975 (date de création de cette compétition) puis de 1979 à 1982, ce qui en fait le plus grand surfeur de compétition de tous les temps. Tom Carroll et Hartman poursuivent eux aussi une carrière internationale.

Les *surfing life-savers* (sauveteurs et maîtres nageurs surveillant les plages) ont eux aussi trouvé leur héros en la personne de Grant Kenny, énergique champion aux talents multiples puisqu'il participe également à des compétitions internationales de canoë-kayak.

L'Australie accueille également de grandes épreuves, parmi lesquelles la célèbre course Sydney-Hobart, créée en 1945 et qui attire des équipages de toutes nationalités.

Mais c'est l'événement du 29 octobre 1983 qui marqua le plus les esprits lorsqu'au large de Newport l'équipage d'*Australia II* triompha de son rival américain dans la plus prestigieuse épreuve nautique : la coupe de l'America,

détenue par les États-Unis depuis 1851. Alan Bond, initiateur et organisateur du défi australien, devint du même coup l'un des hommes les plus populaires de son pays. Ramenant le fameux trophée dans sa ville de Perth, il blessa l'orgueil des clubs nautiques très fermés de Sydney et de Melbourne. Malgré la présence de deux bateaux (*Spirit of Australia* et *Challenge of Australia*), l'Australie n'a pas réédité son exploit les années suivantes.

Sur deux et quatre roues

Les Australiens se sont également illustrés en course automobile et motocycliste, comme Jack Brabham (trois fois champion du monde) et Alan Jones en formule 1 ou Wayne Gardner, qui fut longtemps l'un des meilleurs pilotes de moto sur 500 cm³ (dix victoires en grand prix et un titre de champion du monde).

Les vrais héros, toutefois, demeurent les coureurs de rallye automobile. Les championnats bénéficient d'un généreux parrainage et d'une importante couverture de presse. Le Bathurst 1 000, qui a lieu en octobre fait ainsi l'objet de reportages de télévision en continu et attire des participants du monde entier. Le talentueux Peter Brock l'a remporté neuf fois, un record.

Une nation de parieurs

Si, dans certains pays, les jeux d'argent ont plutôt mauvaise presse, ils font véritablement partie de la culture australienne. Le revenu annuel des jeux d'argent représente, d'après les estimations, le double du budget des affaires sociales et le triple du budget de la défense !

Il existe en Australie de très nombreuses officines de pari mutuel, sans compter les *bookmakers* qui prennent les enjeux par téléphone, en toute illégalité pour certains. Le TAB propose des paris sur des courses de chevaux, de chiens ou sur des rencontres de football. Tout est sujet à pari en Australie. Certains Australiens n'hésitent pas à parier régulièrement leur paie dans une partie de *two-up* (équivalent de notre pile ou face), tandis que d'autres préfèrent miser gros sur un cheval, un attelage, un lévrier, un voilier, voire une équipe de football.

Sur les champs de courses comme Randwick à Sydney ou Flemington à Melbourne, l'atmosphère est électrique les jours de courses. Le ton, la tension, le suspense grimpent rapidement et les billets changent de main fébrilement. Chacun semble pris d'une véritable frénésie, qu'il ait misé quelques dollars ou une forte somme.

La Melbourne Cup est sans doute la course la plus prisée. Elle mobilise l'attention de tous. Cette course de plat de 3 200 m, qui se dispute sur l'hippodrome de Flemington le premier mardi de novembre, depuis 1861, rapporte des millions de dollars au TAB (équivalent du PMU français). Aucun autre grand prix, comme le Kentucky Derby ou le Derby d'Ascott, n'a jamais exercé une semblable fascination sur le public. A 14 h 40, heure de Melbourne, le pays tout entier s'arrête de respirer. C'est un jour férié dans l'État de Victoria, et le gouvernement lui-même se met en congé afin que les élus puissent suivre la course en direct à la télévision.

Phar Lap, héros national

La Melbourne Cup est depuis toujours dominée par des pur-sangs néo-zélandais, dont le plus célèbre reste Phar Lap, surnommé la « Terreur rouge ». Ce fabuleux coursier devint un véritable héros national dans les années 30, remportant 37 des 51 courses auxquelles il prit part, dont la Melbourne Cup de 1930. Il battit un record de vitesse lors de sa dernière victoire, à l'occasion de l'Aguas Caliente Handicap, aux États-Unis. Il mourut peu après dans des circonstances mystérieuses et, bien que l'autopsie n'ait pu déterminer les causes du décès, les Australiens éprouvèrent à l'époque un vif ressentiment à l'égard des Américains.

Ce cheval était, en effet, devenu un motif d'espoir et de fierté nationale en cette période de grande dépression. Son cœur, une fois et demie plus gros que la normale, aurait été, d'après les vétérinaires, la raison de tout ses exploits. C'est pourquoi l'expression *« avoir le cœur gros comme Phar Lap »* est passée dans le langage courant pour qualifier un être doué d'un courage hors pair.

A gauche, né en Nouvelle-Zélande, Phar Lap est l'un des chevaux de course les plus réputés d'Australie; ci-dessus, parieurs sur le champ de courses de Melbourne.

Le souvenir de Phar Lap est encore évoqué dans trois lieux différents : son squelette est exposé en Nouvelle-Zélande, sa dépouille empaillée trône dans une vitrine du musée de Melbourne et son énorme cœur est considéré comme l'un des trésors de l'Institut d'anatomie de Canberra.

La télévision

Partout où se retrouvent les hommes (pubs, clubs ou lieux de travail), le sport reste le sujet de conversation favori. Les Australiens parient sur les épreuves sportives, portent leurs sportifs aux nues ou les traînent dans la boue... sans jamais se lasser.

La télévision perpétue cette passion pour le sport. Grâce aux retransmissions par satellite, les Australiens peuvent suivre tous les programmes sportifs. Les chaînes payent des sommes astronomiques pour obtenir les droits de retransmission internationaux et nationaux.

La multiplication des « sportifs en chambre » inquiète considérablement le ministère de la Santé, qui a récemment lancé une campagne publicitaire au slogan évocateur : *« Life, be in it »* (« La vie, vivez-la »), afin d'inciter ces sédentaires à sortir au grand air.

LES PLAISIRS DE LA TABLE

Il n'y a pas si longtemps, l'évocation même d'une tradition culinaire australienne prêtait à sourire. Longtemps la gastronomie australienne fut réduite à son dessert national, appelé *pavlova* (à base de fruits et de meringue), à ses effroyables *meat pies* (sombres tourtes chaudes à la viande nappée de sauce tomate) et autres *chico rolls* (sorte de petits pâtés à la viande hachée).

L'Australie s'est pourtant transformée, durant les années 1990, en une sorte de paradis pour les gourmands. Peu de pays possèdent

une telle variété de restaurants. Des très chics salles à manger aux cafés de plage, on peut désormais déguster nombre de spécialités culinaires des plus inventives.

La qualité des produits du cru participe aussi à ce nouvel élan de la gastronomie australienne. Les diverses zones climatiques permettent en effet la production d'une infinie variété de fruits et de légumes ainsi que d'excellents vins à des prix très abordables.

Un régime spartiate

A leur arrivée sur le continent, les colons montrèrent une grande réticence à goûter les denrées locales, d'un goût pour le moins inhabituel pour un palais occidental. Les premiers semis de graines européennes échouèrent et les marins de l'escadre durent se contenter des rations du bord : porc et bœuf salés, farines et pois secs, pain levé au bicarbonate de soude devaient constituer l'essentiel du régime alimentaire des colons pendant plus d'un siècle. Persuadés de la supériorité des denrées européennes, les Australiens importèrent donc les plantes comestibles et les animaux qui leur étaient familiers, plutôt que de domestiquer les espèces locales. La « gastronomie » australienne s'est longtemps contentée d'imiter la cuisine populaire anglaise : rôtis aux pommes de terre, pied de cochon en saumure et tourtes à la viande ont ainsi inlassablement garni les assiettes jusque dans les années 1970.

Se sont néanmoins détachés quelques plats telle la salade australienne constituée de *corned beef*, de jambon blanc et de volaille, agrémentés de laitue, de pommes de terre et d'une tomate, le tout nappé d'une sauce à base de lait condensé sucré, de vinaigre et de poivre ; l'autre grande spécialité de l'Australie reste l'agneau, que l'on cuisine à toutes les sauces.

Une riche cuisine venue d'ailleurs

La vague d'immigration en provenance de Méditerranée, qui toucha l'Australie après la Seconde Guerre mondiale, contribua largement au réveil gastronomique du pays. Les Italiens initièrent les palais australiens aux pâtes, à l'ail et à l'huile d'olive. Melbourne, la capitale du Victoria, est ainsi réputée pour la qualité de sa cuisine italienne : sa *pasta* (généralement faite « maison ») accommodée de mille et une façons.

La progression de l'immigration durant les années 1970 allait apporter bien d'autres traditions culinaires. Les restaurants s'ouvrirent ainsi aux chefs libanais, turcs, hongrois, espagnols, témoignant du creuset qu'est la société australienne. Toutes les grandes villes regorgent aujourd'hui de restaurants grecs et turcs proposant une nourriture correcte et sans fioritures. Assez répandue à Sydney et Melbourne, la cuisine des Balkans est en général simple mais bonne. En raison d'une solide implantation luthérienne en Australie-Méridionale, la Barossa Valley offre quant à elle un choix de restaurants allemands très acceptables.

Mais c'est la cuisine asiatique qui a eu l'influence la plus importante. Aujourd'hui très bien représentée en Australie, elle s'est imposée dans la plupart des grandes villes, qui comptent aujourd'hui de nombreux restaurants déclinant les traditions culinaires des principaux pays d'Asie. Ces établissements, extrêmement bon marché, sont dans l'ensemble d'un excellent rapport qualité-prix. On pourra y goûter de délicieuses spécialités, des *sashimi* japonais au *rijstafel* indonésien, en passant par le canard à la pékinoise et le *phô* vietnamien.

Certains chefs asiatiques se sont mis à adapter leurs plats traditionnels au contexte australien. Il n'est donc pas rare de trouver à la carte des fritures de viandes de kangourou ou un curry thaï de *barramundi* (carpe géante).

La cuisine indienne est en revanche assez mal représentée et souvent de piètre qualité. Dans l'échelle des prix viennent ensuite les cuisines des pays du Proche et du Moyen-Orient, présentes dans la plupart des grandes villes et appréciées des étudiants.

POISSONS ET FRUITS DE MER

Si les *Aussies* mirent longtemps à reconnaître la richesse de leurs eaux tropicales, chaque menu de restaurant propose aujourd'hui un choix varié de poissons frais. Les amateurs de poissons et de fruits de mer seront comblés en Australie.

Les gourmands se doivent de goûter aux huîtres sauvages, à la langouste australienne (particulièrement celle de Tasmanie), au crabe du Queensland, au merlan (*whiting*), que l'on pêche dans les fonds marins du King George Sound et qui n'a rien à voir avec le merlan de l'Atlantique, au *snapper*, sorte de bar qui pullule sur les côtes, ou encore au *barramundi*, carpe géante des estuaires tropicaux.

Actuellement, c'est Melbourne qui offre le plus grand choix de restaurants de poisson. Nombre de restaurants asiatiques proposent au moins un plat de poisson ou de coquillages, ainsi que de nombreux restaurants italiens qui les préparent à la perfection.

Seules les grandes villes offrent une nourriture variée et raffinée. En dehors des principaux sites touristiques, l'*outback* australien est un véritable désert culinaire. Saucisses, côtelettes de mouton et biftecks constituent l'essentiel des consistants repas quotidiens.

A gauche, la cuisine asiatique est très répandue en Australie; ci-dessus, les fameuses huîtres sauvages de Sydney.

UN PAYS RÉPUTÉ POUR SA VIANDE

Parmi les animaux locaux à chair comestible figure le célèbre kangourou, que l'on a, durant de longues années, fait rôtir comme une venaison, bouillir à l'anglaise ou cuire à l'étouffée, accompagné de gelée de groseille importée et additionnée de porto de fabrication locale. Quant à l'émeu, il fallait, paraît-il, avoir un véritable estomac de marin pour le digérer. Autres spécialités du bush : l'iguane, le serpent ou encore les larves d'insectes grillées, que certains considéraient alors comme *« bien meilleures que la petite friture que l'on trouve en Angleterre »*.

Si ce portrait peut paraître assez effroyable, les plus grands chefs accommodent aujourd'hui avec succès la chair du kangourou et de l'émeu, utilisés dans la plupart de leurs plats. L'Australie est désormais réputée pour la qualité de sa viande. Si le buffle et le crocodile sont toujours

servis sous forme de biftecks ou de *burgers* dans l'État du Victoria, le bœuf du Gipsyland, l'agneau de Meredith, le pigeonneau ou le poulet nourri au grain font le régal des amateurs de viande.

D'excellents produits régionaux

L'Australie est désormais réputée pour la qualité de ses produits. Outre la récente découverte de la richesse de ses eaux tropicales et le développement de l'élevage de poulets et de bœuf de grande qualité, l'Australie se distingue par la diversité de ses fruits et légumes. Les fromages, les olives ou les vins, autrefois importés, sont aujourd'hui produits sur place. Chaque région a ainsi inventé ses propres spécialités.

Le Queensland est devenu un important producteur d'excellents fruits tropicaux (il faut goûter les succulentes mangues et papayes de Bowen), la Nouvelle-Galles du Sud est aujourd'hui célèbre pour ses vins de la Hunter Valley, tandis que la Tasmanie produit framboises, fromages, truites et saumons. L'industrie vinicole de la Barrossa Valley est une des plus grandes réussites de l'Australie-Méridionale qui s'est également distinguée pour ses productions d'huile d'olive et d'ingrédients issus du bush.

Vers une nouvelle cuisine australienne

Cela prit du temps, mais la nourriture australienne se distingue aujourd'hui par sa qualité, son inventivité et la diversité de ses saveurs. L'apparition de nouveaux ingrédients issus du bush et l'influence des cuisines issues de l'immigration incitèrent quelques chefs entreprenants à défier toutes les règles.

Fruits exotiques du bush et produits locaux comme le kangourou, le crocodile ou l'émeu sont aujourd'hui savamment préparés et relevés des multiples senteurs et épices de Méditerranée ou d'Asie comme la citronnelle, la coriandre, les piments ou la cardamome.

Pâtes cheveux d'ange aux *Balmain bugs* (crustacé australien), gambas et mascarpone au citron vert ; tartare de truite de l'océan sur *rösti* de pomme de terre au *wasabi* ; filet de kangourou et d'émeu au *chutney* de tomates du bush, *pancake* de patate douce : autant de plats témoignant de l'inventivité de ces nouveaux chefs australiens.

A la tête de cette jeune génération de cuisiniers, un chef français, Jean-Luc Fourrier, ami d'Alain Ducasse, qui a largement contribué à cette révolution culinaire ; une nouvelle génération de cuisiniers que se disputent aujourd'hui les plus grands restaurants d'Australie.

On est aujourd'hui bien loin des terribles *meat pies* et autres plats de viande bouillie. On a assisté ces dix dernières années à l'émergence d'une véritable cuisine qui a imposé Sydney comme la capitale de la gastronomie australienne.

A gauche, dessert original témoignant de l'inventivité des chefs australiens (restaurant Whale Beach) ; à droite, menu d'un restaurant d'Alice Spring (Territoire du Nord).

SAVEURS DU BUSH

Dans un des restaurants les plus réputés de Sydney, nombre de plats aux noms énigmatiques susciteront la curiosité des gastronomes. En entrée, un pâté d'émeu ou un carpaccio d'opossum fumé aiguisera les palais, avant de poursuivre par une *anabaroo, mango and burrawong soup*, mélange de trois ingrédients originaires du Territoire du Nord : le *water buffalo* (buffle), cuit dans un filet afin de préserver le caractère juteux de la viande, la mangue tropicale et le *burrawong* (noix australienne, que l'on a vue mentionnée dans les carnets de voyage de l'explorateur Ludwig Leichardt). En guise de plat principal, on pourra tester un poisson de la barrière de Corail, servi avec une sauce aigre à la *billyoat plum* (fruit australien ayant une teneur en vitamine C cinq mille fois supérieure à celle d'une orange) ou opter pour le *quandongrow-bumba*, canard cuisiné avec une sauce à base de pêche quandong, d'extrait d'orange et de brandy.

Autant de saveurs qui contribuent à l'engouement actuel pour tout ce qui vient du bush, ou son incarnation gastronomique, la *« Native cuisine »*. Les restaurants découvrent les produits directement issus du grand supermarché que constitue l'*outback*, qu'ils n'hésitent plus à métisser avec les traditions européennes et asiatiques.

Ces ingrédients sont utilisés par les Aborigènes depuis cinquante mille ans. Certes, les premiers Européens débarqués en Australie goûtèrent quelques recettes aborigènes dans les premiers jours de la colonisation, alors que les hommes d'équipage de la première flotte, en attente de vivres en provenance d'Angleterre, menaçaient de mourir de faim dans la baie de Sydney. Certains se tournèrent vers les Aborigènes pour apprendre d'eux les manières de survivre dans le bush. Mais dès l'arrivée des secours, la plupart d'entre eux retournèrent à leur bon vieux *porridge* reconstituant.

Seuls les *bushmen* installés à la frontière de la colonie continuèrent de cuisiner dans la tradition du bush, en se servant des produits du cru, au moins jusqu'à l'apparition, après la Seconde Guerre mondiale, des supermarchés et de la nourriture congelée.

Dans les années 1930, un livre de cuisine rédigé par une Anglaise intégrait pourtant déjà quelques recettes à base d'opossum et de kangourou. Jusqu'à la fin des années 1990, la seule plante de l'*outback* qu'on trouvait dans le commerce était la noix de maccadamia (que la plupart des Australiens pensait en fait être d'origine hawaïenne).

Aujourd'hui, on sait que sur les 20000 espèces de plantes qui poussent sur le continent, 20 % sont comestibles. *Riberries*, *bonya nuts*, *wild rosellas*, *Kakadu plums*, *lilipili* ou *bush tomatoes* sont autant de plantes mystérieuses qui ont trouvé leur place dans les menus. Parmi les nouvelles herbes utilisées : les feuilles de poivrier, la myrthe anisée et la graine d'acacia (employée pour aromatiser glaces et aux gâteaux).

Bien que 3 millions de kangourous soient tués chaque année dans le bush, la vente de viande de kangourou n'a été que très récemment légalisée en Australie (bien qu'exportée depuis des années en Europe et aux États-Unis). Elle est réputée pour sa basse teneur en matières grasses – 1 % contre 25 % pour la viande rouge traditionnelle.

Avec le crocodile et l'émeu, la liste de ces nouveaux ingrédients inclut les bébés anguilles, et certaines larves, le plus souvent panées et frites et servies sur un lit de germes d'*alfalfa* (luzerne), selon une recette traditionnelle aborigène. On mange ces larves en en tenant la tête entre les doigts. Leur saveur croustillante rappelle celle des crevettes.

LES VINS AUSTRALIENS

L'histoire du vin débuta en Australie en 1788, lorsque le capitaine Arthur Philipp débarqua à Sydney Cove avec quelques ceps de vigne du cap de Bonne-Espérance qu'il planta à l'emplacement actuel du jardin botanique de Sydney. La culture de la vigne se révéla cependant assez difficile en

raison du fort taux d'humidité lié à la proximité de l'océan. Les vignes se propagèrent malgré tout dans les environs de Sydney, avant d'atteindre la totalité du continent dès le début du XIXe siècle. La Nouvelle-Galles du Sud est le plus vieil État producteur de vin. Les vignobles de la Hunter Valley donnent des vins blancs secs de sémillon, des chardonnays, des shiraz et des cabernets sauvignons. Mais c'est l'Australie-Méridionale qui est le plus gros producteur (60 % de la récolte totale). Les vignobles des Southern Vales et de Coonawarra produisent aussi d'excellents blancs (sauvignon et riesling notamment). La Barossa Valley donne depuis 1951 le meilleur vin rouge australien : le Grange Hermitage, vinifié à partir d'un cabernet sauvignon. La plupart des variétés européennes, réparties sur 75000 ha de vignobles, sont cultivées par 7000 viticulteurs. En Australie, seul compte le nom du producteur ; ni le terroir ni le cépage ne font l'objet d'une appellation contrôlée. Aussi les maîtres de chai australiens font-ils venir d'un peu partout de pleins camions de raisin afin d'améliorer la qualité de leur production. Sur l'étiquette d'une bouteille ne figurent que le nom des raisins, des vignerons et producteurs, des vignobles et la date de mise en bouteille. Les vins rouges australiens se caractérisent par leur teneur plus faible en tanin et leurs arômes plus soutenus. Les blancs sont quant à eux plus légers et souvent plus fruités.

◀ *Les vignes de la Hunter Valley s'étendent sur 160 km à partir de Sydney. Elles produisent des vins secs issus de sémillon figurant parmi les meilleurs du monde.*

L'altitude permet un peu de fraîcheur, propice au cabernet sauvignon et au chardonnay du domaine de Mountadam, à High Eden. ▶

▲ *La fermentation en fût est très courante dans la Barossa Valley. Au domaine de Penfold, on façonne toujours les fûts de chêne à l'ancienne.*

L'origine des cépages n'étant pas contrôlée, le mélange des vins se fait avec le plus grand soin en vue d'améliorer la production. ▼

La demande en vins rouges australiens est telle que de nombreux producteurs se sont trouvés dans l'incapacité de faire face. Le plus populaire est le shiraz, connu en France sous le nom de syrah. ▶

A LA POINTE DU PROGRÈS

Hémisphère sud oblige, en Australie, les vendanges ont lieu entre le mois de janvier et le mois de mai. Si le soleil donne de fortes teneurs en sucre (et donc un haut degré d'alcool) et des arômes très soutenus, la chaleur peut aussi sérieusement endommager les vignes. Ainsi les vendanges ont-elles souvent lieu la nuit, ce qui permet de récolter le raisin à la bonne température. Les producteurs, dont ceux de la Karadoc Winery de Lindeman (ci-dessus), ont ainsi élaboré une technologie de pointe et, afin de mieux maîtriser la fermentation et de préserver la forte teneur en fruit de leurs vins, ils se servent de fûts en acier inoxydable et opèrent un contrôle strict de la température tout le long du processus de vinification. Les viticulteurs français, italiens et espagnols se servent eux aussi de ces techniques de pointe.

◀ *Les fûts de la propriété de Yeringberg, fondée en 1862, dans la Yarra Valley. La tragédie survint quelques dizaines d'années plus tard, lorsque le phylloxéra détruisit presque tous les vignobles du Victoria. La production y est aujourd'hui à nouveau florissante.*

Fûts de xérès du domaine de Morris Wines (Rutherglen). L'Australie, longtemps spécialisée dans l'exportation de vins doux, est devenue l'un des plus gros producteurs de vin de table du monde. ▶

LA FLORE ET LA FAUNE

Le splendide isolement dont jouit l'Australie depuis cent cinquante millions d'années a eu d'indéniables répercussions sur l'évolution de la faune et de la flore indigènes. Séparée du reste du monde par de vastes étendues d'eau, la nature australienne a connu un développement original, et l'île-continent abrite aujourd'hui, outre de nombreux spécimens endémiques, certaines espèces archaïques qui ont disparu ailleurs.

SURPRENANTS MAMMIFÈRES

On distingue trois groupes de mammifères: les monotrèmes, les marsupiaux et les placentaires (ou euthériens), ces derniers constituant le groupe le plus important. L'originalité de la faune australienne tient à la présence d'espèces ailleurs éteintes, tels les monotrèmes (forme transitoire entre les reptiles mammaliens et les mammifères), et à l'absence de nombreux ordres représentés sur d'autres continents, tels les ongulés et les primates. Les marsupiaux représentent près de la moitié des 230 espèces de mammifères répertoriées en Australie.

Les marsupiaux, dont on a retrouvé des spécimens fossilisés en Europe et en Amérique, purent ainsi poursuivre librement leur évolution en Australie, alors qu'ailleurs, à l'exception des opossums d'Amérique, ils ont été victimes des grands carnassiers. Principale caractéristique de ces mammifères vivipares, les petits, qui naissent à l'état embryonnaire, achèvent leur croissance dans la poche ventrale de la mère. La plupart des marsupiaux sont herbivores, mais certains se nourrissent aussi d'insectes, de reptiles et de petits mammifères.

Les plus petits marsupiaux carnivores, tels les numbats et les bandicoots, ressemblent à nos rongeurs. Les plus grands sont les « chats » et les « loups » australiens – espèces qui n'ont qu'une lointaine ressemblance avec leurs homonymes européens – comme le diable de Tasmanie, ou sarcophile, et le tigre de Tasmanie, ou thylacine. Ce dernier est une sorte de loup dont la race est aujourd'hui probablement éteinte : selon certains zoologues, le thylacine vivrait encore dans les régions les plus reculées de Tasmanie, mais aucun spécimen n'a été capturé depuis 1933.

Pages précédentes: pandanus, arbres de l'« outback »; à gauche, les marsupiaux dominent la faune australienne; à droite, le dingo est arrivé sur le continent il y a vingt mille ans.

Au nombre des herbivores arboricoles figurent les différentes variétés d'opossums australiens, le pétauriste, capable de planer d'arbre en arbre, ainsi que le timide koala. Cet « ourson » à la douce fourrure grise se nourrit exclusivement des feuilles d'une douzaine d'espèces d'eucalyptus et dort habituellement dans les branches clairsemées de cet arbre. Ce charmant animal, aujourd'hui protégé, était une proie facile pour les chasseurs, et faillit

être exterminé dans les années 20. Autre marsupial herbivore, le wombat, ou phascolome, sorte de rat géant qui se sert de ses griffes acérées pour creuser des terriers sous les souches des arbres et sur la berge des étangs.

Les marsupiaux les plus connus sont bien sûr les kangourous, classés en trois groupes, ou sous-familles, 17 genres et plus de 40 espèces. La première sous-famille ne comprend que le kangourou-rat musqué, insectivore. La deuxième, celle des rats-kangourous, ou potoroinés, regroupe de petits animaux dont la taille va de celle d'un mulot à celle d'un lapin. La troisième et la plus vaste, celle des macropodinés, comprend les grands kangourous, les wallabies (kangourous de petite taille), les osphranters, ou wallaroos, et les dendrolagues, ou kangourous arboricoles. Les grands kangourous peuvent mesurer 2,20 m et pèsent en moyenne 70 kg. Leur vitesse maximale est de 50 km/h et ils peuvent faire des sauts de 10 m de long lorsqu'ils se sentent en danger (2 m en temps normal), leur queue leur servant de balancier.

Avant l'arrivée de l'homme blanc et de ses techniques agricoles élaborées, la population de kangourous était naturellement régulée par les saisons et l'environnement. Ainsi, par temps de sécheresse, la femelle kangourou ne mettait-elle pas de petits au monde afin de restreindre l'extension du troupeau. Cette pendule interne fut néanmoins altérée par l'agriculture, l'irrigation apportant de la nourriture supplémentaire. Les kangourous se mirent ainsi à empiéter sur le territoire des moutons et des bovins, et ne tardèrent pas à devenir la cible des fermiers.

Les monotrèmes sont probablement le type de mammifère le plus exotique. Ovipares comme les reptiles, ils allaitent leurs petits comme les mammifères. Les derniers représentants de cet ordre sont l'ornithorynque amphibie, petit animal à fourrure caractérisé par un bec de canard et des pattes palmées, et l'échidné spinifère, animal terrestre au dos recouvert de piquants et qui n'est pas sans rappeler le porc-épic.

La gamme des mammifères placentaires est assez pauvrement représentée en Australie. Le dingo, sorte de chien sauvage qui aurait été « importé » il y a plus de vingt mille ans par les premiers immigrants aborigènes, est sans doute son représentant le plus connu. Le continent australien abrite également quelques rongeurs, arrivés en Australie il y a moins de vingt millions d'années, ainsi qu'une cinquantaine de spécimens différents de chauves-souris.

REPTILES ET BATRACIENS

Quelque 140 espèces de serpents peuplent le continent australien et, si ces reptiles occupent une place prépondérante dans les mythes aborigènes, ils ne jouissent pas de la même estime auprès des Blancs, surtout les espèces terrestres venimeuses comme le redoutable taïpan (qui peut atteindre 3 m de long), le serpent-tigre ou la vipère de la mort. Les eaux qui baignent les côtes septentrionales du continent abritent également une trentaine d'espèces venimeuses.

On recense par ailleurs 360 espèces de lézards, du plus minuscule des scinques au goanna géant (ou varan pérentie), qui peut atteindre 2,40 m de long et vit dans les régions désertiques. Le plus exotique est incontestablement le lézard à collerette qui déploie, en cas de danger, la membrane qu'il porte autour du cou – et qu'il ne faut pas confondre avec l'amphibolure barbé, dragon doté d'un « collier » d'épines fort impressionnantes. Toutefois, aucune de ces espèces n'est venimeuse et certaines, comme le scinque à langue bleue, qui chasse les escargots et les insectes, sont bienvenues dans les jardins.

L'Australie abrite 15 variétés de tortues d'eau douce (mais aucune espèce terrestre). Trait distinctif, elles rentrent toutes leur tête dans leur carapace en pliant leur long cou latéralement.

On rencontre deux spécimens de crocodiles sur le continent, mais uniquement dans sa partie septentrionale. L'un, le crocodile d'Australie, fréquente les cours d'eau de l'intérieur. Ce saurien plutôt craintif dépasse rarement 3 m de long. L'autre, le crocodile marin, originaire d'Asie du Sud-Est, atteint parfois 10 m. Beaucoup plus dangereux, il vit sur les côtes, dans les lagunes et en aval des cours d'eau et remonte parfois les rivières sur de longues distances.

On dénombre 130 espèces de grenouilles et de crapauds, dont beaucoup ressemblent à leurs congénères d'Europe et d'Amérique du Nord. Au nombre des variétés typiquement australiennes figure la grenouille réservoir, qui vit dans les régions désertiques du centre et se gonfle d'eau avant de s'enterrer pour survivre pendant les longues périodes de sécheresse. Aucune variété de crapauds n'est endémique. Certaines sont devenues quelque peu envahissantes, tel le crapaud des cannes, espèce géante importée d'Hawaï pour lutter contre les parasites qui infestaient les plantations de canne à sucre du Queensland et dont les responsables de l'environnement cherchent aujourd'hui à se débarrasser. L'introduction de nouvelles espèces dérègle la plupart du temps l'écosystème.

A gauche, koalas de la réserve de Lone Pine (Brisbane); ci-dessus, l'émeu (à gauche), l'oiseau national australien, et le scinque à langue bleue (à droite), que l'on peut également rencontrer dans les villes.

POISSONS ET ANIMAUX MARINS

La Grande Barrière de Corail abrite d'innombrables poissons, coquillages et polypiers, tous typiques des mers australes, sans compter les baleines, que l'on peut y observer pendant les mois d'hiver, ou les tortues luths, qui viennent y pondre. Mais il n'est pas nécessaire de faire de la plongée pour observer la vie marine. Il suffit d'escalader les rochers pour découvrir toutes sortes de coquillages, d'étoiles et d'anémones de mer, de crabes et parfois même quelques spécimens de pieuvres.

Plus de cent espèces de requins infestent les eaux australiennes, dont le célèbre grand requin blanc, mais que les baigneurs se rassurent, les plages sont en général protégées par des filets. Il faut surtout faire attention au poulpe bleu, espèce côtière de petite taille extrêmement venimeuse, et à la méduse des mers septentrionales, dont les piqûres peuvent être mortelles de novembre à avril ; mieux vaut donc s'abstenir de se baigner dans ces eaux durant cette période.

Une avifaune étonnante

L'île-continent abrite quelque 700 espèces d'oiseaux dont plus de 500 sont endémiques et présentent des caractéristiques remarquables. Ainsi, les premiers explorateurs découvrirent avec surprise qu'en Australie les cygnes étaient noirs, que les émeus étaient incapables de voler mais qu'ils couraient aussi vite qu'un cheval. Ils s'étonnèrent du rire sardonique du kookaburra, sorte de martin-pêcheur géant ; ils découvrirent d'élégantes pies qui saluaient le lever du jour de leurs trilles joyeux et des oiseaux-lyres (ou ménures) à la queue argentée qui faisaient la roue et pouvaient imiter, au cours de somptueuses danses nuptiales, le cri des animaux du voisinage, voire la voix humaine.

Le bush abrite des dizaines d'espèces de perruches et de perroquets aux couleurs chatoyantes, dont le rosella et le loriquet. On peut aussi observer des aigles, des faucons, des corbeaux et des coucous ainsi que de nombreux oiseaux aquatiques.

Le groupe le plus étonnant est certainement celui des oiseaux à berceau. Les mâles aménagent en effet une sorte de tonnelle à l'aide de brindilles, sur laquelle ils se perchent pour gagner les faveurs de leur femelle. La décoration de ces aires nuptiales varie selon les espèces. Certains y déposent de petits objets colorés ou insolites – cailloux, morceaux de verre, objets brillants trouvés dans les jardins –, d'autres des graines ou des fleurs, d'autres encore collectionnent les objets bleus.

Quant au mallée, galliforme de la famille des mégapodes, il ne couve pas ses œufs mais les dépose sur un tas de végétaux qu'il recouvre de sable. Ce monticule agit comme un incubateur : en en faisant varier le niveau, le coq arrive à maintenir les œufs à une température constante de 33° C.

Les touristes s'attendent souvent à voir des kangourous traverser les rues des villes et des koalas pendus aux pylônes téléphoniques. Rien de tout cela ici. Les animaux australiens, comme la plupart des animaux sauvages, ont peur de l'homme. Si vous n'avez pas le temps de passer quinze jours dans le bush à observer la faune dans son cadre naturel, le bon compromis est de visiter une des immenses réserves situées à la périphérie des villes : un grand nombre d'espèces y est représenté.

LA RICHESSE DE LA FLORE

Le naturaliste Joseph Banks, qui accompagnait Cook à bord de l'*Endeavour*, fut le premier Européen à apprécier l'incroyable diversité et l'originalité de la flore australienne. Ses assistants et lui se donnèrent un mal infini pour en collecter des échantillons, en faire un descriptif ainsi que des croquis détaillés. Les curieux banksias qui prolifèrent le long de la côte témoignent de l'émerveillement du botaniste, tout comme le nom de Botany Bay que le capitaine Cook donna à l'anse dans laquelle l'*Endeavour* avait jeté l'ancre. La contribution déterminante de Banks à la botanique lui a valu de figurer en bonne place dans l'histoire de l'Australie. Les colons européens devaient malheureusement montrer moins de respect pour la végétation locale et causer des dégâts considérables à la nature.

Les variations climatiques et géographiques du continent austral permettent de mieux comprendre la richesse de cette flore. Des forêts tropicales humides du nord du Queensland aux délicates fleurs sauvages des hauts plateaux tempérés de Nouvelle-Galles du Sud, la variété semble infinie. L'aridité relative d'une grande partie du continent a entraîné le développement d'une large gamme de végétaux adaptés à la sécheresse. La végétation australienne est répartie en bandes concentriques : les forêts d'eucalyptus ou les mangroves des régions côtières font place aux arbustes et buissons épineux de la savane, aux pelouses à graminées, puis aux dunes de sable des déserts du centre.

A gauche, un magnifique loriquet arc-en-ciel; à droite, un banksia, arbre qui prit le nom de sir Joseph Banks (botaniste qui accompagna James Cook dans son exploration de l'Australie orientale), ici sur une plage de Fraser Island.

DES EUCALYPTUS PAR MILLIERS

Élément caractéristique du paysage australien, l'eucalyptus est représenté par plus de 500 variétés. Adaptées à tous les sols et à tous les climats, celles-ci vont de l'arbuste rabougri des zones arides aux gigantesques sorbiers qui peuplent les forêts d'altitude. A certaines variétés, on a donné le nom d'« arbres fantômes » (*ghost-gums*) à cause de la teinte blanc argenté qu'adopte son feuillage au clair de lune.

Si le bois des eucalyptus n'est pas toujours exploitable parce qu'il contient de la résine, certaines variétés, comme le jarrah et le karri d'Australie-Occidentale, donnent de superbes bois de charpente. Aussi les forêts de jarrahs du Sud-Ouest sont-elles actuellement menacées par un abattage massif – ainsi que par l'exploitation minière.

A l'inverse des essences européennes et nord-américaines, la plupart des arbres australiens ont un bois dur, capable d'émousser les scies les plus solides. C'est ce qui rendit le défrichement des terres particulièrement pénible pour les premiers colons et leur ardeur intense lorsqu'ils tombaient sur des essences plus tendres – c'est ainsi que les cèdres ont pratiquement disparu des forêts tropicales du littoral septentrional. Parmi les essences tendres figurent une trentaine de conifères endémiques, dont le pin cerceau et le superbe pin huon de Tasmanie, considéré à l'époque de la marine à voile comme le meilleur matériau de charpente au monde.

Autre famille largement représentée en Australie, celle des acacias, ou *wattle* (plus de 600 variétés), espèce adaptée aux régions arides. C'est d'ailleurs à l'or des fleurs d'acacia et au vert de ses feuilles que l'Australie a emprunté les couleurs de son drapeau. Les savanes sont dominées par les *grass trees* (« arbres à herbe »), espèce particulière d'acacias que l'on a également surnommé *black boys*. Ces arbres présentent un tronc noir écailleux surmonté d'une touffe d'herbes sèches d'où émerge une efflorescence en forme de lance, parfois haute de 5 m.

Si les déserts australiens peuvent apparaître comme de vastes étendues stériles, les pluies torrentielles les transforment en quelques minutes en étendues paradisiaques semées de fleurs sauvages.

L'Australie est aussi réputée pour ses innombrables variétés de plantes à fleurs. Certaines espèces sont communes à l'ensemble du continent, tandis que d'autres ne prolifèrent que dans certaines régions ou États.

L'Australie-Occidentale, la plus richement dotée (plus de 2000 espèces), a fait de la culture de certains végétaux endémiques une industrie prospère. La plante la plus connue de cette région est la *kangaroo paw*, ou anygosenthe, aux fleurs vert et rouge. De même, le waratah aux fleurs rouge foncé est devenu l'emblème floral de Nouvelle-Galles du Sud. Au nombre des plantes qui poussent en terrain semi-désertique, on compte le *desert sturt pea*, petite fleur sauvage que la moindre humidité fait s'épanouir.

Un patrimoine protégé

Depuis l'arrivée des premiers Européens, la nature australienne a subi des dégâts considérables. Comme la faune, la flore du continent a été bouleversée par la mise en valeur des ressources et par l'introduction d'espèces provenant de contrées lointaines. Certaines ont proliféré sans restriction, bouleversant l'écosystème de régions entières.

Néanmoins, les Australiens ont depuis pris conscience de la fragilité de la nature. Il est à noter que les premières mesures de préservation des sites furent adoptées dès la fin du XIXe siècle. Les sociétés de protection de la nature comptent aujourd'hui plus de 500000 membres, et le mouvement écologiste jouit depuis quelques années d'un poids politique non négligeable.

Une série de programmes nationaux de protection de la nature a donc été mise en œuvre. Certaines espèces végétales et animales menacées d'extinction sont aujourd'hui protégées. Plus de 40 millions d'hectares, soit 5 % du territoire, sont aujourd'hui classés réserves ou parcs nationaux. Ainsi, certaines forêts menacées par l'exploitation agricole et minière ou par l'extension des villes font l'objet d'un programme de conservation et de reboisement. De même, des réserves marines (39 millions d'hectares) ont été aménagées.

A gauche, le « grass tree », surnommé « black boy », est un arbre emblématique de l'Australie : à droite, forêt d'eucalyptus dans le parc national de Flinders Rangers.

UNE FAUNE UNIQUE

En Australie, l'évolution a emprunté une direction bien particulière qui a abouti à l'individualisation de populations d'animaux à nuls autres pareils. On ne trouve nulle part ailleurs des mammifères qui pondent des œufs, des rats mangeurs de pythons, des araignées dévoreuses d'oiseaux, des crocodiles chassant d'autres crocodiles. L'isolement a en effet conduit les espèces australiennes à se distinguer de celles du reste du monde.

L'Australie a des mammifères si spécialisés qu'ils forment seuls leur propre groupe zoologique, celui des monotrèmes. On y trouve l'ornithorynque et les échidnés, qui pondent des œufs puis allaitent leur progéniture dans une poche ventrale. Mais ce sont les marsupiaux qui règnent sur le *bush*, des minuscules souris marsupiales et des bandoccots-lapins aux grands kangourous roux et aux wombats souterrains. Ils donnent tous le jour à des petits encore embryonnaires, nus, qui terminent leur développement dans la poche marsupiale. Les marsupiaux ont proliféré parce que l'Australie abritait très peu de prédateurs, du moins jusqu'à l'arrivée de l'homme il y a cinquante mille ans. Les marsupiaux étant les plus gros animaux (avec des kangourous de la taille de grizzlys et des wombats gros comme des rhinocéros), ils devinrent des proies faciles pour les chasseurs. L'homme apporta aussi le premier chien, le dingo, qui extermina de nombreuses espèces indigènes et finit par s'adapter lui-même aux milieux australiens, comme le firent d'autres espèces qui arrivèrent plus tard : le chat domestique, le cochon, le renard, le crapaud des cannes et même le chameau. Ces espèces importées se reproduisent depuis à toute vitesse au détriment des espèces endémiques. Elles sont le casse-tête écologique le plus complexe de l'Australie.

Le koala est un animal si délicat qu'il meurt si on le change d'eucalyptus. C'est pourquoi ce célèbre petit animal fait l'objet de grands soins, comme ce panneau incitant les automobilistes à la prudence. ▶

▲ *La taupe marsupiale, aveugle, « nage » dans le sable sans creuser de galerie. Les jeunes sont nourris dans la poche, mais on ne sait pas comment ils survivent après l'avoir quittée.*

Comme toutes les tortues d'Australie, la chélodine à longue queue rentre la tête dans la carapace en la repliant de côté. ▶

◀ *Le diable de Tasmanie, marsupial carnivore et bruyant, est pourtant incapable de tuer un rat et même un petit chien l'effraie. Disparu d'Australie, il survit en Tasmanie, où il se risque parfois dans les localités.*

Le kangourou gris sort de la poche de sa mère dès le neuvième mois, mais ne la quitte définitivement qu'après le dix-huitième mois, alors que sa mère a déjà donné naissance à un autre petit. ▼

▲ *Venimeuse, la mygale à toile en tunnel de Sydney, fabrique des toiles gigantesques pour chasser grenouilles, insectes et lézards.*

▲ *L'ornithorynque est un bon nageur, grâce à ses pattes avant palmées. On le trouve du Queensland à la Tasmanie, souvent en concurrence avec l'homme pour son biotope.*

Pour épater sa femelle, cet oiseau jardinier bâtit un nid fait de deux hautes parois de tiges dont il orne le sol de coquilles, de capsules de bouteilles et de morceaux de verre de couleur. ▶

DES ANIMAUX NÉS POUR TUER

En Australie, les assassins foisonnent… rampent, glissent, flottent ou plongent. Il y a les scorpions, cachés sous les pierres à travers toute l'île-continent, les grands requins blancs qui dévorent à l'occasion les pêcheurs de mollusques dans le Sud, les crocodiles d'estuaires qui traquent les chasseurs sous-marins dans les Territoires du Nord, la méduse à bandes bleues, venimeuse, à l'affût sur les récifs, ou encore la mygale à toile en tunnel à l'affût dans les jardins de Sydney. L'Australie compte aussi plus de serpents venimeux qu'aucun autre pays. Elle abrite ainsi 30 espèces de tueurs à crochets dont 16, tel ce serpent cuivré, sont plus dangereux que le cobra royal. Le taïpan, le plus venimeux du monde, l'est cinquante fois plus que le cobra ! Cette diversité de reptiles ne se limite pas au continent : il existe en effet 32 espèces de serpents marins venimeux vivant en pleine mer. Pourtant, les rencontres entre ces animaux et l'homme sont rares en dehors des zoos : la plupart préfèrent la fuite à la confrontation avec l'homme.

ITINÉRAIRES

L'Australie est la plus grande île du monde, une terre aux dimensions d'un continent, une immensité dont la variété climatique et géographique défie l'imagination.

Il est impossible d'en faire le tour en quelques semaines, et pas davantage en plusieurs mois. Rares sont d'ailleurs les Australiens qui ont eu ce privilège. Mais chacun a facilement accès à une riche palette de sites représentatifs du pays. Organiser un voyage en Australie exige de prendre conscience des distances. Il peut être décevant de « survoler » des sites qui mériteraient davantage d'attention et de passer ses vacances en voiture ! Mieux vaut s'en tenir à quelques objectifs, mais en profiter pleinement, tout en restant ouvert aux découvertes.

Sydney, berceau de la nation australienne, foyer culturel et commercial avec son vieux port et sa baie majestueuse. Canberra, ville jardin, bâtie au cœur des terres. Brisbane la tropicale, entre la Gold Coast et la Sunshine Coast. Darwin, au bout du monde, avant et après le cyclone Tracy. Perth, la rivale de l'Ouest, la ville de la chance dans le *Lucky Country*. Adélaïde, où tout n'est que luxe, calme et volupté. Hobart au climat tempéré, petit morceau d'Angleterre. Melbourne, qui a tout réussi sans l'aide des forçats et en conserve une fierté. La Nouvelle-Galles du Sud, concentré d'Australie : désert, montagnes, prairies, forêts et plages tropicales ont accueilli cultivateurs, Sydneysiders et chercheurs d'or. La route du Pacifique, 1 000 km pour découvrir la fenêtre ouest du continent. Le Queensland, État du soleil, avec, d'ouest en est, l'*outback*, la Cordillière australienne, la côte pacifique et, au large, la Grande Barrière de Corail et ses 320 îles, ses 2 600 récifs coralliens, baignés par une eau turquoise. Le Territoire du Nord, immensité fascinante, le Red Heart (le « cœur rouge ») du pays et son mystérieux monolithe, Ayers Rock. L'Australie-Occidentale, vaste étendue désertique, où l'or a fait jaillir puis disparaître la vie. L'Australie-Méridionnale, entaille méditerranéenne dans la morsure de la Grande Baie australienne adossée à la plaine désertique de Nullarbor. Riche d'histoire et de beautés naturelles, lacs, vallées verdoyantes, hauts plateaux cernés de pics déchiquetés, la Tasmanie est un monde à part. Quant au plus petit des États australiens, le Victoria, il est un peu la mémoire de l'Australie : Ned Kelly et les mineurs d'Eureka y ont rêvé d'un monde meilleur.

Le continent australien offre tout ce que l'on peut souhaiter voir et même davantage. Le pays du *Dreamtime* ne peut pas être tout à fait comme les autres.

Pages précédentes : les Pinnacles du Nambung National Park (Australie-Occidentale) ; un surfeur défie les déferlantes du Pacifique ; vue sur Sydney Harbour depuis McMahons Point. À gauche, la gorge de Weano, dans le Hamersley Range National Park (Australie-Occidentale).

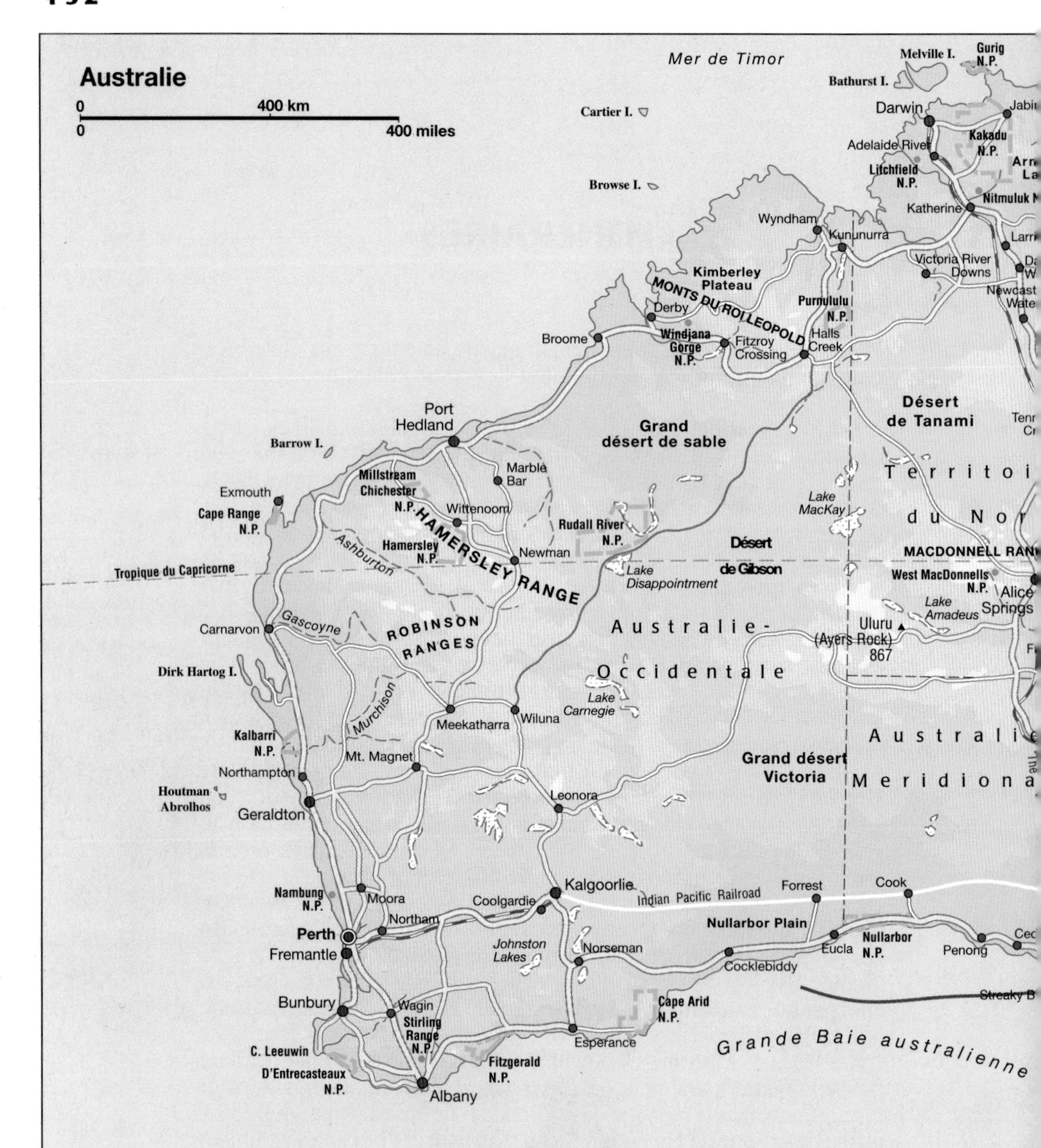
Australie
0 400 km
0 400 miles
Mer de Timor
Melville I.
Gurig N.P.
Bathurst I.
Cartier I.
Darwin
Jabiru
Adelaide River
Kakadu N.P.
Litchfield N.P.
Browse I.
Katherine
Nitmuluk N.P.
Wyndham
Kununurra
Victoria River Downs
Kimberley Plateau
MONTS DU ROI LEOPOLD
Derby
Purnululu N.P.
Broome
Windjana Gorge N.P.
Fitzroy Crossing
Halls Creek
Port Hedland
Grand désert de sable
Désert de Tanami
Barrow I.
Marble Bar
Millstream Chichester N.P.
Exmouth
Cape Range N.P.
Wittenoom
Lake MacKay
HAMERSLEY RANGE
Rudall River N.P.
Ashburton
Hamersley N.P.
Newman
Désert de Gibson
MACDONNELL RANGES
West MacDonnells N.P.
Tropique du Capricorne
Lake Disappointment
Lake Amadeus
Alice Springs
Gascoyne
Carnarvon
ROBINSON RANGES
Australie-Occidentale
Uluru (Ayers Rock) 867
Dirk Hartog I.
Murchison
Meekatharra
Wiluna
Lake Carnegie
Kalbarri N.P.
Mt. Magnet
Northampton
Houtman Abrolhos
Geraldton
Grand désert Victoria
Leonora
Nambung N.P.
Moora
Kalgoorlie
Indian Pacific Railroad
Forrest
Cook
Coolgardie
Northam
Perth
Fremantle
Nullarbor Plain
Johnston Lakes
Norseman
Eucla
Nullarbor N.P.
Penong
Cocklebiddy
Bunbury
Wagin
Cape Arid N.P.
Stirling Range N.P.
Esperance
C. Leeuwin
D'Entrecasteaux N.P.
Fitzgerald N.P.
Albany
Grande Baie australienne
OCÉAN INDIEN

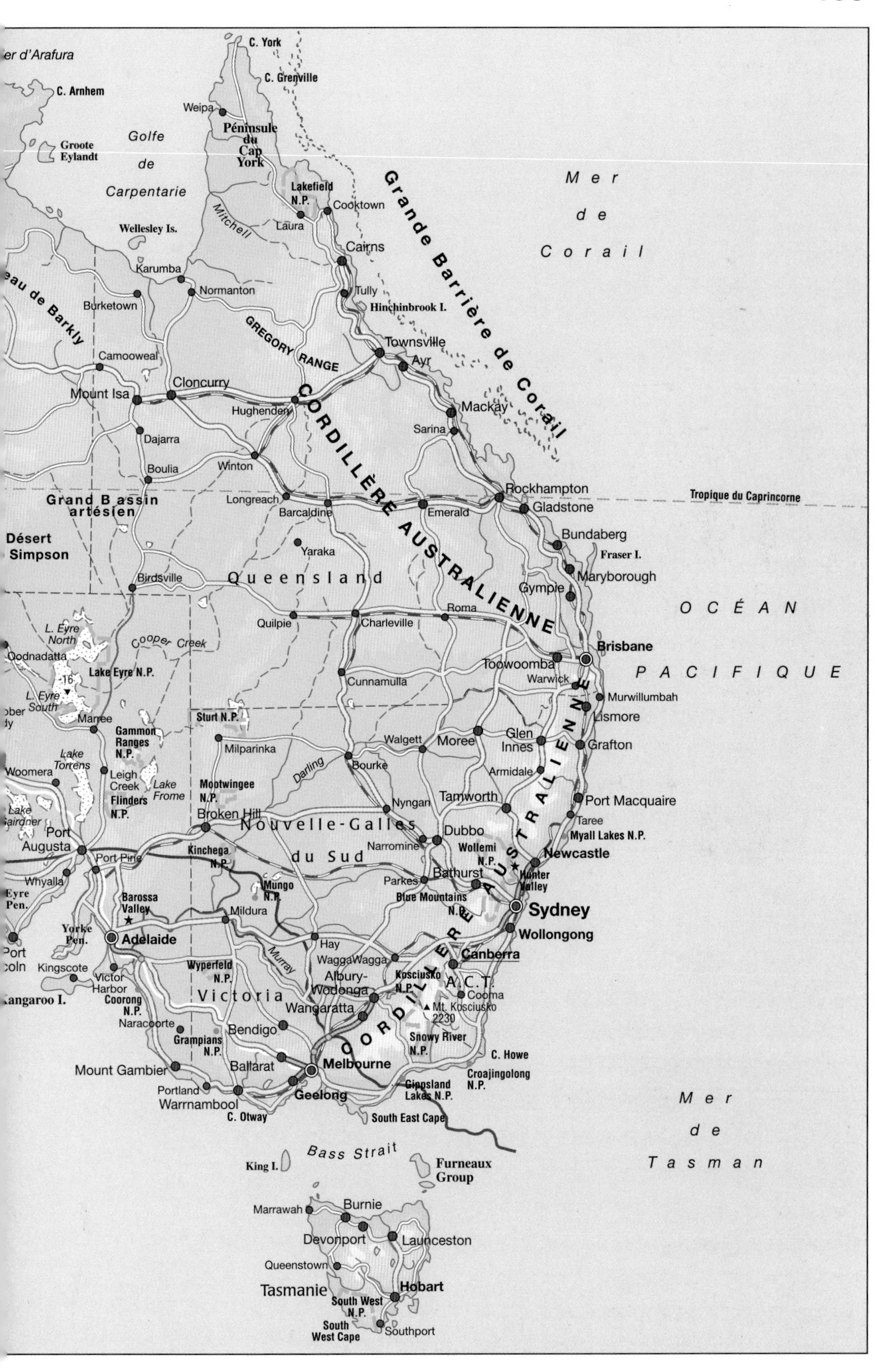

Mer d'Arafura
C. York
C. Grenville
C. Arnhem
Weipa
Péninsule du Cap York
Groote Eylandt
Golfe de Carpentarie
Lakefield N.P.
Cooktown
Laura
Mitchell
Wellesley Is.
Grande Barrière de Corail
Mer de Corail
Cairns
Karumba
Normanton
Tully
Hinchinbrook I.
Burketown
Plateau de Barkly
GREGORY RANGE
Townsville
Ayr
Camooweal
Cloncurry
Mount Isa
Hughenden
CORDILLÈRE AUSTRALIENNE
Mackay
Sarina
Dajarra
Winton
Boulia
Rockhampton
Tropique du Capricorne
Grand Bassin artésien
Longreach
Barcaldine
Emerald
Gladstone
Bundaberg
Désert Simpson
Yaraka
Fraser I.
Maryborough
Birdsville
Queensland
Gympie
OCÉAN PACIFIQUE
Roma
Quilpie
Charleville
L. Eyre North
Cooper Creek
Brisbane
Oodnadatta
Toowoomba
Warwick
Lake Eyre N.P.
16
Cunnamulla
Murwillumbah
L. Eyre South
Lismore
Marree
Sturt N.P.
Gammon Ranges N.P.
Glen Innes
Walgett
Moree
Grafton
Milparinka
Lake Torrens
Darling
Bourke
Armidale
Woomera
Leigh Creek
Lake Frome
Mootwingee N.P.
Flinders N.P.
Nyngan
Tamworth
Port Macquaire
Broken Hill
Lake Gairdner
Taree
Nouvelle-Galles du Sud
Dubbo
Myall Lakes N.P.
Port Augusta
Narromine
Wollemi N.P.
Newcastle
Kinchega N.P.
Port Pirie
Bathurst
Hunter Valley
Whyalla
Mungo N.P.
Parkes
Eyre Pen.
Barossa Valley
Blue Mountains N.P.
Sydney
Mildura
Wollongong
Yorke Pen.
Adelaide
Hay
Canberra
Port Lincoln
Kingscote
Murray
Wagga Wagga
Wyperfeld N.P.
Albury-Wodonga
Kosciusko N.P.
A.C.T.
Victor Harbor
Cooma
Kangaroo I.
Coorong N.P.
Victoria
Wangaratta
Mt. Kosciusko 2230
Naracoorte
Bendigo
Grampians N.P.
Snowy River N.P.
C. Howe
Ballarat
Melbourne
Mount Gambier
Croajingolong N.P.
Portland
Gippsland Lakes N.P.
Warrnambool
Geelong
C. Otway
South East Cape
Mer de Tasman
Bass Strait
King I.
Furneaux Group
Burnie
Marrawah
Devonport
Launceston
Queenstown
Tasmanie
Hobart
South West N.P.
South West Cape
Southport

SYDNEY ET SES ENVIRONS

Vue du ciel, la communauté urbaine de Sydney forme un demi-cercle irrégulier, festonné à l'est par 60 km de plages et de criques et prolongé à l'ouest – jusqu'aux contreforts des Blue Mountains – par des villes satellites qui ont grignoté les plaines agricoles. Lorsqu'on survole la ville, on aperçoit d'abord le littoral, le Harbour Bridge enjambant la baie, l'Opéra, l'éclat des tours de verre et d'aluminium du centre de la ville, puis les toits de tuiles rouges de ses interminables faubourgs. Cette tendance au gigantisme est sans doute le prix à payer pour satisfaire le « rêve australien » : une maison avec jardin pour chaque famille. Plus de 60 % des habitants de Nouvelle-Galles du Sud vivent ici.

La plus ancienne cité d'Australie

C'est dans ce vaste port naturel entouré de douces collines que l'aventure australienne a débuté il y a un peu plus de deux siècles. Se remémorant la description paradisiaque qu'en avait faite Joseph Banks, le naturaliste du capitaine Cook, le 26 janvier 1788, le capitaine Phillip débarquait à Botany Bay en compagnie de 800 bagnards et de 200 soldats, puis installait un premier campement à Sydney Cove, un peu plus au nord.

Si les premiers temps furent difficiles – maladies, disette –, aux tentes succédèrent bientôt des baraques en planches. Entre 1810 et 1820, sous l'impulsion du général Macquarie, la ville se pare de maisons et des édifices administratifs en dur ; les fondations architecturales de la ville sont posées. C'est à partir du début du XXe siècle que la ville s'embellit, s'agrandit et se dote d'un important réseau de transport.

La population est passée en deux siècles de 1 030 à 4 millions d'habitants, et Sydney se targue aujourd'hui d'être la *« meilleure adresse sur terre »*. Il est vrai qu'elle bénéficie d'un cadre splendide – un ensemble de collines donnant sur l'embouchure de la Parramatta et sur la baie – et qu'elle jouit d'un climat très agréable. La moyenne des températures est de 21,4 °C en décembre et janvier et 12,6 °C en juillet.

Capitale de la Nouvelle-Galles du Sud

Débarrassée de ses complexes face à ses anciens modèles anglo-saxons, la capitale de la Nouvelle-Galles du Sud est ainsi devenue, après plusieurs vagues d'immigration successives, une ville cosmopolite, formant un véritable creuset culturel : un Sydneysider sur trois est un immigrant de la deuxième ou de la troisième génération.

Elle est également l'une des premières villes « rock » du monde et le cinéma, la peinture, la sculpture, la littérature, l'opéra et la danse béné-

Carte p. 136

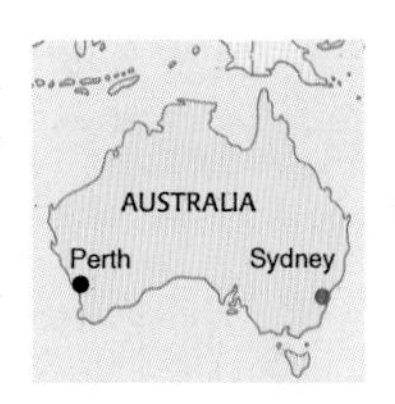

Pour profiter de la superbe plage de Manly, moins touristique que celle de Bondi, il suffit de prendre le ferry (3 $AS) à Circular Quay, et d'y rester jusqu'au soir avant de rentrer par le dernier bateau.

À gauche, la spectaculaire baie de Port Jackson s'étend sur 20 km jusqu'à l'embouchure de la Parramatta. On distingue les emblèmes de Sydney : son pont, le Harbour Bridge et son célèbre Opéra, tandis que se détachent les gratte-ciel du centre de la ville ; à droite, le Central Business District

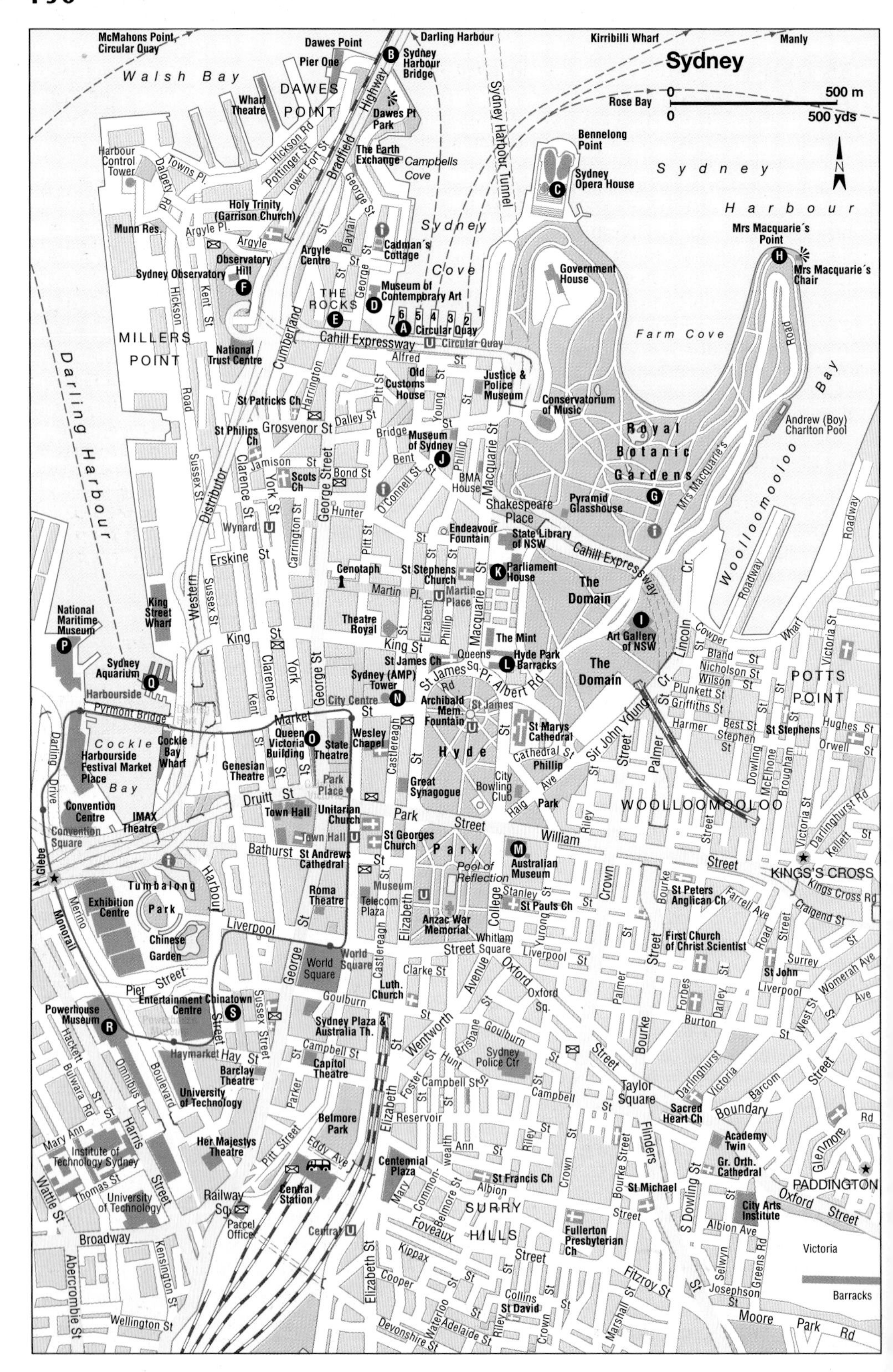

Sydney
0 500 m
0 500 yds
N
McMahons Point, Circular Quay
Dawes Point
Pier One
Sydney Harbour Bridge
Darling Harbour
Kirribilli Wharf
Manly
Rose Bay
Walsh Bay
Wharf Theatre
DAWES POINT
Dawes Pt Park
Bennelong Point
Sydney Opera House
Sydney Harbour
Harbour Control Tower
Holy Trinity (Garrison Church)
The Earth Exchange
Campbells Cove
Sydney Harbour Tunnel
Sydney Cove
Munn Res.
Cadman's Cottage
Argyle Centre
Sydney Observatory
Observatory Hill
THE ROCKS
Museum of Contemporary Art
Government House
Mrs Macquarie's Point
Mrs Macquarie's Chair
Circular Quay
Cahill Expressway
MILLERS POINT
National Trust Centre
Farm Cove
Old Customs House
Justice & Police Museum
Conservatorium of Music
St Patricks Ch
St Philips Ch
Museum of Sydney
BMA House
Royal Botanic Gardens
Andrew (Boy) Charlton Pool
Woolloomooloo Bay
Darling Harbour
Scots Ch
Shakespeare Place
Pyramid Glasshouse
Wynard
Endeavour Fountain
State Library of NSW
Cenotaph
St Stephens Church
Martin Place
Parliament House
The Domain
National Maritime Museum
King Street Wharf
Theatre Royal
The Mint
Art Gallery of NSW
Sydney Aquarium
Harbourside
St James Ch
Hyde Park Barracks
Sydney (AMP) Tower
City Centre
Archibald Mem. Fountain
St James
St Marys Cathedral
POTTS POINT
St Stephens
Pyrmont Bridge
Cockle Bay
Harbourside Festival Market Place
Cockle Bay Wharf
Queen Victoria Building
State Theatre
Wesley Chapel
Hyde Park
Genesian Theatre
Park Place
Great Synagogue
City Bowling Club
Convention Centre
IMAX Theatre
Convention Square
Town Hall
Unitarian Church
WOOLLOOMOOLOO
St Georges Church
St Andrews Cathedral
Australian Museum
KINGS'S CROSS
Glebe
Tumbalong Park
Exhibition Centre
Roma Theatre
Telecom Plaza
Pool of Reflection
St Pauls Ch
St Peters Anglican Ch
Anzac War Memorial
Chinese Garden
World Square
First Church of Christ Scientist
Monorail
Entertainment Centre
Chinatown
Luth. Church
St John
Powerhouse Museum
Oxford Sq.
Sydney Plaza & Australia Th.
Sydney Police Ctr
Haymarket
Capitol Theatre
Barclay Theatre
University of Technology
Taylor Square
Sacred Heart Ch
Belmore Park
Academy Twin
Gr. Orth. Cathedral
Institute of Technology Sydney
Her Majestys Theatre
Centennial Plaza
St Francis Ch
PADDINGTON
University of Technology
Railway Sq.
Central Station
St Michael
City Arts Institute
Parcel Office
Central
SURRY HILLS
Fullerton Presbyterian Ch
Victoria Barracks
St David

ficient d'un renouveau depuis une vingtaine d'années. Certains critiques n'ont pas hésité à saluer Sydney comme « le Paris du Pacifique ».

Cet enthousiasme est peut-être excessif; pour les habitants de l'arrière-pays, la ville reste avant tout *The Big Smoke* (« l'écran de fumée »). Elle connaît les problèmes de toutes les métropoles de la planète – pollution, chômage, délinquance, etc. – et c'est l'une des villes les plus chères du continent. Aussi les exclus de la croissance sont-ils de plus en plus nombreux à devoir tenter leur chance ailleurs.

Quoi qu'il en soit, Sydney propose un vaste programme au visiteur. Sa baie et ses innombrables criques offrent de nombreuses possibilités de promenades en bateau. Courses hippiques, rencontres sportives, expositions se succèdent tout au long de l'année, un mois ne suffirait pas à épuiser toutes ces possibilités. Si l'on ne dispose que d'une seule journée, il convient de l'occuper au mieux !

SYDNEY COVE

Le **Circular Quay** Ⓐ de Sydney Cove désigne l'entrée du port de Sydney, *« le plus beau port du monde »*. C'est ici que doit commencer toute visite de Sydney. C'est le principal embarcadère de la ville : aux heures de pointe, les bacs et les hydroglisseurs se bousculent pour ramener dans leurs paisibles banlieues les Sydneysiders qui travaillent dans le centre. Les nombreux ferries permettent de découvrir la baie : **Taronga Park Zoo**, **Manly** et sa plage, **Balmain**, banlieue chic de Sydney, **Lavender Bay** ou **Hunter's Hill**. Prendre un ferry ou un bateau-mouche est en effet le moyen idéal – et bon marché de surcroît – pour découvrir Sydney sous son plus bel angle : depuis sa fabuleuse baie.

Le reste du temps, l'endroit est livré aux touristes, aux portraitistes, aux musiciens de rue et aux simples promeneurs. À l'extrémité de Sydney Cove, le célèbre **Harbour Bridge** Ⓑ, un des deux symboles de la modernité

Carte p. 136

L'inauguration du Harbour Bridge, en 1932, fut troublée par l'irruption du royaliste Francis Edward de Groot : surgissant à cheval, il coupa le ruban avant le premier ministre.

L'Opéra de Sydney.

Cadman's Cottage, construit en 1816 afin de recevoir les foules débarquant des bateaux du gouverneur, fut occupé en 1827 par John Cadman, ancien « convict » promu surintendant du bateau.

Ci-dessous (à droite), anciens entrepôts reconvertis en restaurants.

australienne, relie le sud de Sydney à The Rocks au nord, à Milson's Point. Ce gigantesque pont en arc – 134 m de haut, 52 000 t d'acier –, porte les sobriquets de « Cintre », « Porte-Toasts » ou « Poumon d'Acier » – ce dernier rappelle que, en 1932, sa construction permit à un grand nombre de trouver du travail, donnant ainsi un nouveau souffle à la ville alors en pleine crise économique. Le pilier sud-est abrite un musée (ouv. tlj. de 10 h à 17 h ; entrée payante) ainsi qu'un belvédère plongeant sur le port et la ville. Les plus téméraires pourront escalader le sommet du pont – en 3h30, en groupe accompagné (BridgeClimb, sorties tlj. ; tél. 8274 7777).

SYDNEY OPERA HOUSE

Cet édifice aux formes audacieuses, emblème de Sydney, est installé face au Harbour Bridge. Ses toits blancs et aériens, qui évoquent des voiles ou des coquillages, s'inscrivent parfaitement dans le paysage marin.

En 1957, lorsque les plans de l'architecte danois Jørn Utzon furent sélectionnés, les coûts étaient estimés à 7 millions de dollars et sa durée à cinq ans. Il fallut en fait 11 années supplémentaires et 15 fois le budget initial pour que le projet aboutisse. Le **Sydney Opera House** **C** (ouv. tlj., visites guidées d'1 heure, toutes les 30 min de 8 h 30 à 17 h ; entrée payante ; tél. 9250 7250) fut inauguré par la reine Élisabeth II en 1973. Entre-temps « l'affaire de l'Opéra » avait fait tomber des têtes, mis dans l'embarras plusieurs gouvernements et Jørn Utzon, découragé, avait fini par quitter l'Australie, laissant à une équipe d'architectes locaux le soin de parachever son œuvre. Si depuis il n'est jamais revenu en Australie, il a toutefois accepté, en 2003, d'être consultant sur le projet de restauration de 70 millions de dollars.

Le terme d'opéra est impropre car l'édifice abrite plusieurs salles de spectacle, un cinéma, des restaurants et des salles d'exposition.

THE ROCKS

C'est sur ce promontoire rocheux situé à l'ouest de Sydney Cove, que trouvèrent refuge les premiers occupants européens : marins, convicts et prostituées. La première transformation de ce quartier mal famé eut lieu au début du XIXe siècle, sur la corniche apparaissent soudain des maisons bourgeoises à trois étages.

Au début du XXe siècle, le quartier fut en partie démoli à la suite d'une grave épidémie de choléra. La construction du Harbour Bridge, en 1924, puis d'une autoroute, dans les années 1950, se solda par de nouvelles destructions, mais il fallut attendre les ·années 1970 pour que les autorités locales se décident enfin à lancer un plan de réhabilitation du quartier. Les hôtels borgnes ont depuis longtemps disparu : les échoppes et entrepôts rénovés abritent désormais boutiques de luxe, restaurants, pubs, et galeries d'art et d'artisanat australien.

Il faut visiter le théâtre lyrique et la salle de concert, mais aussi profiter de l'esplanade, qui offre un magnifique panorama sur la baie et la ville.

Dominant le Sydney Opera House et les Royal Botanic Gardens, la **Government House** (ouv. du ven. au sam. de 10h à 15h, visites guidées de 30 min à 1 heure ; entrée gratuite), autrefois demeure des gouverneurs d'État, est l'un des plus beaux exemples de style Gothique Revival.

LE VIEUX PORT DE SYDNEY

Outre le fait d'être le point de départ et d'arrivée des nombreux ferries, Circular Quay possède une vie terrestre fort riche, animée par des musiciens des rues, des vendeurs ambulants et des employés de bureau en pause. Sur le quai ouest se dresse l'édifice en briques dorées du **Museum of Contemporary Art** D (MCA, ouv. tlj. de 10h à 17h). Son café demeure l'adresse incontournable pour un déjeuner en terrasse. Juste derrière, le quartier **The Rocks** E, cœur historique de Sydney, doit son nom au promontoire rocheux sur lequel débarquèrent les vagues successives de forçats, de marins, de soldats, de nobles désargentés et d'aventuriers qui bâtirent les fondations de l'Australie moderne. Non loin du musée, se tient **Cadman's Cottage** (1816), estimé le plus vieil édifice de Sydney, et qui abrite à présent un office de tourisme

On atteint la partie ouest de The Rocks – cossu quartier aux opulentes demeures géorgiennes – en empruntant **Argyle Cut**, un passage taillé par les forçats entre 1843 et 1867. En route, vous passerez devant un ancien entrepôt, reconverti un petit centre commercial, et la **Garrison Church**. Pour atteindre le **Sydney Observatory** F, il vous faudra grimper au sommet d'Observatory Hill. Avant de devenir un observatoire astronomique, un fort (Fort Philip) fut édifié sur le site d'un moulin à vent afin de prévenir toute mutinerie de forçats ou une

Carte p. 136

Le fort Denison, construit durant la guerre de Crimée afin de protéger Sydney d'éventuelles invasions russes.

LES MUSÉES DE SYDNEY

Bien qu'édifié à l'emplacement du plus ancien immeuble australien – le premier siège du gouvernement – le Musée de Sydney (Sydney Museum), ouvert en 1995, propose une vision radicalement contemporaine de la ville et de sa région. Les vestiges de la résidence du gouverneur Arthur Phillip, bâtie en 1788, y sont toujours visibles, mais la muséographie fait appel aux techniques de pointe. Ainsi, des personnages en hologrammes racontent l'époque coloniale, et un mur d'images de 33 écrans vidéo présente des vues panoramiques des paysages naturels de Sydney. La culture des indigènes de la région, les Eora, est largement prise en compte.

Le musée présente également l'histoire du commerce, de l'art, de l'architecture et de la vie quotidienne sous une fome originale : chaque objet exposé est accompagné d'extraits de journaux et de textes littéraires, permettant à chacun de se faire sa propre opinion sur la richesse et la diversité de Sydney.
Le Musée maritime (National Maritime Museum), à Darling Harbour, est plus classique dans sa présentation. Conçu par l'architecte sydnéen Philip Cox, le bâtiment évoque des voiles ondulantes. Ce musée retrace les liens étroits que les Australiens entretiennent avec la mer depuis cinquante mille ans. Outre une galerie aborigène permanente (Merana Eora Nora), il retrace les premières explorations européennes et l'histoire navale de l'Australie, du commerce maritime, de l'immigration, des sports et des loisirs nautiques. A l'extérieur du musée, on peut visiter, entre autres navires, *Australia II*, vainqueur en 1983 de la coupe de l'America, un destroyer et le bateau-phare *Carpentaria*.

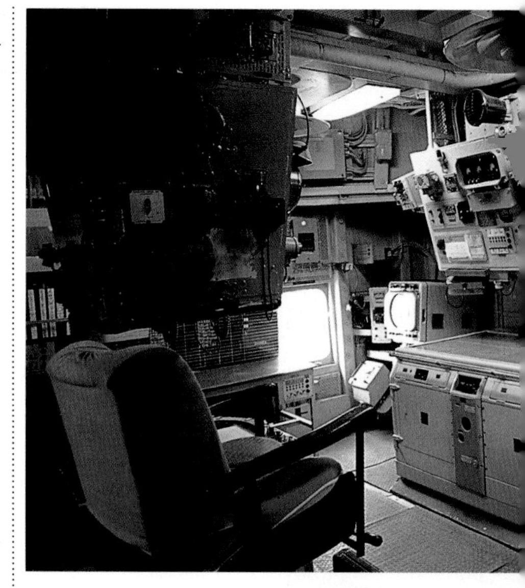

▲ Passerelle de commandement du « HMSA Vampire », destroyer désarmé en 1986 après vingt-sept ans de service, et à l'ancre au Musée maritime.

Le « Carpentaria », bateau-phare sans équipage, fit l'essentiel de sa carrière dans le golfe de Carpentarie. Il a trouvé asile à Darling Harbour en 1991. ▶

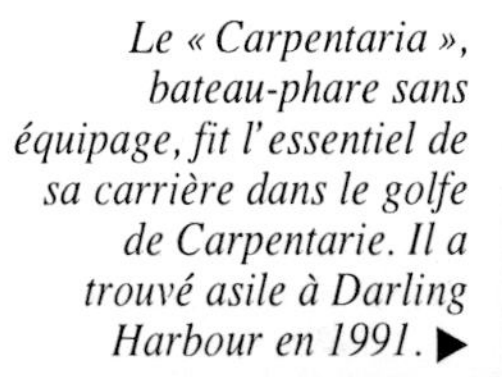

Ces chanteurs burlesques, présentés dans une exposition du Musée de Sydney consacrée aux multiples visages de la ville, proviennent d'un ancien parc d'attractions. ▶

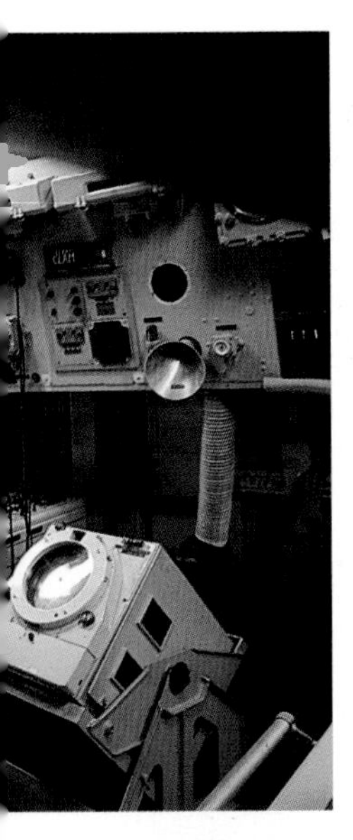

◀ *« The Edge of the Trees » (L'Orée de la forêt »), devant le Musée de Sydney, symbolise la mémoire des hommes, évoque la culture des Eora et l'immigration depuis 1788.*

▲ *Au Musée de Sydney, le Mur du Commerce répartorie tous les produits disponibles vers 1830 et aujourd'hui, des raisins de Malaisie au manganèse de Nouvelle-Zélande.*

◀ *C'est de ce poste de pilotage qu'étaient commandées les manœuvres de plongée et d'émersion du sous-marin russe « Foxtrot », présenté lors d'une exposition temporaire au Musée maritime.*

Âgée de cent quatre-vingts ans, cette figure de proue en bois sculpté polychrome provient du navire de guerre « HMS Nelson ». Elle fut restaurée en 1988 pour être exposée au Musée maritime. ▶

UN MUSÉE POUR LES TECHNIQUES

Ouvert en 1988 dans le quartier d'Ultimo, le Powerhouse, dédié aux sciences et techniques, aux arts décoratifs et à l'histoire sociale, est le plus grand musée d'Australie, avec plus de 30 000 objets présentés dans 25 salles. Il abrite la plus grande collection de véhicules du pays, où figurent 12 machines à vapeur en état de marche et un module de station spatiale de la NASA. La section des arts décoratifs présente la suite égyptienne de Thomas Hope (vers 1800), une étonnante collection de faïences de Wedgwood et une reproduction de l'horloge astronomique de Strasbourg. Une bonne centaine d'expériences interactives sur des sujets aussi variés que l'informatique, la chimie des parfums ou la confection de la dentelle y sont également proposées à tous.

éventuelle invasion française. Les jardins accueillent les pique-niqueurs qui jouissent d'une très belle vue sur la baie. De nombreux pubs – dont **Hero of Waterloo** (81 Lower Fort Road), **Fortune of War**, ouvert depuis 1844, et **Palissade**, où règne une ambiance décontractée, attendent les promeneurs.

De l'Opera House au CDB

Le littoral de Farm Cove, à l'est de l'Opéra, est bordé par les **Royal Botanical Gardens** ❻ (ouv. tlj. du lever au coucher du soleil; entrée libre). Les belles pelouses de ce vaste espace de 68 ha, qui dévalent jusqu'au bord de l'eau, s'agrémentent de figuiers géants, de massifs de fleurs exotiques et d'un excellent café-restaurant, niché parmi les lacs sculptés et les frondaisons luxuriantes. De **Mrs Macquarie's Point** Ⓗ, sur la pointe opposée à l'Opéra, la vue plonge sur la minuscule île de Fort Denison.

L'élégant Shopping Center du Queen Victoria Building. Construit dans les années 1890, il était à l'époque le principal marché de Sydney. Rénové dans les années 1980, il abrite aujourd'hui les boutiques les plus chics de la ville.

Au milieu de la verdure s'élève la façade néoclassique de l'**Art Gallery of New South Wales** ❶ (ouv. tlj. de 10 h à 17 h ; entrée libre). Si son fonds permanent, très hétéroclite, rend compte des principaux courants de la peinture européenne, il recèle surtout la plus importante collection d'art australien du continent : art aborigène, peinture des périodes coloniale et contemporaine.

À l'ouest des Royal Botanical Gardens, le **CDB** (Central Business District, le quartier des affaires), offre un salmigondis architectural de gratte-ciel, tous édifiés ces deux dernières décennies sur un plan urbanistique datant de l'époque géorgienne. Il est préférable de découvrir ce quartier en remontant Young Street au départ de Circular Quay. Vous découvrirez la **Customs House** (Douanes, 1846) – à présent un bar et un restaurant –, qui rappelle la prépondérance du port au temps de l'empire, et le nouveau **Museum of Sydney** ❶ (ouv. tlj. de 9 h 30 à 17 h), qui propose de superbes expositions animées sur l'histoire de la ville depuis sa fondation à nos jours (voir p. 140).

Du musée prenez à gauche dans Bent Street pour rejoindre Macquarie Street. En redescendant cette artère, vous passerez devant les principaux bâtiments officiels tels que la **State Library of NSW** (bibliothèque, ouv. du lun. au ven. de 9 h à 21 h, du sam. au dim. de 11 h à 17 h), la **Parliament House** Ⓚ (Parlement, ouv. du lun. au ven. de 9 h à 17 h), le **Sydney Mint** (l'hôtel des monnaies) et les **Hyde Parks Barracks** Ⓛ : ces prisons, conçues en 1817 par l'architecte forçat Francis Greenway, abritent dorénavant une exposition qui retrace les conditions de vie des déportés.

Du CDB à Darling Harbour

Macquarie Street aboutit à **Hyde Park**, au sud duquel s'élève l'étonnant monument Arts déco, l'**Anzac War Memorial**. Dans College Street, bordant le parc côté est, se dresse l'**Australian Museum** Ⓜ (ouv. tlj. de 9 h 30 à 17 h ; entrée payante), le premier musée d'histoire naturelle et d'anthropologie du continent, ouvert en 1827.

Un peu à l'ouest de Hyde Park, dans Market Street, vous ne pourrez manquer la **Sydney Tower** Ⓝ, considérée par certains Sydneysiders comme une monstruosité. Toutefois, du haut de ses 305 m, sa plateforme panoramique et son restaurant tournant offrent des vues spectaculaires.

Un peu plus bas, à l'angle de Market et York Streets, le **Queen Victoria Building** Ⓞ (ouv. du ven. au mer. de 9 h à 18 h, jeu. de 9 h à 21 h), ancien marché couvert admirablement restauré dans les années 1980, concentre les boutiques les plus chics de la ville. Les vitraux, les voûtes et les ornementations de style byzantin en font, selon Pierre Cardin, « le plus beau centre commercial du monde ».

Le très controversé monorail, qui passe dans Market Street, se trouve être le meilleur moyen de transport pour se rendre à Darling Harbour. Cet ancien port commercial a été entièrement reconverti en quartier touristique avec son impressionnante collection de restaurants et de boutiques, son **Maritime Museum** Ⓟ (ouv. tlj. de 9 h 30 à 17 h), son **Aquarium** Ⓠ (ouv. tlj. de 9 h 30 à 19 h ; entrée payante), son **Exhibition Centre** et son **Chinese Garden**.

La station du monorail suivante vous permettra de visiter le **Powerhouse Museum** Ⓡ (ouv. tlj. de 10 h à 17 h ; entrée payante), un immense espace consacré aux sciences et technologies. De là, **Chinatown** Ⓢ et ses échoppes de nourriture ne sont qu'à quelques minutes à pied.

LES FAUBOURGS DE SYDNEY

Les *inner-city suburbs* reflètent toute une partie de l'histoire de Sydney. À la fin du XIXe siècle, ces *terraced houses* – maisons mitoyennes agrémentées d'un petit jardin et d'un porche à la décoration de fer forgé – étaient construites rangées après rangées. Ces banlieues, ouvrières pour la plupart, furent investies dès les

Carte p. 146

Le « mardi gras » gay de Sydney.

Les charmantes « terraced houses » de Paddington.

A LA DÉCOUVERTE DU PORT

Les bacs vert et jaune du port de Sydney comptent parmi les moyens de transport le plus agréables qui soient. Faisant la navette d'un quai à l'autre, ils permettent de découvrir la plus grande partie de la ville.

Une traversée de 5 mn depuis Circular Quay (appontement principal des bacs) mène à **Kirribilli**, sur la rive nord, où sont situées les résidences officielles du premier ministre et du gouverneur général.

De l'autre côté du pont, **Mc Mahons Point** offre un point de vue superbe sur l'Opéra.

Vers Sydney Nord, **Blues Point Road** est bordée de cafés peuplés de jeunes cadres dynamiques.

Le trajet jusqu'à **Cremorne Point** est à peine plus long. De là, une avenue ombragée conduit à **Mosman**, et c'est, dit-on, l'une des plus belles ballades que l'on puisse faire à Sydney. De Mosman, un bac repart vers Circular Quay.

Le zoo de **Taronga Park** est également accessible par bac. Au cœur du bush, il occupe un site magnifique (*taronga* est un mot aborigène signifiant « vue au-delà des eaux »). Il présente plus de 5 000 animaux, dont la totalité des spécimens locaux (c'est le meilleur moyen de voir de près un ornithorynque et de nombreux serpents). L'été, ses jardins accueillent des concerts de jazz.

Près de la moitié des plages de Sydney sont dans l'enceinte du port, à l'abri des filets anti-requins tendus à l'entrée de la baie. Près de Middle Harbour, **Balmoral** est l'une des plus belles. Au bord s'élève le célèbre restaurant de **Bathers Pavillon**. **Nielsen Park**, à Vaucluse, est un lieu de pique-nique très prisé. L'ambiance de **Camp Cove**, proche de l'entrée sud du Port, est plutôt familiale.

Le trajet jusqu'à **Manly** est magnifique. Le bac navigue en haute mer entre les Heads, et, les jours de tempête, les vagues déferlent au-dessus des bateaux. L'endroit doit son nom au capitaine Phillip qui, en 1788, fut frappé par le comportement viril (*manly*) des Aborigènes qu'il y rencontra. Vers 1930, l'isthme devient le lieu de villégiature favori des Australiens, *« à sept miles de Sydney et à des milliers de miles des soucis »*. Cette ambiance bon enfant se retrouve sur la promenade piétonne animée et dans les cafés-restaurants très abordables.

De là, on peut longer le port jusqu'au **Spit** par une promenade pédestre de 11 km (retour possible en autobus).

Sur l'esplanade ouest (West Esplanade), le **Manly Art Gallery and Museum** expose une intéressante sélection de peintures australiennes.

L'aquarium d'**Oceanworld** présente, entre autres, des requins et des raies pastenagues que l'on peut observer de près en circulant dans des tunnels transparents.

Au départ de Circular Quay, un catamaran rapide descend la rivière jusqu'à **Parramatta** (« là où s'allongent les anguilles », en langue aborigène). Cette ville autonome conserve de nombreux édifices de l'époque coloniale, dont l'Old Government House. Un autobus qui assure une correspondance avec les catamarans permet de rejoindre d'autres sites intéressants.

Un des bacs du port de Sydney.

années 1960 par une population en majorité issue des classes moyennes.

Ce fut le cas du faubourg de **Glebe ❶**, dans la banlieue ouest de Sydney. Les nombreux commerces et cafés de sa rue principale sont très fréquentés par les étudiants de la toute proche et très oxfordienne **University of Sydney**, noyée dans un havre de verdure.

De l'autre côté du Darling Harbour, **Balmain**, jadis un tumultueux quartier de dockers, a subi le même genre de transformation, accueillant à présent une population aisée. Prenez le ferry à Circular Quay pour vous y rendre, et flânez sur le front de mer bordé de superbes résidences du XIXe siècle.

Les quartiers orientaux de Sydney sont plus hétéroclites. À l'époque victorienne, **Kings Cross ❷** est un faubourg élégant, noyé dans la verdure ; dans les années 1920 et 1930, la bohème prend en possession ; puis la guerre du Vietnam et la montée de la drogue le transforment en « repaire du vice ». Un vendredi ou samedi soir, remontez Darlinghurst Street ou William Street pour voir les sex-shops, cabarets de travestis, de nombreux pubs où boire un verre et écouter de la musique, ainsi que des restaurants ouverts toute la nuit. Curieusement, de part et d'autre de ces promenades se trouvent les rues les plus agréables de Sydney, telles que Victoria Street, très chic secteur de la mode.

Darlinghurst – version australienne d'East Village –, abrite les bars les plus branchés et les restaurants les moins chers de la ville. C'est aussi l'épicentre de la culture gay. Tous les ans, en février, se déroule le Sydney Gay and Lesbian Mardi Gras, qui attire des milliers de Sydneysiders venus admirer ce défilé costumé.

En suivant Oxford Street vous arrivez enfin à **Paddington ❸**, faubourg historique aux ravissantes maisons coloniales. Le marché du samedi, **Paddington Bazaar**, est célèbre pour son animation.

Carte p. 146

Le surf fait partie intégrante du mode de vie des Sydneysiders, depuis son introduction en Australie, en 1912.

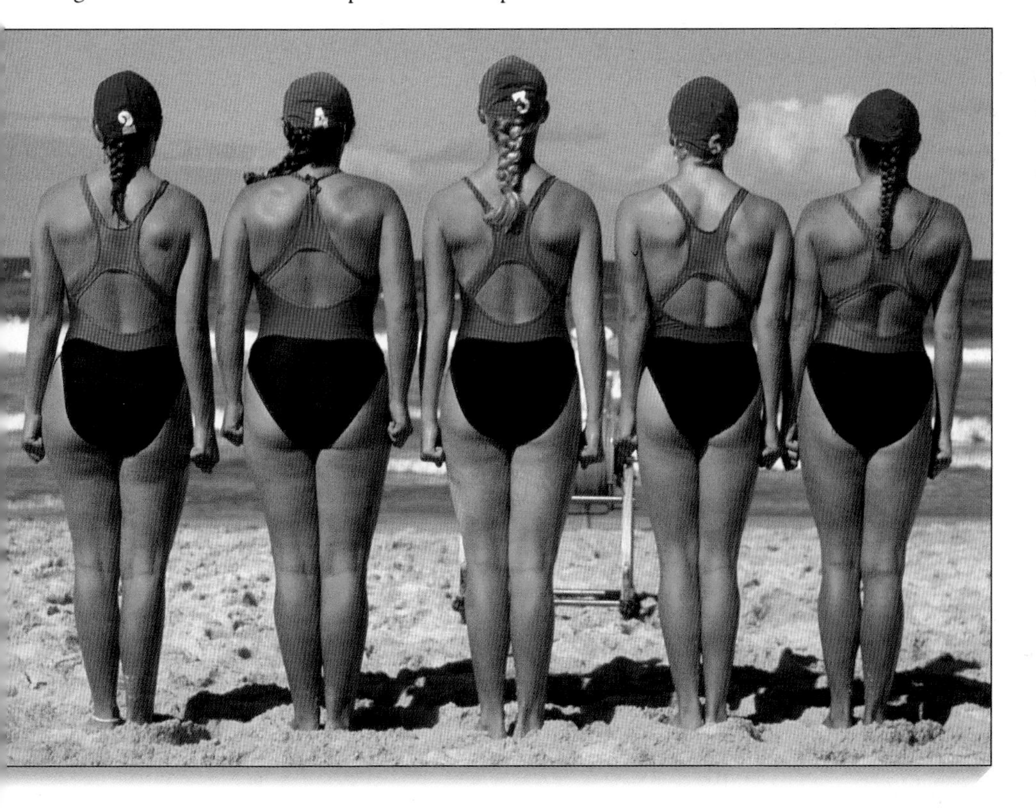

À Bondi Beach, les équipes de sauveteurs sont toujours prêtes à intervenir

La piscine d'eau salée de la plage de Bronte permet aux nageurs d'échapper aux surfeurs et aux requins.

Plages de Sydney

Sydney ne serait pas Sydney sans **Bondi Beach** ❹ (prononcer « bonne-daï »). Cette plage est un véritable mythe et résume à elle seule un style de vie. C'est la plage de surf la plus proche du centre de la ville, et les Sydneysiders s'y retrouvent en été à toute heure de la journée. À l'aube, les joggers s'emparent de la promenade, les bodybuilders s'entraînent sur le sable et les surfeurs attendent leur première vague avant d'aller travailler. Les adeptes du bronzing arrivent tôt, avant les cars bondés de touristes japonais. Le Bondi Pavilion ouvre ses étals de glaces et de souvenirs, les familles arrivent avec leur *fish and chips* et la vie continue jusque tard dans la nuit lorsque les amoureux s'installent les sables chauds.

Bondi est un véritable faubourg dont la route principale, **Campbell Parade**, longe le front de mer. Les échoppes qui la bordent semblent résister au progrès, certaines d'entre elles datent des années 1930. On commença à parler de renaissance de Bondi au milieu des années 1990, le faubourg devenant le dernier endroit à la mode, tandis que s'installaient, au nord de la plage, les derniers restaurants à la mode. La Campbell Parade est néanmoins parvenue à garder son caractère rebelle et toute sa personnalité, pour le plus grand bonheur des Sydneysiders.

Même en hiver, Bondi mérite une visite. Depuis l'extrémité sud, une magnifique promenade d'une heure conduit aux promontoires de grès de **Tamarama** et de **Bronte**. Battus par les vents, ils sont impressionnants. Un peu plus loin se trouve le cimetière de **Waverley**, qui mérite également le coup d'œil. Le poète Henry Lawson y est enterré. Plus au sud s'étendent les plages de **Clovelly** et de **Coogee** ; cette dernière a subi une importante rénovation et est devenue une plage très familiale.

En remontant la New South Head Road depuis l'extrémité nord de

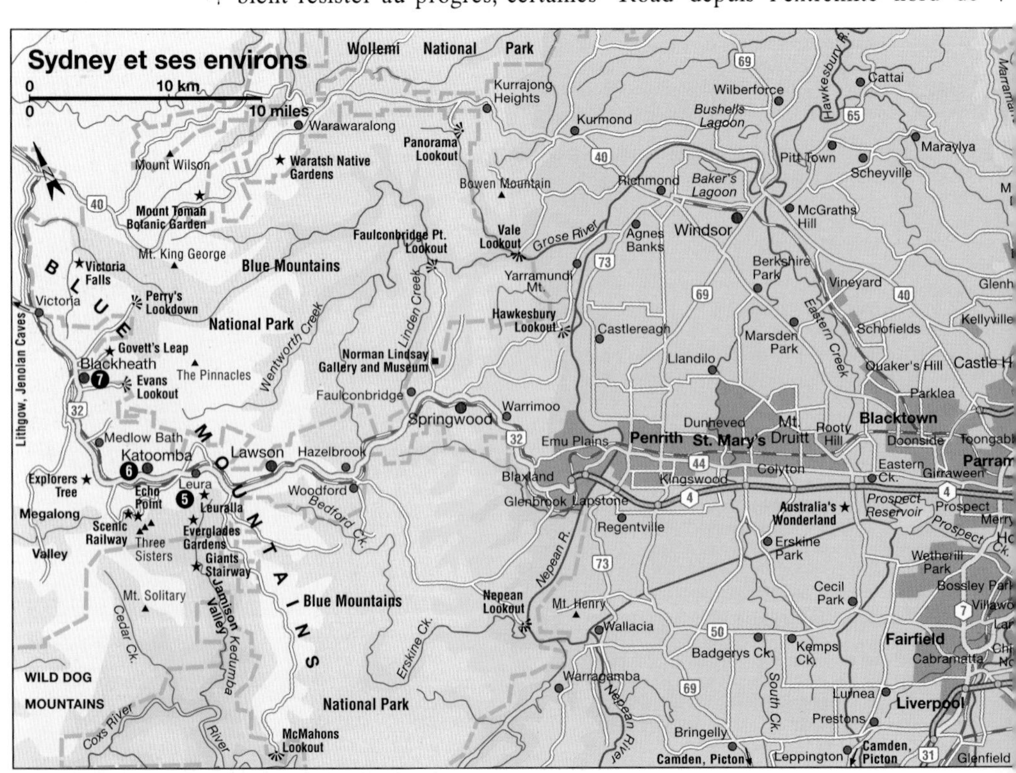

Bondi, on atteint **Watson Bay**. De son magnifique pub, on jouit d'une vue étonnante sur les voiliers mouillant dans la baie et sur les gratte-ciel de Sydney se profilant à l'horizon. Juste à côté, **Doyle's** est l'un des meilleurs restaurants de poissons de la région. Si l'excursion menant à **South Head**, l'embouchure de Port Jackson, est difficile, elle en vaut largement la peine. Les falaises escarpées de The Gap en ont fait un lieu tristement célèbre pour ses suicides.

Sur la route du retour, un passage par le faubourg de **Vaucluse** permet d'admirer la **Vaucluse House**, somptueuse demeure construite en 1827 pour l'homme d'État, poète et explorateur William Charles Wentworth.

LES BLUE MONTAINS

Sydney est bordée à l'ouest par un rideau d'eucalyptus d'où se dégage un halo de vapeur bleuâtre qui a donné son nom au massif montagneux des **Blue Mountains**. Ce plateau de 1 100 m d'altitude, travaillé par l'érosion, forme une frontière naturelle entre la plaine côtière et les terres intérieures de l'Australie, plates et arides. Cette partie du massif montagneux appelé Great Dividing Range se dressait devant les premiers colons comme un défi. Les colons mirent plus de vingt ans à trouver un passage vers ce qu'ils pensaient être de nouvelles terres cultivables. Trois explorateurs, Blaxland, Wentworth et Lawson, trouvèrent en 1813 un col étroit qui permît d'accéder aux versants occidentaux. Leur mémoire survit dans les localités des Blue Mountains qui ont reçu leurs noms.

Le **Blue Mountains National Park**, second parc national de la Nouvelle-Galles du Sud par sa superficie, couvre 247 000 ha. Son extraordinaire décor de cascades et de gorges, peuplé d'oiseaux-lyres, de perroquets et de plantes carnivores, en fait l'un des plus beaux parcs montagnards au monde. **Leura** ❺, hameau typique des Blue Mountains, pourrait s'im-

Carte p. 146

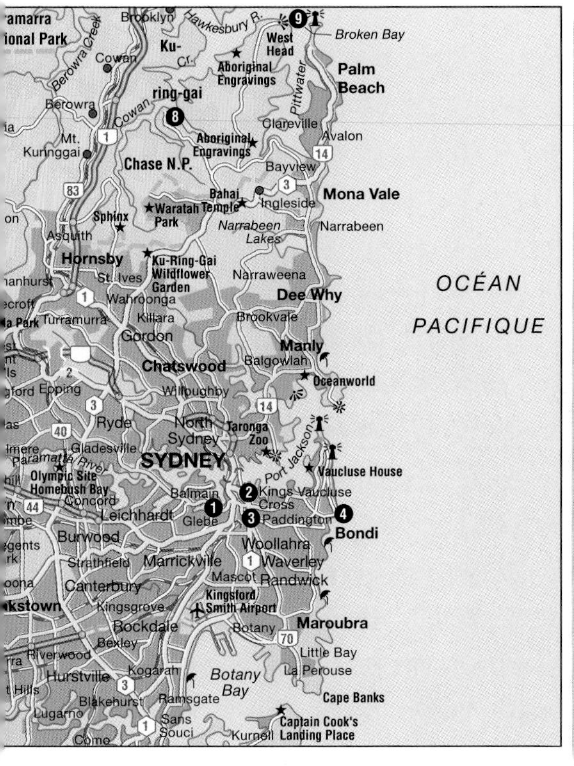

Touristes admirant la vue sur Grose Valley depuis Govett's Leap.

proviser comme un lieu idéal pour une pause déjeuner. **Katoomba** ❻, ville principale des Blue Mountains, est construite au bord de la Jamison Valley. On y jouit d'une vue époustouflante. Le panorama le plus connu est celui d'**Echo Point**, qui donne sur les fameuses formations rocheuses des **Three Sisters** (les « trois sœurs »), éclairées la nuit.

La **Scenic Railway** est l'un des grands rendez-vous touristiques de la région : cette ligne de chemin de fer, construite en 1880 pour acheminer les ouvriers vers la mine de charbon, est une des plus abruptes au monde (52°). Le téléphérique, **Scenic Cableway,** plus confortable, est aussi un bon point de départ pour rejoindre Echopoint pour le coucher du soleil. Ceux qui préfèrent les plaisirs plus calmes de la marche ne seront pas en reste : la Jamison Valley et la Grose Valley proposent de nombreux itinéraires de randonnée d'une journée.

Plus à l'ouest, le long de la *highway*, surgit l'étonnant **Majestic Hotel**, ancien casino Arts déco réservé à la haute société des années 1920. De la salle à manger, la vue sur les montagnes est impressionnante.

La ville de **Blackheath** ❼ offre quant à elle parmi les meilleures auberges et restaurants de la région.

À l'approche du col **Victoria Pass**, la route se rétrécit pour franchir un pont construit par les forçats. C'est le dernier vestige de l'ancienne voie qui conduisait vers une région spécialisée dans la culture du blé, l'élevage et l'industrie de la laine.

Un peu plus loin, à 46 km au sud de la *highway*, on découvre les **Jenolan Caves**, les plus célèbres grottes calcaires d'Australie. Il s'agit d'un vaste réseau de salles souterraines ornées de stalactites et de stalagmites, qui fut ouvert au public en 1867. À l'entrée du canyon qui mène aux grottes, l'**hôtel Caves House**, véritable parodie de l'architecture anglaise classique, conviendra à tous ceux qui souhaitent passer la nuit dans la région pour profiter des circuits de randonnée autour

Grimpeurs intrépides escaladant les Three Sisters.

des grottes de Jenolan.

Une dizaine de kilomètres après la bifurcation qui mène aux grottes, on arrive à **Lithgow** et à sa principale curiosité, la **Zig-Zag Railway**. Cette ligne de chemin de fer, achevée en 1869 et restaurée dans les années 1960, abordait les pentes occidentales des Blue Mountains par une série interminable de lacets. Le train à vapeur circule désormais pour les visiteurs, le week-end et pendant les vacances (tél. 6355 2955).

Entre Sydney et les Blue Mountains, plusieurs localités ont joué un rôle prépondérant dans la naissance de l'Australie coloniale. En 1804, John Macarthur reçut 2 000 ha de terres afin de développer l'élevage du mouton à **Camden**, berceau de l'industrie lainière. L'implantation du mouton fut un tel succès que ses possessions passèrent à 12 000 ha, et qu'il put faire de nombreuses expériences, dont l'introduction des moutons mérinos. La région comprise entre **Camden**, **Campbelltown** et **Picton** conserve encore son nom de Macarthur Country. La propriété de **Camden Park Homestead** (1835), au sud de Camden, appartient toujours aux descendants de John Macarthur et se visite (sur RV uniquement ; tél. 4655 8466). À 16 km au sud-ouest de Camden, la petite cité de **Picton** possède plusieurs vestiges du XIXe siècle. Le haut de Menangle Street, qui a gardé son aspect d'antan, a été classé par le National Trust.

AU NORD DE SYDNEY

À une heure de route de Sydney s'étend le **Ku-ring-gai Chase National Park** ❽, un des plus beaux parcs nationaux de l'État. Les falaises, creusées de milliers de grottes aborigènes, offrent un panorama exceptionnel. À l'embouchure de la Hawkesbury River, **Broken Bay** ❾ est une aire de détente appréciée, envahie chaque week-end par les pique-niqueurs. **Palm Beach** est très prisée par les surfeurs.

Carte p. 146

Le départ de la Zig-Zag Railway en gare de Lightgow. Construit en 1869, ce petit train cheminait entre les Blue Mountains. Abandonné en 1910, il fut restauré dans les années 1960.

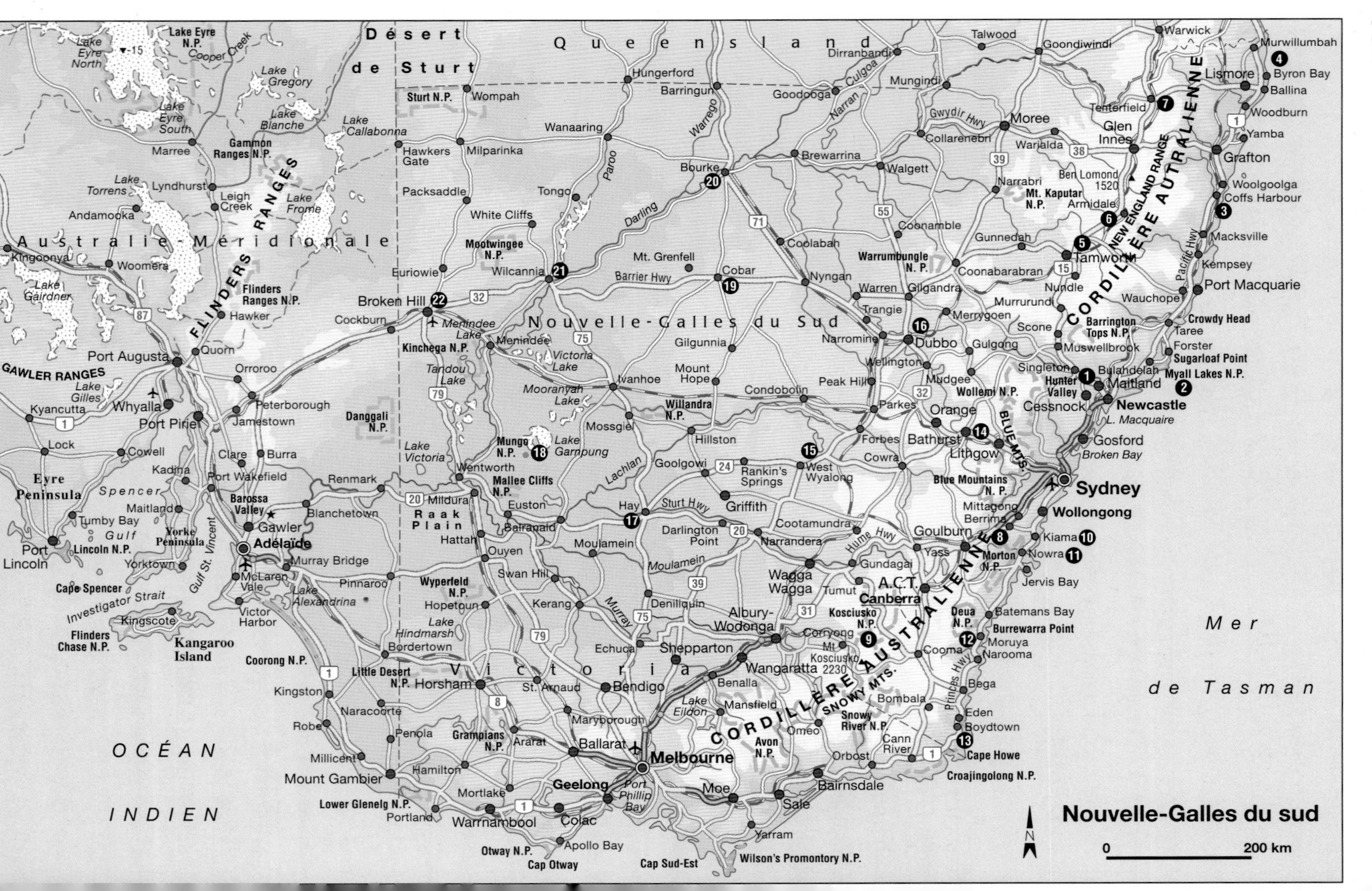
Nouvelle-Galles du sud
0 200 km
N
Queensland
Désert de Sturt
Australie-Méridionale
Nouvelle-Galles du Sud
Victoria
A.C.T.
Mer de Tasman
OCÉAN INDIEN
CORDILLÈRE AUTRALIENNE
CORDILLÈRE AUSTRALIENNE
NEW ENGLAND RANGE
BLUE MTS.
SNOWY MTS.
FLINDERS RANGES
GAWLER RANGES
Sydney
Melbourne
Adélaïde
Canberra
Newcastle
Wollongong
Geelong
Ballarat
Bendigo
Shepparton
Albury-Wodonga
Wagga Wagga
Goulburn
Bathurst
Orange
Dubbo
Tamworth
Armidale
Port Macquarie
Grafton
Lismore
Byron Bay
Murwillumbah
Broken Hill
Bourke
Cobar
Wilcannia
Mildura
Port Augusta
Port Pirie
Whyalla
Port Lincoln
Mount Gambier
Warrnambool
Sale
Moe
Bairnsdale
Cooma
Griffith
Hay
Moree
Gosford
Maitland
Cessnock
Lithgow
Kiama
Nowra
Jervis Bay
Batemans Bay
Eden
Cape Howe
Wilson's Promontory N.P.
Cap Sud-Est
Cap Otway
Otway N.P.
Kangaroo Island
Investigator Strait
Gulf St. Vincent
Spencer Gulf
Eyre Peninsula
Yorke Peninsula
Lake Eyre N.P.
Lake Torrens
Lake Frome
Lake Gairdner
Kosciusko N.P.
Mt Kosciusko 2230
Ben Lomond 1520
Mungo N.P.
Mallee Cliffs N.P.
Kinchega N.P.
Sturt N.P.
Warrumbungle N.P.
Wollemi N.P.
Blue Mountains N.P.
Morton N.P.
Barrington Tops N.P.
Myall Lakes N.P.
Flinders Ranges N.P.
Gammon Ranges N.P.
Coorong N.P.
Little Desert N.P.
Grampians N.P.
Wyperfeld N.P.
Croajingolong N.P.
Snowy River N.P.
Darling
Murray
Lachlan
Paroo
Warrego
Barrier Hwy
Sturt Hwy
Hume Hwy
Pacific Hwy
Princes Hwy
Gwydir Hwy
Hunter Valley
Barossa Valley
Raak Plain

LA NOUVELLE-GALLES DU SUD

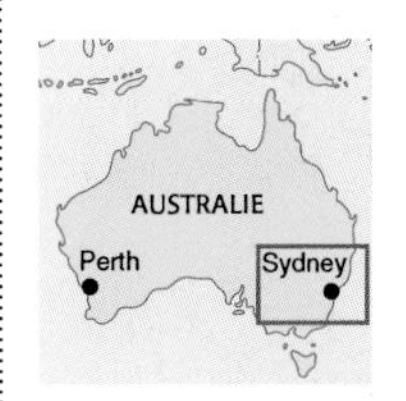

A la fois le plus peuplé et le plus riche des États d'Australie, la Nouvelle-Galles du Sud offre également la variété de paysages la plus complète : forêts tropicales, paysages fortement industrialisés ou étendues désertes. L'axe principal, la Hume Highway, relie les trois capitales historiques (Sydney, Canberra et Melbourne) à travers 900 km de montagnes enneigées, de plaines et de pâturages, tandis qu'au sud, la Princes Highway longe les 1 000 km de côte. Au nord, en direction de Brisbane, s'élèvent les monts de la Nouvelle-Angleterre.

Pour plus de commodité, nous avons divisé l'État en six régions distinctes : la route du Pacifique vers la North Coast (avec un détour par la Hunter Valley), les Southern Highlands, les Snowy Mountains, la South Coast, le New England, les Western Plains et le bush.

LA CENTRAL COAST PAR LA PACIFIC HIGHWAY

Dans l'esprit des Australiens de la Nouvelle-Galles du Sud, l'expression *Up the coast* (littéralement « en remontant la côte ») a gardé une certaine magie, synonyme de voyage et de liberté, même si l'époque des épopées glorieuses est révolue. Toute une partie du littoral qui s'étend de Sydney à Tweed Heads a été considérablement gâchée par des développements immobiliers excessifs.

La route nationale n° 1, la célèbre et désormais mythique **Pacific Highway**, suit la côte à quelques kilomètres de la mer. Pour apprécier pleinement cet itinéraire d'environ 1 000 km qui relie Sydney à la frontière du Queensland, il faut prévoir au moins trois jours. L'hébergement ne pose aucun problème : on trouve, bien sûr, des motels, mais aussi de petits hôtels de province, plus agréables et souvent moins chers. Des caravanes sont proposées à la location dans la plupart des terrains de camping. La formule agréable des chambres d'hôtes tend également à se développer, notamment à Port Macquarie, Coffs Harbour et Byron Bay.

Le voyage commence au Harbour Bridge de Sydney. On est tout de suite plongé dans l'aventure : il faut emprunter l'une des quatres voies de la Pacific Highway, envahie d'un flot de voitures, et prendre la direction du nord. De feux rouges en croisements, il faut un bon moment pour atteindre, à **Wahroonga**, l'entrée de l'autoroute de Newcastle (Newcastle Freeway).

Cette autoroute traverse plusieurs beaux sites naturels de la Nouvelle-Galles du Sud, dont le Ku-ring-gai Chase National Park. La traversée de la **Hawkesbury River**, à **Brooklyn**, dévoile un somptueux panorama de vallées, de sommets et de cours d'eau. Brooklyn est une des destinations favorites des Sydneysiders pour

Un fermier de Nouvelle-Galles du Sud. Cet État présente en effet un large éventail de population, allant de l'éleveur de moutons des contrées les plus retirées au citadin de Sydney, des cultivateurs des plaines côtières aux Aborigènes en passant par les chercheurs d'or ou d'opales...

le week-end; ils sont nombreux à louer des bateaux pour se promener sur les eaux des baies.

Si la capitale commerciale de cette région de la Central Coast est une ville-dortoir peu palpitante, il suffit de rouler quelques instants pour rencontrer de vastes vergers, les forêts de la **Mangrove Mountain** et quelques belles plages.

On peut aussi visiter le **New Australian Reptile Park** et, non loin, **Old Sydney Town**, reconstitution de la Sydney coloniale. Des acteurs y jouent quelques scènes de la vie des anciennes colonies pénitentiaires.

NEWCASTLE, CITÉ DE L'ACIER

Deuxième port australien et deuxième ville de la Nouvelle-Galles du Sud (260 000 habitants), **Newcastle** est un important centre métallurgique. Ses quartiers, constitués d'alignements de pavillons en brique, illustrent parfaitement le rêve australien en matière de logement. Cité d'ouvriers et de mineurs, Newcastle a toujours été un peu dépréciée par les Sydneysiders, qui lui préfèrent le nord de l'État, plus ensoleillé.

La *Steel City* (« cité de l'acier »), avec ses nombreuses galeries d'art et un intéressant musée régional, ne manque pourtant pas de charme. Les quartiers résidentiels ont été construits en haut d'une colline qui descend vers le très joli port industriel situé à l'embouchure de la **Hunter River**. Newcastle est, de plus, située à proximité de plusieurs régions-phares de Nouvelle-Galles du Sud, tels les vignobles de la **Hunter Valley** ❶, le lac Macquarie, les Myall Lakes ou les plages de la côte.

LA NORTH COAST

Au nord de Newcastle, la Pacific Highway rejoint la Hunter à Hexham et longe la rive ouest de **Port Stephens** (qui compte plusieurs sites balnéaires très connus comme **Nelson Bay**, **Tea Gardens** et **Hawk's**

Camping sur la rivière Hawkesbury.

Nest, paradis des pêcheurs, des plaisanciers, des baigneurs et des amateurs d'huîtres).

Bulahdelah est le principal accès aux **Myall Lakes** ❷. La protection de ces superbes lacs situés à une centaine de kilomètres de Newcastle fut l'une des premières victoires remportées par les mouvements écologistes australiens. Les berges ont ainsi pu conserver une luxuriante végétation abritant d'innombrables espèces d'oiseaux. Les Myall Lakes font partie d'un parc national à l'intérieur duquel le camping est autorisé. On peut aussi louer des barques pour quelques jours.

Située sur la pointe nord des lacs, la très belle plage de Seal Rocks, petit village de pêcheurs, est la première d'un long ruban qui se déroule jusqu'à Forster. Ce village de vacances marque le début de la North Coast.

En dépit de toutes les autres plages que l'on trouve au nord de Sydney, le long de la Pacific Highway, le voyage commence véritablement à **Forster**, où l'on franchit une série de fleuves dont les embouchures entaillent la côte. Plus on progresse vers le nord, plus l'aspect romantique de ces cours d'eau s'accentue. Leurs noms – Hawkesbury, Hunter, Manning, Hastings, MacLeay, Nambucca, Kalang, Bellinger, Clarence, Richmond et Tweed – sont ceux de gouverneurs britanniques oubliés, de hauts lieux anglais ou aborigènes.

Taree, à deux heures de route de Newcastle, est la première grande ville après la *Steel City*, et le centre agricole de la Manning Valley. C'est sur la rivière du même nom que se déroule chaque année le jour de la fête nationale (l'*Australian Day*, le 26 janvier), le plus grand carnaval nautique d'Australie.

La Manning Valley et les autres vallées de cette partie de la North Coast sont connues pour leurs nombreuses fermes d'élevage et leurs vastes exploitations forestières traversées par le Pacific Highway.

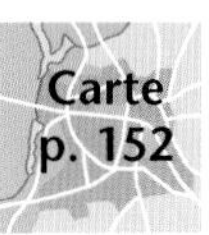
Carte
p. 152

Tranche de vie quotidienne à la Segenhoe Farm, à Scone.

LES VINS DE LA HUNTER VALLEY

Si l'Australie-Méridionale produit plus de la moitié des vins fins australiens, la Hunter Valley n'en reste pas moins la deuxième région viticole du pays.

Ces vignobles produisaient autrefois uniquement des vins rouges et blancs très secs, mais, avec l'extension des vignes en direction de la haute vallée, certains crus ont gagné en corps et en rondeur, grâce à des techniques qui permettent d'annuler les effets de la chaleur au moment des vendanges. Le programme de développement industriel qui est en cours de réalisation sur une large portion du site ne représente pas encore de menace sérieuse pour une viticulture en pleine expansion.

Les premiers vins australiens ont été produits à 160 km de là, dans la région de Sydney. Ces vignobles historiques ont presque tous disparu pour permettre à l'agglomération de s'étendre. En 1827, pourtant, la famille Macarthur produisait de considérables quantités de vin à Camden, à l'ouest de Sydney. Mais la viticulture australienne n'a vraiment pris son essor qu'à la fin des années 1830, dans la Hunter Valley.

Au cours des dernières décennies, la consommation de vin en Australie a doublé. La moyenne annuelle atteint aujourd'hui le chiffre de 18 l de vin par habitant (consommation cinq fois inférieure à celle des Français et des Italiens). Cette augmentation considérable dans l'évolution des habitudes alimentaires s'explique par l'influence des immigrants européens et par l'apparition d'un certain snobisme (le vin était ici considéré comme la boisson d'une petite élite, le *vulgum pecus* ne buvant que de la bière).

Les chais de la Hunter Valley sont répartis dans un large périmètre autour de Pokolbin et, plus haut, autour de Muswellbrook. La plupart d'entre eux se visitent et offrent des dégustations ; quelques-uns ont même des restaurants : le Rothbury Estate à Pokolbin et le Black Hill Cellars à Muswellbrook.

L'une des meilleures façons de visiter cette région consiste à explorer la basse vallée le premier jour, à passer la nuit à Pokolbin ou à Cessnock et à partir pour la haute vallée le lendemain (on peut louer des bicyclettes à Cessnock). A condition de ne pas trop faire d'excès, on profite en plus de superbes paysages et l'on peut s'arrêter pique-niquer.

Les vins sont tous de qualité comparable : la visite sera l'occasion de se constituer une petite réserve, bien utile lorsqu'on va dîner dans un restaurant « BYO » (*Bring your own*, « Apportez votre bouteille », établissements sans licence de vente d'alcool). Les prix sont en général très abordables, souvent inférieurs aux normes européennes, même s'ils sont plus élevés que dans les grands magasins de Sydney.

Le chai le plus touristique est le Hungerford Hill Wine Village, près de Pokolbin. Il ressemble d'ailleurs plus à un parc de loisirs qu'à un « château » viticole. Le domaine de Rothbury sacrifie lui aussi aux exigences du tourisme, mais en visant plutôt une clientèle de connaisseurs. Autour de Pokolbin, on peut loger par exemple à Peppers, Casuiarina Country Inn ou à Kirkton Park.

C'est dans les années 1830 qu'on planta les vignes de la Hunter Valley.

Carte p. 152

On peut néanmoins préférer emprunter la route côtière, moins monotone. Elle relie Kew à Port Macquarie, balayant un paysage de criques, de plages de sable fin et de promontoires rocheux découpés par l'érosion marine, tandis que s'étendent, à l'ouest de la route, une succession de lagunes où l'on peut pêcher et pratiquer la voile en eaux calmes.

Port Macquarie est une ancienne colonie pénitentiaire fondée en 1821. Si la ville possède de nombreuses traces architecturales de son passé, celles-ci se sont trouvées noyées au milieu de quartiers impersonnels construits sans aucun plan d'urbanisme pour faire face à l'explosion touristique des vingt dernières années. Mieux vaut profiter de l'ambiance du port – hôtels et restaurants de très bonne tenue, plages tranquilles à proximité – ou bien partir à la découverte des vallées de l'intérieur.

À **Wauchope**, quelques kilomètres en amont de la Hastings, se trouve la reconstitution d'un ancien village de bûcherons du XIXe siècle et de sa scierie : **Timbertown**.

Une nouvelle fois, la Pacific Highway s'éloigne du littoral et plonge dans les forêts de l'arrière-pays. Avant d'arriver à Kempsey, on peut faire un petit détour (24 km) pour gagner **Crescent Head**, jolie petite ville dotée d'un parcours de golf et de plages agréables.

Si l'on a envie de sortir des sentiers battus, il faut suivre la vieille route côtière (non goudronnée) vers le sud. À 10 km, on trouve une grande prairie et une plage. L'endroit est connu sous le nom de **Racecourse** (le « champ de courses »). Il n'y a aucun panneau, mais après un jour ou deux, un *ranger* viendra à coup sûr demander le paiement d'un droit de camping, bien modeste contrepartie compte tenu du cadre paradisiaque. On ne partagera les vagues de la plage déserte qu'avec quelques dauphins…

L'économie de la ville de **Kempsey** dépend elle aussi de l'élevage et de l'exploitation du bois. Cette petite ville est pratiquement aussi ancienne que Port Macquarie. Sa situation, à 32 km des plages, et son activité industrielle ont largement découragé les touristes. Mais, si les paysages balnéaires commencent à vous lasser, il peut être agréable de se laisser gagner par son charme campagnard.

Non loin de là (vers le nord-est), on peut également visiter le village de **South West Rocks** ou le bagne de **Trial Bay**.

LA « BANANA COAST »

À partir de Trial Bay règne une atmosphère déjà tropicale. Dès **Macksville**, plus au nord, apparaissent les bananeraies et les habitations sur pilotis, à la mode du Queensland. Les pilotis permettent, par une meilleure circulation des courants d'air frais, de lutter contre l'humidité. Le vert domine incontestablement le paysage ; les panneaux touristiques avertissent les visiteurs sans ambages : on est ici au paradis !

Motards rejoignant le nord par la Pacific Highway.

Les forêts de la Manning et les autres vallées environnantes constituent une importante ressource de bois pour toute la région. La Pacific Highway traverse une partie de ces forêts qui s'étendent vers l'ouest jusqu'au plateau du New England.

Au nord de Coffs, une banane géante symbolise l'entrée d'une plantation.

On peut faire une pause à **Macksville**, où il ne faut pas manquer le célèbre pub **The Star**, au bord de la Nambucca River. Sur la côte, à **Scotts Head**, on peut profiter d'une longue et belle plage ainsi que d'un camping avec des caravanes à louer.

Comme Port Macquarie, **Coffs Harbour** ❸ (16 000 habitants) est l'un des grands ports de la Central North Coast ; l'économie locale dépend de l'exploitation du bois et d'activités industrielles décentralisées. La région, réputée pour son climat, a séduit nombre de touristes. Une même colline se partage entre, d'un côté, un quartier résidentiel, de l'autre, une bananeraie et une scierie. Des développements touristiques hauts de gamme sont récemment apparus dans les proches environs de Coffs : à **Pelican Beach**, **Quality Resort Nautilus**, **All Seasons Pacific Bay** et **Opal Cove**. Les eaux tumultueuses de la **Nymboida River** raviront quant à elles tous les amateurs de rafting. Coffs Harbour, à mi-chemin entre Sydney et Brisbane, est une étape importante. Il n'est pas rare que les voyageurs de passage y prolongent leur séjour. Les nuits y sont très animées : restaurants, bars, pubs et discothèques ont en effet envahi le quartier qui sépare la jetée de Park Beach.

Vers l'arrière-pays, la Bellinger Valley et en particulier le village de **Bellingen** offrent une fantastique diversité de paysages. Cette région, avec celle de **Nimbin**, fut, dans les années 1970, le grand foyer de la culture alternative et des expériences de vie communautaire en Nouvelle-Galles du Sud. Depuis que l'immobilier s'intéresse à la zone littorale, la valeur de certains domaines et de certaines fermes a plus que décuplé.

Les paysages de la vallée ressemblent parfois plus à ceux de l'hémisphère nord qu'aux étendues subtropicales de la côte orientale de l'Australie : des vallonnements verdoyants, des galets sur les rives, de

Les collines vallonnées de Nouvelle-Galles du Sud marquent le début du « Bananaland ».

petits bosquets et même quelques rivières poissonneuses, vers les contreforts montagneux des environs de Dorrigo.

Cannes à sucre et pilotis

En remontant vers l'arrière-pays, la Pacific Highway traverse des étendues boisées avant d'arriver à **Grafton**. Située au bord de la Clarence River, à 65 km de son embouchure, cette ville de 17 000 habitants est surtout célèbre par ses jacarandas, ces arbres qu'il faut absolument voir au printemps. Chaque année, au mois de novembre, se tient le Jacaranda Tree Festival. Les maisons des rues ombragées datent du XIXe siècle et figurent parmi les plus belles du pays. Le long du fleuve, les bungalows tropicaux sont montés sur pilotis, afin d'éviter les inondations dues aux fréquentes crues. Comme la plupart des villes de l'arrière-pays, Grafton a été relativement épargnée par le tourisme, hôtels et restaurants sont restés abordables.

La Pacific Highway suit ensuite le cours de la Clarence River à travers des plaines inondables et rejoint la côte à Yamba, tandis que l'on aperçoit de vieilles maisons campagnardes au milieu des champs de cane à sucre.

Le village de **MacLean**, construit sur plusieurs collines quelques kilomètres en amont, est un poste idéal pour l'observation de la vie du fleuve, rythmée par les allées et venues des pêcheurs ou les travaux des paysans dans les champs.

Yamba est une cité saisonnière de motels et de maisons à louer à la semaine. Sa côte et ses plages valent le détour. C'est le tourisme qui est venu sauver l'économie vacillante de la région. Jadis, les habitants allaient à Yamba pour pêcher au calme en attendant le temps des récoltes. Aujourd'hui, ils viennent y passer la saison et repartent dès la fin des vacances.

À quelques kilomètres de là, **Angourie** doit sa célébrité à une belle plage de surf et à sa Blue Pool, bassin naturel très profond, à 50 m à peine de l'océan.

En amont de son embouchure, la Clarence River se scinde en de multiples bras qui enlacent des îlots reliés entre eux par la Pacific Highway. C'est ici, au milieu des champs de canne à sucre, que se trouve l'un des rares restaurants gastronomiques établis entre Sydney et Brisbane : le **Chatworth Island Restaurant**. Il découvre un cadre somptueux et une carte accordant une place de choix aux produits de la mer.

Jusqu'à la frontière

La route serpente encore dans les mêmes paysages de champs de canne à sucre et de plans d'eau avant de rejoindre la côte à **Ballina**, première localité d'une bande côtière (surnommée la Summerland Coast) à la frontière du Queensland, où les vagues font le bonheur des surfers.

La plage d'Angourie fera le bonheur de tous les surfeurs, avec sa très belle plage de surf ; mais aussi des baigneurs, qui peuvent profiter de sa Blue Pool, bassin naturel très profond, situé à une cinquantaine de mètres à peine de l'océan.

LES ILES NORFOLK ET LORD HOWE

Dans le Pacifique Sud, Norfolk Island et Lord Howe Island sont deux grandes destinations touristiques australiennes. Elles n'ont pourtant rien des récifs coralliens – plages tropicales et palmiers – qui attirent de nombreux vacanciers. Elles ressembleraient plutôt à des îles écossaises, minuscules joyaux de verdure au beau milieu de l'océan.

Norfolk Island a une atmosphère bon enfant, un passé historique et des paysages somptueux. Située à 1700 km au nord-est de Sydney, Norfolk est restée déserte jusqu'en 1788, date de l'établissement d'une colonie pénitentiaire.

L'un des épisodes les plus curieux de l'histoire de cette île de 3500 ha se produisit en 1852, lorsque le gouvernement britannique, jugeant que la colonie lui coûtait trop cher, fit déplacer tous les forçats. A la même époque, les descendants des mutins de la *Bounty* et de leurs épouses polynésiennes vivaient dans des conditions précaires sur l'île Pitcairn. Norfolk leur fut attribuée en 1856 par le gouvernement britannique, et la plupart y restèrent. Les 2000 habitants sont ainsi presque tous issus de la même souche, comme en témoigne le faible nombre de patronymes : en tout et pour tout Christian, Quintal, Young, McCoy, Adam, Buffet, Nobb et Evan. L'annuaire du téléphone est l'un des seuls au monde à tenir compte des surnoms des habitants !

Norfolk est un territoire autonome. Burnt Pine en est la seule ville. Les boutiques d'articles dédouanés ont un gros succès auprès des touristes, notamment pour les articles en laine. On trouve des formules d'hébergement pour toutes les bourses. Des vols réguliers relient Norfolk à Sydney, Brisbane et Auckland. L'île est une excellente étape pour la Nouvelle-Zélande. Sur la côte, on peut encore visiter des installations des pionniers, la plupart dans un état de conservation étonnant. Quelques-unes abritent encore les administrations locales.

Les paysages sous-marins d'une grande richesse attirent de nombreux amateurs de plongée, confirmés ou débutants, qui peuvent suivre des stages de formation.

Lord Howe Island, rattachée à la Nouvelle-Galles du Sud, située à 600 km au nord-est de Sydney, est nettement plus petite que Norfolk (11 km de long pour 2 km de large), avec une superficie de 1 300 ha pour à peine 300 habitants.

On y trouve de superbes forêts, un grand lagon fermé par un récif corallien et deux montagnes qui culminent au mont Gower (875 m). Un circuit pédestre de six heures le fait découvrir. Les randonnées et les promenades à bicyclette sont les principaux intérêts de l'île, en plus des activités nautiques : voile, ski nautique, baignade, surf (à Blinky Beach) et plongée sous-marine. Des excursions à bord de bateaux à fond transparent permettent aussi de découvrir les fonds coralliens.

Des vols fréquents relient Sydney ou Port Macquarie au petit aéroport de Lord Howe. Il n'existe pas de camping, mais de nombreuses chambres d'hôtes sont proposées. Le Musée historique est ouvert de 20 h à 22 h et le musée de la Mer (Shell Museum) de 10 h à 16 h.

Vue de l'île de Norfolk.

A la fin du XIXe siècle, après la découverte de pépites près de l'embouchure de la Richmond River, Ballina connut elle aussi une petite ruée vers l'or. Aujourd'hui, les nouvelles ressources sont apportées par le tourisme et les activités portuaires.

La Pacific Highway gagne ensuite le nord en traversant une belle région vallonnée, la **Rainbow Country**, mais les petites routes côtières ne manquent pas de charme; en particulier celles qui partent à la découverte des villages de **Lennox Head** ou de Byron Bay, à l'extrémité orientale de l'Australie.

La ville de **Byron Bay** ❹ fut l'une des grandes communautés hippies de la région avant de devenir un endroit à la mode très prisé des vedettes du spectacle tel Paul Hogan, qui y possède une propriété.

On peut poursuivre la découverte de cette côte en gagnant Mooball, avant de rejoindre la Pacific Highway près de Tweed Heads. Ville frontière entre deux États, **Tweed Heads** a longtemps été délaissée au profit de sa « sœur jumelle » du Queensland, Coolangatta. Depuis quelques années, Tweed Heads a su s'attirer les faveurs des touristes, notamment en y autorisant l'utilisation des machines à sous. La ville se termine au sud par une petite péninsule, **Point Danger**, où se trouve le **Captain Cook Memorial**. En franchissant la Tweed, on quitte la Nouvelle-Galles du Sud pour arriver sur la Gold Coast du Queensland.

LE NEW ENGLAND

A Murrurundi, la *highway* quitte la Hunter Valley et pénètre dans l'immense massif montagneux australien, la Great Dividing Range, frontière naturelle séparant les plaines côtières de l'immense plateau intérieur.

Murrurundi, qui est située dans une vallée encaissée des Liverpool Ranges, semble perpétuellement noyée dans le brouillard. Plus avant,

Carte p. 152

Cape Byron le point le plus à l'est de l'Australie; Byron Bay tire son nom du commandant John Byron, petit-fils du poète du même nom.

la route serpente dans les hauteurs puis gagne le plateau du New England.

On rejoint rapidement **Tamworth** ❺, ville de 50 000 habitants, entourée de collines, la plus importante du nord-ouest de l'État. Son économie repose sur l'élevage des bovins et des ovins.

Une petite route en bordure des méandres de la Peel mène à l'ancienne cité minière de **Nundle**. Il y a des lustres que la dernière pépite d'or a été extraite, mais l'étrange atmosphère de ville fantôme qui règne dans les environs vaut le détour.

Au nord de Tamworth, la New England Highway traverse une région spectaculaire de sommets déchiquetés et d'anciennes mines d'or. Les chercheurs de pierres précieuses y tentèrent aussi leur chance. De nos jours, cette activité se cantonne aux localités d'**Inverell** et de **Glen Innes** (vers l'ouest) et les filons de saphirs appartiennent à de puissantes compagnies minières.

A **Uralla**, ancienne cité aurifère, on peut voir la tombe du Captain Thunderbolt, bandit légendaire abattu à Kentucky Creek lors d'une fusillade en 1870.

Comme son nom le laisse supposer, le **plateau du New England** présente certaines similitudes, géographiques et climatiques, avec l'Angleterre. L'altitude élevée de la région explique la relative fraîcheur des températures tout au long de l'année. On observe des gelées matinales neuf mois sur douze, et les chutes de neige ne sont pas rares.

Le charme des villes et des villages vient aussi de ce cousinage avec l'*old country* ; **Armidale** ❻ en est l'illustration la plus convaincante. Cette petite ville universitaire aux rues bordées d'arbres est construite autour d'innombrables parcs et jardins. Outre la University of New England, Armidale possède un *college* (d'enseignement supérieure) et trois pensionnats, ce qui en fait, après Sydney, le principal centre éducatif de la

Le jour se lève sur les paysages du New England.

Nouvelle-Galles du Sud. La population estudiantine apporte à la ville une jeunesse et une vitalité qui contraste avec les sévères façades des maisons victoriennes. Le centre de la ville est une amusante juxtaposition de boutiques huppées et d'établissements bruyants où se réunissent les étudiants.

Quittant Armidale, la route rejoint le bassin hydrographique de la Great Dividing Range (1 320 m) puis **Guyra**, et poursuit son chemin jusqu'au croisement de la Gwydir Highway à **Glen Innes**. Les pierres précieuses ont fait la fortune de cette petite ville de 6 000 habitants. On extrait ici le tiers de la production mondiale de saphirs. Si la plupart des filons sont contrôlés par des compagnies, chacun peut toutefois tenter sa chance à certains endroits et aller glaner saphirs, grenats, jaspe ou agates. La ville dispose de cinq parcs, et l'on peut également se promener dans les brumes du **New England National Park**, à l'est d'Armidale.

Tenterfield ❼ est l'étape suivante. Il s'agit de la dernière ville d'importance avant la frontière du Queensland. Elle serait une petite ville provinciale oubliée si elle ne figurait pas dans les manuels d'histoire comme le « berceau de la Fédération ». C'est ici, dans l'école des Beaux-Arts, que Henry Parkes, l'un des grands avocats de la cause fédérale, prononça un discours appelant les gouvernements coloniaux à s'unir. Tenderfield est également connue pour être le lieu de naissance du grand-père de Peter Allen, chanteur australien des années 1980 entré dans les hit-parades australiens grâce à sa chanson *Tenderfield Saddler,* écrite en hommage à son grand-père.

Les Southern Highlands

Les voyageurs qui empruntent la Hume Highway en direction de Canberra ne peuvent manquer l'entrée des Southern Highlands, marquée par une sorte de pilier volcanique

Carte p. 152

Fermiers du New England.

pelé, dressé au-dessus du bourg agricole de **Mittagong** : le **Mount Gibraltar** (le « Gib » pour les intimes).

A **Bowral**, 5 km plus loin, la municipalité organise chaque année des rencontres florales très attendues, dont l'October Tulip Festival.

De Bowral, on rejoint facilement la **Mount Gibraltar Reserve**, réserve naturelle de 24 ha où vivent des quantités d'oiseaux-lyres et de koalas.

Mais le joyau des Southern Highlands est de toute évidence le village de **Berrima** ❽ (une petite dizaine de kilomètres à l'ouest de Bowral), qui a conservé son allure de la première moitié du XIXe siècle. Tous ses édifices ou presque sont classés et la plupart de ses maisons en grès ont été transformées en boutiques d'artisanat et d'antiquités, profitant de l'importante fréquentation touristique. Certains édifices ont un caractère plus « authentique », tel le pub Surveyor General Inn (1834), la Court House (1838), ancien tribunal qui abrite aujourd'hui la Berrima School of Arts, la prison (1835), la Holy Trinity Church (1847) et l'église catholique Saint-françois-Xavier (1849).

Autre centre historique rattaché à la Hume Highway, **Goulburn** (22 500 habitants) se trouve à 200 km au sud-ouest de Sydney, à mi-chemin entre les Southern Highlands et Canberra. Le bétail, le blé, la laine et les pommes de terre ont fait la fortune de ce bourg agricole. Une fortune qui se lit aisément sur les façades de ses maisons géorgiennes et de ses deux cathédrales. C'est aussi à Goulburn qu'étaient concentrées les forces de police en lutte contre les pillards de ferme (les *bushrangers*) qui écumaient la région.

La ville de **Yass** (5 200 habitants) est fortement liée au souvenir de Hamilton Hume, cet explorateur qui a donné son nom à la Hume Highway. Il y vécut les quarante dernières années de sa vie. On peut visiter **Cooma Cottage**, sa maison

Exploitation agricole des Southern Highlands.

transformée en musée, et voir sa tombe dans le cimetière communal.

A **Gundagai**, la Hume Highway traverse la Murrumbidgee River. Si le nom de Gundagai est connu de tous les Australiens car il a été utilisé dans de nombreuses chansons populaires, cette petite localité fut le site de l'une des premières tragédies australiennes : en 1852, une brusque crue de la rivière détruisit toutes les bâtisses, tuant 89 personnes sur les 300 habitants.

Les Snowy Mountains

Les pentes douces du **Mount Kosciusko** (point culminant des Snowy Mountains et du continent australien avec 2230 m d'altitude), bien que peu comparables aux sommets européens, ont été surnommées « Alpes australiennes ».

Avec une superficie de 6900 km², le **Kosciusko National Park** ❾ est le plus vaste parc national de Nouvelle-Galles du Sud. L'hiver, les trois stations de ski de **Thredbo**, **Perisher-Smiggins** et **Mount Blue Cow** proposent des pistes de tous les niveaux ; l'été, les paysages de montagne attirent des randonneurs du pays entier.

Tumut, à 31 km de Gundagai, est une ville forestière, située au nord du Snowy Mountains Irrigation and Hydroelectric Project, gigantesque infrastructure hydroélectrique achevée au milieu des années 1970. Les 200 km de tunnel creusés dans les montagnes et les 16 barrages aménagés sur les rivières Tumut, Murrumbidgee et Snowy alimentent en électricité Sydney, Melbourne et le reste de l'Australie du Sud-Est, et permettent l'irrigation du district de la Riverina, à l'ouest du massif.

Au sud de Tumut, la *highway* entre ensuite dans le parc national et longe la rive est du **Blowering Reservoir**, lac de retenue sur lequel sont organisées des manifestations de ski nautique et de vitesse sur l'eau.

Un peu plus loin, les **Yarrangobilly Caves** sont l'une des grandes curiosi-

Carte p. 152

Le Blowering Reservoir du parc national de Tumut.

tés des Snowy Mountains : un ensemble de 60 grottes réparties autour de la vallée de la Yarrangobilly, dans une ceinture rocheuse de 12 km sur 3 km. Sur les six grottes ouvertes au public, cinq sont réservées aux visites guidées.

La ville de **Kiandra** (à 90 km de Tumut), aujourd'hui sans grand intérêt, eut son heure de gloire au XIXe siècle. Elle possédait en effet le filon d'or le plus haut du continent (à 1 414 m d'altitude) et la première station de ski, aménagée dès 1878.

En poursuivant la route en direction de Melbourne, il faut tourner à gauche au croisement de **Kiandra** pour atteindre **Cabramurra**, la localité la plus élevée d'Australie (1 500 m).

Une descente de 63 km conduit à **Khancoban**, porte occidentale du parc. L'été (entre janvier et avril), cette route traverse des champs de fleurs sauvages, des zones boisées et des lacs de montagne où l'on croise fréquemment toute sorte d'animaux.

La South Coast

Cette partie du littoral est un mélange déconcertant de ports de pêche et de stations balnéaires, d'aciéries et de fabriques de fromages, de forêts et de mines de charbon. Elle possède aussi un parc national battu par les vents du Pacifique et une île peuplée de manchots.

A partir de Sydney, la **Princes Highway** quitte la ville en longeant l'**Illawarra Plateau**, puis descend brusquement à **Wollongong** par le col de Bulli, une grande ville industrielle située au milieu de paysages somptueux. L'industrie de l'acier fait vivre directement 10 % de ses 255 000 habitants. Ces derniers sont répartis sur les 48 km de côte qui séparent Stanwell Park, au nord, de Shellharbour, au sud, la majorité d'entre eux vivant à Wollongong même et à **Port Kembla**.

Les mines de **Bulli**, au nord, ont produit en 1996-1997 plus de 15 millions de tonnes de charbon.

Les Snowy Mountains abritent la station de sports d'hiver la plus réputée d'Australie.

A l'ouest de Wollongong, perché sur les contreforts du plateau d'Illawarra, le village de **Mount Kembla** est marqué à vie par le souvenir de la catastrophe minière de 1902 qui ensevelit 95 mineurs. Un mémorial y a été dressé, et l'on conserve soigneusement des maisons de mineurs de la fin du XIXe siècle, en hommage à toutes ces victimes.

La côte de Kiama et Kangaroo Valley

En 1797, alors que l'Australie n'était encore qu'une maigre colonie pénitentiaire, l'explorateur George Bass jeta l'ancre dans la petite baie de **Kiama** ⑩ et remarqua un fabuleux grondement qui venait d'une pointe rocheuse. Aujourd'hui, le **Blowhole** (à la lettre le « trou souffleur », c'est-à-dire l'« évent de baleine ») est devenu la grande curiosité touristique du petit port de Kiama. Ce conduit dans le rocher est capable de « cracher » l'eau de mer qui s'y engouffre à 60 m de hauteur, comme un geyser.

Vers le sud, à une vingtaine de kilomètres à l'ouest de **Berry** (surnommée la « cité des Arbres »), **Kangaroo Valley** est un joli village aménagé dans un vallon entouré de collines boisées. Les premières maisons furent construites en 1829 ; l'endroit est aujourd'hui la destination favorite des pique-niqueurs et des promeneurs de la région. Le **Pioneer Settlement Museum** expose notamment plusieurs reconstitutions de bâtiments coloniaux et des outils d'époque. Kangaroo Valley est aussi le principal accès au **Morton National Park**, qui englobe la majeure partie des hauteurs de Shoalhaven.

Nowra ⑪ (23 000 habitants) est la capitale du district de Shoalhaven, à 162 km au sud de Sydney. Ce centre agricole connaît depuis plusieurs années une forte expansion touristique grâce à sa situation privilégiée, à 13 km de l'embouchure de la Shoalhaven. La pratique des sports

Carte p. 152

Survol de la South Coast en deltaplane.

nautiques est la principale raison de cet engouement ; mais on peut aussi aller à **Greenwell Point** acheter des huîtres aux producteurs ou assister aux courses de chevaux organisées à **Nowra Raceways**, hippodrome plus connu sous le nom d'Archer Raceway depuis qu'Archer, le champion local, a remporté à deux reprises (en 1861 et 1862) la Melbourne Cup.

Au début du XIXe siècle, **Jervis Bay** fut le grand concurrent du port de Sydney. Découvert et baptisé en 1770 par le capitaine Cook, il possédait au XIXe siècle de grands chantiers de construction navale et expédiait du bois, de la laine et du blé à Sydney. En 1915, 7 200 ha de terres au sud de la baie furent rattachés à l'Australian Capital Territory (ACT), le territoire de Canberra, pour la simple raison qu'il était inconcevable que la capitale australienne ne possède pas d'accès à la mer. Ce territoire de l'ACT réunit actuellement le Royal Australian Naval College, la Jervis Bay Nature Reserve et son annexe, les **National Botanic Gardens**. Plusieurs projets de développement de la baie sont à l'étude, dont l'aménagement d'un grand port relié à Canberra par chemin de fer, ainsi que l'implantation d'une centrale nucléaire.

Ulladulla fait aussi partie de ces localités qui connaissent un grand essor grâce au tourisme estival et au développement du secteur de la pêche. C'est le principal fournisseur de Sydney en produits frais, activité remontant à l'arrivée des immigrants italiens qui, dans les années 1930, aménagèrent le port artificiel.

Batemans Bay, à 85 km au sud, est une station balnéaire à l'embouchure de la Clyde River, spécialisée dans la pêche à la langouste et l'ostréiculture.

Au large, les **Tollgate Islands** font partie d'une réserve naturelle destinée à protéger les manchots qui y vivent. **Mogo**, à 12 km au sud de Batemans Bay, connut sa ruée vers l'or dans les années 1860. La mine

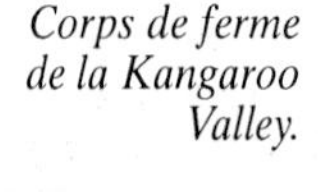

Corps de ferme de la Kangaroo Valley.

d'or en exploitation à l'est de la Princes Highway, près de **Tomakin**, focalise aujourd'hui les rêves des derniers aventuriers du filon.

Moruya ⓬, comme Nowra au nord, est établie plusieurs kilomètres en amont d'un estuaire. Francis Flanagan's Shannon View, la première maison bâtie ici en 1828, est toujours habitée; l'église de 1864 a été construite avec le granit de la région. La carrière, sur la rive nord de la Moruya, est exploitée depuis plus de soixante ans.

La Princes Highway serpente ensuite dans les hauteurs jusqu'à **Bodalla**, à 38 km au sud de Moruya. Il est bien difficile de manquer le **Big Cheese** (« grand fromage »), sculpture de 4,50 sur 4,50 m réalisée en 1984 pour souligner la vocation de la ville comme centre de production de fromages. La paternité de cette réussite revient à Thomas Sutcliffe Mort (1816-1878), qui ouvrit une ferme laitière de 5200 ha, et utilisa les techniques de production les plus modernes de l'époque. Il ouvrit la première fabrique de fromage de la Nouvelle-Galles du Sud en 1861 et fut bientôt à la tête d'un véritable empire industriel qui comprenait aussi des installations portuaires, une compagnie de navires à vapeur, des centres de production de laine, des mines d'or et de cuivre, et des raffineries de sucre. A sa mort, ses contemporains reconnaissants édifièrent en son honneur l'église de Tous-les-Saints (1880), en granit et en grès.

Les eaux de la région – autour des deux stations balnéaires de **Narooma** et de **Bermagui**, et à proximité de **Montague Island** – comptent parmi les plus poissonneuses du littoral. On y trouve des requins, des thons et des sérioles (*kingfish*).

A **Central Tilba**, à 29 km au sud-ouest de Narooma, le temps paraît s'écouler avec plus de lenteur qu'ailleurs. Ce village est constitué de deux douzaines de maisons en bois, toutes classées et protégées par le

Carte p. 152

Plage de Rosedale, près de Batemans Bay.

National Trust. La fabrique de fromage locale, l'ABC Cheese Factory, a fermé ses portes en 1980, mais ses installations sont ouvertes au public. La construction du village date de la découverte d'un filon d'or sur le **Mount Dromedary** dans les années 1870. Du haut de ce mont (825 m) on jouit d'une vue superbe sur le littoral.

Bega, bourgade d'environ 4000 habitants, est la « capitale » de la partie méridionale de la South Coast, située à 435 km de Sydney. Sa fondation remonte aux années 1830. La coopérative fromagère de Bega organise des visites guidées agrémentées de dégustations et ventes de produits. On peut également visiter les installations laitières de l'exploitation agricole de Yarranung Farm.

Sur cette portion du littoral joliment nommée Sapphire Coast (la « côte de saphir »), on rejoint **Merimbula** et **Pambula**, deux stations balnéaires.

Eden est la dernière localité d'importance avant la frontière du Victoria. Elle se situe sur la baie de **Twofold**, qui fut un grand port baleinier. Un musée de la Baleine, **Whaling Museum**, dans Imlay Street, réunit les souvenirs de ces temps lointains.

Eden, située dans la baie de Twofold, fut jadis un grand port baleinier. On raconte qu'un pêcheur fut un jour avalé par l'un de ces cétacés avant d'être régurgité quelques heures plus tard, toujours vivant ! Aujourd'hui troisième port naturel le plus profond du monde, Eden possède toujours une importante flotte de pêche.

Twofold Bay, qui possède une importante flotte de pêche, n'en reste pas moins le troisième port naturel le plus profond du monde. Les activités industrielles s'y sont considérablement développées : outre une conserverie de poisson, une scierie (à capitaux japonais, comme beaucoup d'investissements récents) s'est installée sur le rivage sud de la baie.

A la glorieuse époque des baleiniers, **Boydtown** ⓭ fut la grande rivale d'Eden. Cette colonie avait été fondée en 1842 par Benjamin Boyd, un banquier plus aventurier qu'audacieux. Grâce à sa fortune, Boyd pensait pouvoir bâtir un pôle économique considérable. Il établit une compagnie de navigation et fit construire de nombreux édifices. En 1850, ses rêves de grandeur tournèrent court : il fit faillite et quitta aussitôt l'Australie. Il reste quelques vestiges de ce caprice, dont la **Seahorse Inn** – superbe bâtiment de pierre avec des murs d'un mètre d'épaisseur, des fenêtres et des portes sculptées ainsi que des arches gothiques – et la **Boyd's Tower**, phare de 31 m de hauteur construit en 1846 et qui n'a jamais fonctionné. Le phare est désormais la propriété du **Ben Boyd National Park**, dont les 9000 ha couvrent à peu près l'ensemble du littoral de Twofold Bay. Ce parc national a été créé pour protéger une faune et une flore particulièrement riches.

Les Western Plains

A 208 km de Sydney, en direction d'Adélaïde (par la Mitchell Highway puis la Barrier Highway), **Bathurst** ⓮ est la plus ancienne cité de l'arrière-pays. C'était déjà un important centre d'élevage avant la découverte de pépites d'or dans les années 1850. Le filon s'est épuisé depuis longtemps. Le secteur agricole est la principale source de richesses mais les responsables du tourisme savent que les *gold towns* sont un argument plus attractif.

Karingal Village, sur le **Mount Panorama**, a ainsi été l'objet de tous leurs soins : il s'agit de la reconstitution d'un village de prospecteurs du siècle dernier, avec visites de mines et démonstrations d'orpaillage. Pour une atmosphère plus authentique, on préférera la visite de **Hill End** (au nord de Bathurst), cité de prospecteurs presque abandonnée, où l'on a encore quelques maigres chances de trouver des paillettes.

La superbe route qui sillonne le Mount Panorama devient, à deux reprises chaque année, le circuit le plus connu d'Australie. Les fameux « 1 000 kilomètres de Bathurst », réservés aux voitures de série, sont l'épreuve la plus suivie. Elle se déroule en octobre devant une foule impressionnante de spectateurs. La course de Pâques est quant à elle surtout le prétexte à un grand rassemblement de motocyclistes dont les *bikers* australiens, fervents amateurs de Harley-Davidson.

A 50 km de Bathurst, le village de **Carcoar**, niché dans une jolie vallée, est l'une des localités les plus pittoresques de la région, avec ses maisons coloniales soigneusement restaurées et classées.

La route traverse ensuite une région d'élevage et de champs de blé jusqu'à **Cowra**, bourg agricole prospère des berges de la Lachlan. Lors de la dernière guerre mondiale, des prisonniers japonais furent internés dans un camp à Cowra. Au cours d'une tentative d'évasion collective, 250 d'entre eux trouvèrent la mort, la plupart s'étant suicidés avant d'être capturés. Le respect avec lequel ils furent enterrés surprit tant les autorités japonaises qu'elles firent don à la ville d'un somptueux parc traditionnel de plusieurs hectares.

A partir de Cowra, la *highway* devient un interminable ruban de bitume à deux voies que l'on croirait

Carte p. 152

Fermiers rassemblant les moutons près de Cowra.

sorti d'une carte postale. C'en est fini de la route sinueuse, aux paysages contrastés. Un millier de kilomètres au cœur des terres arides attend le voyageur; les oasis sont rares avant d'arriver à Adélaïde. Quant aux panneaux mettant les automobilistes en garde contre les kangourous, ils n'ont pas été installés pour divertir les touristes. Si charmants soient-ils, les kangourous représentent la nuit une sérieuse menace pour les conducteurs et provoquent de graves collisions.

A 161 km à l'ouest de Cowra, on passe par **West Wyalong** ⓯, ancienne cité de chercheurs d'or.

Orange, non loin de là, est une ville bâtie sur les pentes d'un volcan éteint, le **mont Canobolas**. Cette ville de 36 000 habitants, grand centre de production de fruits, doit son nom à la dynastie d'Orange, issue de Guillaume III d'Angleterre.

Les mines d'or d'**Ophir**, à 27 km au nord-est de la ville, furent les premiers filons exploitables en Australie, découverts en 1851. Le grappillage y est officiellement autorisé.

Le kangourou n'est qu'un des nombreux habitants du parc zoologique des Western Plains, qui est le plus grand parc animalier d'Australie. Il n'abrite pas seulement des pensionnaires originaires du continent, mais aussi des animaux du monde entier.

A l'approche de **Wellington**, alors qu'elle traverse une région plus vallonnée, la Mitchell Highway devient une route à deux voies, sans voie de dépassement jusqu'à Gawler, à 42 km d'Adélaïde.

A 8 km au sud-ouest de la ville, on découvre les **Wellington Caves**, grottes calcaires ornées de concrétions multicolores.

Dubbo ⓰ est un autre centre agricole dont la richesse provient des fermes d'élevage et des terres à blé irriguées. La visite du **Merrilea Farm Museum**, quelques kilomètres en dehors de la ville, donne une excellente idée des conditions de vie et de travail dans la région. Cette ferme-musée présente des outils d'époque, de vieilles machines, ainsi que des minéraux et des fossiles. La principale curiosité touristique est cependant le **Western Plains Zoo**, immense parc zoologique jumelé avec le Taronga Park Zoo de Sydney.

La mémoire australienne s'est construite autour de deux grandes figures: le forçat et le bandit. Rien d'étonnant dès lors à trouver autant de pénitenciers à visiter. Dubbo n'échappe pas à la règle: l'**Old Dubbo Gaol**, fermée en 1966 après quatre-vingts ans de service, a été restaurée pour des visites guidées.

La route atteint ensuite les domaines de **Narromine** (à 39 km de Dubbo), grands producteurs d'agrumes en bordure des Western Plains. La topographie du lieu, favorable à l'apparition de nombreux courants thermiques, profite largement aux amateurs de vol à voile.

Grâce à l'irrigation, la **Macquarie Valley** s'est consacrée à la culture du coton, de même que **Trangie**, qu'il ne faut pas manquer de visiter à l'époque des récoltes (avril-juin).

A travers le bush

A partir de **Nyngan**, au bord de la Bogan, on entre dans le véritable bush du centre de l'Australie: rouge, sec, chaud, et désert. C'est le moment où jamais de faire le bilan des capacités de son véhicule, et de surveiller la jauge du réservoir d'essence. La prochaine station se trouve à 128 km de là, à Cobar. Il y en a une seule entre Wilannia et Broken Hill, et quelques-unes seulement jusqu'à Junta, en Australie-Méridionale. Les bidons de réserve sont conseillés.

Il faudra endurer une longue traversée du désert avant d'atteindre enfin la ville de Hay : l'horizon à perte de vue, une rare végétation d'arbustes rabougris. Aucune âme qui vive hormis un émeu, un lézard géant ou un vol de perruches s'enfuyant à l'approche du véhicule. **Hay ⓱**, à mi-chemin d'Adélaïde, est une petite oasis plantée en bordure du fleuve Murrumbidgee, au croisement de trois *highways*. Ce grand centre de production de laine a l'avantage de posséder de belles plages sur le Murrumbidgee.

Balranald est un autre point de verdure au bord du Murrumbidgee.

A environ 150 km au nord, les **Walls of China** (la « muraille de Chine ») sont un étonnant phénomène géologique : des murs de sable blanc, hauts de 30 m, qui s'étendent sur plus de 30 km à l'intérieur du **Mungo National Park ⓲**. C'est également un site archéologique de première importance. Les fossiles retrouvés ont permis de révéler l'existence d'une civilisation aborigène vivant dans la région il y a plus de vingt-six mille ans : une communauté qui brûlait ses morts et faisait cuire ses aliments (poissons, petits mammifères et œufs d'émeu). Les vestiges les plus anciens d'habitations aborigènes remonteraient à quarante mille ans.

Cobar ⓳, cité minière de 4000 habitants, a connu les aléas de la fortune. Après la découverte des mines de cuivre dans les années 1870, sa population compta jusqu'à 10000 âmes. Un siècle plus tard, elle était tombée à moins de 4000 habitants : il n'y avait plus qu'une seule mine en

Carte p. 152

Le dur travail du chercheur d'or est parfois très bien récompensé.

Ce type de peintures utilisant la technique du pochoir ont été retrouvées au mont Grenfell ainsi que dans de nombreux autres sites aborigènes.

activité. En 1983, l'ouverture de mines de zinc, d'argent et de plomb a donné une autre impulsion à l'exploitation minière. La mine de cuivre de la CSA, à 7 km de la ville, organise des visites de ses installations. Le **Pastoral Mining and Technological Museum** complétera le tableau de la vie locale, décrite ici sous ses aspects économiques. Les collections du musée sont exposées dans les anciens bureaux d'une compagnie minière, édifice qui justifie à lui seul la visite.

Au nord de Cobar, à l'endroit où la Mitchell Highway croise la Darling River, on rejoint **Bourke** ⑳, localité de 3000 habitants dont le seul nom évoque l'*outback* pour la plupart des Australiens.

Peintures aborigènes

Expression courante, « *the back o' Bourke* » signifie en substance « le bout du monde ». Sur place, quand on examine le paysage et qu'on consulte une carte de l'Australie, on comprend l'origine de cette locution...

À une quarantaine de kilomètres en direction de Wilcannia, on rejoint la bifurcation vers le **mont Grenfell** et ses peintures aborigènes nichées dans une cavité rocheuse ressemblant vaguement à une grotte : on distingue des contours humains, des formes d'oiseaux et d'autres animaux. Les motifs les plus connus sont ces mains peintes au pochoir, qui apparaissent en négatif sur le rocher, technique identique à celle utilisée dans la grotte Cosquer, située dans une calanque de Marseille. Les peintures étant extrêmement fragiles, la grotte est fermée afin d'éviter les actes de vandalisme. Pour obtenir la clef du site, il faut s'adresser au domaine de Mount Grenfell Station, à une trentaine de kilomètres de la *highway* par une piste en terre de bonne qualité.

La *highway* pénètre toujours plus avant dans le désert australien.

Comprendre l'art rupestre de Mottwingee grâce aux guides aborigènes.

Wilcannia ㉑, petit village de moins d'un millier d'habitants situé au bord de la Darling River, fut autrefois le troisième plus grand port de l'intérieur des terres australiennes. On peut encore y voir quelques vestiges des quais et des entrepôts de marchandises ainsi que le pont levant qui s'effaçait devant les bateaux à roues à aubes.

En arrivant à **Broken Hill** ㉒, ville de 30 000 habitants, un détail original frappe d'emblée le visiteur : les horloges de la ville, qui se trouve dans l'État de la Nouvelle-Galles du Sud, marchent à l'heure légale de l'Australie-Méridionale (une demi-heure en moins), tout comme les montres de ses habitants. Située à la limite des deux États, et bien que dépendant administrativement et géographiquement de la Nouvelle-Galles du Sud, la ville entretient des relations économiques presque exclusives avec l'Australie-Méridionale, à l'heure de laquelle elle s'est par conséquent accordée.

L'empire minier de Broken Hill

Carte p. 152

L'aventure extraordinaire de la ville débuta en 1883 lorsqu'un explorateur-géologue découvrit un filon d'argent dans un rocher qu'il décrivit comme une *broken hill* (« butte cassée »). La Broken Hill Proprietary Company fut longtemps la plus riche compagnie australienne. Si elle a quitté les lieux en 1939, elle est encore unanimement haïe par ses habitants, qui n'ont pu oublier les épouvantables conditions de travail autrefois imposées aux mineurs.

The Hill s'est révélée la plus grande mine d'argent, de zinc et de plomb au monde ; alors que la plupart des vieilles mines australiennes ont peu à peu ralenti leur production, celle-ci est encore en pleine activité (145 millions de tonnes de minerai ont déjà été extraites). Quatre sociétés minières se partagent actuellement l'exploitation du site, surnommé, à juste titre, *Silver City*.

La richesse minérale de Broken Hill a beaucoup contibué à la prospérité industrielle de ce pays dominé par l'agriculture et l'élevage.

Carte p. 152

Les installations de North Mine se visitent en semaine. La visite dure environ deux heures et il est fortement recommandé de chausser des souliers solides et montants. La mine de **Delprat** propose aussi un parcours dans les galeries souterraines, avec un équipement de mineur. Les visiteurs descendent à 130 m sous la surface, accompagnés par d'anciens mineurs. Les moins téméraires se rendront au **White's Mining Museum**, dans Silverton Road, qui relate le travail à la mine.

Si austère que soit la région, Broken Hill n'en est pas moins une ville accueillante et chaleureuse.

Il faut parcourir 110 km pour rejoindre le **Lake Menindee**, ce qui ne représente qu'une courte promenade pour les habitants de la région habitués aux grandes distances. Ce lac, à la fois naturel et artificiel, situé à la frontière du **Kinchega National Park**, est le sanctuaire de milliers d'oiseaux aquatiques migrateurs (canards sauvages, cygnes, hérons, pélicans, ibis, etc.). On y pratique toutes les activités nautiques.

Si la ville fantôme de **Silverton**, à 23 km de Broken Hill, ressemble à un décor en carton-pâte, c'est parce qu'elle a en effet servi au tournage de nombreuses séries télévisées et apparaît dans *Mad Max II*. On peut aussi visiter l'ancienne mine locale (vieille d'un siècle), la **Day Dream Mine**.

Le trajet de Wilcannia à Broken Hill par des routes secondaires permet un détour vers les gisements d'opales de White Cliffs et le site aborigène de Mootwingee. Attention à ne pas s'y engager à la légère : les routes se résument parfois à de simples pistes souvent difficiles. Il est indispensable de prévoir des réserves d'eau et d'essence.

Le gisement d'opales de **White Cliffs** (« falaises blanches ») se trouve à 98 km au nord de Wilcannia. La plupart des habitants du site vivent sous terre pour échapper aux vents brûlants et aux températures extrêmes. Le grappillage des opales est autorisé moyennant le paiement d'une modeste taxe. Avec un peu de chance, on peut visiter une des habitations troglodytes et admirer de belles pierres. Les possibilités d'hébergement se limitent à un hôtel et à un terrain de camping.

Dans les hauteurs des **Bynguano Ranges**, à 131 km au nord de Broken Hill, on trouve enfin une étonnante enclave de verdure : **Mootwingee**. Des rochers biscornus et colorés entourent des campements aborigènes très anciens, dans lesquels ont été découverts des outils, des peintures et des gravures. Le parc a longtemps été fermé aux visiteurs en raison de nombreux actes de vandalisme qui ont été commis voilà quelques années. Un circuit accompagné de deux heures est aujourd'hui de nouveau proposé, permettant d'admirer les peintures murales. Un film présenté au centre touristique donne des informations complètes sur le site. Il faut se présenter au gardien dès son arrivée. Un terrain de camping bien équipé, mais sans électricité, a été aménagé pour les visiteurs.

À gauche, les maisons de l'outback adoptent parfois les tons ocre du paysage environnant; à droite, dans les contrées les plus reculées de l'outback, la population se compose en majorité d'éleveurs de moutons.

CANBERRA

Lors d'un de ses fréquents séjours dans la capitale fédérale de l'Australie, le duc d'Édimbourg déclara que Canberra était « *une cité sans âme* ». Si les habitants en conçoivent encore une certaine rancœur, le prince consort ne faisait qu'exprimer un sentiment très répandu en Australie.

En effet, comme mainte capitale administrative, Canberra est une ville artificielle. Sa construction ne tient pas à la présence d'une quelconque industrie, d'une colonie agricole ou de richesses extractives, mais à la grande rivalité qui opposait au début du siècle (et aujourd'hui encore) Sydney et Melbourne. À la Fédération australienne, proclamée le 1er janvier 1901, il fallut trouver une capitale, et les deux seules candidates sérieuses étaient précisément les sœurs ennemies. Comme en privilégier une revenait à insulter l'autre, on décida de créer de toutes pièces une capitale située à égale distance des deux villes.

Vingt-trois sites furent étudiés, puis, en 1910, une large vallée au sud de la Nouvelle-Galles du Sud fut retenue. Les travaux débutèrent dès 1913, et en 1927 ils étaient suffisamment avancés pour que le parlement et certains ministères puissent quitter Melbourne, la capitale intérimaire. En 1957, cependant, Canberra ne comptait encore que 38 000 habitants : ils sont aujourd'hui 280 000.

UNE CITÉ-JARDIN

Les visiteurs qui arrivent à Canberra se plaignent souvent de ne pas en trouver le centre. En fait, la capitale politique, diplomatique et administrative de l'Australie n'a pas de centre à proprement parler. Celui-ci est censé se trouver sur la rive nord du lac principal, au centre duquel trône le **Captain Cook Memorial Water Jet** Ⓐ, qui projette l'eau à 140 m de hauteur. La rive nord du lac regroupe boutiques et restaurants, mais c'est aussi le cas de toutes les banlieues de Canberra, qui possèdent chacune leur lac, leur centre commercial, leurs écoles, etc.

Déroutés, peut-être, les Australiens ont tendance à percevoir Canberra comme un gigantesque parc d'attractions, dans lequel ils s'égarent facilement parce que leurs réflexes citadins sont mis en échec. Deux éléments manquent au paysage urbain traditionnel : les antennes de télévision et les clôtures de jardin. C'est dire si le souci esthétique a été pris en compte. Détail significatif, afin de préserver intacte cette image de cité-jardin, chaque nouveau propriétaire se voit remettre des plantes et de jeunes arbres locaux pour l'aménagement de son jardin.

MONUMENTS PHARES

Les architectes ont voulu faire ici œuvre didactique et spectaculaire, comme en témoigne le grandiose **Parlement** Ⓑ (Parliament House, ouv. tlj. de 9 h à 17 h), édifié en 1988 sur

Carte p. 182

Pages précédentes : le Parlement, sorte de pyramide aplatie, en partie recouverte de gazon. À gauche, vue aérienne de Canberra et du Lake Griffin .

L'Américain Walter Burley Griffin fut chargé de concevoir la future capitale de l'Australie, imaginant des quartiers distribués de façon concentrique autour du lac artificiel qui porte son nom. Le Captain Cook Memorial Water Jet a été installé au centre de ce lac artificiel mis en eau en 1964.

Capitole Hill pour remplacer l'ancien (**Old Parliament House**) Ⓒ de King George Terrace, qui abrite des expositions et manifestations organisées par le **National Museum of Australia**, les Archives et la **National Portrait Gallery** (ouv. tlj. de 9 h à 17 h).

Établis sur la rive sud du lac Burley Griffin, la **Bibliothèque nationale** Ⓓ (National Library, ouv. du lun. au jeu. de 9 h à 21 h, du ven. au sam. de 9 h à 17 h, le dim. de 13 h 30 à 17 h ; visite guidée gratuite le jeu. à 12 h 30), avec salles d'exposition, l'**Australian National Gallery** Ⓔ (ouv. tlj. de 10 h à 17 h), la **Haute Cour de justice** Ⓕ (High Court ; ouv. tlj. de 9 h 45 à 16 h 30), et le **Science and Technology Centre** Ⓖ (ouv. tlj. de 9 h à 17 h ; entrée payante) méritent également le détour.

Au nord du lac s'élève le monumental **Australian War Memorial Museum** Ⓗ (ouv. tlj. de 10 h à 17 h), consacré aux troupes australiennes qui prirent part aux deux guerres mondiales (un extraordinaire musée de la Guerre se cache derrière sa façade, hélas un peu pompeuse).

Aspen Island, île du lac Burley Griffin, entre Commonwealth et Kings Avenue, abrite la tour du Carillon, cadeau de la Grande-Bretagne. Ses 53 cloches sonnent entre 14 h 45 et 15 h 30 tous les dimanches.

L'extrémité nord de Kings Avenue est dominée par l'**Australian-American War Memorial** Ⓘ, qui commémore l'aide américaine lors de la Seconde Guerre mondiale.

Enfin, on peut suivre tout le procédé de fabrication des pièces de monnaie australienne au **Royal Australian Mint** (l'hôtel de la monnaie australienne), installé dans Denison Street.

Une nature préservée

Canberra est une ville paisible, où il fait bon vivre. C'est sans conteste l'une des métropoles les moins polluées d'Australie. C'est aussi l'une des rares cités dont les rues sont fréquentées par des kangourous en

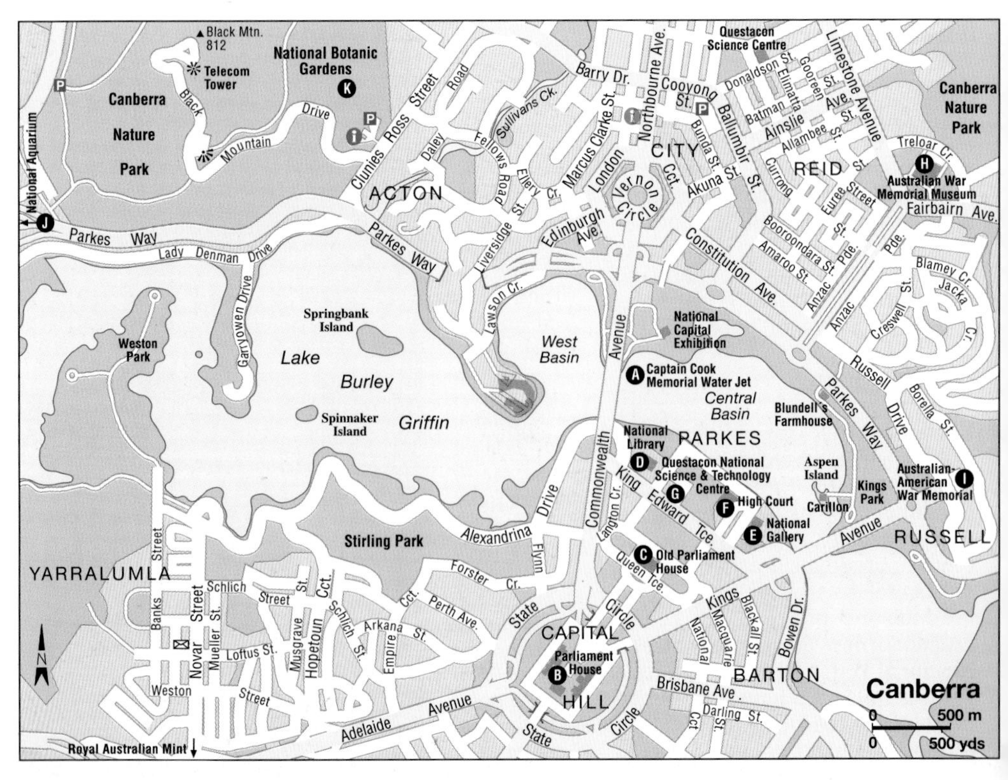

liberté. Une large place est attribuée à la faune et la flore. Ainsi, à l'ouest du lac, le **National Aquarium** **J** (ouv. tlj. de 9 h à 17 h) mérite une visite, tout comme la **Tidbinbilla Nature Reserve** (à 40 km au sud-ouest de la capitale), qui présente un large panorama de la faune et de la flore australiennes.

Les passionnés de botanique ne manqueront pas d'aller admirer les plantes rares qui poussent dans les somptueux **National Botanic Gardens** **K** sur les flancs de la Black Mountain (accessibles depuis Clunie Ross Street), derrière l'Australian National University.

Vie nocturne

Ces dernières années, de nombreux restaurants ainsi que de luxueux hôtels (comme le **Hyatt** au superbe style Arts deco) se sont ouverts à Canberra. La cité compte huit salles de cinéma, plusieurs théâtres et salles de concert, ainsi que 200 bars et un casino qui raviront les noctambules.

Excursions

Parce qu'elle est géographiquement coupée du reste du pays, la capitale fédérale est une véritable « plaque tournante » à la croisée des chemins.

De là, on rejoint aisément les métropoles côtières mais aussi les cités minières ou agricoles de l'arrière-pays comme **Captains Flat** et **Bungendore** ou même **Braidwood**.

Les **Snowy Mountains**, au sud, où l'on peut faire des randonnées en été et du ski en hiver, ne sont qu'à quelques heures de route, tout comme la côte méridionale de la Nouvelle-Galles du Sud, plus à l'est, dotée des plages les plus belles et les moins polluées du pays.

Il faut savoir également que plusieurs *stations* (ranches d'élevage ovin) de la région accueillent les visiteurs. Enfin les astronomes, en herbe ou confirmés, pourront visiter les divers observatoires (télescopes radio et optiques) installés à proximité de Canberra.

Carte p. 182

La cérémonie du souvenir à l'Australian War Memorial.

HOTEL

MURRAYS
LADIES

MELBOURNE

Carte p. 188

Melbourne la studieuse, l'intellectuelle, la sérieuse. Melbourne, berceau de l'*establishment* australien, la ville-reine du Sud (*Queen City*), est depuis toujours la grande rivale de Sydney. Avec ses universités prestigieuses qui ont formé des générations de boursiers, de juristes, d'avocats, de banquiers, de chefs d'entreprise et d'hommes politiques, Melbourne est traditionnellement considérée comme la capitale culturelle et financière. Mais ce mélange très anglais de conservatisme et de distinction, de réserve et d'élégance en ternit parfois l'image. L'austérité qu'elle affiche parfois n'est pas du goût de tous et les plus réticents aiment se rappeler, par exemple, que l'actrice Ava Gardner, en tournage dans la région, déclara que c'était l'endroit idéal pour faire un film sur la fin du monde.

Mais, les Sydneysiders doivent le reconnaître, Melbourne a considérablement changé depuis la visite d'Ava Gardner. Si elle est restée la ville de l'élite australienne, les habitants de Sydney eux-mêmes admettent qu'elle n'est plus aujourd'hui si austère. Elle est devenue une capitale vibrante, sophistiquée et animée par une vie artistique prospère. Ses pubs ont produit quelques-uns des groupes de musique les plus célèbres d'Australie, et un grand nombre de ses restaurants comptent parmi les meilleurs du pays.

DES COLONS LIBRES

Son statut actuel de capitale des finances et de la classe dirigeante trouve son explication dans l'histoire même et l'évolution de la ville. À la différence de Sydney, Melbourne n'a jamais été une colonie pénitentiaire. Elle doit son existence à des hommes libres en quête de prospérité et non à des forçats. En juin 1835, deux colons tasmaniens venus de Hobart, John Batman et John Fawkner, installèrent un premier campement juste à l'embouchure de la Yarra River, dans la baie de Port Phillip. Ils baptisèrent l'endroit Melbourne, en hommage à lord Melbourne, premier ministre britannique de l'époque.

John Batman, à force de cadeaux et de diplomatie, réussit à acheter aux Aborigènes 300 000 ha des terres qui s'étendaient autour, spoliant ainsi la Couronne britannique, qui rejeta aussitôt l'« acte de propriété », pourtant établi en bonne et due forme. Les premières spéculations menées par John Batman, avec un sens très aigu des affaires, eurent lieu quelques mois plus tard. Les petites parcelles du centre de la colonie, qui s'achetaient 150 £, valaient 10 000 £ au bout de deux ans !

Enrichissement, esprit d'entreprise et spéculation caractérisent donc les débuts de Melbourne. Les pionniers étaient des marchands, des prospecteurs et des cultivateurs convaincus d'avoir entre leurs mains

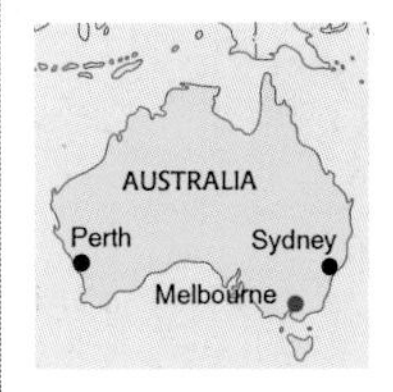

Pages précédentes : le Windsor Hotel. À gauche, homme de loi posant près de la Yarra River.

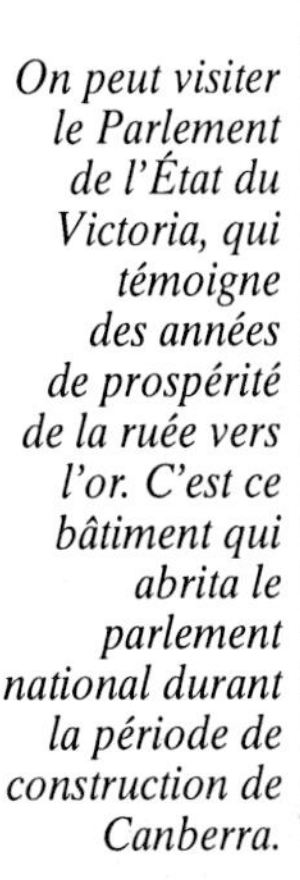

On peut visiter le Parlement de l'État du Victoria, qui témoigne des années de prospérité de la ruée vers l'or. C'est ce bâtiment qui abrita le parlement national durant la période de construction de Canberra.

tous les atouts nécessaires à la fondation d'une colonie durable et prospère. Et l'avenir le confirma.

La découverte, en 1851, des formidables gisements aurifères de Ballarat, à 115 km de Melbourne, attira rapidement tout ce que l'Europe, la Chine et l'Amérique comptaient de chercheurs d'or : ce fut la plus grande ruée que le monde ait connue. Après quelques années, l'or s'épuisa en surface et il fallut creuser la terre plus en profondeur. Les compagnies minières, mieux outillées, prirent le relais des premiers aventuriers, qui levèrent le camp et s'installèrent à Melbourne avec un capital parfois confortable.

En dix ans, la population de la colonie quadrupla et l'or permit de financer de nouvelles installations. La priorité fut donnée aux équipements les plus modernes et à ce que les Anglo-Saxons appellent le *grand style* (en français). Ce fut une époque de progrès et d'aménagements considérables dans tous les domaines de l'industrie, des finances et de la culture. A la fin du XIXe siècle, Mark Twain notait déjà, avec admiration, que la ville possédait tout ce qui est nécessaire à une métropole moderne : banques, universités, bibliothèques, jardins publics, organismes sociaux, instituts scientifiques et musées.

Une ville bâtie à l'américaine

Édifiée à l'embouchure de la **Yarra River**, sur la baie de Port Phillip, Melbourne est une ville à plan orthogonal, conçue sur le modèle des grandes villes américaines. Dans le centre, les monuments les plus intéressants sont groupés autour de l'artère principale, Swanston Street, en partie interdite à la circulation. Ainsi, à **Collins Street** et à **Bourke Street**, au milieu de l'acier et du verre des gratte-ciel, trouve-t-on quelques-unes des plus belles constructions de la fin du XIXe

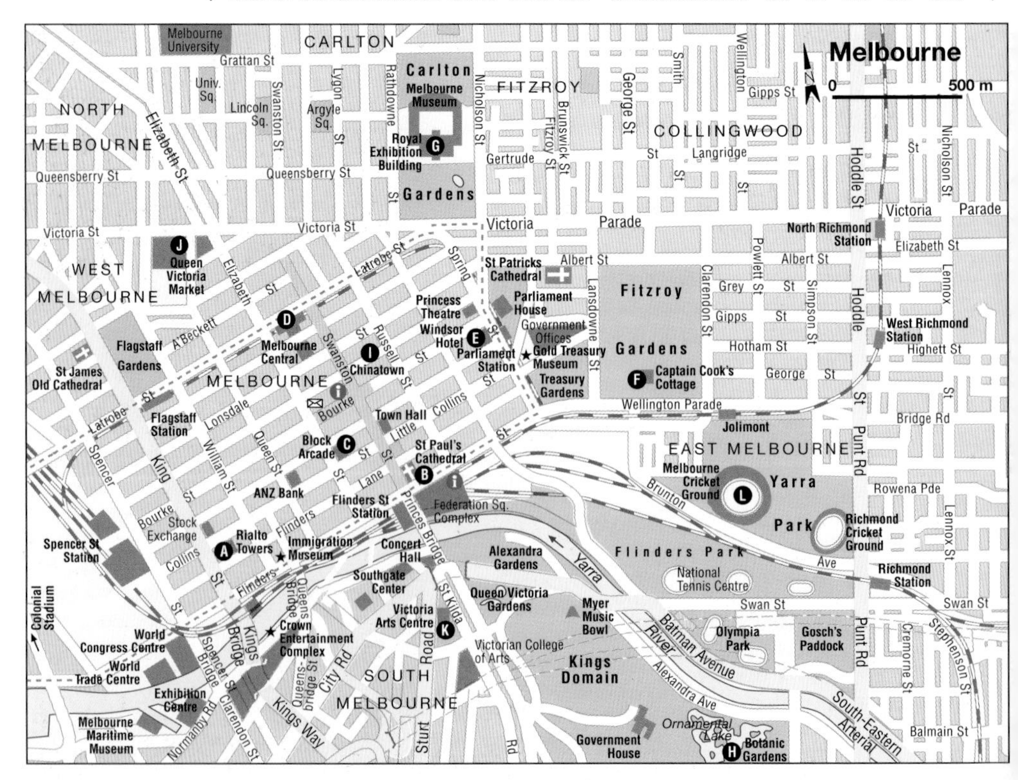

siècle : l'**ANZ Bank** (335 Collins Street), chef-d'œuvre néo-baroque, le **Rialto Complex** Ⓐ et la **cathédrale Saint Paul** Ⓑ, à l'angle de Swanston Street et Flinders Street.

Le périmètre délimité par les rues Collins, Bourke, Swanston et Flinders abrite sept centres commerciaux réputés, parmi lesquels le splendide **Block Arcade** Ⓒ, construit en 1892.

Trois rues plus haut, entre Lonsdale Street et La Trobe Street, le **Melbourne Central** Ⓓ, inauguré en 1991, est un gigantesque ensemble de 300 magasins. Son architecture, à l'image de Melbourne, allie l'ancien et le moderne.

Entre Spring Street et Bourke Street se dresse le **Windsor Hotel** Ⓔ, palace qui n'a rien perdu de sa splendeur du XIXe siècle. Les anglophiles aiment à s'y retrouver dans l'après-midi autour d'une tasse de thé.

À quelques pas de là, le ravissant **Princess Theatre** et le **Parlement** (State Houses of Parliament), qui se visite. Les bâtiments de ce dernier abritèrent le parlement national lorsque Canberra était encore en chantier. En haut de Collins Street se trouve le **Central Business District** (CBD) de Melbourne.

A L'OMBRE DES EUCALYPTUS

Les communautés de Melbourne se retrouvent sur les plages, mais aussi dans les parcs et les jardins publics. Melbourne possède en effet 680 ha d'espaces verts répartis tout autour du centre.

Tout proches du centre de la ville, au bout de Collins Street, les **Treasury Gardens** constituent un espace très agréable orné d'arbres géants, de vastes pelouses et de bassins. L'été, il devient le théâtre d'un programme d'animations financé par la municipalité : les *Free Entertainments in the Parks.*

Les **Fitzroy Gardens**, extension du parc précédent, abritent le **Captain**

Pour une introduction enrichissante et originale sur la ville, il suffit de monter dans les trams rouges qui opèrent un circuit en boucle, puis de descendre aux Rialto Towers pour entamer la visite à pied.

Jeu architectural de façades, Federation Square.

La plante la plus connue des Botanic Gardens est le « separation tree », ainsi surnommé car c'est sous un gommier rouge de rivière que fut célébrée, en 1851, l'indépendance de l'État du Victoria.

Cook's Cottage ⓕ, maison du célèbre navigateur découvreur de l'Australie et de la Nouvelle-Zélande. Cette maison se trouvait en Angleterre, dans le Yorkshire, avant d'être soigneusement démontée puis expédiée en Australie.

Au nord, dans les Carlton Gardens, trône l'impressionnant **Royal Exhibition Building** ⓖ. Cet imposant palace, dont le dôme mesure 66 m de diamètre, abrita le premier parlement fédéral en 1901.

Mais c'est à South Yarra que se trouve le plus prisé de tous les parcs de la ville et peut-être l'un des plus remarquables au monde, les **Royal Botanic Gardens** ⓗ, créés en 1852 par sir Ferdinand von Mueller. Du centre, il faut à peine un quart d'heure de tramway pour s'y rendre. A quelques pas de la Yarra, les visiteurs peuvent alors se perdre parmi les fougères géantes, les cactus, les magnolias ou les bambous, voir les cygnes noirs glisser sur les eaux du lac, profiter d'une quarantaine d'hectares offerts aux plantes régionales et exotiques (environ 12 000 espèces). C'est l'endroit le plus paisible de la ville et les Melbourniens viennent y pique-niquer en famille tous les week-ends, ou simplement s'y promener en amoureux, rêver, faire la sieste, jouer de la musique dans des kiosques du début du siècle. Un circuit de 5 km permet de faire le tour du parc. Il constitue un parcours idéal pour les amateurs de jogging. Sur les berges de la Yarra, des barbecues à gaz et payants sont mis à la disposition des amateurs. Dans une ambiance conviviale, on peut ainsi se livrer à l'une des occupations australiennes traditionnelles les plus populaires, la partie de barbecue...

Le superbe bâtiment du Windsor Hotel, l'une des fiertés de Melbourne, date de 1887. Une rénovation lui a rendu tout son faste d'origine. Les Melbourniens aiment venir s'imprégner de son atmosphère très britannique à l'heure du thé.

UNE VILLE COSMOPOLITE

Si Melbourne, qui compte aujourd'hui plus de 3 millions d'habitants, n'est plus la première cité australienne, elle continue néanmoins de croître rapidement, grâce à une immigration considérable. La plupart des nouveaux arrivants, originaires d'Asie et d'Europe – de Grèce, notamment –, vivent dans les nombreux faubourgs qui se construisent en direction des Dandenong Hills. Ils contribuent à faire de Melbourne une capitale cosmopolite.

Depuis l'arrivée de prospecteurs chinois dans les année 1850, Melbourne a vu fleurir sur Little Bourke Street le quartier de **Chinatown** ⓘ, et on dénombre aujourd'hui des dizaines de restaurants chinois ainsi qu'un musée (**Museum of Chinese History**) qui relate l'histoire de cette communauté.

A quelques minutes du centre, le tramway est un moyen agréable de découvrir cette mosaïque culturelle et sociale qui caractérise Melbourne. En effet, les banlieues résidentielles et les quartiers commerçants se trouvent plutôt au sud de la Yarra, tandis qu'au nord, dans les anciens faubourgs victoriens, se sont installées les communautés immigrées du monde entier.

Ainsi, en traversant la Yarra par Princess Bridge (à 10 mn du centre), on rejoint **Lygon Street**, dans le faubourg de **Carlton**. Cette rue est surnommée la « Petite Italie », comme à New York, en raison de la vague d'immigration italienne qui afflua au lendemain de la Seconde Guerre mondiale. Outre les Melbourniens d'origine italienne, on y rencontre également des étudiants de la toute proche Melbourne University, venus profiter de l'ambiance chaleureuse qui règne dans les bars, les trattorias, les pubs ou les salles de billard. C'est dans North Carlton que se trouve également le **zoo de Melbourne**, fort bien aménagé.

Juste à côté, dans le faubourg de **Fitzroy**, on pourrait sans doute décerner à Brunswick Street le prix du dépaysement. Brasseries, restaurants de tous les pays, bars à vin, bistrots d'artistes et boutiques de vêtements constituent l'endroit de prédilection des personnages les plus « excentriques », hors du temps, comme échappés d'un film des années 1960.

Non loin, sur Victoria Parade, se tient le plus important des marchés de Melbourne, le **Queen Victoria Market** ❶. Les mardi, vendredi et samedi matin, ce marché alimentaire offre de magnifiques étalages de fruits et légumes. Le dimanche, la nourriture cède la place à toutes sortes d'objets. Le **marché aux puces** le plus attractif reste néanmoins celui de **Camberwell Junction**, tous les dimanches matin.

Les quartiers commerçants du sud de la Yarra River

Dans le sud de la ville, **Toorak Road** (toujours desservie par le tramway) traverse les deux faubourgs de South Yarra et de Toorak. Dans ces quartiers huppés, l'atmosphère et la clientèle sont beaucoup plus luxueuses. Boutiques prestigieuses et marchands de livres anciens, restaurants gastronomiques et salons

Carte p. 188

Pique-nique aux Royal Botanic Gardens.

Lygon Street, dans le faubourg de Carlton, est le cœur de « Little Italy », qui absorba les vagues d'immigration italienne d'après-guerre.

de beauté répondent à la demande des classes les plus aisées.

Convoité entre tous, **Toorak** est assurément le faubourg le plus riche et le plus élégant d'Australie : une enclave de somptueuses résidences, confortablement nichées dans des jardins paysagers, et de rues bordées d'arbres européens.

Dans le quartier de **South Yarra**, Toorak Road croise **Chapel Street**, rue livrée aux derniers caprices de la mode... Chapel Street est le repaire de tous les avant-gardistes et de toutes les mondanités. Mais c'est surtout ici que se retrouvent les communautés ethniques (les Grecs notamment), ainsi que les habitants de **Prahran**. Son marché, le **Prahran Market**, est l'un des grands rendez-vous du samedi matin à Melbourne : les amateurs de produits exotiques ne le manquent jamais. **The Jam Factory**, complexe de boutiques et de restaurants chics, mérite une attention particulière, ainsi que Greville Street, qui regroupe les boutiques de fripes et de livres d'occasion.

En bas de Chapel Street, on atteint **High Street** ; en remontant cette dernière vers l'est on pénètre le quartier des marchés et brocantes d'Armadale : une nouvelle occasion d'aller à la pêche aux trésors.

Face au centre de la ville, au bord de rivière, le complexe de **Southbank** comprend de nombreuses boutiques, cafés et restaurants : c'est un lieu particulièrement agréable pour se promener ou se restaurer avant de continuer la visite à pied ou en tramway. Rien n'est plus simple à Melbourne grâce à son réseau de voies de 300 km.

Au départ de Swanston Street, la ligne 8 se dirige vers Saint Kilda Road et son immense complexe multiculturel, le **Victorian Art Centre** Ⓚ. Inauguré en 1982, il abrite la **National Gallery of Victoria**, des amphithéâtres, des salles de concert et un musée du spectacle, le **Museum of Performing Arts**, identi-

Carte p. 188

fiable à sa flèche de 115 m de hauteur. La **National Gallery** organise des expositions et possède aussi une belle collection d'art aborigène et de peinture d'origine européenne et américaine (Rembrandt, Goya, Manet, Cézanne, Picasso, Pollock...).

LA FIÈVRE DU SPORT

La *footie fever* est le nom que les Melbourniens donnent à l'étrange excitation qui s'empare d'eux chaque hiver durant la saison de *footie*. Apparu à Melbourne en 1858, le football australien, sport très populaire et spectaculaire, est une sorte de mélange de rugby et de football américain.

Le **Melbourne Cricket Ground** (MCG Stadium) ❶, construit pour les jeux Olympiques de 1956, est le stade où s'affrontent chaque samedi les clubs des Tigres, des Démons ou des Kangourous. Quatorze équipes portent les couleurs de l'un des dix quartiers de la ville. Cette passion détermine une part importante de la vie sociale à Melbourne; pour les inconditionnels, la période de trêve de l'été constitue une véritable période d'hibernation. Le jour de la finale du championnat attire chaque année plus de 100 000 spectateurs. A défaut d'assister à une partie, il est toujours possible de visiter le musée qui rend hommage à ce sport, l'**Australian Gallery of Sport and Olympic Museum**.

Tout aussi appréciée, la course hippique de la **Melbourne Cup** se tient le premier mardi du mois de novembre, chaque année depuis 1861. Cette épreuve prestigieuse, tant par la beauté des pur-sang que par la population de joueurs qu'elle attire, est d'une importance telle que ce jour est devenu férié dans l'État de Victoria. Et à 14 h 40, ce fameux mardi, le pays tout entier suit la course, commentée en direct à la radio ou à la télévision. En trois minutes, les chevaux parcourent à bride abattue les 3 200 m de l'hippodrome de Melbourne, la Flemington Racetrack. Aucun autre prix n'exerce une telle fascination sur le public. Trente mille passionnés font chaque année le déplacement dans des trains et des avions spécialement affrétés pour l'occasion.

Outre ces deux grandes manifestations, Melbourne accueille tous les ans les Internationaux de tennis australiens, sur les courts de Flinders Park, ainsi que, bien sûr, de nombreuses rencontres de cricket.

Enfin, les amateurs de golf savent que le **Royal Melbourne** est l'un des plus beaux parcours du monde.

Amateurs de courses, mais aussi de paris et de jeux d'argent en tout genre, les Melbourniens viennent de se doter d'un nouveau complexe très controversé, le **Crown Casino**. Inauguré en mai 1997, ce monument a couté 1,6 milliard de dollars. Érigé au bord de la Yarra, ce bâtiment présente une structure monolithique flanquée d'imposantes colonnes crachant du feu. Le centre de la ville semble tout à coup s'être déplacé

Brunswick Street est la plus animée des rues du faubourg de Fitzroy. Ce quartier « bohême », qui abrite une importante population cosmopolite, est très apprécié des noctambules de Melbourne.

Pour passer une agréable soirée, Saint Kilda, à proximité de la ville, est un point de rendez-vous prisé pour ses plages, ses concerts, ses bars et ses restaurants.

autour de ce complexe ouvert jour et nuit. Ses 350 tables de jeu et ses 2500 machines à sous en font un des plus grands casinos du monde. On y trouve aussi des cinémas, des discothèques, des restaurants, des magasins de haute couture ainsi qu'un All Star Café et un Planet Hollywood, ouverts en permanence.

Les plages

La banlieue de **Saint Kilda**, au sud de Melbourne, est l'une des plus cosmopolites. C'est dans ce faubourg qu'a élu domicile la communauté juive de Melbourne. Artistes et autres marginaux se mêlent aux différentes communautés. **Fitzroy Street**, en direction de la plage, abritait autrefois de miteux hôtels à l'abandon ; elle est aujourd'hui une des adresses les plus à la mode de Melbourne. Tables et parasols de restaurants envahissent les trottoirs, créant une atmosphère très méditerranéenne. Acland Street, avec son centre commercial, est devenue un lieu animé regorgeant de cafés, de pâtisseries et de salons de thé. Ici plane un petit air d'Europe de l'Est ; Vienne, Varsovie, Prague et Budapest ne semblent pas si loin.

Sur le chemin de la plage, on peut longer le **Luna Park** et rejoindre l'**Upper Esplanade**, où se tient un marché artisanal. On y vend des bijoux, des articles en cuir, des tableaux, des objets en céramique ou en verre. Sur **Saint Kilda Pier**, on peut aussi tester l'un des nombreux restaurants de fruits de mer ouverts depuis les récentes rénovations du faubourg. Le week-end, le front de mer prend des airs de Venice Beach à Los Angeles : patineurs et cyclistes longent inlassablement la plage, tandis que les culturistes exhibent leurs muscles.

De l'autre côté de la baie, une fois passé le Westgate Bridge, **Williamstown** offre une vue magnifique sur la ville et sur la baie depuis ses nombreux cafés et restaurants.

Le très réputé Stokehouse Restaurant, du faubourg de Saint Kilda.

South Melbourne, **Middle Park** et **Albert Park**, plus proches du centre, sont des plages elles aussi fréquentées ; les deux dernières notamment par les personnes les plus dénudées. Les amateurs de surf devront quant à eux affronter une heure de route pour rejoindre les plages de rêve de **Mornington** ou de la **Great Ocean Road**.

EXCURSIONS DANS LE BUSH

Certains Melbourniens ont choisi de vivre plus près du bush, quitte à s'éloigner de leur lieu de travail. A **Eltham**, à 30 km en amont du fleuve, les habitants ont construit leurs maisons avec les matériaux dont ils disposaient, en conservant l'architecture simple et fonctionnelle des premiers colons : murs en briques, planchers, poutres, vérandas tout autour de la maison pour s'abriter du soleil, et jardins plantés d'eucalyptus et autres espèces locales. Ces maisons sont les derniers témoignages de cette architecture australienne typique.

A une cinquantaine de kilomètres à l'est de Melbourne, le massif des **Dandenong Ranges** (ou Blue Dandenongs) est très prisé des Melbourniens comme des touristes. Certaines localités, comme **Belgrave** ou **Olinda**, sont le but idéal d'une promenade de week-end. Des réserves naturelles y sont aménagées, notamment le **Sherbrooke Forest Park**, véritable paradis de l'oiseau-lyre et des fougères géantes. On peut visiter le **William Ricketts Sanctuary** (sculptures d'influence aborigène réalisées par un artiste local) ou encore emprunter le **Puffing Billy**, train miniature tiré par une locomotive à vapeur du début du XXe siècle, et qui traverse 13 km de bush entre **Belgrave** et **Menzies Creek**.

Au sommet du **mont Dandenong**, qui culmine à 633 m, un restaurant offre une vue splendide sur Melbourne, lorsqu'il n'y a pas trop de brume.

Carte p. 188

La terrasse du Sky High Restaurant, au sommet du mont Dandenong, offre une vue exceptionnelle.

La plage de Saint Kilda est la préférée des Melbourniens.

MELBOURNE, CAPITALE DE L'ARCHITECTURE

Melbourne s'est développée à la faveur de l'immense prospérité provoquée par la ruée vers l'or dans les années 1850. En 1880, la ville, déjà peuplée de 250 000 habitants, était éclairée par plus de 1 000 becs de gaz. La décennie suivante

vit un essor immobilier sans précédent dans toute l'Australie. Cette période, connue sous le nom de « Melbourne la merveilleuse » (*Marvellous Melbourne*), débuta avec l'exposition internationale de 1880 et la construction du splendide Melbourne Exhibition Building. En 1900, Melbourne était considérée comme une des villes les plus importantes du monde, avec ses théâtres, ses églises, ses passages, ses rangées de maisons et ses jardins magnifiques. Sur Collins Street, l'avenue la plus connue, s'élèvent toujours nombre d'immeubles victoriens. Le quartier se développa à partir de 1849, quand médecins et dentistes commencèrent à y installer leurs résidences et leurs cabinets. L'extrémité est de Collins Street, près de Parliament House et du Treasury, avec ses grands immeubles de pierre et ses allées bordées d'arbres, est connue sous le nom de « Paris » (Paris End). Nombre de ces édifices majestueux sont toujours debout et abritent des banques, des théâtres, des églises et le Melbourne Club, le plus ancien du genre dans le Victoria.

C'est en 1959 que le visage de la ville commença à changer, avec la construction du premier gratte-ciel. L'horizon est maintenant dominé par des tours de verre et de béton, qui sont souvent d'un grand intérêt architectural. La plupart des immeubles du XIXe siècle subsistent au pied de ces géants. La reconquête du centre de la ville a commencé au début des années 1990, avec la rénovation des entrepôts et des immeubles anciens et leur reconversion en résidences.

▲ *Les immeubles Rialto et Winfield, sur Collins Street, paraissent minuscules à côté de l'immense Rialto Tower.*

◀ *L'hôtel Windsor, qui a ouvert ses portes en 1887, est célèbre pour sa façade, sa cage d'escalier et son restaurant coiffé d'un dôme.*

Les bains (City Baths), construits de 1903 à 1904, furent restaurés en 1990. A l'origine, ils comportaient en particulier des bains turcs et des bains juifs rituels. ▶

◀ *Détail du Princess Theatre (1886). L'intérieur en fut remanié en 1922, mais il a conservé sa façade classique.*

▲ *La construction du Parlement, commencée en 1856, ne s'acheva qu'en 1930. Sa colonnade dorique est typique du style victorien, mais le dôme prévu à l'origine ne fut jamais édifié.*

Le centre des expositions (Melbourne Exhibition Center), ouvert en 1995. Son hall principal mesure 84 m sur 360 m. On remarque le bâtiment à une lame d'acier de 60 m en porte-à-faux. ▼

▲ *La gare de Flinders Street est le nœud du réseau ferroviaire du Victoria depuis son achèvement en 1911.*

LA PERCÉE DU MODERNISME

La plupart des grands cabinets d'architecture australiens sont installés à Melbourne, d'où l'abondance des immeubles modernes. La flèche en treillis, éclairée par lasers, du Victorian Art Center (ci-contre, tout à fait à gauche) est à la fois l'emblème de ce centre et un symbole de modernisme. La rénovation de la rive sud de la Yarra marque l'achèvement d'un projet immobilier très réussi. Parmi les édifices remarquables, citons Rialto Towers, la plus haute d'Australie ; le 101 Collins Street ; l'ancienne BHP House ; l'AMP ; les tours jumelles de Collins Place ; le centre commercial de Melbourne Central, qui abrite sous un cône de verre l'ancienne manufacture de Coop et sa « shot tower », tour à mouler les balles par gravité (ci-dessus) et l'ICI House (1959), l'un des premiers immeubles australiens à employer la technique des murs-rideaux.

LE VICTORIA

Carte p. 202

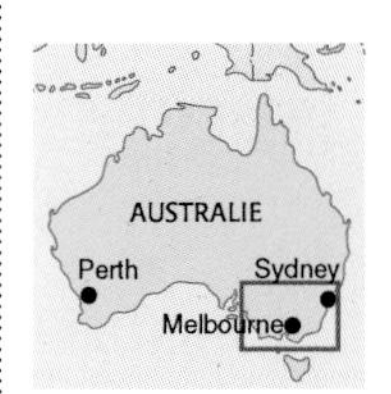

Avec ses 228 000 km², le Victoria est le plus petit État d'Australie, et on peut le traverser en une journée de route à partir de Melbourne, sa capitale. Ses 4 millions d'habitants en font aussi l'État le plus peuplé d'Australie. Une étonnante diversité de paysages s'y déploie : vastes pâturages, forêts luxuriantes qui bordent une côte spectaculaire, montagnes de la chaîne de la Great Dividing Range – autant de richesses que l'on peut découvrir à travers les très nombreux parcs nationaux. Le Victoria est également réputé pour ses vignobles, ainsi que pour les *gold towns* de la région de Ballarat, où se déroula l'une des plus importantes ruées vers l'or jamais connues.

LE NORD-EST

Au sud de **Khancoban** (Nouvelle-Galles du Sud), la route traverse les eaux de la Murray River, le plus grand fleuve australien, avant d'entrer à **Corryong**. Ce village doit sa célébrité à la tombe de Jack Riley, l'inspirateur de *The Man from Snowy River* (« l'homme de la rivière d'argent »), composé par le poète Banjo Paterson. Un **Man from the Snowy River Museum** retrace les conditions de vie des pionniers de la région au XIXe siècle.

A quelques kilomètres au sud, le village de **Nariel Creek** possède un ancien *corroboree* aborigène (site de cérémonies profanes et sacrées à base de musique, de chants et de danses) où sont organisés des festivals de musique folklorique, tandis qu'au nord-ouest de Corryong par Cudgewa s'étend le **Burrowa Pine Mountain National Park**, vaste ensemble constitué de pâtures et de forêts de pins.

A l'extrémité est de **Lake Hume**, le village de **Tallangatta** a été construit en 1956 pour remplacer l'ancien village noyé sous les eaux après la construction du barrage sur la Murray River. Quelques vestiges de l'ancienne cité émergent encore parfois des flots lorsque le niveau de l'eau baisse. A mesure qu'on s'approche de **Wodonga** (38 km à l'ouest), le lac s'élargit. Wodonga est la ville jumelle d'**Albury** ❶, de l'autre côté du fleuve (en Nouvelle-Galles du Sud). Ces deux ensembles forment une conurbation à très forte croissance. Centre économique du district de Riverina – riche région agricole spécialisée dans la production de céréales, de fruits et dans l'élevage –, Albury a été construite à l'endroit précis où les explorateurs Hamilton Hume et William Hovell découvrirent la Murray River en 1824. A Wodonga, le **Drage's Historical Aircraft Museum** présente la plus riche collection australienne de biplans.

Pages précédentes : le parc national de Mount Buffalo. A gauche, une bien étrange manière de contempler les Grampians.

L'OR DE L'OVENS VALLEY

Des gisements aurifères furent découverts dans la vallée de l'Ovens en 1853. En quelques

Le Queenscliff Hotel est l'une des nombreuses constructions victoriennes rénovées et transformées en hôtels de luxe. Ces bâtiments témoignent du passé colonial de Queenscliff, sur la côte ouest de Melbourne.

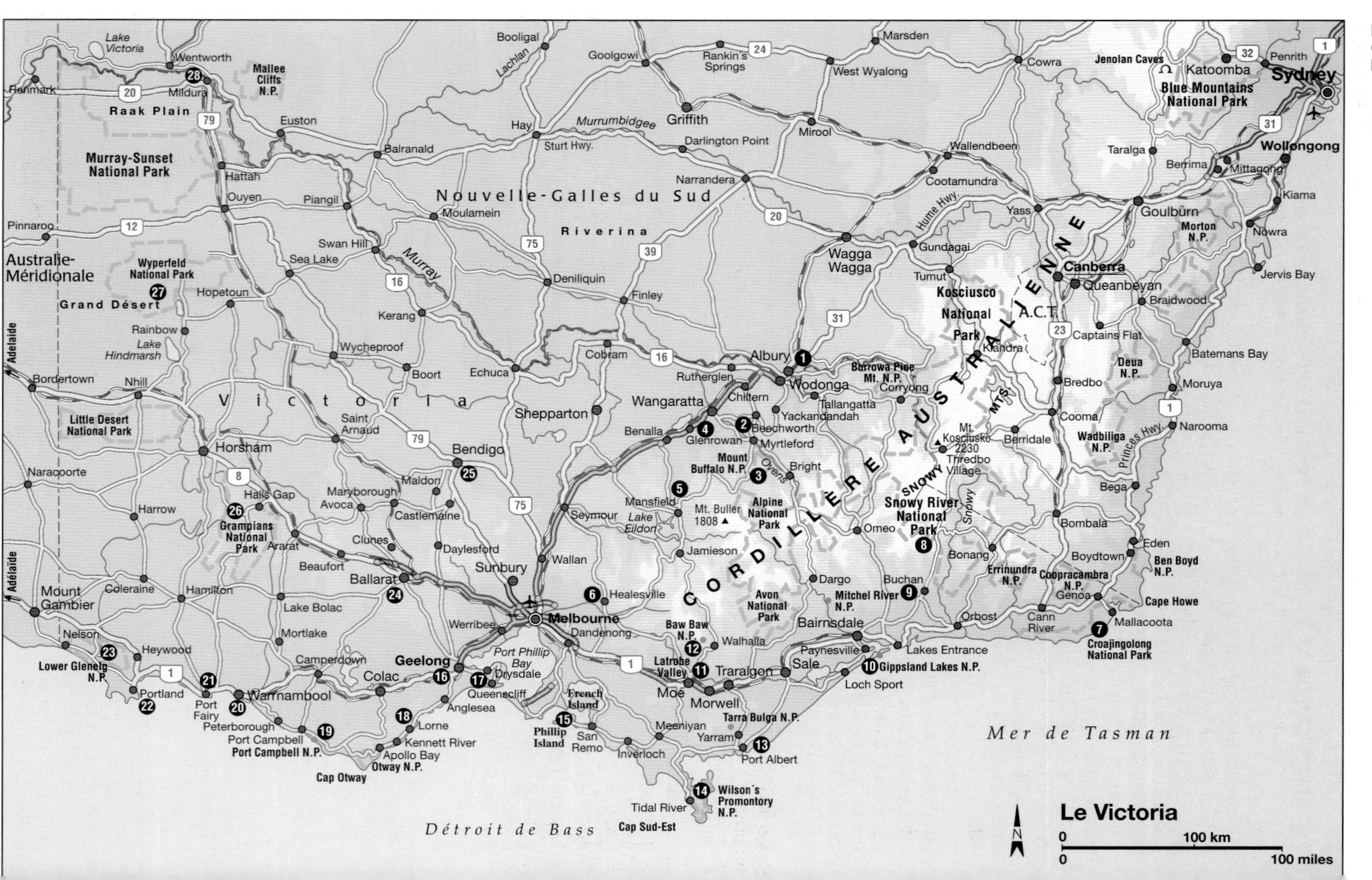

Le Victoria
0 100 km
0 100 miles
N
Mer de Tasman
Détroit de Bass
Nouvelle-Galles du Sud
Riverina
Victoria
Australie-Méridionale
Grand Désert
Raak Plain
CORDILLÈRE AUSTRALIENNE
A.C.T.
Sydney
Wollongong
Canberra
Queanbeyan
Melbourne
Geelong
Ballarat
Bendigo
Albury
Wodonga
Wagga Wagga
Shepparton
Wangaratta
Mildura
Horsham
Warrnambool
Mount Gambier
Jenolan Caves
Katoomba
Penrith
Blue Mountains National Park
Kosciusco National Park
Snowy River National Park
Alpine National Park
Mount Buffalo N.P.
Wilson's Promontory N.P.
Croajingolong National Park
Grampians National Park
Murray-Sunset National Park
Wyperfeld National Park
Little Desert National Park
Lower Glenelg N.P.
Port Campbell N.P.
Otway N.P.
Gippsland Lakes N.P.
Mitchel River N.P.
Baw Baw N.P.
Avon National Park
Tarra Bulga N.P.
Burrowa Pine Mt. N.P.
Mallee Cliffs N.P.
Morton N.P.
Deua N.P.
Wadbiliga N.P.
Ben Boyd N.P.
Coopracambra N.P.
Errinundra N.P.
Phillip Island
French Island
Port Phillip Bay
Cap Otway
Cap Sud-Est
Cape Howe
Mt. Kosciusko 2230
Mt. Buller 1808
Murray
Murrumbidgee
Lachlan
Snowy
Ovens
Lake Eildon
Lake Hindmarsh
Lake Victoria
Hume Hwy.
Princes Hwy.
Sturt Hwy.
Adelaide
Adélaide

semaines à peine, une dizaine de villages de prospecteurs virent le jour. Dès 1870, pourtant, ils furent réduits à l'état de ville fantôme, les filons ayant été rapidement épuisés.

A l'époque de sa fondation, dans les années 1850, **Chiltern** s'appelait Black Dog Creek. Avec ses larges artères et ses façades de type « Old West », le village ressemble à une *gold town* de carte postale. Les visiteurs s'y rendent surtout pour visiter **Lake View**, maison familiale du romancier Henry Handel Richardson.

A 16 km au nord-ouest de Chiltern, **Rutherglen** est le centre de la plus vieille région viticole d'Australie. On y produit des portos, des tokays ou des muscats qui, au XIXe siècle, s'exportaient même vers la France et la Grande-Bretagne. Au début du XXe siècle, le phylloxera ravagea la majorité des vignobles et il fallut de la ténacité aux vignerons pour ne pas abandonner leurs cultures.

Ce sont les mineurs californiens, venus chercher fortune dans les années 1860, qui donnèrent à **Yackandandah** son aspect de village du Far West (classé par le National Trust). Capitale des fraises du Victoria, on y produit à l'Allan's Flat Strawberry Farm (à quelques kilomètres au nord-est sur la route de Baranduda) un vin de fraise unique en Australie.

Bâtie au beau milieu d'une région de collines, **Beechworth** ❷ est la *gold town* la mieux préservée du nord-est de l'État. Plus d'une trentaine de ses édifices, dont l'ancienne poste (1867), le Tanswell's Commercial Hotel (1873), remarquable à sa façade en fer forgé, ou le **Robert O'Hara Burke Memorial Museum** (1856), sont protégés. Le musée présente des collections d'une richesse inégalée en Australie concernant la vie quotidienne des pionniers au XIXe siècle.

Myrtleford est la capitale économique d'une région spécialisée dans

Carte p. 202

La véranda entourant le Tanswell's Hotel, dans l'ancienne « gold town » de Brechworth.

la culture du tabac, du houblon et de la noix. Le **Mount Buffalo National Park ❸**, qui comprend un vaste plateau situé à 1 370 m d'altitude, est un immense champ de neige en hiver, un tapis de fleurs sauvages au printemps et un site idéal pour la randonnée en été et en automne.

Non loin de là, le village de **Bright** est connu pour ses somptueuses couleurs d'automne. Chênes, érables et autres arbres multicentenaires enveloppent la ville d'une sérénité qui ferait presque oublier que l'endroit fut le site de nombreuses violences lors de la ruée vers l'or lorsque, en 1857, de sanglantes émeutes opposèrent mineurs chinois et prospecteurs blancs.

Le «Kelly Country»

La petite ville de **Wangaratta**, important centre agricole situé sur les rives de l'Ovens River, présente quelques édifices anciens (deux belles églises notamment) ainsi qu'une excellente galerie d'art, Byrne House, attentive à l'éclosion de jeunes talents. Mais Wangaratta se trouve surtout en plein cœur du *Kelly Country*, territoire du plus fameux bandit australien, Ned Kelly. Celui-ci est devenu une attraction touristique pour les commerçants de **Glenrowan ❹** (arrière-petits-enfants de ceux qu'il détroussait sans répit), qui vendent une multitude de gadgets à son effigie.

Des souvenirs de l'époque sont également rassemblés dans deux musées de **Benalla**, surnommée *Rose City* à cause des milliers de rosiers qui fleurissent chaque jardin d'octobre à avril.

Principale porte d'accès au mont Buller (1 808 m d'altitude), **Mansfield ❺**, à la croisée de deux *highways*, abrite la plus grande station de ski du Victoria.

A 3 km, le **Lake Eildon** est un immense lac artificiel de 130 km^2 formé par la retenue de cinq rivières. Ce gigantesque réservoir

L'homme au masque d'acier

Fils de fermiers irlandais déshérités, Ned Kelly est né en 1854 dans le nord du Victoria. Coiffé d'un heaume et d'une armure métallique (l'ensemble pesait plus de 40 kg), Kelly se considérait comme un justicier en lutte contre le pouvoir colonial et sa police. Ce *bushranger*, sorte de Robin des Bois, œuvrait en vue de mettre un terme à la répression contre les forçats et d'établir une égale répartition des richesses. Trahi en juin 1880 par l'un des siens, il fut capturé à Glenrowan, jugé et pendu le 11 novembre 1880 à Melbourne.

Des dizaines de livres, de chansons, de tableaux et de films ont retracé la légende de ce héros national qui fait partie du patrimoine australien dans la lignée des bandits positifs. Le voudrait-il, le visiteur ne pourrait échapper aux griffes de cet envahissant Kelly : heaume en plastique, T-shirt, livres, etc.

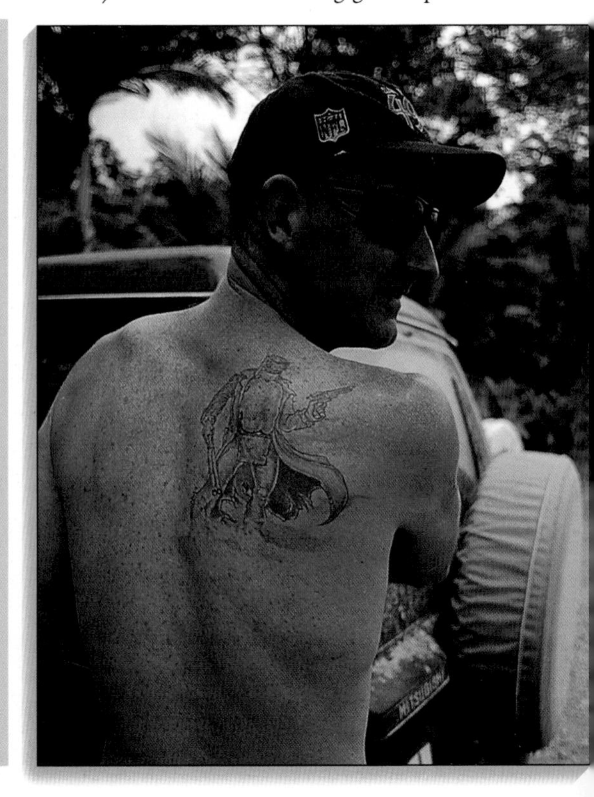

A droite, la fascination des Australiens pour le célèbre « bushranger » est telle que certains se le font tatouer sur le corps !

permet l'irrigation de milliers de kilomètres carrés dans le centre de l'État et sert également de base nautique pour les pêcheurs de truites brunes, arc-en-ciel, et de perches.

A 61 km de Melbourne, **Healesville** ❻ est connue comme le site du **Sir Colin MacKenzie Wildlife Sanctuary**. Célèbre dans le monde entier, ce parc zoologique a été fondé en 1934 afin d'étudier les spécificités de la faune australienne et de contribuer à sa préservation. Il joua un rôle décisif dans la protection des koalas et la reproduction en captivité des ornithorynques.

LA CÔTE ORIENTALE

Dans le hameau de **Genoa**, près de la frontière de la Nouvelle-Galles du Sud, une petite route bifurque vers le sud en direction de **Mallacoota Inlet**. Cette minuscule station balnéaire, appréciée des pêcheurs et des amateurs de nature sauvage, se trouve à 24 km de la Princes Highway sur la pointe méridionale du Victoria.

A proximité se trouve le **Croajingolong National Park** ❼, 86 000 ha de falaises et de plages, de forêts pluviales et de prairies, qui s'étendent sur près de 100 km, de la frontière à Sydenham Inlet. Le parc abrite de nombreux petits mammifères nocturnes, reptiles et oiseaux : oiseaux-lyres, huîtriers, pélicans, pygargues ou martins-pêcheurs.

A l'ouest de Genoa, la Princes Highway traverse la portion la plus sauvage de son parcours : 208 km de montagnes et de forêts tropicales jusqu'à **Orbost**. Tous les camions de la région chargés de bois convergent vers Orbost, petite ville prospère située en bordure de la Snowy River.

Le **Snowy River National Park** ❽, dans les montagnes qui dominent la ville, est bien connu des kayakistes amateurs de sensations fortes.

A 93 km au nord-est d'Orbost par une petite route sinueuse, **Buchan** ❾ dépend elle aussi de l'ex-

Carte p. 202

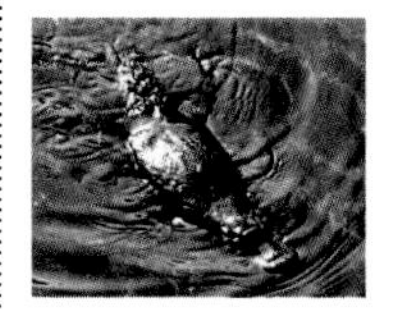

Le Healesville Sanctuary est le seul lieu qui ait réussi à élever des ornithorynques en captivité.

La côte est du Victoria, non loin de Mallacoota.

ploitation forestière. Un grand rodéo s'y déroule chaque année à Pâques et, au mois de mai, sont organisés des jeux de bûcherons. Mais les grottes calcaires de Buchan, les plus belles du Victoria, sont la principale curiosité de l'endroit. Les spécialistes en ont déjà recensé 350, bien que trois seulement soient ouvertes au public. Dans certaines d'entre elles, les archéologues ont découvert des outils et des peintures vieux de plus de dix-sept mille ans.

Les Gippsland Lakes

La région du Gippsland s'étend dans la partie est du Victoria, entre la côte, au sud, et la Great Dividing Range au nord. Les **Gippsland Lakes** forment une longue chaîne de lagons communiquant les uns avec les autres, et qui s'étend vers l'ouest en bordure du détroit de Bass sur près de 80 km. Ces lagons sont séparés de l'océan par un étroit cordon de dunes et de *hummocks* (blocs provenant de la fragmentation de la banquise) appelé **Ninety Mile Beach**.

La population de **Lakes Entrance** (3 000 habitants) atteint brusquement le chiffre de 20 000 avec l'arrivée des estivants. Pêche, voile, baignade et excursion sur les lacs sont les principales activités de la région. Les Gippsland Lakes ont reçu le surnom de « Riviera du Victoria » : au plus fort de l'hiver, la température descend rarement en dessous de 20° C. Le **Gippsland Lakes Coastal Park**, réserve naturelle couverte de dunes et de landes en bordure de l'océan, et le **Lakes National Park** ⓾, péninsule boisée et peuplée d'oiseaux, située entre le Lake Reeve et le Lake Victoria, garantissent la préservation du site.

Bairnsdale est le principal foyer économique de la partie est du Gippsland, qui vit principalement de l'élevage et de l'exploitation forestière. Bairnsdale possède aussi un jardin botanique et une église catho-

Paysage d'automne de la campagne du Victoria.

lique, **Sainte-Marie**, qui abrite de très belles fresques.

Paynesville, petit port en bordure des lacs, possède une curieuse église de marins, Saint-Pierre. Son clocher est en forme de phare et la chaire ressemble étrangement à l'étrave d'un bateau.

A 45 mn de route vers le nord-ouest de Bairnsdale, le **Glenaladale National Park** est le territoire mythique d'un monstre aborigène nommé Nargun. Ce démon de légende montre un appétit féroce pour les jeunes enfants, qu'il emporte dans son antre, le Den of Nargun (l'« antre de Nargun »), caché derrière un rideau de cascades, avant de les dévorer.

Depuis la découverte, en 1965, de pétrole et de gaz naturel dans le détroit de Bass, **Sale** arbore fièrement son titre de cité du pétrole. Dans le centre de la ville, des aires de pique-nique équipées de barbecues ont été aménagées tout autour du **Lake Guthridge**.

LA LATROBE VALLEY

Depuis Sale, le long de la Princes Highway, une série de petites localités bordent la **Latrobe Valley** ⓫, vaste bassin houiller qui produit 90 % de l'électricité nécessaire à Melbourne et au Victoria. Ce gisement de charbon brun à ciel ouvert est le plus important du monde : 60 km de long sur 16 km de large, pour une profondeur de 140 m. Des visites guidées des mines sont organisées à **Morwell** (où l'activité minière a débuté en 1916) et **Yallourn**, ville modèle bâtie par la State Electricity Commission.

A **Moe**, principale cité de la vallée, le **Gippsland Folk Museum**, musée en plein air, reconstitue la vie d'un village du XIXe siècle.

De Moe, on rejoint aisément plusieurs villages de montagne, dont **Walhalla** (ville fantôme qui fut l'une des principales *gold towns* du Victoria) et **Mount Baw Baw** ⓬, station de ski la plus proche de Melbourne.

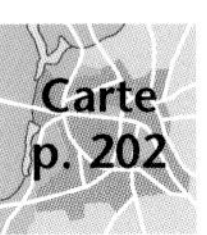
Carte p. 202

L'étonnante église Sainte-Marie de Brainsdale a une surprenante décoration italienne.

A 30 km au nord-ouest de **Yarram**, en plein cœur de la chaîne des **Strzelecki Ranges**, les deux parcs nationaux jumeaux de la **Tarra Valley** et de **Bulga** offrent au visiteur le spectacle d'une végétation luxuriante et de nombreuses cascades.

Au nord-ouest de Yarram, deux cités historiques retiennent l'attention : **Port Albert** ⓭ et **Tarraville**. Le Port Albert Hotel (1842) est probablement l'un des pubs les plus anciens de l'État, et la vieille jetée en bois sur laquelle débarquèrent les premiers mineurs chinois au XIXe siècle est aujourd'hui bordée de voiliers de plaisance. En 1851, Tarraville était la plus grande ville du Gippsland : elle comptait alors 219 brasseries pour une seule église.

Le promontoire de Wilson

Péninsule granitique posée dans l'océan en direction de l'Antarctique, le promontoire de Wilson (**Wilson's Promontory**) ⓮ est surnommé *The Prom* par ses visiteurs réguliers. C'est surtout le parc national le plus populaire du Victoria, ses 80 km de sentiers de randonnée tracés partent à la découverte de longues plages de sable, de pentes montagneuses boisées, de *hummocks* et de marécages peuplés d'innombrables espèces animales et végétales. La centaine de milliers de personnes qui s'y rendent chaque année perturbe malheureusement l'équilibre naturel.

Située dans le détroit de Bass, **Phillip Island** ⓯ est reliée au port de pêche de **San Remo** par un pont. Au milieu des pâturages et des champs de chicorée, l'île propose une foule de curiosités touristiques : le premier circuit de course automobile australien (1928), des koalas et des oiseaux, des récifs somptueux, des boutiques de poterie, sans oublier tous les équipements sportifs. La majorité des hébergements touristiques se trouvent dans la station estivale de Cowes, sur la côte nord.

Le parc national de la Tarra Valley est l'une des dernières traces de la végétation luxuriante qui recouvrait autrefois toute la région.

Mais le grand attrait de Phillip Island est peut-être la colonie de manchots installée à Summerland Beach. Au crépuscule, ils sont des milliers à parader dans les eaux du détroit de Bass jusqu'à leurs abris aménagés dans le sable, indifférents aux groupes de visiteurs.

À 1,5 km de la pointe ouest de l'île, les **Seals Rocks** abritent la plus importante colonie de phoques d'Australie. Le mois de décembre, période de reproduction, est le meilleur moment pour les observer à travers les télescopes installés à **Point Grant**.

LA CÔTE OUEST DE MELBOURNE

Après Melbourne, la Princes Highway traverse une région de plaines le long de la rive nord de Port Phillip Bay. La sortie de **Werribee Park** conduit à une résidence d'inspiration italienne de plus de 60 pièces, construite dans les années 1870 par une famille d'origine écossaise, les Chirnside, qui fit fortune dans l'élevage.

Après une demi-heure de route, on rejoint la deuxième ville du Victoria, **Geelong** ⓰. À l'époque de sa fondation (1836), Geelong rivalisa avec Melbourne pour l'exportation des productions locales, la laine et le blé. Des milliers de prospecteurs débarquèrent aussi dans ce port, au cours de leur voyage vers les gisements de Ballarat.

De **Ceres Lookout**, on a une belle vue d'ensemble sur la ville construite autour de nombreux parcs, le long de **Corio Bay**. La traversée du port offre un mélange d'images anciennes et modernes : vieilles résidences et entrepôts de laine côtoient des terminaux chargés de containers en attente. Plus loin, on aperçoit les bateaux de pêche et les pelouses bordées de palmiers d'**Eastern Beach**. Les plus belles maisons anciennes se trouvent le long de la Barwon River. **Barwon Grange** est l'ancienne résidence

Carte p. 202

À gauche, « The Prom », le promontoire de Wilson, est la péninsule de granite la plus au sud du continent australien ; ci-dessous, deux manchots de Phillip Island.

Le phare noir de Queenscliff, qui veille sur l'entrée périlleuse de la baie de Port Phillip, a été fabriqué en Écosse, transporté en Australie par bateau en 1863 et remonté à Queenscliff.

(classée par le National Trust) d'un propriétaire de compagnie de navigation. Restaurée avec soin, elle abrite de nombreux meubles d'époque.

Les souvenirs de l'époque coloniale sont encore plus vivants à Queenscliff (par la Bellarine Highway). La bonne société de Melbourne se rendait régulièrement dans cette station balnéaire très huppée et descendait dans des hôtels qui rivalisaient d'élégance ; la plupart ont retrouvé leur splendeur d'origine. Le fort de **Queenscliff ⓱**, édifié au XIXe siècle afin de défendre Melbourne contre une éventuelle invasion russe, abrite désormais une académie militaire. Son phare noir veille toujours sur *The Rip* (« la trouée »), l'entrée périlleuse de la baie de Port Phillip.

Au pied du phare de **Point Lonsdale**, on peut voir la **grotte de William Buckley**, forçat en fuite qui partagea la vie d'une tribu aborigène trente-deux ans durant.

Les Twelve Apostles (les « douze apôtres ») du Port Campbell National Park, étranges formations rocheuses dressées au milieu des flots, contribuent à faire de la Great Ocean Road une des routes côtières les plus spectaculaires du monde. Cependant, attaqués par l'érosion, six des douze rochers ont disparu.

Près de **Torquay**, capitale du surf du Victoria, la plage de **Bells Beach** est le site de compétitions internationales de surf organisées chaque année à Pâques.

LA GREAT OCEAN ROAD

Au-delà d'Anglesea, où les kangourous se partagent les parcours de golf avec les joueurs, débute la **Great Ocean Road**, l'une des plus belles routes du monde. Elle fut tracée par des anciens de la Première Guerre mondiale en hommage à leurs camarades tués au front. Ce tracé permet à tous les Australiens de découvrir 200 km de côtes magnifiques.

Lorne ⓲, au bord d'une jolie baie, est une des localités les plus fréquentées. Derrière le village, la végétation du bush, bien que ravagée par un incendie en 1982, a bien repris.

À l'intérieur du **Lorne Forest Park**, de nombreux sentiers de randonnée suivent le cours de ruisseaux et de rivières, débouchent sur des cascades ou des belvédères, et traversent des forêts d'eucalyptus et de fougères. Il faut trois bonnes heures de marche pour remonter l'Erskine River jusqu'aux cascades. Mais il est possible de rejoindre le site en voiture.

Le long de la côte, à **Kennett River**, un court trajet de 6 km mène à la **Grey River Scenic Reserve** : un sentier permet de découvrir des gorges couvertes de fougères et d'eucalyptus bleus. Cette réserve naturelle compte parmi les plus belles du Victoria.

À partir d'**Apollo Bay**, la Great Ocean Road s'écarte de la côte et serpente à travers une forêt non loin de **Cape Otway**. Le phare qui protège l'entrée du détroit de Bass date de 1848. Pour avoir une vue panoramique de la région, on bifurque à **Skenes Creek** vers l'arrière-pays avant de s'engager sur les hauteurs. Au bout de 15 km, prendre à gauche la Turton's Track. À la sortie des sous-bois on se retrouve sur un éperon rocheux avec une vue bien dégagée. A gauche, les contreforts boisés descendent jusqu'à l'océan, à droite s'étendent les lacs volcaniques et les plaines du Western District.

Après Princetown, le littoral fait partie du **Port Campbell National Park** ⓳. Les déferlantes y ont peu à peu entaillé les falaises calcaires. Grottes, gorges et arches surgissent de l'eau un peu partout, formant des sculptures étonnantes. Du sommet des falaises, on aperçoit la série de récifs connue sous le nom de **Twelve Apostles** (les « douze apôtres »), ainsi que les arches du **London Bridge** (le « pont de Londres »).

Après **Peterborough** et la **Bay of Islands**, la route bifurque vers **Warrnambool** ⓴, port qui faisait partie du système de défense contre l'invasion russe redoutée dans les années 1880. À côté du phare, le **Flagstaff Hill Maritime Museum** présente une reconstitution d'un port du XIXe siècle avec ses navires, ses boutiques et ses ateliers.

Près de **Warrnambool**, le cratère de **Tower Hill** abrite des cônes secondaires et des lacs volcaniques. Il y a peu de temps encore, l'endroit était une oasis de verdure. La déforestation à des fins agricoles a provoqué sa disparition, mais un programme vise à rendre à Tower Hill sa splendeur passée. Une petite route mène au centre du cratère : les canards sont revenus habiter les lacs et, si vous n'y prenez garde, les émeus partageront avec enthousiasme votre pique-nique !

PHOQUIERS ET BALEINIERS

De retour sur la côte, **Port Fairy** ㉑ a conservé intact le charme des petits villages de pêcheurs. Les bateaux multicolores sont amarrés le long de la jetée, exposant leurs cargaisons de crabes et de homards. Port Fairy est considéré comme la première colonie du Victoria. Le premier à y poser le pied fut le capitaine d'une petite baleinière

Carte
p. 202

De mai à août, on peut observer des baleines dans les eaux de Warrnambool : une plate-forme d'observation a été installée à cet effet sur la plage de Logan.

Les pontons de Port Fairy.

(la *Fairy*), James Wishart, qui, lors d'une expédition, s'abrita dans la Moyne River en 1810. Les phoquiers, puis les baleiniers, construisirent les chaumières que l'on voit encore sous les immenses pins de Norfolk. On peut aussi aller boire un verre à la **Caledonian Inn**, construite en 1844, et qui revendique (comme beaucoup d'autres !) le titre envié de pub le plus ancien du Victoria.

En route vers Portland, on peut prendre le temps d'admirer les formations rocheuses appelées **The Crags** (« les à-pics ») ainsi que la silhouette plane de **Lady Julia Percy Island**, où vit une colonie d'otaries à fourrure.

La ville de **Portland** ㉒ s'organise autour d'interminables quais au bord d'une vaste baie et de solides bâtiments en pierre bleue du XIXe siècle. Portland était un port baleinier jusqu'à l'arrivée, en 1834, d'Edward Henty, colon décidé à miser sur l'agriculture et l'élevage. En quelques années, les Henty transformèrent le paysage économique et géographique de la région.

Le bar de l'hôtel Craig's Royal, à Ballarat, est l'un des exemples de quelques bâtiments de style victorien qui ont été conservés. Ceux-ci datent de l'époque de la ruée vers l'or, qui eut lieu à partir de 1851.

Dans les environs de Portland, les plages de sable fin alternent avec des falaises côtières déchiquetées. A **Cape Nelson**, un sentier de randonnée permet de découvrir le paysage lunaire de **Cape Bridgewater** : le vent et l'eau de mer ont transformé une maigre végétation arbustive en forêt pétrifiée.

La route littorale qui rejoint la frontière de l'Australie-Méridionale longe les hauteurs du **mont Richmond**, volcan couvert de sable et tapissé de milliers de fleurs sauvages dès les premiers jours du printemps.

Il jouxte le **Discovery Bay Coastal Park** , vaste ensemble de dunes et de plages somptueuses.

Ce parc longe la limite sud du **Lower Glenelg National Park** ㉓, qui comprend les gorges de la Glenelg River et les superbes formations calcaires des grottes de Princess Margaret Rose. On peut s'y rendre en voiture ou prendre un bateau à Nelson et remonter les gorges jusqu'aux grottes. Plus de 700 espèces végétales ont été recensées dans ce parc.

La ruée vers l'or

La ville de **Ballarat** ㉔ est située au nord-ouest de Melbourne, à une heure de route. Dans les années 1850, les mineurs avaient une journée entière de trajet sur des pistes défoncées pour se rendre sur le site des précieux gisements.

En route, on lit sur un panneau le nom d'Eureka, lié pour toujours à un épisode fondamental de l'histoire australienne. Sur le site, un diaporama retrace ce jour de décembre 1854 où les mineurs se révoltèrent contre les autorités coloniales, seul épisode révolutionnaire australien marquant la naissance d'un mouvement indépendantiste et républicain. Le drapeau d'Eureka (cinq étoiles liées en croix) est resté un emblème du syndicalisme australien.

Les conditions de vie de l'époque ont été recréées dans la cité minière

de **Sovereign Hill**, véritable musée vivant. La grand-rue fait revivre la Ballarat des années 1850, avec ses maisons en bois, les boutiques de l'apothicaire et des tailleurs, les ateliers des forgerons et des potiers, les locaux du journal *Ballarat Times*. Une carriole conduit ensuite les visiteurs au bord de la rivière aurifère pour une démonstration d'orpaillage. Après avoir inspecté les carrières de Red Hill, on peut étancher sa soif sous la tente où les prospecteurs fêtaient leur succès ou tentaient de noyer leur déconvenue. On peut également visiter une galerie souterraine de la mine de quartz, parfait exemple de ces mines « industrielles », propriété des grandes compagnies qui se taillaient la part du lion après le passage, en surface, de prospecteurs isolés.

Les vérandas ouvragées, les tourelles et les colonnades ont conservé aux maisons de Ballarat leur charme d'antan. L'**Art Gallery** possède une collection unique de peintures australiennes. Les **jardins botaniques**, au bord de Lake Wendouree, exposent des statues parmi des parterres de bégonias, admirables en mars, lors du Begonia Festival.

Les autres cités aurifères, au nord de Ballarat, méritent également une visite. A **Clunes**, où l'on découvrit, le 1er juillet 1851, la première pépite du Victoria, l'hôtel de ville, les banques et les églises en pierre bleue se dressent devant des boutiques aujourd'hui désertes.

Daylesford, pittoresque localité située sur Wombat Hill, est avec **Helpburn Springs** l'un des grands centres de cure thermales en Australie.

A **Castlemaine**, l'ancien marché, qui abrite aujourd'hui un musée, évoque avec force la fragilité de la prospérité minière.

Maldon figure quant à elle parmi les *gold towns* les mieux préservées du pays.

Bendigo ㉕, à 50 km au nord de Ballarat, possédait l'une des veines

La rue principale de Maldon, petite ville proclamée par le National Trust première « notable town » d'Australie, distinction accordée aux villes dont l'architecture d'origine est demeurée intacte.

Seppelt's Winery, à Great Western, fait visiter ses caves, anciennes galeries souterraines creusées par les mineurs, où vieillissent aujourd'hui des milliers de de bouteilles de « champagne ».

de quartz aurifère les plus riches du monde. Des milliers de Chinois affluèrent, important leurs temples, leurs salons de thé et leurs fêtes animées par Sun Loong, dragon de 100 m de long qui est encore aujourd'hui la vedette des fêtes de Pâques.

A l'ouest de Ballarat, la route passe près de **Lake Burrumbeet** et à **Beaufort**, où l'on trouve un superbe kiosque à musique, puis franchit des collines boisées avant d'atteindre Ararat.

Après un court épisode de ruée vers l'or en 1857, **Ararat** est devenu un gros bourg agricole. Deux colons français plantèrent les premiers vignobles en 1863. Depuis, le vin est devenu l'une des productions majeures du Great Western.

Le massif des Grampians

Le massif des Grampians, qui porte un nom écossais, est l'extrémité sud-ouest de la Cordillère australienne. Vers **Halls Gap**, la silhouette massive et découpée du **Grampians National Park** ㉖ surgit brusquement au-dessus des plaines. Le long travail de l'érosion a sculpté des formes spectaculaires sur ces parois de grès, entaillées d'innombrables goulottes et cascades. Que l'on choisisse de le découvrir à pied ou en voiture, le massif offre des paysages sauvages extraordinaires. En voiture, on rejoint facilement le **Lake Bellfield**, au bord duquel les koalas somnolent dans les branches des eucalyptus. Une petite promenade d'un kilomètre et demi permet d'atteindre le mont **William** (1 167 m), point culminant des Grampians. On peut ensuite redescendre vers **Halls Gap** en suivant la Silverband Road.

Plus de 40 sites aborigènes ont été découverts dans des grottes et des abris rocheux des Grampians. Les plus accessibles se trouvent dans la Victoria Range : la **Cave of Hands** (la « grotte des mains ») est ornée de mains couleur ocre-rouge peintes au pochoir, des dessins représentant des animaux, des formes humaines et une scène de chasse au kangourou. Le site fut découvert en 1859 par le propriétaire de la **Glenisla Station**, vaste ferme d'élevage ovin fondée en 1836.

Sur la Mount Victory Road, un petit détour mène à la terrasse de **Reid** (Reid Lookout), qui domine l'ensemble de la Victoria Valley. Une promenade d'un quart d'heure conduit aux **Balconies**, blocs de grès plantés tels des crocs au-dessus du précipice.

La route serpente ensuite à travers la forêt. On peut s'arrêter au point de vue sur les **McKenzie Falls**, ou rejoindre à pied les cascades en remontant le sentier qui longe la rivière, avant d'arriver à **Zumsteins** (à 22 km de Halls Gap).

La Western Highway traverse la région de la **Wimmera**, immense étendue de champs de blé qui s'étale à l'ouest des Grampians jusqu'à la frontière de l'Australie-Méridionale et, au nord, jusqu'aux dunes et aux lacs asséchés du **Wyperfeld National**

DREAMTIME DANS LES GRAMPIANS

L'occupation par les Aborigènes du massif des Grampians (qu'ils ont nommé Gariwerd dans leur langue) remonte au moins à cinq mille ans en arrière. Riche en ressources naturelles, ce site dispensait en effet les Aborigènes de lointaines expéditions à la recherche de nourriture. De nombreuses peintures rupestres ont été retrouvées à Gulgurn Manja, Billimina, Larngibunja et Ngamadji. La plupart des sites du massif des Grampians apparaissent dans de vieilles légendes aborigènes du *Dreamtime*. L'une d'elles raconte comment Tchingal (l'émeu géant) chassa War (la corneille) de son repaire. Cette dernière trouva refuge dans l'un des tunnels creusé dans les Grampians, et Tchingal, pour la débusquer, frappa la montagne d'un coup de patte, la coupant ainsi en deux, ce qui forma le Roses Gap.

Carte p. 202

Park ㉗. Les localités sont ici de taille modeste, avec plus de silos à grain et de moutons que d'habitants.

Horsham, carrefour commercial de la région, est célèbre pour son concours de pêche réputé qui se tient sur les rives de la Wimmera River.

LE NORD-OUEST

Les Australiens sont friands de records mondiaux et de titres pompeux. **Mildura** ㉘ n'a que l'embarras du choix : elle possède en effet le plus long comptoir du monde (91 m, au Workingman's Club), la plus grande usine australienne de jus de fruits et le plus grand transat jamais construit (devant l'un des motels de la rue principale).

Mais Mildura est aussi une ville accueillante, à vocation touristique. L'irrigation a permis l'apparition de vergers et de vignobles : plusieurs chais, dont ceux de Kildara et de Karadoc, proposent des visites de leurs installations accompagnées de dégustations des meilleurs crus.

Il est facile, en contemplant la **Murray River**, d'imaginer ces jours anciens où les bateaux à roues à aubes, chargés de passagers et de marchandises, en faisaient une grande voie de circulation. Diverses excursions sur le fleuve font revivre cette atmosphère : un petit tour de deux heures sur le vapeur *Melbourne*, une croisière d'une journée à bord de l'*Avoca* (1877), ou de cinq jours à bord du *Wanera* ou du *Coonawarra*. Mais l'eau qui a fait vivre Mildura et irrigué ses environs est en train de tuer la Murray River. Les eaux d'irrigation rejetées dans la rivière charient en effet d'importantes quantités de sels et de limons, autrefois maintenus au sol par les arbres que l'on a massivement abattus pour permettre l'extension de l'agriculture : désastre écologique qui a motivé la mise en place d'un programme de lutte contre la pollution.

Paysage d'hiver dans les Grampians.

244

L'AUSTRALIE-MÉRIDIONALE

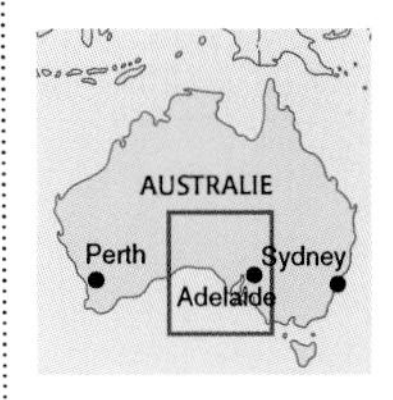

L'Australie-Méridionale est l'État le plus aride du continent, mais aussi le plus urbanisé. La majorité de ses 1,4 million d'habitants réside à Adélaïde ou bien dans la dizaine de villes situées le long de la côte est.

Dans l'esprit de la plupart des Australiens, l'Australie-Méridionale est synonyme de vin. Viennent ensuite deux grands sites, les massifs montagneux des Flinders Ranges et les plaines désertiques du Nullarbor. Mais les beautés de cet État ne se limitent pas à ces quelques cartes postales et, en réalité, la variété des sites et des paysages défie toute énumération.

ADÉLAÏDE

Mark Twain fut l'un des premiers visiteurs à louer les charmes d'**Adélaïde**. En 1895, l'écrivain américain fit l'éloge de ses rues élégantes, de ses espaces verts, et de cette étonnante pierre bleue qui colorait merveilleusement ses immeubles : *« Si seulement le reste de l'Australie, ou un seul petit coin, possédait ne serait-ce que la moitié de cette beauté, ce serait un pays béni des dieux. »* Il est vrai que le site fut choisi avec beaucoup de soin, en 1836, par un ingénieur de l'armée britannique, le colonel William Light. En outre, c'est une des rares colonies australiennes qui ne doive rien à la venue des forçats et à l'établissement de communautés pénitentiaires.

Baptisée Adélaïde en hommage à l'épouse du roi Guillaume IV d'Angleterre, elle fut longtemps surnommée *City of Churches* (« ville aux églises »), à cause de sa piété. Aujourd'hui capitale de l'Australie-Méridionale, cette ville de plus d'un million d'habitants, bordée par le golfe de Saint-Vincent (à l'ouest) et par les Adelaide Hills, dans le massif des Mount Lofty Ranges (à l'est), a su concilier, de façon exemplaire, une douceur de vivre presque provinciale et un dynamisme culturel et économique digne d'une métropole.

Vu d'avion, le centre forme une sorte de 8 : dans une boucle, le quartier résidentiel de North Adelaide, dans l'autre, le quartier des affaires et, entre les deux, la King William Street, artère de 42 m de large, record australien.

North Adelaide est un écrin architectural qui renferme quelques-unes des résidences les plus somptueuses du continent. Ce lieu était une enclave de la *gentry* britannique exilée (la petite noblesse terrienne), qui faisait suivre dans ses malles pianos à queue, trophées de chasse et chandeliers d'argent. North Adelaide connut une période de grande prospérité grâce aux richesses minérales et agricoles de l'État. C'est dans ce quartier que se situe **Adelaide Oval**, un des plus grands terrains de cricket d'Australie. A l'extrémité nord du terrain, on peut admirer la **cathédrale Saint-Pierre**, de style néogothique.

Pages précédentes : œuvre d'art du centre d'Adélaïde.

L'Australie-Méridionale est l'État de prédilection des gastronomes. On y trouve en particulier des vignobles, et les chais de la Barossa Valley (à gauche) fournissent les très nombreux restaurants d'Adélaïde (à droite).

Le **quartier des affaires** (Central Business District), calqué sur de nombreuses villes américaines, a été établi suivant un plan orthogonal. Tout autour, de vastes espaces verts plantés de bosquets d'eucalyptus dessinent un agréable liséré de verdure entre le centre et les faubourgs.

SITES A VISITER

Le croisement de **King William Street** et de **North Terrace** est la principale intersection d'Adélaïde.

De là, il ne faut que quelques minutes à pied pour rejoindre les sites les plus importants : l'**Adelaide Festival Centre** Ⓐ est réputé pour la qualité acoustique que l'on dit même supérieure à celle de l'Opéra de Sydney. Salles de concert, théâtre, auditorium en plein air, ce complexe dispose de toutes les infrastructures nécessaires pour accueillir l'événement culturel majeur qu'est l'Adelaide Festival of Arts (voir p. 222).

Sur North Terrace, l'**Old Parliament House** accueille aujourd'hui le **Constitutional Museum** (ouv. du lun. au ven. de 10 h à 17 h, de sam. au dim. de 12 h à 17 h). Juste à côté, se tiennent les nouveaux bâtiments de la **Parliament House** Ⓑ (visites guidées de 10 h à 14 h ; de mars à décembre, séances ouvertes au public).

La **Government House** se trouve juste de l'autre côté du croisement. Construite dans les années 1840, cette ancienne résidence officielle du gouverneur de l'État est l'un des plus anciens bâtiments de la ville. Situé juste derrière la **State Library** (la bibliothèque publique), le **Migration and Settlement Museum** Ⓒ (82 Kingstore Ave ; ouv. du lun. au ven. de 10 h à 17 h, du sam. au dim. de 13 h à 17 h ; entrée payante) retrace l'histoire de l'immigration dans l'État de l'Australie-méridionale.

La partie orientale de North Terrace est l'une des plus belles du centre. On y découvre successivement l'**université d'Adélaïde**, qui res-

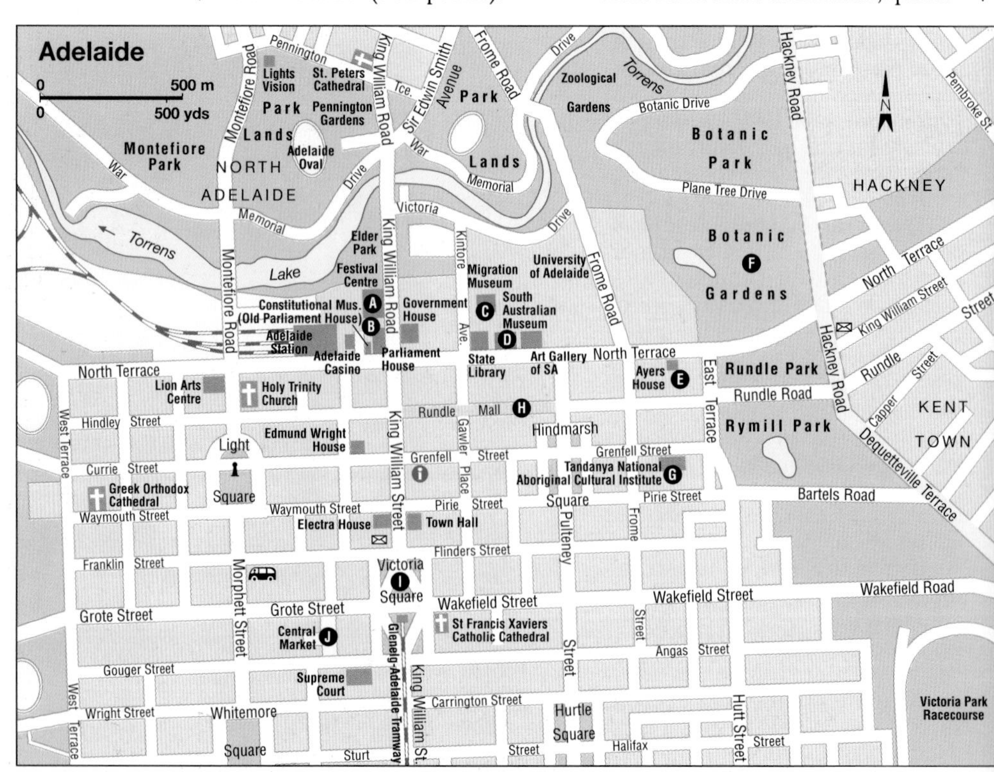

Carte p. 220

semble étrangement à celle d'Oxford ; le **South Australian Museum** Ⓓ (ouv. tlj. de 10 h à 17 h), qui possède l'une des plus importantes collections d'art et d'artisanat aborigènes au monde ainsi qu'un bel ensemble sur l'histoire naturelle de la région ; et l'**Art Gallery of South Australia**, qui a rouvert ses portes en 1996. Le fonds de la galerie rassemble 20 000 gravures et dessins qui constituent la plus grande collection d'art australien.

En revenant sur North Terrace, on découvre l'**Ayers House** Ⓔ de 1846 (ouv. du mar. au ven. de 10 h à 16 h, du sam. au dim. de 13 h à 16 h ; entrée payante), ancienne résidence de Henry Ayers (1821-1897), premier ministre d'Australie-Méridionale à sept reprises. Cette personnalité politique éminemment populaire en raison des nombreuses lois sociales qu'il fit voter, légua son nom au célèbre Ayers Rocks (voir p. 278). La salle de bal et la salle à manger, par leur mobilier et leur riche décoration murale, méritent à elles seules une visite.

Au nord de l'Ayers House s'étendent les **Botanic Gardens** Ⓕ, 20 ha de pelouses, d'arbres, de lacs et de jardins botaniques exceptionnels dont une étonnante serre recréant une forêt tropicale.

Dans Grenfell Street, au sud d'Ayer's House, se tient le **Tandanya Aboriginal Cultural Institute** Ⓖ (ouv. tlj. de 10 h à 17 h ; entrée payante) qui tente, à travers des représentations théâtrales ou de danse, des débats et des expositions, de donner un large aperçu de la culture aborigène contemporaine.

L'« ATHÈNES DU SUD »

Le **Rundle Mall** Ⓗ fut la première voie piétonne du continent. L'idée en revient à l'ancien premier ministre d'Australie-Méridionale Don Dunstan et instigateur du Festival Centre, qui voulut faire d'Adélaïde une « Athènes du Sud ». Depuis, le quartier est devenu un village en plein cœur de la capitale, où il fait bon se

Le Festival Centre d'Adélaïde, où se tient, au mois de mars, l'Adelaide Festival of Arts.

LA FOLIE DU FESTIVAL

Si Melbourne, Sydney et Perth organisent leur propre festival, celui d'Adélaïde les surclasse largement. Il se déroule en mars les années paires et utilise toutes les possibilités de la ville, qui possède un nombre impressionnant de lieux de spectacles, du Festival Centre aux théâtres de plein air et aux petites salles intimistes. La période est idéale : les journées sont chaudes et sèches, les nuits claires et étoilées, et on peut se rendre d'une salle à l'autre en moins d'un quart d'heure à pied.

En fait, le festival est double : parallèlement au festival « officiel » se déroule le Fringe Festival (« festival en marge »). L'« officiel » séduit par ses spectacles de niveau international. Le coup d'envoi en est donné par les concerts gratuits de Rundle Park, suivis d'un feu d'artifice. Les billets pour les spectacles du festival officiel sont vendus à des prix très raisonnables et les représentations gratuites sont nombreuses, comme celles que l'on donne à Red Square, où les plus grandes vedettes présentent des extraits de spectacle de 20 mn.

Simultanément, le Fringe Festival rassemble des milliers d'artistes débutants, venus de toute l'Australie, d'Europe et d'Amérique du Nord. C'est la nature chaotique, tripale même, du Fringe qui donne son ambiance incroyable à Adélaïde. L'animation se concentre autour des bars de Rundle Street East, où la fête dure jusqu'à l'aube, comme au Fringe Club, mais les musiciens et les comédiens envahissent toutes les rues de la ville. Chaque espace libre est consacré à une exposition, chaque bout de trottoir occupé par une installation : la ville entière est un immense *happening*.

Le Lion Art Centre, sur Morphett Street et North Terrace, héberge l'administration du Fringe Festival ainsi que des scènes permanentes, des galeries d'art, des ateliers et des studios.

Aux mêmes dates, Adélaïde accueille la Writers'Week (semaine des écrivains), événement entièrement gratuit qui réunit les grands noms de la littérature du monde entier.

Mais l'Australie-Méridionale ne s'endort pas pour autant le reste du temps. En mars, les années impaires, Adélaïde accueille un gigantesque festival musical, le World Music Festival (WOMAD).

Chaque année au mois d'octobre, la région de Barossa organise un festival de musique classique. Les concerts se déroulent dans les églises luthériennes et les « châteaux » du vignoble, et s'accompagnent de repas plantureux arrosés de vins fins qu'auraient désapprouvé les austères « pères fondateurs » de la région...

Les années impaires en avril, le Vintage Festival (festival des vendanges) de Barossa se déroule à Tandura et propose durant une semaine des dégustations de vins, des concours de cueillette et de foulage des grappes et une foire aux vins.

Entre mai et octobre, presque toutes les régions vinicoles organisent des festivals de gastronomie et de musique, et des foires aux vins. Le plus important est le Gourmet Weekend de Clare Valley, en mai. McLaren Vale en accueille aussi plusieurs, dont le Continuous Picnic (« pique-nique permanent ») en octobre.

Carte p. 220

promener dans les rues paisibles et colorées et profiter des terrasses des cafés. Rundle Street fera le bonheur des chineurs.

Spectacles en plein air, lèche-vitrines ou flânerie, les activités ne manquent pas le long d'Unley Road, ou de King William Street. Cette dernière débouche sur **Victoria Square** ❶, agrémentée de magnifiques jardins, d'une charmante fontaine et d'une statue de la reine Victoria.

À l'ouest de Victoria Square, se trouve **Central Market** ❶ (ouv. mar. de 7 h à 17 h 30, jeu. de 9 h à 17 h 30, ven. de 7 h à 21 h, sam. de 7 h à 15 h) le plus pittoresque des marchés couverts du continent. Les éventaires débordent de fruits, de légumes, de fromages, d'épices et de produits importés d'Asie, de livres, de bijoux, d'estaminets et de restaurants bon marché. La section boucherie est un véritable spectacle à ne pas manquer. Le marché englobe Chinatown qui déborde dans Gouger Street, l'une des quatre artères de restaurants : les trois autres étant O'Connelle Street (North Adelaide), Rundle Street (East End), et Hindley Street (West End).

Hindley Street et Melbourne Street sont les rendez-vous des noctambules et de la cuisine cosmopolite. Adélaïde a le plus grand nombre de restaurants par habitant : chinois, indiens, grecs... et, bien sûr, des restaurants de spécialités locales.

Le port se situe à une vingtaine de kilomètres du centre. Longtemps délaissé, il attire désormais de nombreux visiteurs. La réhabilitation des quartiers historiques et le renouveau de l'activité industrielle en font un lieu très apprécié. Deux musées méritent d'y être signalés : le **South Australian Maritime Museum**, aménagé dans d'anciens entrepôts et consacré à l'histoire de la pêche et à la rénovation de bateaux, et le **Museum of Railway History**, qui présente quelques vestiges fort bien restaurés de la grande époque des chemins de fer.

Des milliers de personnes assistent chaque année au festival d'Adélaïde.

Carte p. 220

Les monts et les plages

Il suffit de 30 min pour traverser la ville et se retrouver à nouveau en pleine campagne. Il faut suivre au hasard l'une des routes sinueuses qui filent vers les **Adelaide Hills**, couverts de forêts d'eucalyptus et de prairies, pour découvrir **Blackwood**, **Aldgate** ou **Crafers**, ces banlieues résidentielles au charme incomparable. Les pubs et restaurants, tel le **Windy Point**, offrent un panorama majestueux sur l'ensemble de la ville.

Les amateurs de plages et de baignades n'hésiteront pas à suivre le rituel des citadins qui consiste à prendre, du centre-ville, le tramway pour **Glenelg**. Cette localité, peu attractive, n'est réputée que pour sa grande étendue de sable blanc. Sur la route du retour, on pourra apaiser sa faim en goûtant aux *fish and chips*, délicieux accompagnés d'une bouteille du vin pétillant local. Ce repas complet pour deux revient à environ 30 $.

Le littoral de la région d'Adélaïde est une suite presque ininterrompue de plages de sable blanc, baignées par les eaux du **golfe de Saint-Vincent**. Moins fréquentée que Glenelg, **West Beach** n'est qu'à 10 km de la ville. Les adeptes du nudisme se rendront, par Main South Road, à **Maslin's Beach**, à 20 km au sud. Il s'agit de l'une des rares plages de l'État où le nudisme est autorisé. Mais attention, méfiez-vous des froids courants côtiers de l'océan Indien.

La région des vins

La **Barossa Valley** ❶ est, avec la Hunter Valley, la plus importante région viticole d'Australie, tant par la qualité des crus que par la quantité de la production. Sa situation, à 50 km seulement d'Adélaïde, a aussi contribué à son succès. En quelques décennies, la vallée est devenue un haut lieu du tourisme australien.

Les vignes de la Barossa Valley, qui s'étendent sur des milliers d'hec-

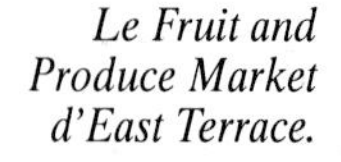
Le Fruit and Produce Market d'East Terrace.

tares, comprennent une quarantaine de vignobles, tous en bonne place sur la liste des vins les plus appréciés du monde. Il règne encore sur ces vignobles un certain parfum d'Allemagne hérité des premiers temps de la colonisation : temples luthériens, vitrines étalant les *delikatessen*, et noms de vignobles aux résonances germaniques tels Kaiser Stuhl ou Bernkastel. La quasi-totalité des propriétés proposent des dégustations de leurs meilleurs crus, vendent leur production à la propriété, aménagent des aires de pique-nique et de barbecue, animent des salles d'exposition et proposent parfois des chambres d'hôte. Au fil des ans, de nouveaux chais se sont établis le long de la Barossa Valley Highway, du centre agricole de Gawler jusqu'à **Nuriootpa**, sur la **Para River**, en passant par **Lyndoch** et **Tanunda**, la plus allemande de ces localités.

Comme Adélaïde, **Gawler** fut conçue par le colonel William Light. Le quartier historique de **Church Hill** possède encore ces églises et ces luxueuses résidences qui ont valu à la ville une réputation d'élégance architecturale. Les Australiens du Sud brassent quelques très bonnes bières à déguster dans les pubs de Gawler.

Certains châteaux méritent une visite, tant pour la qualité de leur vin que pour la beauté des pierres : **Seppeltsfield** (fondé en 1852) possède une palmeraie, **Chateau Yaldara** présente de très beaux bâtiments, de même que le chai de **Yalumba** (fondé en 1849), construit en marbre bleu. L'influence germanique se lit dans l'architecture des édifices religieux, mais aussi dans la cuisine proposée par quelques restaurants, comme Die Galerie, à **Tanunda** (bistrot et galerie d'art), ou Weinstube, sur la route reliant Tanunda à Nouriootpa.

Outre Barossa, quatre autres grands vignobles, tous à quelques heures de route d'Adélaïde, produisent d'excellents crus. **Clare** ❷ est la capitale des vignobles de la région

Carte p. 226

La Barossa Valley, l'une des plus anciennes régions vinicoles d'Australie.

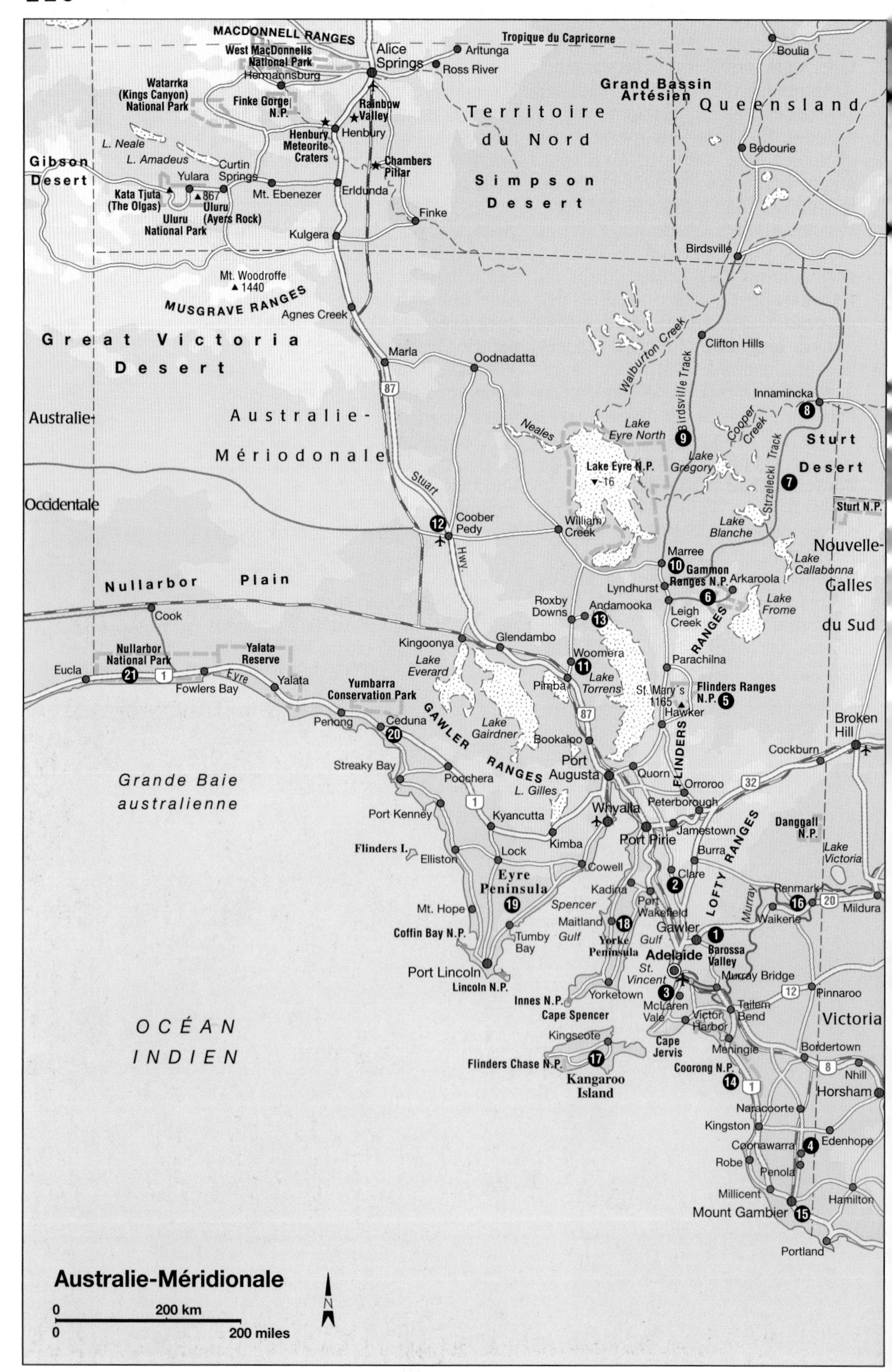

MACDONNELL RANGES
Tropique du Capricorne
West MacDonnells National Park
Alice Springs
Arltunga
Ross River
Hermannsburg
Watarrka (Kings Canyon) National Park
Finke Gorge N.P.
Rainbow Valley
Henbury Meteorite Craters
Henbury
Chambers Pillar
Grand Bassin Artésien
Territoire du Nord
Queensland
Boulia
Bedourie
L. Neale
L. Amadeus
Gibson Desert
Curtin Springs
Yulara
Kata Tjuta (The Olgas)
867
Uluru (Ayers Rock)
Uluru National Park
Mt. Ebenezer
Erldunda
Finke
Simpson Desert
Kulgera
Birdsville
Mt. Woodroffe 1440
MUSGRAVE RANGES
Agnes Creek
Great Victoria Desert
Clifton Hills
Walburton Creek
Birdsville Track
Marla
Oodnadatta
87
Innamincka
Australie-Méridonale
Australie-Occidentale
Neales
Lake Eyre North
Cooper Creek
Sturt Desert
Lake Eyre N.P.
-16
Lake Gregory
Strzelecki Track
Stuart Hwy.
Coober Pedy
William Creek
Lake Blanche
Sturt N.P.
Nouvelle-Galles du Sud
Marree
Gammon Ranges N.P.
Lake Callabonna
Arkaroola
Lyndhurst
Nullarbor Plain
Roxby Downs
Andamooka
Leigh Creek
Lake Frome
Cook
Kingoonya
Glendambo
Lake Everard
Woomera
Parachilna
Nullarbor National Park
Yalata Reserve
Eucla
Eyre
Fowlers Bay
Yalata
Yumbarra Conservation Park
Lake Torrens
Pimba
St. Mary's 1165
Hawker
Flinders Ranges N.P.
Penong
Ceduna
GAWLER RANGES
Lake Gairdner
Bookaloo
Broken Hill
Cockburn
FLINDERS RANGES
Streaky Bay
Port Augusta
Quorn
Orroroo
32
Grande Baie australienne
Poochera
L. Gilles
Port Kenney
Kyancutta
Whyalla
Peterborough
Jamestown
Danggall N.P.
Port Pirie
Kimba
Flinders I.
Elliston
Lock
Burra
Lake Victoria
Cowell
Clare
Eyre Peninsula
Kadina
LOFTY RANGES
Murray
Renmark
Mildura
20
Mt. Hope
Spencer Gulf
Port Wakefield
Waikerie
Maitland
Gawler
Coffin Bay N.P.
Tumby Bay
Yorke Peninsula
Barossa Valley
Adelaide
Port Lincoln
Lincoln N.P.
St. Vincent Gulf
Murray Bridge
Pinnaroo
Yorketown
12
Innes N.P.
McLaren Vale
Tailem Bend
Cape Spencer
Victor Harbor
Victoria
OCÉAN INDIEN
Kingscote
Cape Jervis
Meningie
Bordertown
Flinders Chase N.P.
Coorong N.P.
8
Nhill
Kangaroo Island
Horsham
Naracoorte
Kingston
Coonawarra
Edenhope
Robe
Penola
Millicent
Hamilton
Mount Gambier
Portland
Australie-Méridionale
0
200 km
200 miles
N

de la **Clare Valley**, à 130 km au nord d'Adélaïde. Quinze chais différents, dans un rayon de 25 km, proposent aux visiteurs des dégustations de leurs meilleurs produits. Les principaux sont les suivants : **Quelltaler**, fondé en 1870 (dans un domaine très bien préservé) ; Sevenhill Cellars, fondé en 1851 par des jésuites allemands (les créateurs de ce vignoble) ; et les noms les plus connus, Taylor's Chateau Clare, Robertson's Clare Vineyards, et la Stanley Wine Company.

On accède aux 40 domaines viticoles de la région de **Southern Vales** en se contentant de suivre les panneaux indiquant **MacLaren Vale** ❸, à 42 km au sud d'Adélaïde.

Dans la partie sud-est de l'État, les vignobles de **Coonawarra** ❹ produisent des vins rouges dont la réputation a largement dépassé les frontières australiennes.

Ceux de **Keppock** et de **Padthaway** sont en train de rattraper leur retard.

Au bord de la Murray River, **Renmark** est le centre d'une région irriguée, le **Riverland**, qui doit sa richesse à ses vergers (2 millions de tonnes de fruits par an) ainsi qu'à ses 16 domaines viticoles, parmi lesquels Angoves et Renmano à Renmark, Berri Estates à **Glossop** et Penfolds à **Waikerie**, tous spécialisés dans des vins sucrés, augmentés d'une liqueur alcoolisée.

LES FLINDERS RANGES

La chaîne montagneuse des **Flinders Rangers** est un imposant massif qui s'étend sur plus de 800 km, du golfe Saint-Vincent, au sud, à la région des lacs salés.

Au fond de **Spencer Gulf**, la route tourne le dos à l'océan et entre dans le cœur aride du continent. **Port Augusta** forme avec **Port Pirie** et **Whyalla** le cœur industriel de l'Australie-Méridionale, surnommé *Iron Triangle*, le « triangle de fer ». De Port Augusta, la route prend la

Carte p. 226

Dégustations lors d'une fête dans la Barossa Valley.

Lors du « Clare Valley Gourmet Weekend », en mars, on achète un verre au lieu d'un billet d'entrée. Muni de ce verre, on peut visiter plusieurs caves et déguster tous les crus souhaités.

direction du nord-est vers **Quorn** puis **Hawker** (350 habitants seulement), localité de la partie nord du massif à laquelle on accède aisément.

Heureuse coïncidence, les sites les plus remarquables des Flinders Rangers sont aussi les plus accessibles. **Wilpena Pound**, à l'extrémité sud du **Flinders Ranges National Park** ❺, est une haute cuvette cernée de collines de quartzite ; le point culminant, **Saint Mary's Peak**, s'élève à 1165 m. Ce site se parcourt seulement à pied. En dépit d'une ressemblance frappante avec un cratère de météorite, il doit sa formation à l'activité volcanique. Comparé à la rocaille desséchée qui s'étend aux environs, Wilpena Pound est doté d'un tapis végétal assez fourni. La ceinture montagneuse dirige en effet les eaux de pluie vers le bassin. Beaucoup moins abrupte que la face externe, la face interne permet l'ascension de Saint Mary's Peak sans effort particulier.

L'extrémité nord des Flinders Ranges ressemble davantage aux montagnes que l'on rencontre dans le centre du continent. Le meilleur endroit où commencer la visite du **Gammon Ranges National Park** ❻ est **Arkaroola**, hameau fondé en 1968 pour accueillir les rares visiteurs qui s'aventuraient dans cette région déserte et leur présenter les richesses d'une réserve ornithologique privée.

Un peu plus au nord, on trouve la minuscule oasis de **Paralana Springs**, source radioactive qui passe pour être l'un des seuls vestiges de l'activité volcanique d'Australie.

A quelques kilomètres de là, dans la même direction, on rejoint un excellent poste d'observation d'où l'on embrasse l'ensemble des Northern Flinders Ranges ; on voit avec précision une série de monts « descendre » vers le sud comme une série de vagues.

Les routes qui partent vers le nord – la Birdsville Track ou la Strzelecki

Jeu de boules à Port Augusta.

Track – en direction de la lointaine frontière du Queensland sont des pistes tracées au beau milieu du désert. Il faut un peu de temps pour se familiariser avec ces terres dénudées mais, cette période d'adaptation passée, on se rend compte que la monotonie n'existe pas : le ciel, la végétation, l'horizon sont en perpétuel changement. Toutefois, il est indispensable de se conformer aux précautions d'usage avant de s'engager dans l'un de ces périples : prévoir de bonnes réserves d'essence et d'eau, de la nourriture et du matériel de camping, ainsi qu'une trousse de premiers soins.

Sur la **Strzelecki Track** ❼, la dernière localité d'Australie-Méridionale est un minuscule village d'à peine 200 habitants, **Innamincka** ❽, dont les deux seuls bâtiments notables sont le *general store*, comme on en voit dans certains westerns américains, et le pub. Planter sa tente au bord de Cooper Creek après avoir passé un moment au pub est la meilleure des initiations à la vie dans l'*outback*.

La **Birdsville Track** ❾ est un monument de l'histoire australienne. Elle suit l'ancien itinéraire qui conduisait le bétail de l'ouest du Queensland à **Marree** ❿, en Australie-Méridionale, d'où les troupeaux étaient chargés dans des wagons avant de descendre plus au sud. Marree était aussi un important camp de base pour les chameliers afghans qui furent les véritables pionniers de l'Australie centrale. La Birdsville Track a perdu son rôle commercial, mais elle reste dans la mémoire australienne l'un des symboles de la naissance de l'Australie moderne et un terrain d'expérience pour tous ceux qui veulent se rendre compte de ce que pouvait représenter la survie dans le désert.

VERS LE NORD

Sur la route qui conduit de Port Augusta à Alice Springs (trajet de

Carte p. 226

Le spectaculaire Wilpena Pound, dans le massif des Flinders Ranges.

1370 km), le hameau de **Pimba** garde l'accès à **Woomera ⓫**. Cette zone militaire, établie après la Seconde Guerre mondiale par les gouvernements britannique et australien, fut consacrée à des essais nucléaires. Elle ne s'est ouverte au public qu'en 1982. Plusieurs expositions retracent l'histoire de ce site « secret défense ».

Coober Pedy ⓬, sur la Stuart Highway, à 935 km d'Adélaïde, est la ville la plus connue de l'*outback* d'Australie-Méridionale. Et pour cause : elle est située sur le plus grand gisement d'opales du monde. L'Australie extrait 90 % de la production mondiale d'opales, et ce gisement en fournit à lui seul les trois quarts. Opales noires (les plus précieuses) ou arlequin, elles sont nées de l'opalisation de coquillages déposés au fond d'un océan il y a plus de cent millions d'années.

Le nom Coober Pedy est une déformation de l'expression aborigène *kupa piti*, qui veut dire « terrier de l'homme blanc ». On ne peut mieux décrire l'endroit. La chaleur implacable de ce bout de désert (la température atteint régulièrement 50° C, à l'ombre bien sûr, mais où trouver de l'ombre ?) oblige les habitants à s'enterrer pour y vivre et pour y travailler. Vu d'avion, Coober Pedy ressemble à un immense champ de bataille où se succèdents monticules, tranchées, cratères, fosses de toutes sortes et baraquements en préfabriqué. Creuser, toujours creuser, est le maître mot. Lorsque l'on arrive à Coober Pedy un jour de tempête de sable, on n'a aucun mal à imaginer que l'heure de l'Apocalypse a sonné. Rien d'étonnant dès lors que de nombreuses scènes de *Mad Max III* aient été tournées ici. Rien ne manque à cette ville souterraine, habitations, commerces, églises, et, plus surprenant, un hôtel de luxe. Le charme des habitations troglodytes séduira le plus blasé des visiteurs, à condition qu'il ne soit pas sujet à la

La Strzelecki Track, piste désertique qui traverse l'État en direction du Queensland.

Carte p. 226

claustrophobie. Malheureusement, Coober Pedy est victime de son succès ; elle est devenue une sorte de caricature de ce qu'elle était il y a encore dix ou vingt ans.

Pour se faire une idée de ce qu'est un gisement d'opales, mieux vaut quitter la ville et rejoindre le village d'**Andamooka** ⓭ (moins de 500 habitants). Mais attention, en cas de pluie (les orages sont rares mais torrentiels), on risque de se retrouver coupé du reste du monde jusqu'à ce que l'eau soit bue par le désert.

COORONG ET AU-DELÀ

L'embouchure de la Murray River est un immense labyrinthe d'estuaires, de lagons, de péninsules et de bancs sablonneux. Cet ensemble fait partie du **Coorong National Park** ⓮, havre pour de nombreuses espèces d'oiseaux migrateurs et d'oiseaux aquatiques. Les plus beaux endroits de ce parc national (créé en 1966) sont les dunes de la péninsule de **Younghusband**, qui séparent les basses eaux du **Coorong** de l'océan, et le Coorong même (dérivation du mot aborigène *karangh*, signifiant « cou étroit »), mince cours d'eau qui s'étend sur 135 km, des lacs Alexandrina et Albert à l'embouchure de la Murray River jusqu'aux marais salants, au sud. Si l'on ne dispose pas de véhicule tout-terrain, il faut marcher une demi-heure pour franchir les dunes et atteindre les plages de l'océan, immenses bandes sablonneuses presque exclusivement livrées aux mouettes, aux huîtriers (ou pies de mer) et aux pêcheurs d'occasion. Les Aborigènes ont vécu sur ces rivages pendant des milliers d'années en jetant leurs filets dans les lagons.

Des colonies de pélicans, de sternes et de mouettes vivent en permanence sur les îlots du Coorong. De nombreuses espèces d'oiseaux se nourrissent des graines et des pousses d'herbes qui abondent dans les lagons et boivent l'eau douce des

La maison de Crocodile Harry à Coober Pedy, sorte d'abri construit à flanc de rocher afin de se protéger de la chaleur.

mares. Une ancienne piste de char à bœufs, le long du cours d'eau, permet de découvrir le parc plus en profondeur. Le camping est autorisé partout. Mais une visite approfondie demande beaucoup de temps, à moins de pouvoir disposer d'une embarcation.

Plusieurs villages de vacances ont été aménagés au sud du Coorong. Cette portion du littoral est réputée pour la qualité de ses mollusques et de ses crustacés. On peut se procurer des homards vivants sur la jetée de **Kingston**.

Le petit port de **Robe** (600 habitants), fondé en 1845, fut l'une des premières colonies d'Australie-Méridionale. Plusieurs bâtiments anciens conservent le souvenir de cette époque, comme la Caledonian Inn (auberge fondée en 1858) ou le bureau des douanes (Customs House), qui fut bâti en 1863. Près du port, une pierre gravée rend hommage aux milliers de Chinois qui débarquèrent à Robe dans les années 1850. Ils avaient parcouru des centaines de kilomètres à pied à travers le bush pour rejoindre les mines d'or du Victoria, simplement pour éviter de payer la taxe de 10 £ qui était perçue dans les ports de cet État.

Mount Gambier ⓯, à 486 km d'Adélaïde, est le grand centre économique de la région Sud-Est, avec des richesses provenant principalement de l'industrie du bois (on peut visiter plusieurs scieries). La ville est construite sur les pentes d'un volcan éteint, vieux de plus de cinq mille ans, qui compte trois cratères et quatre lacs. Le plus connu des quatre, le **Blue Lake**, présente un curieux phénomène : si, l'hiver, ses eaux sont plus grises que bleues, au mois de novembre, elles adoptent brusquement une teinte azur. Juste en dehors de la ville, on peut visiter les grottes calcaires de Tantanoola.

Dans les années 1890, un « tigre » terrorisa toute la région ; lorsqu'il fut abattu on s'aperçut que la créa-

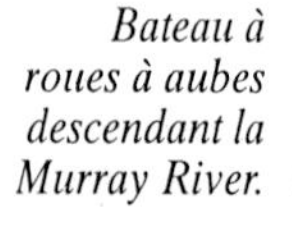

Bateau à roues à aubes descendant la Murray River.

ture était en réalité un loup d'Assyrie. Empaillé, il surveille aujourd'hui du coin de l'œil les clients du bar de l'hôtel local.

Au nord s'étendent les **Naracoorte Caves**, série de quatre grottes ornées de concrétions calcaires. L'une d'entre elles abrite des fossiles de la dernière glaciation. Il n'est pas rare que les archéologues trouvent sur ce site des traces d'animaux préhistoriques inconnus, kangourous géants, un wombat de la taille d'un hippopotame et un « lion » marsupial.

LE RIVERLAND

C'est à **Renmark** ⓰, près de la frontière du Victoria, à 295 km d'Adélaïde, qu'en 1887 les frères Chaffey, d'origine canadienne, conçurent le projet d'irrigation, dont la réussite technique et économique s'étale maintenant de part et d'autre de la **Sturt Highway**. Là où il n'y avait que cailloux et broussailles s'étendent aujourd'hui des vergers et des vignobles arrosés par les eaux de la Murray. Les premières pompes d'irrigation, qui fonctionnaient à la vapeur, sont exposées sur Renmark Avenue.

La Sturt Highway fut baptisée du nom de l'explorateur qui, le premier, descendit le fleuve jusqu'à l'océan. Le transport fluvial a joué un rôle décisif dans la prospérité économique de cette région. L'un des premiers bateaux à aubes, l'*Industry*, construit en 1911, a été restauré et abrite un musée consacré à la naissance de la colonie. Cinq jours par semaine, un bateau de croisière, le *Murray Explorer*, emmène 130 passagers en excursion sur le fleuve. On peut louer des bateaux-cabines (*houseboats*) à Renmark, Loxton, Berri et Waikerie.

Barmera et le **Lake Bonney** (dans ses environs immédiats) sont le grand centre de loisirs et de vacances du Riverland : les eaux du lac permettent de pratiquer de nombreuses activités nautiques (planche à voile et dériveur en particulier). En 1964, les paisibles vaguelettes furent malmenées par sir Donald Campbell, qui tenta de réaliser un nouveau record du monde de vitesse sur l'eau.

Autre site, autre « glisse », les caractéristiques aérologiques des plaines situées autour de la petite ville de **Waikerie** en ont fait l'un des meilleurs centres mondiaux de vol à voile. En été, lorsque les courants ascendants sont au maximum de leur puissance, on aperçoit des planeurs partout dans le ciel. Ceux que ces sensations tentent peuvent saadresser au Waikerie Gliding Club et réserver une place à bord d'un planeur.

ILES ET PÉNINSULES

Le littoral très dentelé de l'Australie-Méridionale se compose d'une mosaïque de « secteurs » aux caractéristiques naturelles très différentes. La péninsule de **Fleurieu**, au sud d'Adélaïde, derrière le vallon

Carte p. 226

Sur Kangaroo Island, la pêche et l'observation de la faune (des otaries, des lions de mer, de nombreux oiseaux, mais aussi des kangourous, des émeus et des koalas) constituent les principales activités des visiteurs.

MacLaren, est un grand secteur touristique pour les habitants de l'État. **Victor Harbour** en est la ville principale, et ses hôtels affichent complet tout au long des vacances scolaires.

Cape Jervis, à l'extrémité de la péninsule de Fleurieu, est le point d'embarquement pour **Kangaroo Island** ⑰, troisième île australienne par la superficie (après la Tasmanie et Melville Island, dans le Territoire du Nord, au large de Darwin).

Les principales villes de l'île sont **Kingscote**, **American River** et **Penneshaw**. La pêche et l'observation de la faune sont les principales activités. Des otaries, des lions de mer, des manchots, des échidnés, des kangourous, des émeus et des koalas, sans oublier les nombreux oiseaux de mer, vivent ici. Le superbes plages abritées se trouvent sur la côte nord, tandis qu'au sud, les plages battues par les vagues font le bonheur des amateurs de surf.

Un phare, construit en 1906, domine **Cape du Coëdic**. Beaucoup de noms ont une consonance française, car c'est Nicolas Baudin (1754-1803) qui fut le premier à établir la carte de l'île. Non loin de là, les **Remarkable Rocks** sont l'une des curiosités les plus étonnantes de Kangaroo Island : une série de rochers de granit sculptés par l'érosion. Un peu plus loin, l'**Admirals Arch** est une arche de 20 m de hauteur, ornée de stalactites noirâtres, léchées par l'écume des rouleaux.

Sur la carte, la **Yorke Peninsula** ⑱ affiche une certaine ressemblance avec la « botte » italienne. Une visite en boucle de la péninsule permet de découvrir le joli port d'**Ardrossan**, sur la côte est, puis les **falaises d'Edithburg**, responsables de multiples naufrages (l'un d'eux, en 1909, fit 34 morts, tous enterrés dans le cimetière municipal).

A **Edithburg**, il ne faut pas manquer le Troubridge Hotel, le pub le plus ancien de la péninsule.

La route qui mène ensuite à **Yorketown** offre des vues superbes

Les Remarkable Rocks de Kangaroo Island, rochers de granite sculptés par l'érosion.

sur la côte et les récifs, bien connus des amateurs de plongée sous-marine. Bourg agricole, Yorketown est situé à proximité de plusieurs lacs salés.

La route qui rejoint la pointe sud-est de la péninsule longe une baie en forme de fer à cheval, **Pondalowie Bay** : aménagée en parc national, cette baie est un site parfait pour la pratique de la plongée, de la pêche et du surf, d'autant qu'elle est isolée et paisible. A sept heures de route d'Adélaïde, sur un littoral aussi fréquenté, le fait mérite en effet d'être souligné.

Depuis leur fondation, les ports de la côte ouest se consacrent tous à l'exportation de l'orge. C'est de **Port Victoria**, par exemple, que les premières cargaisons d'orge australienne furent exportées vers la Grande-Bretagne. La pêche est le second pôle d'une économie somme toute modeste, mais les richesses minières n'ont pas été délaissées. La découverte de gisements de cuivre à **Kadina** et **Moonta** au début des années 1860 provoqua même une forte immigration de mineurs originaires de Cornouailles. L'installation de cette puissante communauté (elle compta jusqu'à 30 000 membres) exerça une influence directe sur l'architecture des *cottages*, des églises méthodistes et sur les traditions locales.

L'OUEST

L'Australie est le pays des grands trajets, des routes interminables au cœur des déserts. Mais les 2 000 km qui séparent Adélaïde de Perth ont une réputation particulière : il n'est pas rare de voir, fièrement affiché sur des pare-brise, l'autocollant *« We crossed the Nullarbor »* (« nous avons fait la traversée du Nullarbor »).

Sur la route de Perth, l'**Eyre Peninsula** ⓳ et Port Lincoln sont une autre occasion de faire un beau détour. L'explorateur John Eyre

Carte p. 226

« Road Train » remontant vers l'ouest par l'Eyre Highway.

partit découvrir cette péninsule en 1841 et fut partagé entre le découragement de n'y trouver que des terres brûlées par le sel et le soleil, et l'admiration devant la beauté sauvage de ce littoral. Des souvenirs de l'époque coloniale subsistent dans **Coffin Bay** et **Anxious Bay**.

Port Lincoln possède une importante flotte de pêche et propose aux visiteurs des croisières, des îles à louer pour les vacances, ainsi qu'un musée consacré au rôle des barbelés dans la naissance de l'agriculture australienne.

Point Labatt, sur la Flinders Highway en direction de Ceduna, est le dernier port de phoquiers encore en activité sur l'ensemble du continent.

Ceduna ⑳ est la dernière ville à l'ouest de l'État. Quelque 1 232 km la séparent de **Norseman**, dans la partie du Nullarbor située en Australie-Occidentale. La cité est le centre d'une vaste région d'élevage ovin extensif, mais aussi un site très couru par tous les surfeurs du continent. Toutes les plages de la région sont superbes, mais **Cactus Beach** suscite en plus le respect, mêlé de crainte, des spécialistes des grosses déferlantes.

Page de droite : Aborigène d'Australie-Méridionale.

Denial Bay (la « baie du démenti ») reçut son nom lorsque le navigateur Matthew Flinders se rendit compte qu'elle n'était pas le passage promis vers une prétendue « mer intérieure » australienne. Dans l'arrière-pays de Ceduna, les 106 000 ha du **Yumbarra Conservation Park**, immense étendue de crêtes sablonneuses et de blocs de granite, peuvent paraître parfaitement inhospitaliers pour les humains, mais sont, pour les kangourous et les émeus, un habitat tout à fait propice. L'hiver, la baie sert de poste d'observation des baleines.

L'Eyre Highway longe la côte vers l'ouest, passant le **Nullarbor National Park** ㉑. Si le trajet de l'Eyre Highway le long du littoral jusqu'à la frontière de l'Australie-Occidentale ne présente plus aucune difficulté, l'absence totale d'eau douce en faisait autrefois une épreuve. Les plaines de Nullarbor, vers l'intérieur des terres, possédaient bien des réservoirs calcaires naturels, ce que les Aborigènes savaient, mais qu'ignoraient les colons, qui furent longtemps condamnés à souffrir mille maux le long de la côte. Le sol calcaire est incapable de retenir l'eau : c'est pourquoi les arbres ne peuvent pas pousser (*Nullarbor* signifie en latin « nul arbre »). Mais des cours d'eau souterrains ont creusé dans le roc de somptueuses grottes : plusieurs équipes de spéléologues y ont établi des records mondiaux de plongée. La voie ferrée transcontinentale qui traverse ce désert comprend la plus longue ligne droite du monde : 479 km.

La **Great Australian Bight** (la Grande Baie australienne) offre aux regards des kilomètres de dunes alignées en bordure de plages sans fin. Puis, tout à coup, près de la frontière de l'Australie-Occidentale, les dunes s'effacent devant les falaises de la plus belle des côtes australiennes.

Il suffit généralement de quelques gouttes d'eau pour faire éclore la flore « endormie » des contrées les plus arides, qui survivent grâce à des racines qui s'enfoncent à une grande profondeur dans le sol et à des feuilles petites qui limitent l'évaporation, comme ici dans le désert de Strzelecki.

Sail Away III
PORT DOUGLAS
753QD

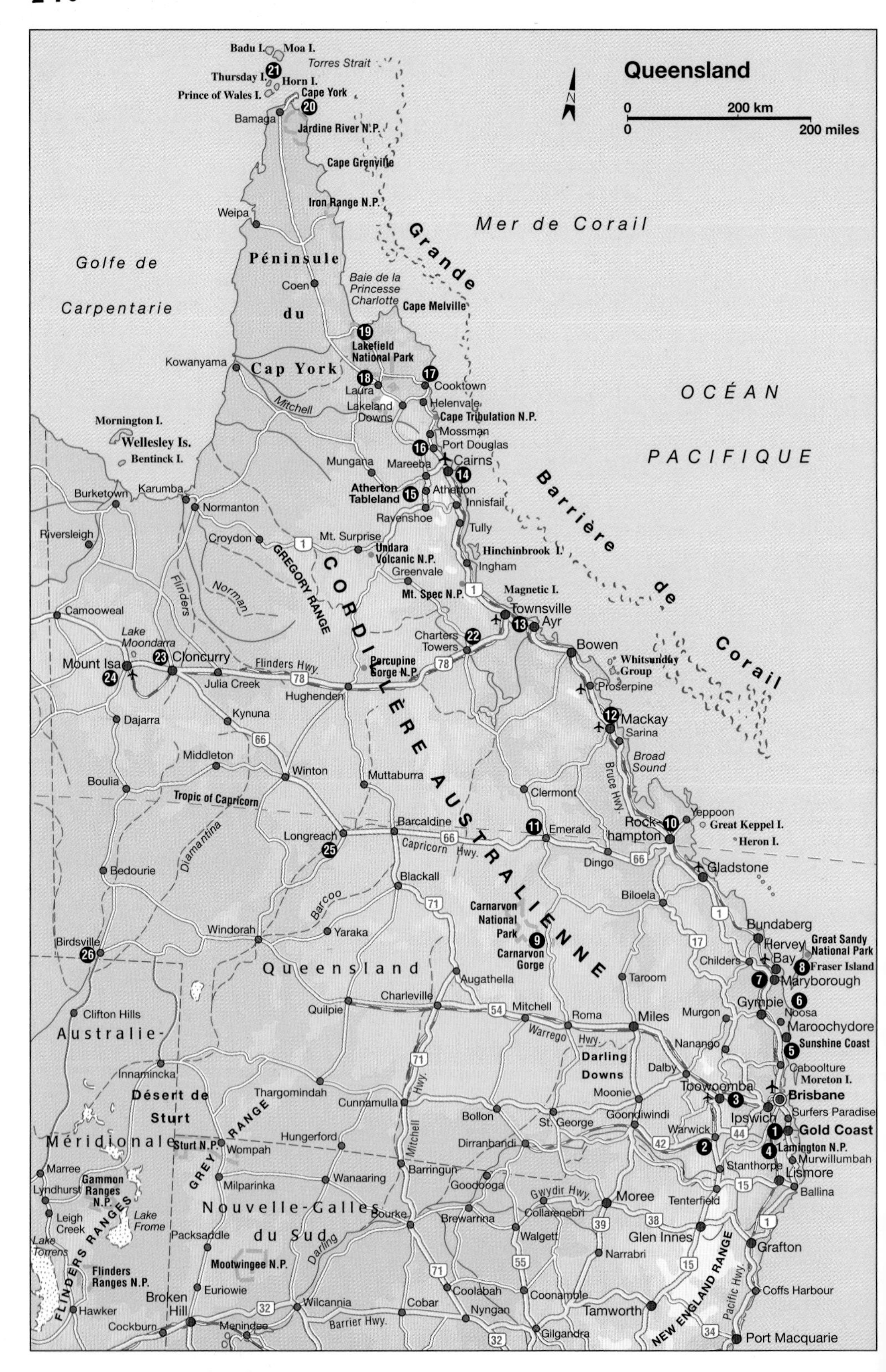

Queensland
0 200 km
0 200 miles
Mer de Corail
OCÉAN
PACIFIQUE
Golfe de
Carpentarie
Grande
Barrière
de
Corail
Péninsule
du
Cap York
CORDILLÈRE AUSTRALIENNE
Queensland
Australie-
Méridionale
Nouvelle-Galles
du Sud
Désert de
Sturt
Torres Strait
Badu I.
Moa I.
Thursday I.
Horn I.
Prince of Wales I.
Cape York
Bamaga
Jardine River N.P.
Cape Grenville
Iron Range N.P.
Weipa
Coen
Baie de la
Princesse
Charlotte
Cape Melville
Lakefield
National Park
Kowanyama
Laura
Cooktown
Lakeland
Downs
Helenvale
Cape Tribulation N.P.
Mitchell
Mossman
Port Douglas
Mornington I.
Wellesley Is.
Bentinck I.
Mungana
Mareeba
Cairns
Atherton
Tableland
Atherton
Innisfail
Burketown
Karumba
Normanton
Ravenshoe
Tully
Riversleigh
Croydon
Mt. Surprise
Undara
Volcanic N.P.
Hinchinbrook I.
Ingham
GREGORY RANGE
Greenvale
Flinders
Norman
Mt. Spec N.P.
Magnetic I.
Townsville
Camooweal
Ayr
Lake
Moondarra
Charters
Towers
Bowen
Mount Isa
Cloncurry
Flinders Hwy.
Porcupine
Gorge N.P.
Whitsunday
Group
Julia Creek
Hughenden
Proserpine
Dajarra
Kynuna
Mackay
Sarina
Middleton
Broad
Sound
Winton
Muttaburra
Boulia
Bruce Hwy.
Clermont
Tropic of Capricorn
Yeppoon
Great Keppel I.
Barcaldine
Emerald
Rock-
hampton
Heron I.
Diamantina
Longreach
Capricorn Hwy.
Dingo
Gladstone
Bedourie
Blackall
Barcoo
Carnarvon
National
Park
Biloela
Carnarvon
Gorge
Bundaberg
Windorah
Yaraka
Hervey
Bay
Great Sandy
National Park
Birdsville
Childers
Fraser Island
Taroom
Maryborough
Augathella
Charleville
Gympie
Quilpie
Mitchell
Roma
Miles
Murgon
Noosa
Clifton Hills
Warrego Hwy.
Maroochydore
Nanango
Sunshine Coast
Darling
Downs
Dalby
Caboolture
Innamincka
Moreton I.
Thargomindah
Moonie
Toowoomba
Brisbane
Cunnamulla
Hwy.
Bollon
St. George
Goondiwindi
Surfers Paradise
Ipswich
GREY RANGE
Hungerford
Warwick
Gold Coast
Sturt N.P.
Wompah
Dirranbandi
Lamington N.P.
Murwillumbah
Marree
Mitchell
Stanthorpe
Gammon
Ranges
N.P.
Wanaaring
Barringun
Lismore
Lyndhurst
Milparinka
Goodooga
Ballina
Gwydir Hwy.
Moree
Tenterfield
Leigh
Creek
Lake
Frome
Bourke
Brewarrina
Collarenebri
Lake
Torrens
Packsaddle
Darling
Walgett
Glen Innes
Grafton
FLINDERS RANGES
Narrabri
NEW ENGLAND RANGE
Flinders
Ranges N.P.
Mootwingee N.P.
Pacific Hwy.
Euriowie
Coolabah
Coonamble
Coffs Harbour
Broken
Hill
Wilcannia
Cobar
Nyngan
Tamworth
Hawker
Cockburn
Menindee
Barrier Hwy.
Gilgandra
Port Macquarie

LE QUEENSLAND

Situé en zone subtropicale et tropicale, le Queensland, parfois surnommé l'« État du soleil », est une région de vacances idéale. La Grande Barrière de Corail, qui s'étire sur 2200 km le long de la côte nord-est, est le plus vaste ensemble corallien du monde et contribue grandement à la renommée de l'État – troisième grande destination touristique de l'Australie après Ayers Rock et Sydney. Mais les richesses du Queensland incluent aussi la péninsule du cap York, les montagnes tropicales de la Great Dividing Range et les merveilleux littoraux de la Sunshine Coast et de la Gold Coast. Passé les montagnes, de vastes plateaux cultivés s'étendent vers l'ouest avant de laisser la place aux étendues désertiques de l'*outback*.

De longue tradition, les gouvernements de cet État ont opté pour une attitude fermement conservatrice fondée sur le respect de valeurs coloniales plusieurs fois centenaires. Que ce soit la question des droits réservés aux Aborigènes, celle de l'immigration, de la censure de la presse ou des films, les représentants du Queensland ne manquent pas d'occasions de s'opposer à « ceux de Canberra », les « *meddling Southerners* » (« méridionaux arrogants »), envers qui ils nourrissent en effet une méfiance viscérale. Les habitants de Canberra considèrent en effet souvent Brisbane comme le « plus gros bourg du monde ».

BRISBANE LA TROPICALE

Troisième ville d'Australie, **Brisbane** (1400000 habitants) est aussi l'une des communes les plus étendues de la planète (1220 km²). Un quart de la population du Queensland y vit. Elle est établie sur un ensemble de collines baignées par la Brisbane River, et ses vallonnements noyés sous la verdure tropicale lui confèrent un caractère intime et un charme indéniables. Ses habitants lui ont donné le diminutif affectueux de *Brisbie*.

Jusqu'au début des années 1980, la capitale du *Sunshine State* (« État du soleil ») paraissait plongée dans une douce somnolence ; les seuls efforts de développement concédés par les autorités du Queensland semblaient se porter sur les stations balnéaires de la Gold Coast. Dans un sens, les Brisbaners y trouvaient leur compte, préférant mener une existence paisible dans leurs maisons en bois sur pilotis (technique favorisant la circulation de l'air frais), à l'écart des turbulentes « plages à touristes ».

Mais Brisbane cherche désormais à s'affranchir de cette image provinciale. En 1988, année où John Bjelke-Peterson, premier ministre conservateur du Queensland, décédé en 2005, fut remercié, elle accueillit une exposition universelle et profita de l'occasion pour s'offrir un gigantesque « centre multiculturel » afin de se mettre au goût du jour.

Carte p. 240

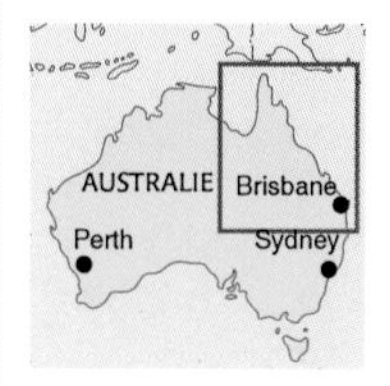

Pages précédentes : bateaux navigant sur les eaux de la Grande Barrière de Corail.

Cooktown est une ville historique (lieu de la première implantation britannique). La ruée vers l'or de 1874 en fit la deuxième ville la plus peuplée du Queensland. Il faut la visiter ne serait-ce que pour son histoire, ou pour l'atmosphère typique de ses pubs où se produisent parfois des musiciens locaux.

De sombres débuts

On a peine à imaginer qu'une colonie pénitentiaire destinée à accueillir les *« pires criminels »* soit à l'origine de cette tranquille cité. En 1824, la Nouvelle-Galles du Sud, qui cherchait un lieu où reléguer les *convicts* les plus récalcitrants, reçut de Londres l'autorisation de fonder un bagne à un millier de kilomètres au nord de Sydney, dans la baie de Moreton. Les premiers bagnards, encadrés par un détachement du 40e régiment, arrivèrent en septembre. Mais en raison du manque d'eau et de l'hostilité des Aborigènes, la colonie pénitentiaire dut bientôt s'installer plus à l'ouest, sur un site qui reçut en 1834 le nom du gouverneur de la Nouvelle-Galles du Sud, sir Thomas Brisbane. Le bagne ferma ses portes en 1839, mais la ville, devenue un centre de colonisation libre, prospéra bientôt grâce au vaste potentiel agricole et houiller de la région. En 1859, quand le Queensland se sépara de la Nouvelle-Galles du Sud, Brisbane en devint la capitale.

Vieilles maisons de Brisbane

Hormis un moulin à vent, l'**Old Windmill** Ⓐ, bâti en 1828 à Wickham Terrace pour moudre le grain destiné à la nourriture des bagnards, la ville moderne n'abrite plus que de rares vestiges de ses sombres débuts. La municipalité a toutefois conçu à l'intention des visiteurs un circuit historique, le **Heritage Trail**, signalé par des flèches jaunes peintes sur les trottoirs et dont le plan est disponible à l'hôtel de ville.

C'est dans Breakfast Creek Road, au bord de la Brisbane River, que s'élève **Newstead House**, la plus vieille maison de la ville (1846).

On pourra aussi admirer de belles demeures coloniales dans l'ancien quartier résidentiel de **Spring Hill**.

De même, sur McIlwraith Avenue, dans le beau jardin tropical de

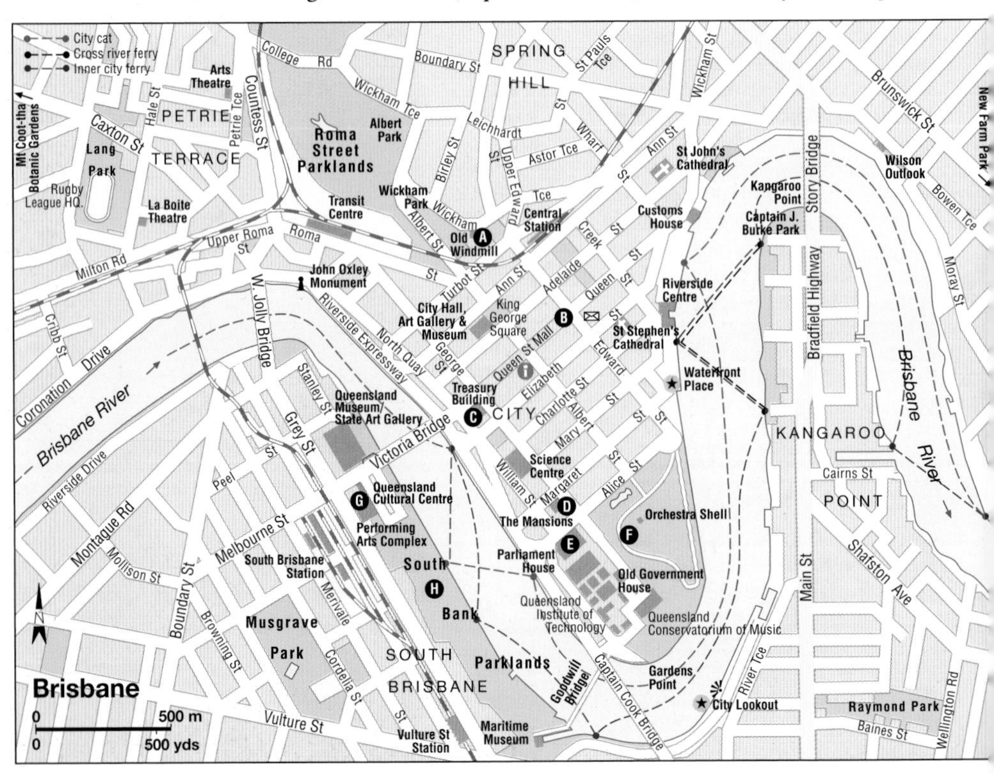

Norman Park (à 6 km au nord du centre de la ville), un **Early Street Village** a été reconstitué.

Enfin, sur les hauteurs de Bowen Hills (31 Jordan Terrace), une superbe maison construite en 1884 abrite le **Miegunyah Folk Museum**, entièrement consacré aux arts et traditions populaires du Queensland.

Le centre de la ville, niché dans une boucle de la Brisbane River, offre quant à lui un aspect bien différent. Là, les maisons à véranda ont fait place à des gratte-ciel aux façades de verre et de métal. Parmi les témoins d'époques révolues : certaines maisons de George Street ; le **City Hall** (l'un des plus grands hôtels de ville de toute l'Australie, construit en 1930) ; la **National Bank** (banque du Queensland) et sa façade de style Renaissance italienne (1885).

King George Square, adjacent à l'imposant hôtel de ville, est un lieu de repos, à l'heure du déjeuner, pour les travailleurs de la ville.

Plus au sud, le quartier piéton de **Queen Street Mall** Ⓑ abrite boutiques, supermarchés et cafés qui ont pris place, pour certains, à l'intérieur de bâtiments datant du XIXe siècle.

Les amateurs d'architecture apprécieront également, entre Queen Street et Elizabeth Street, la façade Renaissance italienne du **Treasury Building** Ⓒ, qui abrite aujourd'hui le casino et, en descendant George Street vers le sud, **The Mansions** Ⓓ, ensemble de *terraced houses* de la fin du XIXe siècle. Ces rangées de maisons identiques aux façades de briques rouges et aux arcades de grès abritent aujourd'hui restaurants et magasins.

Plus bas dans George Street se tient la **Parliament House** Ⓔ (Parlement du Queensland), dont la première pierre fut posée en 1865. La construction de cet édifice de style Renaissance française, maintes fois interrompue, dura vingt-quatre ans, au grand dam de son architecte, Charles Tiffin. C'est en tout cas dans

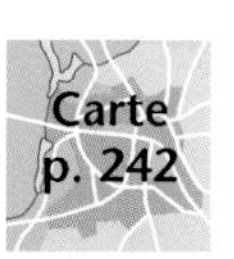
Carte p. 242

Le clocher du City Hall, au sommet duquel on jouit d'une magnifique vue sur le centre de Brisbane.

Une habitation typique du Queensland.

Les poissons et fruits de mer du Queensland sont excellents, même si leurs noms peuvent paraître étranges : les « banana prawns » sont de grosses crevettes, et les « Moreton Bay bugs », de petites écrevisses.

ce bâtiment que, de 1968 à 1988, « régna » Bjelke-Petersen, l'un des hommes politiques les plus controversés de toute l'histoire de l'Australie. Le Parlement donne sur les 18 ha de verdure des **jardins botaniques**.

Promenades subtropicales

Située à 500 km au sud du tropique du Capricorne, Brisbane connaît un climat chaud et humide dont la douceur tropicale se ressent dans le rythme de vie de ses habitants comme dans leur allure : l'été, les hommes d'affaires de la City n'hésitent pas à troquer leur complet contre une chemisette, un bermuda et des chaussettes montantes ; tandis qu'au printemps, les parcs et jardins de Brisbane s'emplissent de délicats parfums de mille fleurs tropicales.

Les **jardins botaniques** (Botanic Gardens) **F**, aménagés en 1855 sur 16 ha le long des rives du fleuve, dégagent un charme indéniable avec leurs plantes exotiques tropicales, les promenades le long de la mangrove et la scène flottante sur laquelle se donnent concerts et festivals. Ce parc est l'endroit favori des coureurs à pied et cyclistes.

Pour rejoindre le **Queensland Cultural Centre G**, il faut franchir le fleuve par le pont Victoria. Les bâtiments du centre culturel s'élèvent de part et d'autre de Melbourne Street. Un premier complexe, côté nord, regroupe le **Queensland Museum** (histoire naturelle, anthropologie, arts et techniques), la **Queensland Art Gallery** (peinture australienne et internationale) et une immense **Bibliothèque publique** (State Library), tandis que les quatres salles du **Performing Arts Complex**, au sud de Melbourne Street, accueillent divers spectacles de danse, des concerts et des pièces de théâtre.

Aménagés sur le site de l'exposition universelle de 1988, sur la rive sud, les **South Bank Parklands H**

Plage artificielle des South Bank Parklands.

offrent plus de 16 ha d'une végétation luxuriante. Le site a été investi par une plage artificielle et de nombreux cafés et restaurants qui donnent une ambiance animée à cette partie de la ville. C'est le lieu idéal où venir déjeuner en terrasse. Si Brisbane a longtemps été un véritable désert culinaire, les chefs ont appris à tirer avantage des produits du cru comme les avocats, les noix de macadamia, les mangues, le *barramundi* (carpe géante), les truites de la barrière de corail, les huîtres, etc.

La reconstitution de la forêt tropicale du **Gondwana Rainforest Sanctuary** est une réussite, tout comme la **maison des Papillons** (Butterfly and Insect House), et, plus loin, la **pagode népalaise**, dernière étape avant d'aller se baigner dans le lagon à **Kodak Beach**.

Dans le faubourg de **Toowong**, à seulement 8 km à l'ouest de Brisbane, se trouvent les **Mount Coot-tha Botanic Gardens**, 57 ha d'étangs et de parcs qui abritent une flore riche de milliers d'espèces.

Il ne faut guère plus d'une demi-heure pour atteindre, depuis le centre de Brisbane, les contreforts du massif d'Aguilar. Occupant 26 000 ha au nord-ouest de la ville, le **Brisbane Forrest Park** est une très belle forêt tropicale, frontière naturelle, sauvage et luxuriante qui est un excellent lieu de pique-nique et de randonnée à pied ou à cheval.

A l'est de Brisbane, il suffit de suivre le cours de la Brisbane River sur 40 km pour atteindre les plages de **Moreton Bay**. Les 300 îles (désertes pour certaines) font de cette baie un paradis de la navigation de plaisance et de la pêche sous-marine.

On peut gagner en bac **Moreton Island**, qui comprend la plus grande dune du monde, le **mont Tempest** (280 m de haut), et une plage longue de 30 km.

Au nord de Moreton Bay s'étirent les plages de surf de la Sunshine Coast et au sud celles de la Gold Coast.

LA GOLD COAST

Carte p. 240

Les 32 km de plage qui relient Coolangatta (à la frontière de la Nouvelle-Galles du Sud) et Surfers Paradise forment la **Gold Coast ❶**. Cette « côte de l'Or » est devenue, en moins de cinquante ans, le plus grand centre touristique du pays. En dépit de toutes les récessions économiques, l'immobilier est resté un secteur florissant qui a transformé le paysage. Certaines plages néanmoins sont de petites merveilles : celle de **Burleigh Heads**, notamment, fait partie d'un très beau parc national.

Surfers Paradise est moins le paradis des surfeurs que celui des 3 millions de touristes qui s'y rendent chaque année, attirés tant par la beauté de cette immense plage que par la vie nocturne qui fait la réputation de la station balnéaire. L'ombre des nombreux immeubles construits sur le front de mer recouvre la plage chaque après-midi. Exceptionnelle-

Surfers Paradise, lieu de rendez-vous de la jeunesse dorée de Brisbane et de tous les amateurs de surf, peut être comparée aux plages d'Ipanema (à Rio de Janeiro), de Miami ou de Cannes. Il y règne une intense vie nocturne.

Les Glass House Mountains (« montagnes de verre ») furent ainsi baptisées par le capitaine Cook sans doute en raison des reflets du soleil sur ses arêtes polies.

Ci-dessous (à droite et à gauche), les charmes de la Sunshine Coast.

ment, bars et discothèques ne ferment pas après minuit, des circuits *by night* sont organisés et le **Jupiters Casino** accueille tous les passionnés du jeu, nuit et jour. Le jour, les distractions ne manquent pas : spectacles de dauphins au **Sea World**, visite de la réserve ornithologique **Currumbin Bird Sanctuary**, ou du **Fleay's Wildlife Park**, qui, près de Tallebudgera, abrite des ornithorynques (espèce en voie de disparition). Citons encore la fabrique de boomerangs à **Mudgeeraba**, près de Burleigh Heads.

Brisbane est un bon point de départ pour découvrir l'arrière-pays du Queensland, ignoré des foules. Le plateau du sud du Queensland se prolonge par la région des **Darling Downs**, une succession de plaines fertiles vallonnées.

Petite ville de 9000 habitants, **Warwick** ❷ est la porte méridionale des « Downs » et le principal centre d'une économie tournée vers l'élevage. Deuxième ville du Queensland par son ancienneté (juste après Brisbane), sa période d'expansion coïncide – comme souvent en Australie – avec la découverte de filons d'or dans les environs. Warwick a conservé quelques-uns de ses bâtiments anciens, notamment le **Pringle Cottage**, qui date de 1863, mais les deux principales curiosités de la ville sont ses roses et son grand rodéo du mois d'octobre.

Au nord, **Toowoomba** ❸, principale ville après Warwick, au pied de la Great Dividing Range, est, avec 83600 habitants, la plus importante de l'intérieur du Queensland. Agrémentée de parcs, de jardins, de rues bordées d'arbres et de fleurs, elle est resplendissante au printemps.

Le **Lamington National Park** ❹ se trouve dans les **McPherson Ranges**, montagnes qui s'étendent à l'ouest de la Gold Coast. Dans une région qui fut soumise à une intense activité volcanique, le relief est des plus tourmentés. Grâce à l'humidité du climat, la végétation tropicale,

particulièrement luxuriante, peut être appréciée à partir d'innombrables sentiers de randonnée qui parcourent 20000 ha de collines, de gorges et de falaises. La forêt actuelle est un vestige de la zone tempérée qui occupait tout le Queensland avant la dérive du continent vers le nord; le changement de climat entraînant petit à petit le développement de la végétation tropicale, les fougères, les mousses, les orchidées et les lianes envahissent désormais le terrain.

LA SUNSHINE COAST

A 90 mn au nord de Brisbane, sur la **Sunshine Coast** ❺ (« côte du soleil »), l'économie touristique a misé sur ce que les Australiens appellent les *Big Things* : une série de grandes constructions publicitaires destinées à retenir l'attention des vacanciers qui passent à leur portée : entre **Nambour** et Yandina, on rencontre par exemple une sculpture représentant une vache de 9 m de haut, un ananas géant en fibre de verre, un coquillage monstrueux, une énorme bouteille de bière. Mais il ne faudrait pas en oublier d'admirer les Glasshouse Mountains ou les superbes plages de Maoochydore et de Coolum.

Noosa ❻ (il faut quitter la route principale, la Sunshine Highway, et passer par Yandina) a reçu le surnom de « Cannes de l'Australie », en raison d'une certaine élégance architecturale et du prix des terrains au mètre carré. Située à l'extrémité nord de la Sunshine Coast, cette station balnéaire de 17000 habitants est abritée par les eaux calmes de la **Laguna Bay**.

Les surfeurs ont été les premiers à découvrir ce qui n'était qu'un petit village de pêcheurs. La notoriété des meilleures plages de l'endroit – **Titree Bay**, **Granite Beach**, **Fairy Pool**, **Devil's Kitchen** – a survécu aux années 1970 : elles font désormais partie des grandes classiques du surf.

Carte p. 240

Tentative d'apprivoisement de la faune de la Noosa River.

FRASER ISLAND

S'étendant sur 145 km de long et 24 km de large, Fraser est la plus grande île de sable du monde. Son écologie sans équivalent lui a valu d'être inscrite au « patrimoine mondial » en 1992. Contrairement à la plupart des îles de sable, désertiques, Fraser est recouverte de forêts luxuriantes qui survivent à partir des nutriments contenus dans 15 cm seulement de terre arable superficielle.

Le paysage de l'île change sans cesse, des broussailles typiquement australiennes aux marais couverts de roseaux, entourés de *satinay* hauts de 60 m, sans oublier les vastes étendues de forêt tropicale, à la végétation si dense qu'elle occulte presque la lumière solaire. Au milieu des forêts s'égrènent plus de 200 lacs, les uns au-dessus, les autres au-dessous du niveau de la mer. Certains ont des eaux couleur thé, d'autres sont d'un bleu parfait. Le lac Mackenzie, par exemple, évoque un paysage des Caraïbes.

Cette île magnifique n'a cessé de changer de forme depuis des milliers d'années. Ses énormes dunes de sable progressent de plusieurs mètres par an, telles de silencieux glaciers jaunes, engloutissent des forêts entières, puis les abandonnent derrière elles, pétrifiées et fantomatiques. Mais la végétation finit toujours par reprendre le dessus.

Les Australiens découvrirent l'existence de l'île vers 1836, lorsque des marins britanniques naufragés y furent probablement massacrés par les Aborigènes. La seule survivante fut la femme du capitaine, Eliza Fraser. Elle vécut plusieurs mois avec les populations locales avant d'être sauvée par un bagnard évadé. Les occupants anglais utilisèrent d'abord l'île comme prison naturelle pour les Aborigènes. Mais, après avoir découvert sa richesse en bois précieux dans les années 1860, il regroupèrent les Aborigènes pour les transférer vers des missions et en auraient jeté un grand nombre à la mer.

Jusqu'en 1992, Fraser a été l'objet d'une des plus violentes luttes d'Australie pour la défense de la nature. Le combat contre l'extraction du sable (riche en rutiles et en zircons) commença dans les années 1970. Dans les années 1980, une seconde bataille aboutit à l'interdiction de l'exploitation forestière.

Des désaccords persistent cependant sur la meilleure façon de gérer la croissance exponentielle du tourisme – 10 000 visiteurs par an au début des années 1970, 350 000 aujourd'hui. L'île est largement ouverte au public, et les quatre postes de gardes forestiers veillent à empêcher les visiteurs de faire plus de dégâts que l'exploitation forestière.

En effet, pour un prix modique,on peut louer un 4x4 et parcourir les pistes de l'île et la plage de Seventy-Five Mile sur la côte est, et camper sur les emplacements réservés (le 4x4 est indispensable ; la circulation sur les plages ne doit se faire qu'à marée basse).

Si les pêcheurs préfèrent Waddy Point, les amoureux de la nature recherchent les plages désertes, comme celles du Great Sandy National Park, qui s'étend sur 840 km^2 au nord de l'île et dessine une incroyable mosaïque de lacs, de dunes et de forêts.

Les sables blancs du lac Mackenzie, à qui ses eaux limpides ont valu le surnom de « lac-fenêtre »

Le **Noosa National Park** est une pointe de 334 ha de forêt tropicale qui ferme la baie.

VERS LE NORD

La route de Brisbane à Cairns, la pointe nord de l'État, est longue de 1 703 km et n'est pas partout en parfait état. Les distances entre les villes côtières sont grandes, et le Queensland « profond » est un véritable désert sauvage. Il faut donc penser aux réserves d'essence et d'eau. Une fois réglées les questions pratiques, on peut profiter de plages isolées, de forêts tropicales, d'îles magnifiques, de pubs de campagne « authentiques », de coins de pêche et de fonds marins superbes. C'est ce qui fait le charme du *Deep North* (le « Nord profond »). Tout ceci à condition d'avoir du temps devant soi et de ne pas hésiter à vous détourner de la route principale.

Au nord de **Nambour**, la Highway One passe de quatre voies à deux, et l'étroitesse du passage rend délicats les croisements avec les camions. Tracter une caravane dans ces conditions est un exercice qui demande une certaine attention. Une confortable voiture avec air conditionné est toujours un atout supplémentaire qui permet de passer sans encombre les moins bonnes sections – surtout entre Sarina (au sud de Mackay) et Ayr.

Premiers rendez-vous sur la Highway One, **Gympie**, qui fut jadis l'un des centres aurifères les plus riches du Queensland, et **Maryborough ❼**, où l'on peut visiter un musée du Chemin de fer ou admirer quelques belles maisons victoriennes.

Non loin de là, **Hervey Bay** dispose d'un bac qui assure la liaison avec **Fraser Island ❽**. Un véhicule 4x4, que l'on peut louer sur place, est nécessaire pour explorer l'île.

Au nord de Maryborough, **Bundaberg** est accessible par la côte, à 45 mn de la Highway One. Cette petite ville de 59 000 habitants mise

Carte p. 240

En hiver, on brûle les champs de canne à sucre afin de les débarrasser des débris et des insectes.

principalement sur l'exploitation de la canne à sucre et produit un rhum brun célèbre dans toute l'Australie, Bundaberg Rum, affectueusement surnommé *Bundy* par ses amateurs. La région produit également du tabac, des fruits et des cacahuètes.

De Bundaberg, des avions permettent d'aller visiter **Lady Elliot Island**, à 85 km, première île touristique de la partie sud de la Grande Barrière de Corail.

Childers, au nord, est une ville classée entourée de collines entièrement recouvertes de plantations de canne à sucre et qui abrite encore quelques bâtiments victoriens.

On peut ensuite bifurquer vers **Woodgate Beach** et le **Woodgate National Park**, à 40 km de là.

Dans le sud du Queensland, **Roma** est le principal point d'accès au **Carnarvon National Park** ❾. Ses gorges de grès de 30 km de long forment une superbe oasis dans le désert. On y trouve une faune et une flore (fougères, mousses, orchidées, palmiers...) très variées et, surtout, des peintures aborigènes.

Juste à quelques kilomètres au nord du tropique du Capricorne (signalé par un panneau), **Rockhampton** ❿ mérite son surnom de « capitale du bœuf ». Une statue de taureau trône à chaque entrée de la ville : au sud, un taureau de Hereford, race britannique préférée des éleveurs du Sud, et, au nord, un taureau de Brahman, favori chez les éleveurs du Nord. L'élevage est la principale activité économique de la région ; c'est aussi un mode de vie qui a ses traditions et ses valeurs. L'esprit pionnier, fortement teinté de machisme, est cultivé avec grand soin par les *stockmen* (vachers australiens).

Rockhampton est une ville de 65 000 habitants en pleine expansion, avec des pubs modernes et des immeubles de bureaux, mais l'atmosphère reste très marquée par l'environnement inhospitalier du *bush* et des pâturages qui s'étirent à perte de

La gare ferroviaire de Maryborough, ville que Mark Twain décrivit comme une « gare qui tracte une ville ».

vue, souvent ravagés par le soleil, le feu et les inondations. Les fermiers et les *stockmen* ne vivent pas dans le *bush*, ils y survivent, loin de tout et de tous, menant une lutte inlassable contre la nature.

A **Yeppoon**, à 40 km de là, on peut se livrer aux joies de la baignade et déguster d'excellents fruits de mer.

Juste au nord, on trouve un immense complexe hôtelier, le **Capricorn International Resort** (ou Iwasaki Resort), dirigé par des Japonais. La construction de ce centre touristique a donné lieu à dix ans de controverses, de rumeurs et de scandales, sans oublier un attentat à l'explosif. Il existe en effet toujours en Australie un racisme anti-japonais hérité de la Seconde Guerre mondiale et entretenu par la crainte d'une invasion économique.

AU PAYS DU SAPHIR

De Rockhampton on peut également prévoir de faire un détour de 200 km jusqu'à **Emerald** ⓫. Cette jolie petite ville est courtisée par quantité d'intrépides chercheurs de pierres précieuses (saphir, topaze, améthyste et jaspe). Les gisements s'appellent Willows Gemfields, Tomahawk Creek, Glenalva, Sapphire, Rubyvale, Anakie et Reward.

La vie des chercheurs de pierres n'a rien d'idyllique. Ils vivent dans des tentes, des caravanes ou de vagues cahutes, et ont troqué le confort moderne contre une certaine liberté et l'excitation de la prospection. Ces mineurs vivent comme les pionniers du XIXe siècle. On trouve ici les gisements de saphirs les plus riches du monde. Les plus chanceux ont fait fortune en une semaine, grâce à la découverte de quelques pierres exceptionnelles. Mais la majorité des mineurs vivent modestement des petites pierres qu'ils vendent à des courtiers thaïlandais installés dans des bâtiments préfabriqués à côté des gisements. La concurrence est sévère : de plus en plus de chercheurs s'installent sur ces gisements, chassés des villes par la crise économique, et les grandes compagnies, qui disposent d'immenses exploitations à ciel ouvert.

Ce n'est pas le chemin le plus court, mais il permet de rejoindre la Highway One près de **Mackay** ⓬. Un vieux bateau de pêche taïwanais monté sur un socle de pierre à côté de la route accueille les visiteurs à l'entrée de Mackay. Les autorités maritimes arraisonnent en effet régulièrement des bateaux taïwanais en train de pêcher dans les eaux territoriales australiennes (autour de la Grande Barrière de Corail). Les navires sont confisqués et les équipages envoyés devant un tribunal avant d'être expulsés vers Taïwan.

L'Australie s'est donc retrouvée propriétaire de plus de 30 vieux bateaux taïwanais, inutilisables car non conformes aux règles de sécurité en vigueur. Le plus célèbre de tous est le Shin Hsun Yuan N° 3. Arraisonné par un bâtiment de la marine de guerre en 1976, il abrite le

Carte p. 240

Le célèbre crapaud du Queensland fut en fait importé d'Hawaï en 1935 afin de protéger les champs de canne à sucre des scarabées, mais il a tant proliféré qu'il est aujourd'hui une nuisance.

La splendeur de la Grande Barrière de Corail et la richesse de sa faune sous-marine ont séduit nombre de plongeurs sous-marins amateurs ou professionnels. On peut notamment pratiquer la pêche en eau profonde à Beaver Cay.

Le Great Barrier Reef Wonderland de Townsville possède le plus grand aquarium corallien du monde ; un tunnel sous-marin y plonge le visiteur dans les profondeurs du récif.

syndicat d'initiative de Mackay, fierté de tous les habitants de la ville.

Capitale sucrière de l'Australie, Mackay est une ville de 75 000 habitants dans laquelle il fait bon se promener. Ses rues sont spacieuses, bordées d'arbres (pour beaucoup importés du Sri Lanka), et plusieurs hôtels coloniaux ont été soigneusement restaurés. Dans le port, des plaisanciers du monde entier attendent tranquillement la fin de la saison des cyclones.

La Whitsunday Coast

Dans un rayon de 50 km au large de **Shute Harbour** s'étend l'**archipel des Whitsundays**. Ses 74 îles, montagneuses et boisées, abritent pour la plupart des parcs nationaux. Entourées de récifs coralliens, elles sont en majorité inhabitées.

Le trafic aérien de l'aéroport de **Proserpine** est en constante progression. Des avions de toute l'Australie viennent s'y poser. Située à 130 km au nord de Mackay, cette cité de 3 000 habitants est le principal accès à Airlie Beach, à **Shute Harbour** (ou « Whitsunday Harbour ») et aux îles Whitsundays.

Depuis **Airlie Beach**, plusieurs bateaux emmènent des passagers découvrir la Grande Barrière de Corail (à 60 km de là) ou les dépose sur ses îles : **Hamilton**, **Hayman**, **Hook**, **Lindeman**, **South Molle**, etc. Airlie Beach et Shute Harbour méritent une petite visite, ne serait-ce que pour goûter à la cuisine de leurs excellents restaurants.

Avec ses 110 000 habitants, **Townsville** ⓭ est la troisième ville du Queensland, et la première du Nord. Ce grand centre portuaire est le point de convergence de toutes les ressources agricoles et minières des territoires de l'intérieur. Flinders Street, la rue principale, est aussi la plus ancienne ; c'est ici que l'on voit la majorité des bâtiments historiques. Sur les 5 km de plage, en face du casino de Sheraton Breakwater, du Great Barrier Reef Wonderland et du parc d'attraction aquatique, la ville a installé récemment une fort agréable aire de loisirs .

Townsville est bâtie autour de son port, au pied d'une colline, **Castle Hill**, dont les rochers en granite rouge forment un décor spectaculaire (le point culminant est à 290 m). Un belvédère a été aménagé au sommet d'où l'on embrasse la ville entière. Il y a quelques années, un retraité de Townsville s'aperçut que si sa colline était plus haute de quelques mètres seulement, elle recevrait officiellement le titre de « montagne ». Il se mit au travail et charria des tonnes de terre au sommet pour gagner ces précieux centimètres… C'est qu'une farouche rivalité oppose Townsville et Cairns ; tout est bon dès qu'il s'agit d'affirmer la supériorité de l'une sur l'autre !

Parmi les sites intéressants de la région de Townsville, si la Grande Barrière de Corail est omniprésente, il ne faut pas manquer de visiter **Crystal Creek-Mount Spec National Park**, qui mérite une attention parti-

Si la plongée sous-marine est reine dans le récif corallien, la croisière, comme ici à bord du « Willow », est une autre manière, moins aventureuse mais tout aussi agréable, de découvrir les splendeurs de la Grande Barrière de Corail.

culière. La forêt tropicale est ici dominée par une montagne offrant une vue plongeante sur **Halifax Bay**. Crystal Creek, bordée de lagune est l'archétype du paradis exotique. A environ 10 km au nord d'Ingham, on découvre, du sommet, une vue splendide sur Hinchinbrook Mountain. Accessible par bateau depuis Cardwell, Hinchinbrook National Park, ses plages et ses forêts tropicales peuvent être aussi bien explorées par les randonneurs qu'admirées par les moins aventureux.

Les dangers de la baignade

Les nombreux cours d'eau de la région attirent une faune variée. Les amateurs d'oiseaux ne manqueront pas d'aller visiter les marais et les mangroves de **Town Common** : d'innombrables espèces aquatiques profitent de ce refuge naturel. Les excursions en bateau sont un autre des plaisirs de Townsville, mais on peut se contenter de promenades dans le centre.

Au nord de Townsville, la Highway One longe la côte de près : les occasions de s'arrêter pique-niquer, pêcher ou nager ne manquent pas. Mais attention, cette partie de la côte est connue pour les méduses urticantes qui l'infestent en été. La baignade est d'ailleurs interdite en cette saison : les piqûres peuvent être mortelles.

Autre mise en garde : à 45 mn au sud de Cairns, au cœur d'un des plus beaux paysages désertiques de la région, on arrive à **Babinda**. Lorsqu'il fait très chaud (très souvent, pour être juste), on peut être tenté de faire un détour vers un site montagneux appelé les **Boulders** (« les rocs »). Après une petite marche à travers la forêt, quoi de plus agréable que de plonger dans la rivière ? Si de nombreux panneaux touristiques vantent les charmes de ce site (pique-nique, baignade...), il faut néanmoins savoir que la baignade a déjà coûté la vie à près de 30 personnes (chutes, noyades) : les

Carte p. 240

Après-midi au Cairns Museum.

Boulders se classent en bonne position sur la liste des endroits les plus dangereux du pays. Les autorités n'ont pas jugé bon d'avertir les visiteurs du danger. Prudence, donc.

Le Far North

Cairns est la capitale du Grand Nord, le *Far North Queensland*, comme disent fièrement ses habitants, conscients du fait que leur ville est la plus connue du littoral.

Il y a quelques années seulement, **Cairns** ⓮ n'était qu'une ville de province comme beaucoup d'autres. Elle compte aujourd'hui 120 000 habitants, possède un aéroport international et une envergure que beaucoup de localités lui envient. Cairns est aussi devenue la capitale d'un vaste ensemble de stations balnéaires, comprises entre Mission Beach (150 km au sud) et Port Douglas (80 km au nord).

Attraction majeure de la ville de Cairns, l'**Esplanade** est une plate-forme d'observation d'où l'on jouit d'un exceptionnel panorama sur les montagnes et leur végétation tropicale. Le **Pier Marketplace** affiche une étonnante concentration de boutiques de luxe et de restaurants. C'est ici que se tiennent les Mud Markets, marchés qui présentent un large éventail de l'artisanat local. Cairns possède également un intéressant musée, le **Cairns Museum** (à l'angle de Lake Street et de Shields Street), dont les salles retracent la riche histoire de la région du Far North, tandis que la **Regional Art Gallery** présente les artistes locaux ainsi que diverses expositions centrées sur le Down South.

Cairns a perdu beaucoup de son charme en raison de l'accroissement du tourisme et de la prolifération d'hôtels de luxe et de résidences de vacances. Il ne faut pas hésiter à franchir les limites de la ville pour découvrir l'arrière-pays, où l'on peut se livrer à une foule d'activités (plongée sous-marine, rafting…).

Le train reliant Cairns à Kuranda traverse un magnifique paysage vallonné.

On peut aisément rejoindre l'**Atherton Tableland** ⓯ en voiture ou prendre le train jusqu'à Kuranda. L'Atherton Tableland est un immense plateau vallonné grimpant doucement jusqu'aux contreforts de la Great Dividing Range. L'altitude, le climat tropical, la fertilité du sol volcanique et la fréquence des précipitations se combinent pour entretenir l'une des régions les plus verdoyantes du Queensland. A la fin du XIXe siècle, l'endroit était encore une jungle pratiquement impénétrable. Les premières explorations eurent lieu entre 1874 et 1876 et suscitèrent de violents conflits avec les Aborigènes. La découverte de maigres gisements d'or et d'étain accéléra la construction de routes, puis l'agriculture devint vite la principale ressource de la région.

Juste au nord de Cairns, la Cook Highway traverse une succession de baies et de plages de **Kewarra**, **Trinity** et **Palm Cove**. Ce sont toutes de belles plages, très agréables après une matinée de lèche-vitrines à Cairns. Quelques plages et quelques millions de palmiers plus au nord (à 80 km de Cairns), on rejoint Port Douglas.

Cette ancienne cité de chercheurs d'or établie dans les années 1870 est rapidement devenue fantôme une fois les filons épuisés; **Port Douglas** ⓰, a connu une seconde jeunesse avec la construction du Sheraton Mirage Port Douglas. L'étroite rue principale regorge en effet de terrasses de cafés et restaurants. D'ici partent également la plupart des excursions à destination des plus belles sections de la Grande Barrière de Corail.

Passer par les bassins naturels de **Mossman Gorge**, est la meilleure façon de pénétrer la **Wet Tropics World Heritage Rainforest**. Un circuit de 3 km sillonne entre la végétation luxuriante et les montagnes.

Un peu plus au nord, **Daintree**, village qui vivait autrefois de la production de la cane à sucre, est aujourd'hui le point de départ d'ex-

Carte p. 240

Les Low Isles sont la destination idéale d'une escapade d'une journée.

LA PLUS VIEILLE FORÊT TROPICALE DU MONDE

S'étendant de Mossman vers Cairns, Cape Tribulation et Cooktown, la forêt tropicale humide australienne est vieille d'au moins cent millions d'années (la forêt amazonienne étant seulement âgée de dix millions d'années).

On suppose que l'ancêtre de toutes les forêts humides du monde s'est développé dans l'actuelle région de Melbourne. Il y a cent vingt millions d'années, l'Australie faisait partie d'un vaste continent, le Gondwana. Quand l'Océanie s'en est séparée il y a cinquante millions d'années, un climat plus sec a remplacé les conditions tropicales. La forêt humide qui recouvrait tout le pays se réduisit à moins de 1 % du continent. Depuis l'arrivée des Européens, l'exploitation forestière l'a réduite à 0,3 % (environ 20 000 km^2).

La forêt humide du nord du Queensland, aujourd'hui protégée par de nombreux parcs nationaux, possède la plus grande diversité biologique du monde. On y rencontre plus d'un cinquième des espèces d'oiseaux d'Australie, un quart des reptiles, un tiers des marsupiaux, un tiers des batraciens et les deux cinquièmes des plantes, réunis sur moins d'un millième de la masse continentale.

Dans les années 1980, les écologistes ont bataillé contre les exploitants forestiers et le gouvernement du Queensland. Dans l'ensemble, les « verts » ont triomphé sur les pelleteuses et la plupart des habitants du nord du Queensland ont aujourd'hui compris l'importance – y compris touristique et économique – de la protection des zones humides.

La forêt tropicale et ses habitants ont toujours su se défendre contre les intrus. Mieux vaut ne s'y aventurer qu'en compagnie d'un guide. On peut en effet y rencontrer, entre autres, le serpent taipan, à la morsure 300 fois plus toxique que celle du cobra, et quelques serpents presque aussi dangereux. Le python local, non venimeux, n'a lui rien d'impressionnant, bien que le record (8,50 m) soit détenu par un python de brousse trouvé près de Tully. Le crocodile marin, qui se cache dans les rivières et les trous d'eau les plus reculés, n'atteint ici que 6 m, contre 10 m pour certains spécimens des estuaires, mais reste tout aussi agressif. Le goanna est un lézard tacheté géant arboricole. Ses énormes griffes lui servent surtout à escalader les troncs, mais aussi à se défendre s'il se sent menacé. Les pattes du casoar, oiseau coureur haut de 2 m et à crête osseuse, sont armées d'un solide éperon de 10 cm de long. La *barking spide*r, ou « mangeuse d'oiseaux », dont l'envergure dépasse 15 cm, affectionne l'orée de la forêt et peut infliger de cruelles morsures.

Certaines plantes sont également à éviter. La vigne de Gympie, aux feuilles cordiformes, injecte dans la peau au moindre frôlement des épines siliceuses très urticantes.

Une autre plante très répandue est la *lawyer cane* ou « vigne-avocate ». Cette vigoureuse liane agrippeuse, heureusement inoffensive, est hérissée d'une multitude de vrilles barbelées qui s'accrochent aux vêtements et à la peau, d'où son surnom d'« attendez-un-peu » (*wait-a-while*).

Fougères géantes typiques de la forêt humide primaire à Cape Tribulation

cursions en bateau sur la rivière du même nom.

L'accès à cette région sauvage, notamment au **Cape Tribulation National Park** (41 km de route après la Daintree), est pratiquement interdit aux véhicules ordinaires pendant la saison des pluies (les 4x4 ont parfois du mal à passer). **Cape Tribulation** est l'endroit où commencèrent les ennuis du capitaine Cook dont le navire s'échoua sur un des récifs du rivage. C'est un lieu unique où la forêt tropicale s'étend jusqu'au rivage.

LA VILLE DE COOK

Si l'on dispose d'assez de temps, on peut s'engager sur la route menant à **Cooktown** ⓱ : une petite épreuve de 340 km (en partant de Cairns) à passer sur une piste dans un 4x4. Avec l'expérience acquise depuis Brisbane, cela ne devrait poser aucun problème. En outre, la Cape York Department Road, qui conduit également de Cairns à Cooktown, entièrement goudronnée, permet de voyager dans un véhiule classique. Cette petite localité d'environ 2000 habitants peut se vanter d'avoir été la véritable première colonie australienne : en 1770, le capitaine Cook répara ici son bateau, l'*Endeavour*, qui avait subi quelques dommages en se frottant de trop près aux récifs coralliens. Pour alléger le navire qui s'était échoué, les canons furent passés par-dessus bord. Ils ont été repêchés il y a quelques années seulement. Mis à part ces quelques canons, le célèbre capitaine anglais a donné son nom au site.

Plus tard, Cooktown s'est trouvée sur la route de la ruée vers l'or de la Palmer River : sa population atteignait le chiffre record de 35000 habitants, et il y avait 94 hôtels en ville ! En 1874, Cooktown était la deuxième ville du Queensland après Brisbane. Cette glorieuse époque fait maintenant partie d'un passé révolu : le vieux cimetière est la

Carte p. 240

Il ne faut pas laisser traîner sa main dans l'eau lors d'une croisière sur la Daintree River !

Plage déserte de Cape Tribulation.

Une statue en l'honneur du capitaine Cook a été érigée à Cooktown : chaque année, en juin, le Discovery Festival met en scène son arrivée en 1770.

seule trace restante de la communauté de mineurs chinois (2500 personnes) venus chercher fortune. Mais, contrairement à d'autres villes de ce genre, Cooktown n'a rien de sinistre : c'est un endroit remarquablement bien préservé, où l'on peut admirer de nombreuses maisons anciennes. La visite du **James Cook Historical Museum**, dans les Sir Joseph Banks Gardens, a presque valeur de pèlerinage.

Parvenu à ce point du Queensland, comment pourrait-on décider de faire demi-tour, alors que la péninsule de Cape York n'est plus qu'à quelques... centaines de kilomètres ? Cet immense triangle pointé vers les côtes de la Nouvelle-Guinée est la « dernière frontière » australienne (mais les Australiens le disent avec fierté de nombreuses autres régions sauvages), un territoire presque désert occupé par des réserves aborigènes, des mines de bauxite (à Weipa, le plus grand gisement du monde) et de rares fermes d'élevage. Dépourvu de routes goudronnées, inaccessible à la saison des pluies, le cap York possède de gigantesques parcs naturels.

En route vers la pointe, il ne faut pas manquer les peintures et les gravures aborigènes sur les rochers de la **Quinkan Reserve**, à Weipa. La découverte de cette région est difficile, fatigante, mais absolument unique.

Le petit village de **Laura** ⓲ est situé à l'extrémité sud du **Lakefield National Park** ⓳, qui présente une étendue de marécages, de lagunes, de mangroves et de forêt tropicale possédant une riche faune. Un 4x4 est ici vivement conseillé.

Depuis Cooktown, il faut trois ou quatres jours pour atteindre la pointe de **Cape York** ⓴.

Au large s'étendent les îles du **détroit de Torres**, toutes proches de la Nouvelle-Guinée. La plupart d'entre elles sont inhabitées. La petite **Thursday Island** ㉑ (3 km^2) est la plus connue. Ancien centre de l'industrie perlière, elle reçoit

Reconstitution du débarquement du Captain Cook

aujourd'hui principalement les plaisanciers. Une façon originale de voir de près la côte du Far North et les Torres Straits consiste à embarquer à Cairns pour un voyage de cinq jours à bord du caboteur MV *Trinity Bay* qui ravitaille les villages isolés de Cape York aux Thursday Islands.

L'outback

Depuis Townsville, il suffit de se diriger vers l'ouest par la Flinders Highway et de franchir la Great Dividing Range pour découvrir le paysage aride de l'*outback*. Si quelques grands axes, la Flinders Highway, la Capricorne Highway et la Landsborough Highway, desservent les principales villes, qui se font de plus en plus rares, le voyage devient plus périlleux lorsqu'on se risque sur les routes annexes.

A 135 km de Townsville, **Charters Towers** ㉒ doit son ancienne prospérité à Jupiter, enfant aborigène qui découvrit un filon d'or dans la région lors d'une expédition dirigée par le prospecteur Hugh Mosman en 1872. En un an, le lieu fut investi par 3000 prospecteurs. Minuscule village, Charters Towers connut un formidable essor grâce à ces richesses brusquement sorties de terre. Ses deux rues principales, Gil Street et Mosman Street, ont de somptueuses maisons coloniales, dont les vérandas et les balcons en fer forgé témoignent encore de ce brillant passé.

Encore plus à l'ouest s'étendent les vastes gisements de schistes bitumineux de **Julia Creek**. La Flinders Highway rejoint ensuite **Hughenden**, à 350 km à l'ouest de Charters Towers, centre économique de la région pastorale de la Flinders River. A 70 km au nord de Hughenden, dans un parc national de 3000 ha, la **Porcupine Gorge** (« gorge du porc-épic ») dresse ses parois vertigineuses à 120 m de hauteur.

Le rôle historique de **Cloncurry** ㉓, petite ville de 2000 habitants située à 390 km à l'ouest de Hughen-

Carte p. 240

Ces cinq personnes représentent à elles seules 5 % de la population de la petite ville de Laura !

den, est souligné par de nombreux monuments érigés à la mémoire de l'époque des pionniers. La découverte de cuivre à la fin du XIXe siècle provoqua l'implantation d'une petite colonie de mineurs, mais, à partir de 1916, la production ne cessa de décliner. Cloncurry doit sa notoriété à John Flynn, qui y fonda en 1928 la première base du Royal Flying Doctor Service. De la bouche même de John Flynn, il s'agissait d'*« étendre un manteau sanitaire »* sur l'*outback*. Dans la foulée, on fonda aussi le premier service d'enseignement par radio, la School of the Air, afin d'offrir une instruction aux enfants des fermes les plus reculées.

A 887 km de Townsville se trouve **Mount Isa** ㉔. Environ 25 000 personnes y vivent encore de l'activité minière. Ses gisements de cuivre, d'argent, de plomb et de zinc sont les plus importants du monde (plus de 300 millions de tonnes de cuivre sont extraites chaque année). Ils ont été découverts en 1923 par l'explorateur John Campbell et les bâtiments n'ont pas tardé à remplacer les quelques tentes des premiers mois. Mount Isa, première cité minière d'Australie, possède aussi le territoire communal le plus étendu au monde : 41 000 km^2, soit une superficie supérieure à celle de la Suisse. Des visites des galeries souterraines sont organisées tous les jours, mais il est indispensable de réserver sa place à l'avance.

Après avoir franchi la Great Dividing Range, on pénètre dans les contrées arides de l'outback, où les villes se font de plus en plus rares. A 887 km de Townsville, Mount Isa est une ville minière toujours en activité, perdue au milieu de nulle part.

Que font les mineurs et leurs familles dans ce désert inhospitalier lorsqu'ils ne travaillent pas ? Ils vont se baigner dans le lac artificiel de **Moondarra** ou se réunissent dans la centaine de pubs de la ville. Comme il s'agit également du pays des grands élevages, le rodéo joue un rôle important. Celui du mois d'août, qui compte trois jours de compétitions et de fête, réunit les meilleurs spécialistes de la discipline.

Non loin de là, au nord-est de Mount Isa, le gisement de fossiles de **Riversleigh** est le paradis des archéologues. Des traces de nombreuses espèces préhistoriques inconnues ont été découvertes ces dernières années. Certains des fossiles découverts ici remontent à quinze ou trente millions d'années.

Plus au sud, les 3 000 habitants de **Longreach** ㉕ doivent se sentir bien peu nombreux face au million de moutons qui les entourent. Longreach est le berceau de la compagnie aérienne Quantas (Queensland And Northern Territory Air Service), qui s'y installa entre 1922 et 1924. Le hangar de l'époque est toujours en service et les responsables veillent à ne rien changer à l'allure de ce vénérable ancêtre, qui servit notamment à l'assemblage d'une demi-douzaine de biplans DH-50 en 1926. Plus récemment, un célèbre fabricant de vêtements et de bottes d'équitation, R. M. Williams, a financé la construction d'un grand musée consacré aux pionniers, l'**Australian Stockman's Hall of Fame and Outback Heritage Centre**.

Au sud-est de Longreach, **Blackall** fut le site d'un exploit typi-

Carte p. 240

quement australien : en 1892, un tondeur de moutons, Jackie Howe, réussit à tondre 321 bêtes en une seule journée. Malgré l'introduction des tondeuses électriques, ce record ne tomba qu'en 1950 !

Charleville, au croisement de la Mitchell Highway et de la Warego Highway, se trouve au centre d'une immense région d'élevage. Elle était autrefois l'un des grands rendez-vous des explorateurs. Actuellement, des antennes du Royal Flying Doctor et de la School of the Air y sont établies, ouvertes aux visiteurs les jours de semaine.

Les deux localités de Betoota et de Birdsville méritent à peine le nom de village. La première, **Betoota**, située au milieu d'une immense plaine, reçoit rarement des visiteurs, c'est plutôt un lieu de passage pour ceux qui se rendent à Adélaïde par la Strzelecki Track.

Birdsville ㉖, servait autrefois de poste douanier pour les marchandises et le bétail importés d'Australie Méridionale, dont la frontière se trouve à 12 km. Aujourd'hui, elle ne compte peut-être pas plus de 30 habitants, mais elle est pourtant connue de tous les Australiens : A 36 km à l'ouest, une gigantesque dune surnommée **Big Red** marque le commencement de la célèbre Birdsville Track, piste qui traverse le *bush* et qui accueille chaque année, en août ou septembre, des milliers de passionnés de courses de chevaux lors des Birdsville Picnic Races. Quant au pub local, il est peut-être le plus célèbre du pays.

Vers l'ouest, les dunes du **Simpson Desert National Park** s'étendent sur 5 000 km² jusqu'à Alice Springs.

Pour ceux qui viennent de Betoota ou de Birdsville, le premier signe de civilisation s'appelle **Windorah**. Deux rivières, la Barcoo et la Thomson, s'y rejoignent dans une anse, **Cooper Creek**, qui coule vers l'ouest dans les plaines de l'Australie-Méridionale avant de s'évaporer dans le désert.

Deux habitants de Birdsville.

LA GRANDE BARRIÈRE DE CORAIL

Trésor naturel, la Grande Barrière de Corail (Great Barrier Reef) exerce une véritable fascination sur tous ses visiteurs. Elle s'étend sur 2300 km, de la pointe nord-est du continent à Bundaberg, au sud. Cette « barrière » est en fait constituée de 320 îles coralliennes et de 2600 récifs si rapprochés dans la partie sud qu'ils forment un obstacle long de 950 km difficile à franchir.

Chaque récif est formé de milliards de squelettes coralliens, enveloppes calcaires sécrétées par les polypes, disposés en couches successives et imbriqués de façon inextricable les uns dans les autres. Seule la dernière couche est vivante, composée de plus de 300 espèces différentes, qui produisent une merveilleuse variété de couleurs et de formes.

Aux îles coralliennes (caye), qui ressemblent à des bancs de sable couverts de palmiers, s'ajoutent quelques îles continentales, souvent montagneuses et verdoyantes, formées par l'activité glaciaire du continent.

La taille du **Great Barrier Reef Marine Park** n'a cessé d'augmenter depuis sa fondation, en 1970. Ce parc gère tout ce qui touche à la Grande Barrière de Corail, tel le tourisme, la pêche et les recherches scientifiques sur 98 % de la barrière. Il abrite une formidable faune sous-marine : notamment près de 2000 sortes de poissons, parmi lesquels raies, requins, thons, carangues, sergents-majors, chirurgiens... Outre les requins, qui parfois s'aventurent dans le lagon, il faut également se méfier du *stone-fish*, qui est doté d'épines au poison mortel. Mais le danger le plus fréquent vient des méduses urticantes (*jellyfish*). Toutes les plages du continent sont équipées de panneaux signalant les baignades dangereuses. Si les plages des îles ne les attirent pas, il est toutefois préférable de rester prudent.

Ces dernières années, la barrière a beaucoup souffert des agressions humaines, telles que les bateaux, qui y jettent l'ancre, ou les plongeurs, qui l'endommagent gravement. Sans négliger la pollution marine, grande menace pour le corail.

AU SUD, LE CAPRICORNIA MARINE PARK

En partant du sud de la Grande Barrière, voici, accessibles en bateau, en avion ou en hélicoptère, les principales îles aménagées.

Lady Elliot Island ❶ est reliée à l'aéroport de Bundaberg. Cette belle île corallienne de 42 ha dispose de bungalows à louer, à des prix exceptionnellement abordables. Les superbes fonds marins en font un agréable lieu de plongée.

Lady Musgrave Island ❷ est un minuscule récif, accessible par bateau à partir de Bundaberg, qui fait partie de l'archipel de Bunker. Inhabitée, cette île est un parc naturel réservé aux visiteurs d'un jour ou aux campeurs équipés.

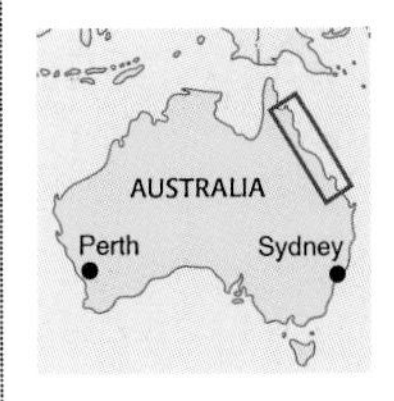

Pages précédentes : une plage de Heron Island, dans la partie sud du récif.

La Grande Barrière de Corail compte de nombreuses îles coralliennes dont les fonds permettent de découvrir une étonnante flore assortie d'une très riche faune (à gauche), mais aussi des îles montagneuses comme Brampton Island (à droite), île qui présente une luxuriante végétation tropicale.

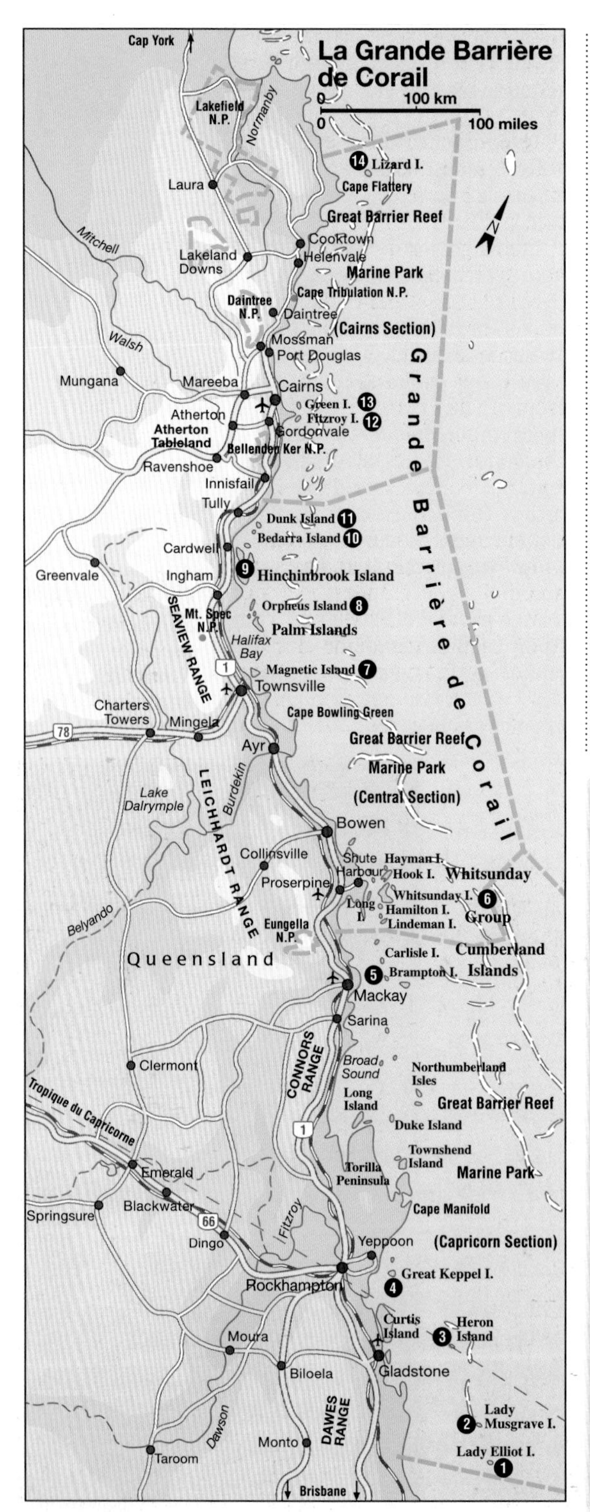

Heron Island ❸ est un récif long d'un kilomètre qui est l'un des plus célèbres et donc… des plus chers. Là où la plage se termine commence le récif de corail. La faune sous-marine de toute beauté fera le bonheur des plongeurs passionnés. L'accès est facile en avion ou par bateau, au départ de Gladstone. Le camping n'y est pas autorisé.

A en juger par l'enthousiasme des jeunes vacanciers, la vie nocturne ne manque pas d'animation à **Great Keppel Island** ❹. Cette île dispose de 18 km de plages de sable blanc, de chemins de randonnée et offre une vue magnifique sur le continent. Le camping ou les chambres sont assez bon marché. On y a accès par avion à partir de Rockhampton ou par bateau au départ de Rosslyn Bay.

Brampton Island ❺ est une île très montagneuse située à quelques encablures de Mackay. Elle est très fréquentée, pour son décor tropical et ses eaux calmes et coralliennes.

Voile, ski nautique (dans la baie), belles plages et randonnées en forêt. On y a accès à partir de Mackay et de Shute Harbour.

LES ÎLES WHITSUNDAYS

Lindeman Island, île luxueuse et particulièrement belle, possède plus de 20 km de sentiers de randonnée à l'intérieur d'un parc national de 500 ha. On y a de belle vue sur les îles voisines, qui forment l'archipel des **Whitsundays Islands** ❻, et elle compte de nombreuses petites plages et baies isolées. On y a accès à partir de Mackay et de Proserpine.

Hamilton Island est la plus grande des îles Whitsundays et aussi la plus touristique, grâce à son complexe hôtelier, à son aéroport (qui offre des liaisons avec toutes les grandes villes australiennes) et à ses nombreux équipements sportifs. On a parfois comparé cette île à une sorte de Disneyland, ce qui n'est pas tout à fait inexact...

Long Island se trouve à proximité de Shute Harbour, à laquelle elle est reliée par bateau. L'île possède deux complexes hôteliers : le Whitsunday 100, réservé aux jeunes, et le Palm Bay Resort, destiné aux amateurs de calme et de nature.

Une petite station de vacances a été aménagée sur **South Molle Island**, grande île montagneuse, fréquentée et relativement chère. Baignade, plongée, voile, golf, pêche et... boutiques de luxe y sont les distractions. Des garderies et des activités sont prévues pour les enfants. On y a accès à partir de Shute Harbour.

Daydream Island est située juste en face de Whitsunday Harbour. Les prix y sont relativement modestes pour une station aussi fréquentée, avec des équipements touristiques très complets de grandes plages et une large gamme d'activités.

Hook Island, deuxième des îles Whitsundays par la taille, et qui abrite un observatoire sous-marin, convient aux budgets plus modestes.

Carte p. 266

A gauche, plongée en apnée dans le récif de corail ; ci-dessous, un garde du Marine Park.

Il y a des possibilités de camping, et d'excursions en mer vers d'autres récifs.

Sur **Hayman Island**, une luxueuse station de vacances a été aménagée dans un lagon corallien, proche de la ceinture extérieure de la Grande Barrière. on y trouve de superbes plages et des eaux poissonneuses, mais aussi un beau paysage de collines boisées. La restauration y est haut de gamme. Il y a des liaisons à partir de Proserpine, de Shute Harbour et de Townsville.

Le nord du récif

À en croire le capitaine Cook, **Magnetic Island** ❼ avait la curieuse propriété de fausser les boussoles. Cette grande île continentale de 5 000 ha est classée parc national. Facile d'accès (à 7 km seulement de Townsville), elle reçoit la visite de nombreux touristes venus y passer la journée, et on trouve des possibilités d'hébergement à bon marché. On peut y venir avec sa voiture et trouver facilement un bel endroit tranquille.

Orpheus Island ❽ est aussi une île continentale qui fait partie de l'archipel des **Palm Islands**, au nord-est de Townsville, à proximité de la ceinture extérieure de la Grande Barrière. Une grande partie de l'île est classée parc national. Les collectionneurs trouveront de superbes coquillages sur les plages. La station de vacances est assez chère.

Hinchinbrook Island ❾ est un vaste parc national destiné à protéger la forêt tropicale, les mangroves, les superbes plages et la faune marine (notamment le dugong, mammifère marin lointain cousin de l'éléphant et des tortues de mer géantes). Cette île continentale est l'endroit idéal pour les randonneurs et les naturalistes, et les prix y sont assez modérés. On y a accès à partir de Townsville ou de Cardwell. Le trek de Thorsbone Trail, qui dure 3 à 5 jours, est l'un des plus beaux au monde.

Bedarra Island ❿ est une petite île continentale accessible au départ de Dunk Island, avec une luxueuse station de vacances aménagée il y a quelques années, des plages de sable blanc et des baies très calmes.

Dunk Island ⓫ est couverte d'une forêt tropicale exubérante protégée par un parc national ; un complexe hôtelier et un terrain de camping se trouvent juste à côté. Cette île volcanique, plutôt réservée aux gros budgets, est accessible de Townsville, de Cairns et de Mission Beach.

Fitzroy Island ⓬, île continentale encerclée par les coraux, idéale pour plonger et pêcher, est accessible à partir de Cairns.

Green Island ⓭, minuscule récif corallien au large de Cairns, avec un bel observatoire sous-marin, est idéale pour les courtes excursions. Les hébergements, limités, sont en général très chers.

Lizard Island ⓮, île continentale située la plus au nord, est la principale base pour la pêche au poisson-épieu (« marlin »). Excursions et séjours, très onéreux, sont plutôt réservés aux passionnés de pêche au gros.

Paradis incontesté des plongeurs sous-marins, la Grande Barrière de Corail s'est dotée d'aménagements spéciaux de tout premier ordre, comme l'immense catamaran « Quicksilver », qui a été amarré et transformé en ponton.

DÉCOUVRIR LA GRANDE BARRIÈRE

La meilleure période pour découvrir la Grande Barrière se situe entre fin avril et octobre, le ciel clair et la brise modérée offrant des conditions parfaites pour observer le corail, plonger, nager et pêcher. Dès novembre apparaissent les signes avant-coureurs de la saison humide : vent, nuages et pluies. Et en janvier, les averses sont quotidiennes.

Inutile de séjourner sur une île du large pour explorer la Grande Barrière : le plus simple est d'effectuer une excursion d'une journée à partir de Cairns ou de Port Douglas. Chaque matin, des dizaines de navires quittent ces deux ports pour rejoindre les sites de plongée, où l'on peut observer des baleines entre les mois de septembre à juin. Il est également possible d'atteindre la Barrière depuis Cape Tribulation.

Après une heure de navigation, le navire mouille à proximité du récif de corail. L'eau est si peu profonde qu'un tuba et un masque suffisent pour contempler la vie marine. La plupart des bateaux proposent également des bouteilles aux plongeurs expérimentés et des zones de plongée sont réservées aux novices.

En surface, seuls quelques bancs de sable peuplés d'oiseaux de mer viennent ponctuer l'immensité turquoise, mais dès que l'on plonge, le monde explose de couleurs et de formes. On ne sait plus où regarder, entre les vastes buissons de corail corne de cerf, dont les pointes pourpres brillent comme des guirlandes d'arbres de Noël, les touffes de corail-champignon d'un bleu brillant, les empilements de corail-assiette rose, les bosses vertes du corail-cerveau…

Les poissons tropicaux aux habits éclatants glissent aux alentours comme pour faire admirer leurs motifs colorés : le poisson-flûte, le poisson-chauve-souris à longues nageoires, le poisson-écureuil samouraï, le labre maori, le sergent-major de Whitley. Parmi eux évoluent des étoiles de mer écarlates et de noirs concombres de mer. Malgré leur bel aspect satiné, il ne faut surtout pas toucher aux cônes (leurs aiguilles sont venimeuses) ni aux poissons-pierres, dont les épines dorsales peuvent être mortelles.

Les excursions suivent toutes peu ou prou la même organisation : la plongée du matin est suivie d'un repas-buffet ; une seconde plongée a lieu l'après-midi. Avant de réserver, il faut se renseigner sur la présence à bord d'un biologiste marin capable d'expliquer l'écologie du récif et sur le nombre de passagers, qui va de plusieurs centaines sur les catamarans *Quicksilver* à moins d'une dizaine sur les plus petites embarcations.

En général, plus le bateau va loin, plus la plongée est superbe (ainsi, les Low Isles, trop proches de Port Douglas, ont souffert d'un tourisme intense). Mais inutile de succomber au battage publicitaire sur le « récif extérieur ». En tant que bordure du plateau continental, c'est en effet, géologiquement parlant, le « véritable » récif, mais il n'est pas plus spectaculaire que les autres.

Même l'hiver, l'eau n'est jamais froide, mais le port d'une combinaison est amplement justifié : elle permet d'évoluer confortablement dans ce décor extraordinaire pendant des heures.

Parmi les poissons aux couleurs éclatantes.

LA PLUS GRANDE CRÉATURE VIVANTE

La Grande Barrière de Corail n'est pas seulement le milieu le plus riche en organismes de toute la planète, il forme aussi un écosystème d'une incroyable complexité ; le plus diversifié connu de l'homme.

Cette colossale variété est le fruit de la maturité d'un biotope qui s'est développé depuis des millions d'années. Au cœur de ce système figure le modeste polype, animal minuscule, parent de l'anémone de mer, qui n'est qu'une bouche entourée de tentacules, prédateurs avec un squelette calcaire externe dans lequel l'animal se retire le jour. Ce sont les « coraux durs ». Lorsque les polypes meurent, leurs squelettes s'ajoutent à l'ossature du récif. Les polypes sont reliés entre eux par des vaisseaux transportant les aliments digérés par chacun. Les squelettes doivent leur cohésion à la présence, dans les tissus, des polypes de millions d'algues microscopiques symbiotiques qui fournissent, en quelque sorte, le mortier liant les briques de calcaire. C'est ainsi que cette accumulation de plantes et d'animaux peut être considérée comme le plus grand organisme vivant de la planète. Elle héberge une variété fantastique de formes de vie qui ne sauraient vivre sans elle, avec plus de 1 000 espèces de poissons, du plus simple d'apparence au plus bizarrement décoré. On y trouve des requins (comme l'aileron blanc du lagon, ci-dessus), l'énorme raie manta et quelques-uns des plus gros marlins du monde, auxquels s'ajoutent des milliers de crustacés (crabes, homards, langoustes et crevettes), des étoiles de mer, des oursins et des limaces de mer et une variété presque infinie de mollusques. Les dugongs, cousins des lamantins, se nourrissent d'herbes sous-marines autour de la Grande Barrière, qui est aussi un lieu de reproduction pour les baleines à bosse et les tortues vertes.

▲ *Pour cette murène javanaise, un trou dans le récif est un endroit commode où se mettre à l'affût. Ce prédateur aux dents coupantes peut atteindre 3 m de long.*

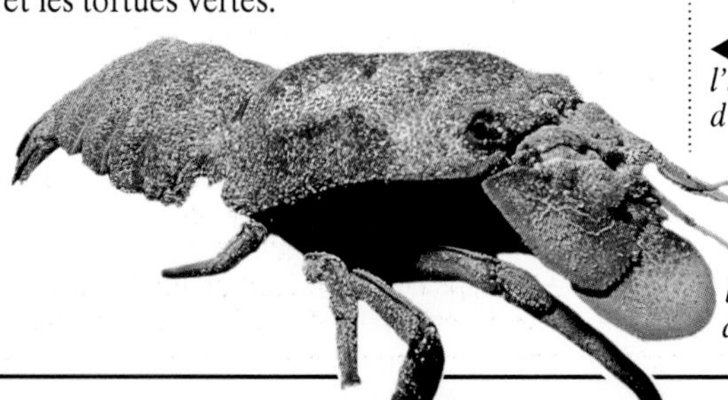

◀ *La cigale de mer est l'une des milliers d'espèces de crustacés qui peuplent le récif. Cet animal fouisseur se sert de ses « pelles » pour labourer le sédiment et déloger ainsi ses proies.*

▲ *Cod Hole, site en pleine mer à 40 mn de bateau de Lizard Island, est réputé pour sa richesse en poissons de belle taille, comme ce mérou-patate de 60 kg.*

◀ *Les coraux mous, sans squelette, ne s'intègrent pas au récif après leur mort. Les coraux fleurs, surtout jaunes ou bruns, ne s'ouvrent que la nuit pour se nourrir.*

▲ *Il y a 300 espèces de coraux durs, dont les Acropora à « bois de cerf », les plus communs. Ils sont de formes et de couleurs diverses, tel cet acropore « lilas ».*

◀ *L'anémone de mer, cousine des coraux mais sans squelette, se nourrit d'organismes en suspension dans l'eau. Les poissons-clowns à collier qui vivent en symbiose avec elle la débarassent de ses déchets alimentaires.*

▲ *Les gorgones et les gorgones-fouets sont des coraux « cornés », comme les coraux durs et les anémones. Autour de leur armature flexible vivent les polypes, le tout, dans le cas d'une gorgone géante, pouvant faire 3 m de diamètre.*

LE PIRE ENNEMI DU RÉCIF?

La « couronne du Christ » (Acanthaster), une étoile de mer, menace la Grande Barrière. Cet animal repoussant s'accroche aux coraux et y dévagine son estomac, dont les sucs dissolvent les polypes et laissent des coraux morts et blanchis. Cette étoile est venimeuse pour les poissons et peut se régénérer à partir d'un bras ou d'un bout d'intestin. Le triton, un mollusque, est l'un de ses rares prédateurs. Au début des années 1960, la population de cette étoile de mer passa de quelques individus à plusieurs millions. En 1962, Green Island fut le premier site touché. Le fléau s'étendit vers le sud, atteignant les récifs de Bowen vers 1988. Les observations faites entre 1985 et 1988 montrèrent que 31 % des récifs étaient touchés. Nul ne connaît la vraie cause de cette prolifération. La hausse de la température des eaux en surface pourrait en partie l'expliquer. Faute de moyen d'action, les savants ont décidé de laisser faire, considérant que ce n'était qu'un moment du cycle de vie du récif.

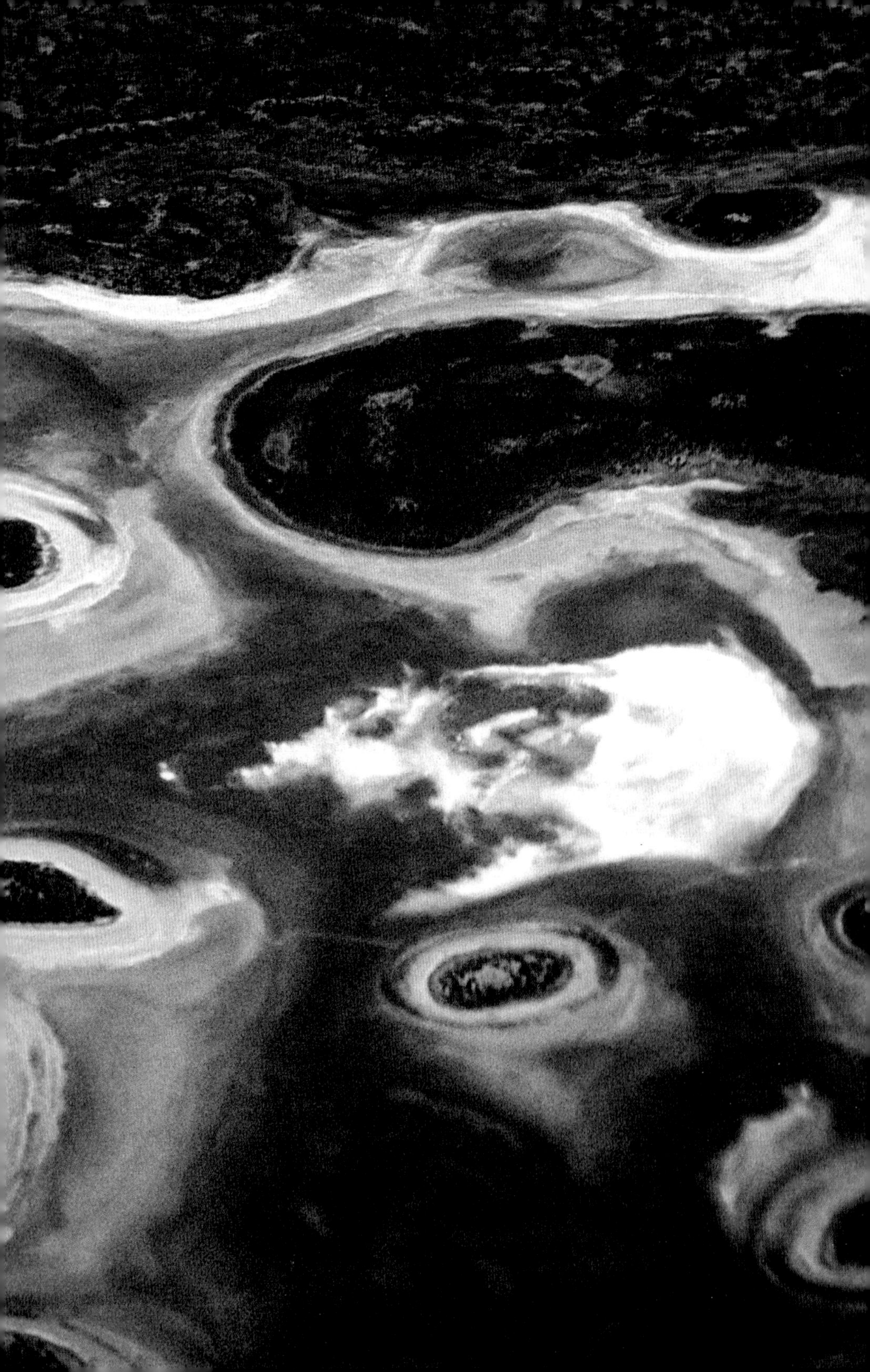

LE TERRITOIRE DU NORD

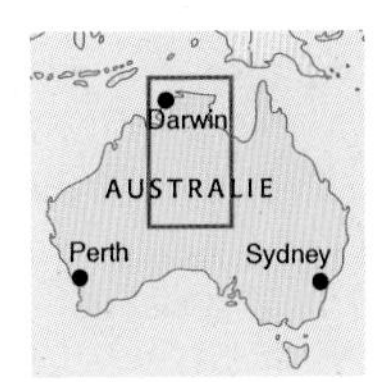

Le Territoire du Nord, grand comme deux fois la France, compte à peine 160 000 habitants. Cette disproportion lui vaut la particularité d'être directement administré par Canberra, qui délègue à Darwin, la capitale fédérale, une partie de ses pouvoirs. Ce système a adopté une série de mesures en faveur des Aborigènes. Votée par le gouvernement de Canberra en 1976, une loi a permis aux 30 000 Aborigènes du Territoire du Nord d'obtenir une première reconnaissance politique, en retrouvant certains droits sur leurs terres ancestrales, soit un tiers de la superficie de l'État.

Le Territoire, comme disent les Australiens, peut se diviser en deux grandes parties : le Centre – appelé Red Heart (« cœur rouge ») d'après la couleur de la terre et des roches –, qui s'étend autour d'Alice Springs et d'Ayers Rock ; le Nord – le *Top End* –, qui cerne la région de Darwin. Mille six cents kilomètres de route séparent ces deux grands pôles ; c'est indiscutablement le meilleur moyen de découvrir le Territoire, même si le passage fracassant des *road trains* (camions avec trois ou quatre remorques) réclame une certaine attention de la part du conducteur.

« Si Alice m'était contée »

Alice Springs ❶, surnommée *The Alice*, est posée au beau milieu du massif des **MacDonnell Ranges**, presque au centre géographique du continent. C'est aujourd'hui une petite ville moderne de 27 000 habitants qui a récemment bénéficié de l'intérêt croissant porté à la culture aborigène (les Aborigènes représentent 10 % de sa population). Si les rues piétonnes et les hôtels internationaux dessinent les contours d'un cadre très urbain, le désert est néanmoins omniprésent.

La ville doit sa naissance au télégraphe. L'administration, qui cherchait à établir un relais dans le désert, retint ce site en raison de la présence d'un point d'eau dans le lit asséché de la Todd. Cette rivière doit son nom à Charles Todd, administrateur du télégraphe à Adélaïde ; sa femme se prénommant Alice, la station télégraphique, bâtie en 1871, reçu le nom d'Alice Springs, les « sources d'Alice ».

À 4 km au nord de la ville, le relais, **Telegraph Station**, est resté en service jusqu'en 1933, puis a été transformé en musée. La ligne reliait Adélaïde, Alice Springs et Darwin (point de départ de la ligne sous-marine qui permit un contact direct entre l'Australie et l'Europe). La route qui rejoint ces mêmes villes suit à peu près le même chemin que cette ligne télégraphique. On peut encore croiser quelques anciens postes le long de la route.

Alice Springs s'est développée assez lentement. En 1925, on ne recensait encore que 2 000 habitants. La ville prit de l'importance en 1929,

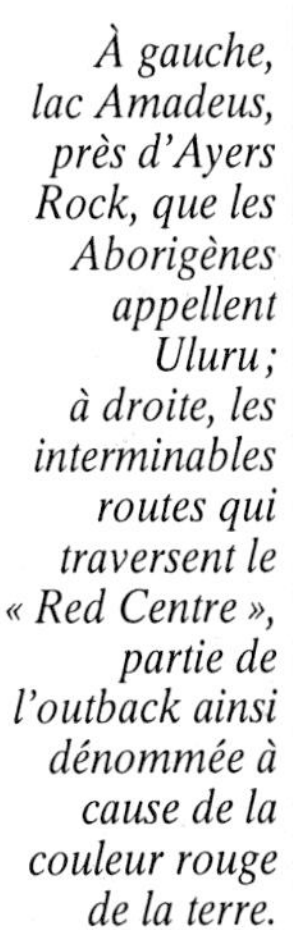

À gauche, lac Amadeus, près d'Ayers Rock, que les Aborigènes appellent Uluru ; à droite, les interminables routes qui traversent le « Red Centre », partie de l'outback ainsi dénommée à cause de la couleur rouge de la terre.

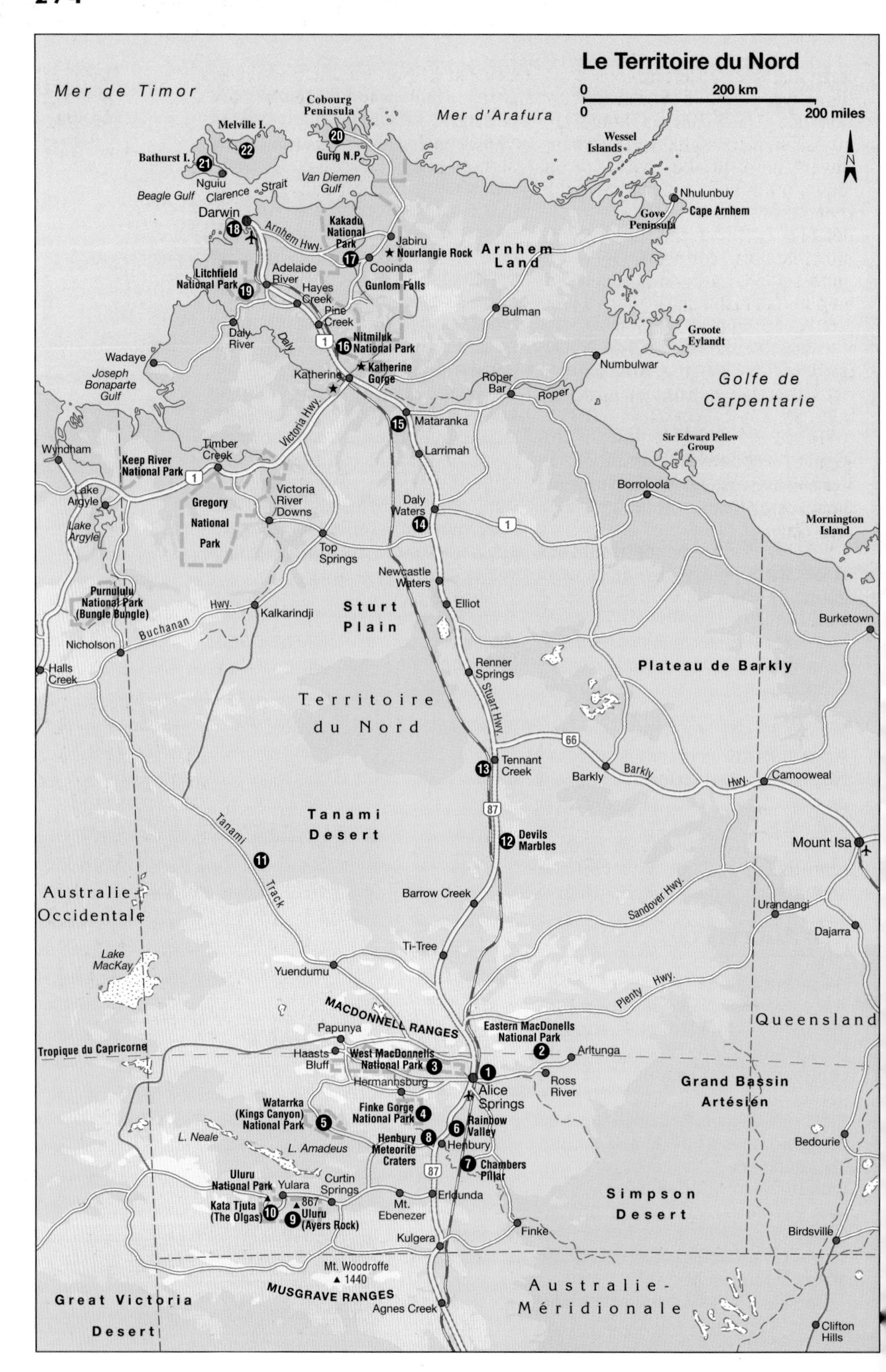

Le Territoire du Nord
0 200 km
0 200 miles
N
Mer de Timor
Mer d'Arafura
Golfe de Carpentarie
Cobourg Peninsula
Melville I.
Bathurst I.
Nguiu
Clarence Strait
Beagle Gulf
Van Diemen Gulf
Gurig N.P.
Darwin
Arnhem Hwy.
Kakadu National Park
Jabiru
Nourlangie Rock
Cooinda
Gunlom Falls
Arnhem Land
Wessel Islands
Nhulunbuy
Cape Arnhem
Gove Peninsula
Litchfield National Park
Adelaide River
Hayes Creek
Pine Creek
Daly River
Daly
Wadaye
Joseph Bonaparte Gulf
Nitmiluk National Park
Katherine
Katherine Gorge
Bulman
Groote Eylandt
Numbulwar
Roper Bar
Roper
Mataranka
Larrimah
Sir Edward Pellew Group
Wyndham
Keep River National Park
Timber Creek
Victoria Hwy.
Lake Argyle
Gregory National Park
Victoria River Downs
Top Springs
Daly Waters
Borroloola
Mornington Island
Newcastle Waters
Elliot
Purnululu National Park (Bungle Bungle)
Kalkarindji
Buchanan Hwy.
Sturt Plain
Burketown
Nicholson
Halls Creek
Renner Springs
Plateau de Barkly
Stuart Hwy.
Territoire du Nord
Tennant Creek
Barkly
Barkly Hwy.
Camooweal
Tanami Desert
Devils Marbles
Tanami Track
Mount Isa
Australie-Occidentale
Barrow Creek
Sandover Hwy.
Urandangi
Dajarra
Lake MacKay
Ti-Tree
Yuendumu
Plenty Hwy.
MACDONNELL RANGES
Queensland
Papunya
Eastern MacDonells National Park
Tropique du Capricorne
Haasts Bluff
West MacDonnells National Park
Arltunga
Hermannsburg
Alice Springs
Ross River
Grand Bassin Artésien
Watarrka (Kings Canyon) National Park
Finke Gorge National Park
Rainbow Valley
L. Neale
L. Amadeus
Henbury Meteorite Craters
Henbury
Bedourie
Chambers Pillar
Uluru National Park
Yulara
Curtin Springs
Kata Tjuta (The Olgas)
867
Uluru (Ayers Rock)
Mt. Ebenezer
Erldunda
Simpson Desert
Finke
Birdsville
Kulgera
Mt. Woodroffe
1440
MUSGRAVE RANGES
Australie-Méridionale
Great Victoria Desert
Agnes Creek
Clifton Hills
1
66
87

lorsqu'elle devint le terminus de la ligne ferroviaire d'Adélaïde, surnommée *The Ghan* en hommage aux chameliers afghans qui avaient ouvert la piste. Le mythe selon lequel l'*outback* échapperait aux inondations ne tarda pas à être démenti. Une nouvelle voie « insubmersible » fut construite dans les années 1980. La ligne qui traverse aujourd'hui l'État en 24 heures, peut être l'occasion d'un agréable voyage à travers l'*outback* australien. Alice Springs n'en est plus le terminus depuis qu'une extension jusqu'à Darwin a été construite, en février 2004.

Une route carrossable conduit au sommet de la colline d'**Anzac Hill**. Les couchers de soleil sur les vastes étendues de l'*outback* sont un spectacle unique.

L'une des attractions de la ville est le **Royal Flying Doctor Service** (les « médecins volants »). Fondée en 1928 par le révérend John Flynn (dont l'effigie orne aujourd'hui les billets de 20 $), cette entreprise avait pour but d'apporter une assistance médicale aux communautés les plus reculées.

La **School of Distance Education** est une école qui dispense des cours radiodiffusés. Si l'on dénombre 26 bases dispersées dans l'*outback*, celle d'Alice Springs est la plus importante, couvrant un périmètre de 1,3 million de kilomètres carrés.

La ville compte aussi des musées consacrés à l'histoire des pionniers, et plusieurs galeries exposant les peintures des Aborigènes de la région.

Juste à la sortie de la ville, au pied des MacDonnell Ranges, s'est ouvert, en 1997, le **Desert Wildlife Park**. Réparti sur 35 ha, on y dénombre 320 espèces de plantes du désert et plus de 400 espèces animales. Une piste de 1,6 km guide les visiteurs à travers trois types d'habitats, dont un lac salé et des rivières du désert.

Le centre de recherche **Strehlow**, sur Larapinta Drive, est dédié au

Carte p. 274

L'ancien relais télégraphique d'Alice Springs.

La Frontier Camel Farm, sur la Ross Highway, au sud-est d'Alice Springs, propose des promenade à dos de chameau et des randonnées de trois jours dans l'« outback ».

travail de Ted Strehlow, né à Hermannsburg, où s'établit une mission luthérienne en 1877. Il y vécut entouré de la population indigène. Ce fut le premier homme blanc àétudier le mode de vie des Aborigènes Arrrernte. Ceux-ci l'initièrent et lui confièrent la garde de nombreux objets parmi lesquels des pierres sacrées (*tjurungaa*). Ayant besoin d'argent, Ted Strehlow vendit à des magazines des photographies de ces objets, trahissant ainsi la confiance qui lui avait été accordée. Il mourut en 1978, sans la reconnaissance qui lui était due. En 1995, le Central Land Council (organisme aborigène) rachètera cette collection au fils de Strehlow pour 1 million de dollars. Elle est aujourd'hui conservée dans ce centre et seules les personnes initiées peuvent y avoir accès.

Près du centre de recherche se trouve l'**Aviation Museum**. On peut aussi visiter le cimetière, qui abrite les tombes du peintre naturaliste aborigène Albert Namatjira et du chercheur d'or Harold Lasseter, ainsi que celles, orientées vers La Mecque, de nombreux Afghans.

On pourra être surpris par la présence en ville d'un grand nombre d'Américains. Ils appartiennent sans doute à la base américaine ultra-secrète de **Pine Gap**. Lorsqu'on survole Alice Springs, on en distingue la piste d'atterrissage à l'ouest de la ville.

La célèbre ligne de chemin de fer baptisée The Ghan (en souvenir des chameaux qu'on avait fait venir d'Afghanistan) relie Adélaïde à Alice Springs en vingt-quatre heures. Faire ce trajet est une agréable façon de découvrir les paysages de l'« outback » australien.

Les gorges des MacDonnell Ranges

Les environs immédiats d'Alice Springs offrent de nombreuses attractions. Sur les routes de l'est et de l'ouest longeant les MacDonnell Ranges, de nombreuses gorges et trous d'eau se sont formés dans les parois rocheuses. Ainsi, à l'est (**Eastern MacDonnell Ranges ❷**), **Emily Gap**, **Jesse Gap**, **Trephina Gorge**, **Ross River Homestead**, **N'dhala Gorge** sont l'occasion d'intéressantes excursions.

La partie ouest (**West MacDonnells National Park ❸**) est également connue pour la beauté de ses gorges, notamment **Standley Chasm** (aux parois si étroites que l'on a parfois du mal à se faufiler), **Serpentine Gorge**, **Ochre Pits** (les Aborigènes venaient y extraire des pigments ocre) et **Ormiston Gorge** (qui compte de nombreux sentiers de randonnée). Toutes méritent une visite, sans oublier le **Finke Gorge National Park ❹**, uniquement accessible aux véhicules tout-terrain.

La **Palm Valley** est une oasis dont la végétation – qui comprend plusieurs variétés d'essences uniques – a survécu aux bouleversements climatiques et géologiques. On peut la visiter au cours d'une des excursions à dos de dromadaire organisées depuis Alice Springs.

A l'ouest d'Alice, le **Kings Canyon**, dans le **Watarrka National Park ❺**, est une grande entaille de 270 m de profondeur creusée dans un rocher rouge. Au fond de cette gorge, plusieurs points d'eau alimentent une luxuriante végétation tropicale. Les bons marcheurs n'hésiteront pas à aller vérifier que le Garden of Eden (le « jardin d'Éden ») mérite son nom prometteur. Parmi les autres sites de ce « Grand Canyon australien », **Ewaninga** possède des peintures aborigènes préhistoriques.

A 75 km au sud d'Alice Springs, la **Rainbow Valley** ❻ comprend de somptueuses falaises de granite.

Un peu plus loin, **Chambers Pillar** ❼ mérite également un détour : sur ce pilier de grès sont gravées les signatures et la date d'arrivée des premiers explorateurs.

MÉTÉORITES ET MONOLITHES

A 130 km au sud d'Alice, **Henbury** ❽ est une zone de 20 ha qui réunit 13 cratères formés par une pluie de météorites qui s'est abattue ici il y a trois mille ans. Le plus grand mesure près de 200 m de diamètre pour une profondeur de 12 m, et le plus petit a un diamètre de 6 m. Les météorites ont toutes disparu, mis à part un petit morceau conservé au Residency Museum d'Alice Springs, et atteint le poids étonnant, par rapport à sa taille, de 46 kg.

Près de **Hermannsburg Mission**, on peut voir le monument dédié au peintre aborigène Albert Namatjira. S'il a fait école depuis, Namatjira fut le premier Aborigène à utiliser, en 1936, des techniques picturales occidentales pour représenter les paysages du *Red Heart.* Ses aquarelles et ses tableaux ont aujourd'hui une cote élevée sur le marché de l'art. Grâce à ses revenus, il a fait vivre de nombreux Aborigènes, mais sa célébrité et l'incompréhension de la civilisation occidentale face aux traditions aborigènes l'ont plongé dans le désespoir et l'alcool, à une époque où le droit d'en consommer était refusé aux gens de son peuple… Il mourut seul, alcoolique et sans un sou, en 1959, à l'âge de cinquante-sept ans.

Carte p. 274

La Henley-on-Todd Regatta se déroule à Alice au mois de septembre et de préférence par temps sec. Si par malheur il venait à pleuvoir, la régate serait annulée !

Ayers Rock (Uluru) étant situé à 400 km d'Alice Springs, il est conseillé de s'y rendre en s'inscrivant à un voyage organisé de trois jours, prévoyant les visites d'Uluru, Katatjuta, et Kings Canyon, autant de paysages travaillés par l'érosion.

La route menant à Katatjuta traverse les vastes étendues désertiques du « Red Centre ».

Ayers Rock

À 465 km d'Alice Springs, se trouve le véritable symbole australien, **Ayers Rock** ❾. C'est le « monument » le plus connu, le plus photographié et le plus représenté d'Australie. Avec une circonférence de 9 km et une hauteur de 348 m, il s'agit tout simplement du plus gros rocher du monde, posé au milieu du désert. On estime par ailleurs que les deux tiers de ce prodigieux monolithe sont enfouis sous le sable.

Ce rocher a été aperçu pour la première fois en 1872 par un explorateur européen du nom d'Ernest Giles. L'année suivante, William Gosse découvrit que cette colline était en fait un immense rocher émergeant de la plaine. Après l'avoir escaladé, il déclara : *« Ce rocher m'apparaît plus beau à chaque nouveau regard. »* Son nom lui fut donné par sir Henry Ayers, premier ministre d'Australie-Méridionale (dont dépendait alors le site puisque le Territoire du Nord ne fut créé qu'en 1911). Pour les Aborigènes Loritja et Pitjanjatjara, Ayers Rock est un site sacré connu dans leur langue sous le nom d'**Uluru** (« lieu de réunion »). Il y a quelques milliers d'années, leurs ancêtres avaient couvert les parois de ses grottes de peintures. De nombreuses légendes aborigènes, pourtant issues de tribus différentes, se rejoignent dans ce lieu.

La richesse de ce site – qui possède un point d'eau permanent (Mutijulu), une faune abondante, de nombreux abris ainsi que du bois – a sauvé bien des vies depuis des millénaires. Il faisait autrefois partie de la grande réserve aborigène de Petermann. Déclaré parc national en 1958, Ayers Rock fut restitué aux populations aborigènes en octobre 1985, à la condition qu'ils autorisent le gouvernement fédéral à poursuivre son exploitation touristique. Ce compromis continue à susciter de profonds antagonismes, tant dans les

tribus aborigènes que dans la communauté blanche. Le respect de la culture et des traditions aborigènes tend à s'opposer ici à d'énormes intérêts financiers : la fréquentation du site dépasse les 250 000 touristes par an ! (pass de 3 jours)

Faire l'ascension du rocher est le grand défi d'une partie de ces visiteurs ; il est vrai que, du sommet, la vue sur le désert est impressionnante. Sans être un exploit sportif, la chose est toutefois assez ardue jusqu'aux abords du plateau, et la chaîne de sécurité, fixée sur la paroi la plus abrupte, est parfois bien utile. De nombreux accidents mortels sont à déplorer, et la communauté aborigène propriétaire du site a évoqué la possibilité d'en interdire l'ascension. Ce qui, aux yeux du gouvernement, ne manquerait pas d'en réduire l'intérêt touristique, à moins d'offrir de nouvelles activités. Un pas semble avoir été fait dans cette direction avec l'ouverture d'un centre culturel, en 1995, date du dixième anniversaire de la restitution du site aux Aborigènes. Plusieurs chemins ont été aménagés autour d'Uluru. On peut les emprunter seul ou avec un groupe. Plusieurs promenades guidées attireront l'attention du visiteur sur la faune, la flore et le mode de vie des Aborigènes. Les sites sacrés sont protégés et interdits aux visiteurs.

Lieu de méditation et même d'inspiration pour quelques artistes contemporains, Ayers Rock séduit les visiteurs, qui peuvent rester au pied du rocher jusqu'au crépuscule. Certains jours, on a l'impression qu'il est illuminé de l'intérieur ; puis, au fur et à mesure que le soleil descend sur l'horizon, le grès prend une teinte rouge sombre, puis mauve. La nuit tombée, Ayers Rock ressemble à un énorme trou noir creusé dans le ciel étoilé.

Le village de **Yulara** a été aménagé en 1984 pour permettre aux touristes de séjourner confortablement dans l'une des régions les plus inhospitalières du monde. Ce vaste complexe se trouve juste en dehors du parc national, à 18 km d'Ayers Rock et à 37 km des Olgas. Les nombreuses possibilités d'hébergement sont adaptées à tous les budgets. Un terrain de camping dispose des meilleurs équipements pour les *mobile homes*, les caravanes et les tentes.

Les Olgas

La plupart de ceux qui se rendent à Uluru viennent aussi découvrir les **Olgas** ❿, ensemble de 28 formations rocheuses situé à 32 km à l'ouest d'Ayers Rock. Leur nom aborigène, **Katatjuta**, signifie « l'endroit des nombreux dômes ». D'après les Aborigènes, certains représentent des Pungalungas, géants protecteurs de leurs tribus. Ernest Giles, lui, baptisa le plus grand mont Olga, en hommage à une duchesse russe. Un circuit a été aménagé à travers la **Valley of the Winds** (« vallée des vents »).

Avec 348 m de hauteur et sa base qui atteint 9 km de circonférence, Ayers Rock est le plus grand monolithe du monde.

En dépit des nombreux accidents qui sont survenus et de la réticence des Aborigènes, la périlleuse ascension d'Ayers Rock (Uluru) est toujours autorisée. Il est vrai que, du sommet de cet énorme rocher, on jouit d'une vue magnifique. Ci-contre, coucher de soleil sur les antennes satellite.

Yulara, avec ses nombreux hôtels de luxe et son camping (accessible aux caravanes), peut accueillir 5 000 visiteurs par jour; il tire son eau des rivières souterraines qui parcourent le site.

Aucune ascension n'est autorisée sur le site de Katatjuta; et au cas où vous seriez tenté d'emporter en souvenir une ou deux pierres, il faut savoir que les autorités du parc reçoivent chaque semaine des lettres de visiteurs retournant ces pierres, affirmant que celles-ci n'avaient cessé de leur porter malheur depuis leur séjour à Uluru!

EN ROUTE POUR LE DÉSERT

Les visiteurs qui désirent vivre l'expérience de longs voyages sur les pistes poussiéreuses du désert peuvent quitter la *highway* à 21 km au nord d'Alice Springs et suivre la **Tanami Track** ⓫ vers le nord-ouest; les prochains signes de civilisation se trouvent à 1 200 km de là, à Halls Creek, dans le Kimberley.

En quittant Alice Springs vers le nord, on passe le village de **Barrow Creek**, avant de rejoindre les **Devil's Marbles** ⓬ (les « billes du diable », à 365 km d'Alice Springs), série de blocs de granite disposés de part et d'autre de la *highway* sur plusieurs kilomètres. Quelques-uns, et parmi les plus importants, tiennent en un équilibre précaire sur des socles minuscules. On pense que ces formations faisaient autrefois partie d'un même rocher, brisé en morceaux puis travaillé par l'érosion du vent et de l'eau. D'après une légende aborigène, ces billes seraient les œufs du serpent Arc-en-ciel.

Tennant Creek ⓭, à 510 km d'Alice, est pratiquement la seule localité d'importance (avec Katherine) entre Darwin et Alice Springs. Cette ancienne cité aurifère, qui possède encore une mine importante toujours en exploitation, fut bâtie en 1932. Lorsque les filons furent épuisés, Tennant Creek fut vite promise à un avenir de ville fantôme. Mais la découverte de cuivre dans les années 1950 relança l'activité minière. D'après une légende (blanche, celle-ci) un camion qui

Les Devil's Marbles.

transportait le bois destiné à construire un pub eut un accident dans ce coin de désert. Par chance, le chargement comprenait plusieurs caisses de bière, et les transporteurs purent étancher leur soif en attendant les secours. Comme ces derniers tardaient, ils décidèrent de construire le pub à l'endroit où ils se trouvaient. C'est à cet incident que Tennant Creek devrait son apparition sur la carte de l'Australie.

A quelques kilomètres au nord, on arrive à une intersection de routes au milieu du désert : **Three Ways** (« trois routes »). Le croisement est marqué par un monument à la mémoire de John Flynn, grand héros de la colonisation australienne pour avoir fondé le Royal Flying Doctor Service. Three Ways est le lieu maudit des auto-stopeurs : ils sont nombreux à avoir été déposés au milieu du désert, dans l'attente d'un hypothétique véhicule...

Pour visiter les contrés retirées du **Barkly Tableland**, il faut suivre la Barkly Highway vers l'est pendant 185 km puis bifurquer sur la Tablelands Highway vers le nord. **Borroloola**, près du golfe de Carpentaria, est un petit village connu pour sa pêche au *barramundi.*

Au bout de 400 km, on rejoint ensuite la Carpentaria Highway, qui ramène sur la Stuart Highway à hauteur de Daly Waters. Comme pour tous les voyages dans l'*outback*, cet itinéraire nécessite des précautions (réserves d'essence et d'eau, nourriture, couvertures, etc.) et un véhicule en bon état.

Si l'on poursuit son chemin sur la Stuart Highway au nord de **Tennant Creek**, le minuscule village de **Renner Springs** marquera la fin d'un long voyage dans le désert rouge. Renner Springs est en effet le point de jonction entre les hauts plateaux désertiques et les plaines touchées par la mousson de la région du Top End. Devant soi, vers le nord, s'étendent les savanes des régions côtières.

Carte p. 274

Les fourmilières adoptent toujours une orientation nord-sud.

Les fourmilières deviennent vite familières dans ces paysages de savane. Hautes de 3 m en moyenne, elles sont toutes construites selon une orientation nord-sud, ce qui leur a valu le surnom de « fourmilières magnétiques ». En réalité, les fourmis profitent ainsi de la meilleure combinaison possible entre les avantages du soleil et ceux de l'ombre.

Selon leur emploi du temps, les golfeurs pourront, à **Elliott**, tester le green impeccable du 9-trous, dessiné en plein cœur du désert.

Newcastle Waters est un vieux relais aménagé sur la route de migration des troupeaux, et un ancien poste télégraphique. C'est en 1872, à 50 km au nord de Newcastle Waters, que fut réalisée la jonction entre les deux lignes de télégraphe, parties des deux extrémités du continent australien. La première ligne télégraphique transcontinentale venait de voir le jour.

Il ne faut pas passer à **Daly Waters** ⓮ sans s'arrêter dans le plus vieux pub du Territoire du Nord, le Daly Water's Pub. Construit dans les années 1930 comme relais-étape pour les passagers et le personnel de Qantas en route vers une destination internationale, ce vieil édifice conserve tout un tas de souvenirs de cette époque.

Une surprenante oasis

Minuscule localité, **Mataranka** ⓯ connut une certaine croissance avec la construction de la voie ferrée en 1928. La grande surprise vient du parc naturel, **Mataranka Homestead Tourist Resort**, contigu à l'Elsey National Park. Au cœur d'une forêt tropicale de 4 ha, on découvre une source thermale à 34° C. Il va sans dire que ce domaine de rêve est l'endroit idéal pour camper et oublier les fatigues de la route.

Katherine (10 500 habitants) est, après Darwin, la deuxième ville de la partie nord du Territoire, le *Top End*. On y trouve toutes les commodités : magasins, terrains de camping, hôtels

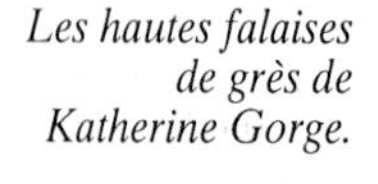

Les hautes falaises de grès de Katherine Gorge.

et motels. Cette ancienne station de télégraphe, traversée par le fleuve Katherine, fut également un important relais pour les *stockmen*. La ville héberge aussi le Savannah Guide Station. L'équipe de guides se consacre à la culture, à l'héritage et à la préservation de l'environnement.

À l'est de la ville, **Katherine Gorge** figure parmi les principaux sites naturels du Territoire du Nord. Ces gorges, que dominent des falaises de grès atteignant parfois 100 m de haut, doivent être explorées en bateau. En général, les excursions se limitent à la visite des deux premières gorges, mais les onze suivantes (sur une distance totale de 12 km) méritent largement d'être découvertes. Les gorges font partie de **Nitmiluk National Park** ⓰, vaste parc national de 180 000 ha que les amateurs d'ornithologie se doivent de visiter, surtout entre septembre et février, grande période de nidification de la plupart des espèces. Plusieurs sentiers de randonnée ont été aménagés au sommet des falaises.

De là, la Victoria Highway part vers le Kimberley, en Australie-Occidentale. Juste avant la frontière, une bifurcation permet de rejoindre le **Keep River National Park** et ses gorges taillées dans de remarquables formations gréseuses. Ce parc abrite une faune variée et ses paysages sont comparables à ceux du Bungle Bungle Range, de l'autre côté de la frontière, site plus célèbre mais nettement moins accessible.

KAKADU NATIONAL PARK

L'un des plus beaux joyaux australiens, le **Kakadu National Park** ⓱ (entrée gratuite ; pass 7 jours), se trouve à 247 km à l'est de Darwin. Kakadu recèle d'indescriptibles richesses : paysages, faune, flore, et surtout d'extraordinaires peintures aborigènes. C'est ici que se rencontrent les plaines inondables, drainées par deux rivières, et les hauteurs rocheuses d'**Arnhem Land**. Le parc couvre une superficie de plus

Carte p. 274

Le parc national de Kakadu.

d'un million d'hectares, et de futures extensions sont prévues. La région abrite le quart de tous les poissons de rivière australiens, plus de 1 000 espèces végétales, 300 sortes d'oiseaux, 75 espèces de reptiles, de multiples mammifères et d'innombrables insectes. Les peintures préhistoriques, mondialement connues, donnent un éclairage très particulier sur une civilisation aborigène vieille de plus de 40 000 ans.

La plupart des visiteurs arrivent au parc par Arnhem Highway (qui part de Darwin). La route conduit à **Jabiru**, petite ville dans laquelle ont été aménagés les bureaux du parc national. C'est également ici que l'on trouve certaines des installations de la mine d'uranium de Kakadu. Elle a été aménagée à l'intérieur du parc, près d'Arnhem Land, sur des terres aborigènes interdites au public. Naturellement, la proximité de la mine d'uranium et de l'un des plus beaux parcs nationaux d'Australie en territoire aborigène n'a pas fini d'alimenter les débats politiques.

Une excursion en bateau sur la **Yellow Waters** est une excellente introduction à la découverte du parc. À la saison sèche, de nombreux cours d'eau s'évaporent ; les animaux sont donc de plus en plus nombreux à se rassembler près de ces eaux permanentes. Ainsi, on n'a aucun mal à voir des crocodiles, des pygargues (*sea eagles*) et de nombreux autres oiseaux aquatiques au milieu des nénuphars géants.

Parmi les autres parties du parc faciles d'accès, il faut signaler **Ubirr Rock** et **Nourlangie Rock**, avec leurs peintures aborigènes parfaitement conservées. Le Bowali Visitor Center présente une exposition permanente qui explique les œuvres du parc. Quant à elle, la Marrawuddi Galery expose de l'art aborigène, des livres et des cadeaux.

Mais il faut aller près des points d'eau situés au pied de l'escarpement rocheux pour apprécier vérita-

Art primitif aborigène à Ubirr Rock.

blement les richesses de ce parc national. Lorsque l'on arrive à Kakadu par la piste de Pine Creek, au sud, il ne faut pas manquer de faire un détour vers les cascades de **Waterfall Creek**, également désignées sous le nom peu poétique d'UDP Falls (Uranium Development Project), les chutes d'eau de Gunlom valent aussi le détour.

Les plus belles cascades sont les **Jim Jim Falls** (hautes de 215 m). Un profond bassin d'eau fraîche, une plage de sable, un décor fantastique... Le site a en plus l'avantage d'être facile d'accès.

Il est un peu plus difficile d'aller se baigner au pied des cascades voisines de **Twin Falls**. Deux cours d'eau tombent en cascade au bout d'une plage à l'ombre de palmiers : c'est peut-être l'un des plus beaux endroits du monde. Les Jim Jim Falls et les Twin Falls déversent des trombes d'eau à la saison des pluies, elles ne sont alors accessibles qu'en hélicoptère (des vols sont régulièrement organisés, au départ de Jaribu). Dès que revient la saison sèche, ce sont des endroits très paisibles ; deux sites à ne manquer sous aucun prétexte si l'on voyage dans la région. Par contre, les crocodiles interdisent la baignade !

Il y a quelques années, Kakadu passait pour un endroit perdu dans l'une des régions les plus désertes d'Australie. Depuis quelque temps, le parc national, qui appartient officiellement aux Aborigènes, est devenu l'un des fleurons de l'Australie tropicale. Cette brusque notoriété a entraîné une augmentation de la fréquentation touristique, mais l'endroit est assez vaste pour offrir à chacun les plaisirs de la solitude au milieu d'immenses étendues sauvages.

DARWIN

Le site du port fut découvert en 1839 par J. C. Wickham, capitaine de la *Beagle*, et reçut le nom du plus illustre passager qu'ait transporté ce vaisseau, le naturaliste britannique

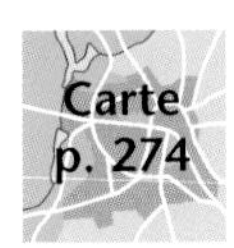
Carte p. 274

Le Parlement de Darwin est l'un des bâtiments reconstruits après le cyclone de 1974, et censé désormais résister à ce genre de phénomène naturel.

Charles Darwin. Ce n'est qu'en 1869, après quatre tentatives infructueuses d'établissement dans la région, qu'une colonie s'installa sur le site actuel. Elle connut des débuts prometteurs grâce à la découverte d'un filon aurifère à Pine Creek, en 1871, mais retomba dans sa torpeur, une fois le gisement épuisé.

Longtemps coupée, voire oubliée du reste de l'Australie, la capitale du Territoire du Nord fit la une de l'actualité lors de la Seconde Guerre mondiale. En raison de sa position stratégique, elle fut bombardée en mars 1942 par l'aviation japonaise – ce qui suscita un exode massif des populations civiles et souleva un vent de panique dans le reste du pays. Elle devait subir par la suite une soixantaine d'offensives nippones.

Il y a bel et bien deux **Darwin** ⓲ : la ville « d'avant Tracy » et celle « d'après Tracy ». Le soir de Noël 1974, il ne fallut de quatre heures à ce cyclone pour dévaster la capitale du Territoire du Nord. Plus de 5 000 maisons furent détruites. Cinq cents bâtiments à peine échappèrent à ce gigantesque jeu de massacre. Le bilan humain de ce qui demeure la plus grande catastrophe naturelle de l'histoire australienne se solda par la mort de 66 personnes et par des centaines de blessés. La ville fut rapidement reconstruite, mais force est de reconnaître qu'elle a beaucoup perdu de son charme. Tous les bâtiments historiques et tous les vestiges de l'époque coloniale ont été balayés. La nouvelle Darwin est une cité moderne, plus sophistiquée certes, mais sans grande originalité.

Le désormais très fréquenté « sunset market » de Mindil Beach, qui se tient une fois par semaine. L'artisanat aborigène y côtoie de magnifiques éventaires chargés de nourriture asiatique.

La majorité des 45 000 habitants qui avaient fui la ville sont toutefois revenus, et la population de Darwin atteint aujourd'hui 100 000 âmes. Avant-poste australien au bord de l'océan Pacifique, Darwin abrite aujourd'hui d'importantes communautés aborigène, grecque et mélanésienne, mais aussi vietnamienne, malaisienne, indonésienne et japonaise, et elle reste à bien des égards une ville-frontière, comme en témoignent ses rites bon enfant et le goût prononcé de ses habitants pour la « liqueur d'ambre ».

De cette histoire mouvementée subsistent quelques témoins : sur l'Esplanade, le siège de l'**Amirauté** (Old Navy Headquarters) ; dans Smith Road, le solide bâtiment construit en 1884 pour loger les forces de police et le tribunal ainsi que le théâtre de **Brown's Mart** (1885) ; dans East Point Road, à Fannie Bay, la prison (1883). Ces monuments forment un contraste frappant avec les édifices modernes censés résister au passage d'un nouveau cyclone et séduire les visiteurs – japonais pour l'essentiel.

L'un des rares vestiges du centre de Darwin demeure l'**hôtel Darwin**, bâtiment colonial dans lequel on peut aujourd'hui déguster les deux spécialités locales, la viande de buffle et le *barramundi* (carpe géante) grillés, ou simplement venir écouter du jazz.

La ville bénéficie toutefois d'un cadre somptueux. A la saison sèche (d'avril à octobre), ses immenses plages de sable ivoire, son ciel bleu et sa luxuriante végétation tropicale en font un petit paradis. Le port de Darwin est envahi par les plaisanciers six mois par ans. **Mindil Beach** et son *sunset market* du jeudi soir est devenue très populaire. D'autres marchés se tiennent également à **Parap** et à **Rapid Creek**.

En juin, **Fannie Bay** (à 4 km du centre de la ville) accueille la célébrissime **Beer Can Regatta**, régate d'un genre un peu particulier puisque les embarcations en compétition sont réalisés avec des... canettes de bière vides ! Tout le monde, ici, prend un immense plaisir à regarder ces embarcations de fortune flotter ou couler en quelques minutes. C'est l'occasion de rappeler que Darwin revendique le titre de capitale mondiale des buveurs de bière. Ses habitants présentent d'ailleurs fièrement aux visiteurs leur *Darwin Stubby*, bouteille de bière de 2,25 l, la plus grosse du monde selon leurs dires.

Le **Northern Territory Museum of Arts and Sciences** (Conacher Street, Fannie Bay) mérite le détour. Il conserve en effet une superbe collection d'art et d'artisanat aborigène, mélanésien et asiatique.

On pourra également visiter les 34 ha des **jardins botaniques** (Gilruth Avenue) pour se familiariser avec la flore tropicale du Top End ; observer diverses espèces coralliennes à l'aquarium de l'**Indo-Pacific Marine** (Lambell Terrace) ou encore donner du pain à d'élégants poissons tropicaux à l'**Aquascene** (Doctor's Gully, près de l'Esplanade).

Il faut noter que le **Wharf Precinct** a subi récemment une importante rénovation. Au bout de la jetée se sont installés des douzaines de restaurants où l'on peut agréablement déjeuner en terrasse ou simplement boire un verre en profitant de la douceur de l'air tropical.

Carte p. 274

Une balade dans les mangroves du Top End.

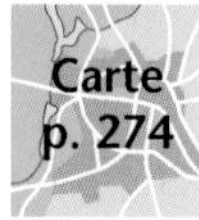

LE « BOUT DU MONDE »

A 60 km au sud-ouest de Darwin s'étend le **Litchfield National Park** ⓳, plateau de grès de 650 km², bordé de falaises et par endroits recouvert d'une luxuriante forêt tropicale. C'est un des lieux les plus appréciés des Darwiniens pour ses chutes d'eau et ses bassins dans lesquels on peut se baigner.

Darwin est le point de départ idéal à l'exploration de l'extrême nord du continent. La **péninsule de Cobourg** ⓴ (à 200 km au nord-est de Darwin) est la propriété des Aborigènes de la région de la Terre d'Arnhem, qui abrite deux parcs nationaux. Il faut une autorisation spéciale pour les visiter.

C'est à **Cobourg** que tentèrent de s'implanter les premières colonies européennes du nord du continent, lieu qu'elles ne tardèrent pas à fuir après de nombreuses mésaventures. Des vestiges sont encore visibles à **Port Essington**.

Seven Spirit Bay est un lieu hors du commun d'une extrême beauté.

Plus au nord, au large de Darwin, on peut apercevoir deux taches de couleur : ce sont les îles aborigènes de **Bathurst** ㉑ et de **Melville** ㉒, extrême nord de l'Australie. Bien que le continent ne soit qu'à 80 km de là, ces deux îles vécurent repliées sur elles-mêmes, préservant intactes la culture et la langue spécifiques des Aborigènes Tiwi. Les premiers explorateurs néerlandais ne furent pas les bienvenus, et quand les Britanniques installèrent leur avant-poste dans l'île de Melville en 1824, les attaques aborigènes et les maladies tropicales eurent tôt fait de les faire fuir. Les premiers missionnaires débarquèrent seulement en 1909. Dans les années 1970, les Tiwis retrouvèrent la maîtrise de leur destin. On peut visiter ces deux îles, leurs mangroves et leurs plages de sable blanc, mais uniquement par l'intermédiaire d'une agence de voyages tiwi.

Marée basse dans la région du Top End : en se retirant, la mer découvre de vastes étendues.

VISITE GUIDÉE CHEZ LES ABORIGÈNES

De vastes portions du Territoire du Nord, propriété des Aborigènes, ne sont ouvertes à la visite qu'avec l'autorisation du Land Council (conseil territorial) local. Cependant, de nombreuses tribus organisent des séjours, des visites de quelques heures aux marches d'une semaine, au départ de Darwin, d'Alice Springs et de Katherine.

Les programmes proposés par les Tiwi, aux îles Bathurst et Melville, à 80 km de Darwin, en sont un bon exemple. Les touristes arrivent par avions de tourisme à l'ancienne mission de Nguiu (prononcer « nouyou »), au sud-est de Bathurst, leur camp principal.

Les Tiwi ont vite compris l'importance économique du tourisme et du marché de l'art ethnique. Les excursions d'un jour insistent sur les rencontres avec les artistes (et la possibilité d'acheter leurs œuvres: peinture, batik, poteries). Il est également possible de visiter des sites funéraires et les bâtiments de la mission.

Des séjours de deux jours en brousse, à la découverte des plus beaux sites des îles sont également proposés. Les visiteurs peuvent ainsi apprécier la beauté des forêts d'eucalyptus et de casuarina, hantées par des perroquets jacassants, pointillées de grevillia oranges, de wattel jaunes et de kapokiers rouges. En compagnie des Tiwi, on découvre les îles sous l'aspect d'un univers nouveau où la nature n'obéit qu'à ses propres règles.

Les guides organisent des excursions en 4x4 vers le lac Montau, couvert de nénuphars, où selon les légendes vivait un esprit puissant, le serpent Arc-en-ciel. Ils expliquent comment déterrer les citrouilles sauvages ou préparer les noix oranges du palmier samai – un poison mortel si on les mange directement cueillies sur l'arbre, mais qui, cuites après un bain de trois jours dans l'eau courante, ont le goût de ricotta. Le soir, des promenades à la plage de Pawapuni permettent d'observer les tortues gantées qui nichent dans des alvéoles entourées de coquillages multicolores.

La chasse et la cueillette sont des moments particulièrement excitants, bien que déconseillés aux âmes sensibles. Les visiteurs accompagnent les Tiwi dans leur chasse à l'opossum, au bandicoot, au goanna et au serpent-tapis. Les Tiwi chassent en famille : ils repèrent un arbre creux, écoutent ce qu'il contient et l'abattent. Dès qu'un opossum jaillit, il est capturé par les enfants. Puis une femme fait tournoyer l'opossum et lui fait éclater le crâne contre un arbre. La prise est ensuite jetée sur le feu, mangée accompagnée de *damper*. Ce régal est suivi du meilleur dessert qui soit : le miel sauvage.

La brousse offre bien d'autres moyens de subsistance, comme la pêche au javelot sur la côte; la pêche aux crabes dans les flaques de boue; et la cueillette de vers de mangrove dans les marais.

Ces voyages sont entièrement gérés par les indigènes.Les prix s'échelonnent entre 250 $ pour une excursion d'une journée (vol Darwin-Nguiu compris) et 500 $ pour un séjour de deux jours à l'île Melville. Tous les bénéfices sont reversés à un programme sanitaire et à un fonds culturel au profit des habitants des îles.

Tout juste capturé, cet opossum sera le plat de résistance.

80
80

L'AUSTRALIE-OCCIDENTALE

Avec un territoire représentant le tiers de la surface totale de l'Australie (cinq fois la superficie de la France), et une population de 1,5 million d'habitants, l'Australie-Occidentale est une vaste étendue désertique, géographiquement coupée du reste du pays. Excepté quelques points particulièrement verdoyants de la zone littorale – qui attirent de nombreux vacanciers au moment de la floraison – l'*outback*, aride, chaud et poussiéreux, occupe la majorité du territoire de l'État.

Les premiers habitants de Perth

L'Australie-Occidentale fut la terre d'accueil des premiers Australiens, il y a probablement plus de cinquante mille ans, lorsque les ancêtres des Aborigènes arrivèrent sur ce qui faisait alors partie de l'archipel indonésien. Le niveau de la mer étant beaucoup plus bas, moins de 100 km séparaient la côte du Kimberley, au nord, de l'actuelle Indonésie. Sans doute arrivés sur des radeaux de bambou, ils pénétrèrent peu à peu sur le continent avant de l'occuper tout entier.

En 1616, le navigateur hollandais Dirk Hartog aperçut la côte occidentale de l'Australie et mit le cap sur une île au large de Carnarvon, l'actuelle Dirk Hartog Island. Le premier explorateur britannique à y poser le pied fut William Dampier, en 1688. Il décrivit cette terre comme l'une des moins hospitalières. En 1827, le capitaine James Stirling reçut du ministère des Colonies britanniques l'ordre de remonter le cours de la Swan River en quête d'un site favorable à l'implantation d'une nouvelle colonie avant que les Français ne s'avisent de coloniser la côte occidentale. C'est ainsi que fut fondée, sous le regard des cygnes noirs qui ont donné leur nom au fleuve, la ville de Perth.

Dès 1829, on comptait déjà 300 colons placés sous la conduite du capitaine Fremantle. Stirling fut nommé lieutenant-gouverneur, puis gouverneur du territoire et anobli.

Décider de nouveaux immigrants à venir s'installer sur des terres aussi isolées ne fut toutefois pas chose aisée. En 1848, la colonie dut réclamer l'envoi de prisonniers afin de mettre les terres en valeur. Dix ans plus tard, Perth ne comptait encore que 3 000 âmes.

Mais, en 1892, la nouvelle de la découverte de pépites à Kalgoorlie allait se répandre en quelques semaines. En 1901, la population de Perth atteignit 30 000 habitants. Dès lors, la ville connut une croissance paisible mais régulière.

Perth, capitale de l'Ouest

La découverte de l'Ouest sauvage commence toujours par **Perth**, ville dont la population atteint aujourd'hui 1,4 million d'habitants (soit

Carte p. 298

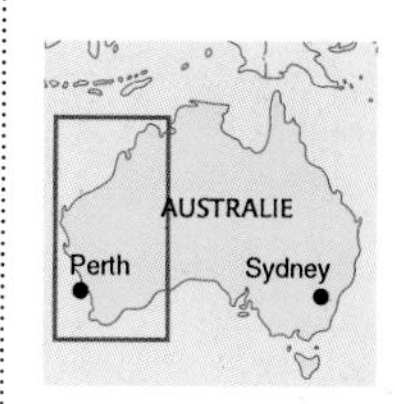

Pages précédentes : caravane de chameaux déambulant sur Cable Beach, près de Broome.

L'Australie-Occidentale est une vaste étendue désertique coupée du reste du pays. On y trouve une flore étonnante, comme en témoignent les fameux baobabs du Kimberley (à gauche), et une faune non moins riche (à droite) qui peut parfois représenter un danger pour les automobilistes.

70 % de la population de l'État – le moins peuplé des sept). Capitale de l'Australie-Occidentale, Perth la moderniste présente un insolent contraste avec les « vieilles cités surpeuplées » de la côte est et se veut le symbole de la réussite australienne. Elle connut néanmoins, dans les années 1980, de nombreux scandales politiques et financiers restés dans les mémoires.

On appelle parfois Perth *City of Light* (« ville lumière »), en raison de la qualité de l'air. Perth jouit en effet d'un climat exceptionnel : l'hiver y est doux et, les soirs d'été, la chaleur est tempérée par une légère brise marine surnommée *Fremantle Doctor*.

Le site de la ville, dominant le large méandre de **Perth Water** (1 km d'une rive à l'autre), est des plus séduisants. Un peu en aval, le lit de la **Swan River** s'élargit encore pour former une vaste baie. De nombreux citadins, conquis par le cadre, ont construit leur demeure sur la rive du fleuve. Sur la côte, de part et d'autre de l'embouchure de la Swan, s'étendent d'immenses plages balayées par les rouleaux de l'océan Indien.

L'essor extraordinaire de l'industrie minière ces vingt-cinq dernières années a engendré l'installation des sièges sociaux de nombreuses multinationales, tandis qu'une quantité impressionnante de gratte-ciel envahissait le centre de la ville. Plus de 1 000 km² de terrain ont néanmoins été réservés aux jardins publics, aux parcs naturels et aux terrains de sport.

À la lisière du centre, le gigantesque **Kings Park** Ⓐ (400 ha), comprend un superbe jardin botanique où prospèrent les essences d'eucalyptus d'Australie-Occidentale et la flore des régions désertiques.

De nombreux édifices historiques ont été sauvegardés. Les plus anciens se trouvent à **Stirling Gardens**, près de la Cour suprême. Construit en 1836, l'ancien tribunal, **Old Court House** Ⓑ, est remar-

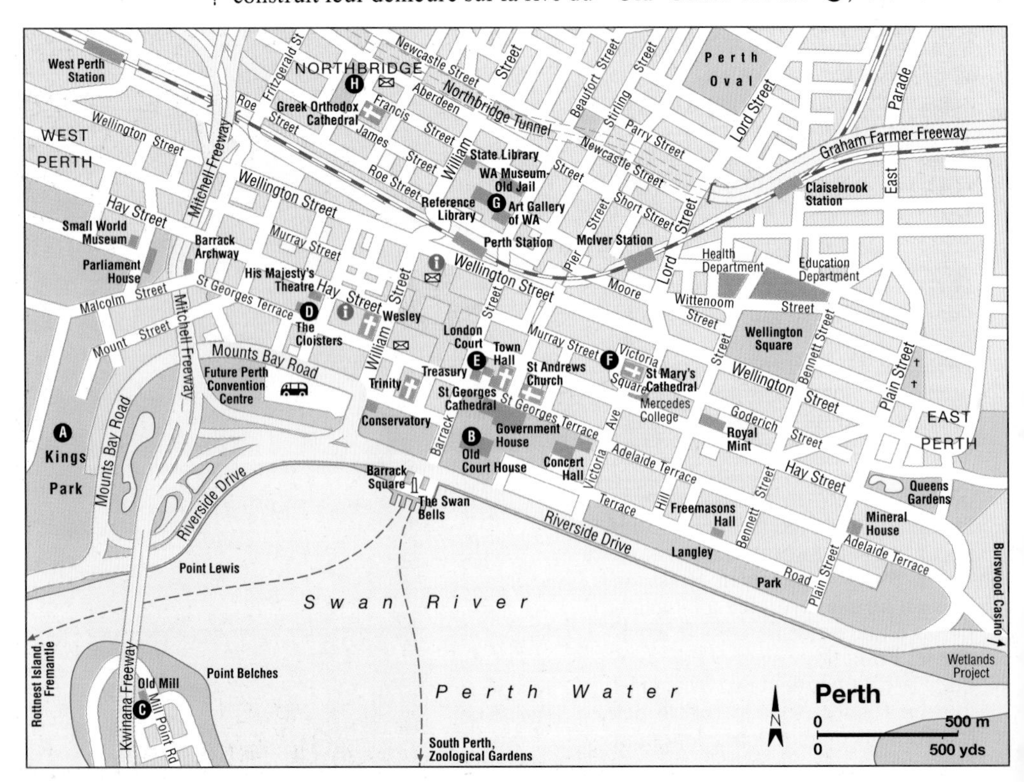

quable par la sobriété de ses lignes, belle illustration du style géorgien.

Autre vaillant ancêtre, bâti vers 1830, le moulin, **Old Mill** **C**, qui produisit les premières livres de farine de la jeune colonie et qui abrite aujourd'hui un musée.

Rares sont les monuments antérieurs à la ruée vers l'or des années 1890. Pourtant, à l'angle de King Street et de Saint George's Terrace, a survécu un ancien édifice de style élisabéthain, les **Cloisters** **D**. Fondée en 1858, cette ancienne école a échappé par miracle à la destruction, grâce à la mobilisation de nombreuses associations.

Dans les années 1860, on eut de nouveau recours au travail forcé des bagnards pour construire la **Government House** (Saint George's Terrace), qui a une certaine ressemblance avec la tour de Londres – à ceci près que les briques remplacent ici la pierre grise anglaise.

Le vieil **hôtel de ville** (Town Hall) fut le dernier bâtiment construit par des *convicts*, en 1867. Il s'élève toujours sur Hay Street Mall.

Parmi les édifices datant de la ruée vers l'or des années 1890, le **His Majesty's Theatre**, à l'ouest de Hay Street, et le **Perth Mint** (hôtel de la Monnaie), à l'angle de Hill Street et de Hay Street. Les visiteurs peuvent y faire battre leur propre monnaie et, toutes les heures, regarder couler l'or, l'argent et le platine.

Des espaces piétons ont également été aménagés. Le plus célèbre est sans doute **London Court** **E**, construit en 1937 dans le style néo-Tudor. On a l'illusion de fouler le sol mythique de la vieille Angleterre.

East Murray Street Precinct **F**, située un peu plus au nord, est une rue historique qui apparaissait sur les plans de Perth dès 1838. Aujourd'hui, des immeubles modernes côtoient les anciens bâtiments administratifs.

Au-delà de la gare, le **Perth Cultural Centre** **G** abrite l'**Art Gallery of Western Australia** et le **Museum**

Carte p. 294

Vue sur les gratte-ciel de Perth depuis la rive opposée de la Swan River.

of Western Australia. Outre de belles collections d'art aborigène, ce musée présente un squelette de baleine de 25 m de long et un bel ensemble de météorites dont la plus lourde pèse tout de même 11 t ! La prison, **Old Jail**, qui fait partie du musée, fut construite en 1856 et fut en usage jusqu'en 1888.

Le centre culturel se situe au seuil du quartier cosmopolite de **Northbridge** ⓗ, qui regorge de restaurants. On peut y déguster poissons et fruits de mer, cuisine asiatique, ou siroter un café dans un des nombreux cafés italiens du quartier.

Les environs de Perth

Un réseau autoroutier et des transports en commun développés et fonctionnels permettent de visiter facilement les alentours de Perth.

Au nord de l'embouchure de la Swan (sur laquelle il faut absolument se promener en bateau) s'étendent les immenses plages de Cottesloe, Swanbourne ou Scarborough, accessibles par autobus depuis le centre.

Fremantle ❶, située à 18 km de Perth, au sud de l'embouchure, a connu un regain de popularité en 1987, grâce à la coupe de l'America. Freo, comme l'appellent ses habitants, a su conserver son charme colonial et abrite toujours de nombreux témoignages de son passé.

Le **Fremantle Museum & Arts Centre**, situé dans un ancien asile d'aliénés, retrace l'histoire de la ville.

Le **Maritime Museum** (Cliff Street), dans un bâtiment de 1852, est consacré aux explorations maritimes et à l'archéologie. Il expose les vestiges du célèbre *Batavia*, navire de la Compagnie hollandaise des Indes orientales et le **Western Australian Maritime Museum**, d'une architecture étonnante, ouvre sur la mer depuis Victoria Quay.

Près du musée, **Round House**, bâtie en 1831, est le plus ancien édifice public d'Australie-Occidentale ; **Fremantle Prison** fut quant à elle édifiée par les forçats. La prison, encore en service, abrite aussi un musée consacré à l'histoire pénitentiaire. Mais cette ambiance carcérale n'empêche pas de profiter des joies du bord de mer ! Fremantle bénéficie aussi de l'ambiance cosmopolite des grands ports, avec d'excellents pubs et de merveilleux restaurants de poissons.

À 20 km au large de la côte, on rejoint la superbe île sablonneuse de **Rottnest Island** ❷ (surnommé *Rotto*). Elle fut découverte en 1696 par le navigateur hollandais Vlaming qui, effrayé par le nombre de rongeurs qu'il crut y apercevoir, la baptisa aussitôt *Rats' Nest* (« nid de rats »). Ces rats étaient en fait des *quokkas*, inoffensifs petits marsupiaux. Avec le temps, *Rats' Nest* est devenu Rottnest. Avant de devenir un lieu de villégiature privilégié, l'île servit de prison entre 1838 et 1903 aux Aborigènes hostiles à l'implantation de la colonie. Comme dans de nombreuses autres îles australiennes, les vagues tenaient ici lieu

Le nouveau Western Australian Maritime Museum, sur Victoria Quay, a été achevé en 2004. Chef-d'œuvre d'architecture moderne, le bâtiment représente un bateau posé sur la plage.

de murailles. Le pub local, que tout le monde connaît sous le nom de Quokka Arms, est l'ancienne résidence du gouverneur. Il est agréable de parcourir l'île à bicyclette (les véhicules à moteur y sont de toute façon interdits) et de se livrer à une multitude d'activités : golf, voile, tennis, baignades dans les lacs salés, plongée, excursions en bateaux à fond transparent, visite des bâtiments pénitentiaires... On se rend à Rottnest en bateau (à partir de Perth ou de Fremantle) ou en avion (au départ de Perth). Le vol, d'une dizaine de minutes, reste très bon marché.

Le Sud-Ouest

Juste au sud de Fremantle débute une succession de plages et de baies connue sous le nom de « côte de Perth ». Envahi par les touristes en été, l'endroit est assez paisible le reste de l'année. Les amateurs de pêche, de voile et de surf seront comblés à **Mandurah**, sur l'estuaire de la Harvey River, ou à **Rockingham**.

En descendant la côte, on gagne **Harvey**, petite ville d'élevage fondée en 1890.

De là, on peut rejoindre le **Yalgroup National Park** par l'ancienne route côtière qui traverse un étonnant paysage de dunes.

Cité industrielle, port et station balnéaire de 50 000 habitants, **Bunbury** doit sa prospérité à l'exploitation des forêts de la région. Mais les gourmets connaissent l'endroit pour le *blue manna*, variété de crabe particulièrement savoureuse.

Bunbury est à l'extrême nord du **Cape Naturaliste**, éperon nord de la grande pointe sud-ouest de l'Australie-Occidentale, avancée naturelle qui dessine le contour de **Geographe Bay**.

Les vallées verdoyantes de la **Margaret River** ❸, à 280 km au sud de Perth, abritent de nombreuses curiosités, notamment un nombre

Carte p. 298

L'un des quokkas que Willem de Vlamingh prit pour des rats.

Un exemple d'architecture coloniale de la ville de Fremantle.

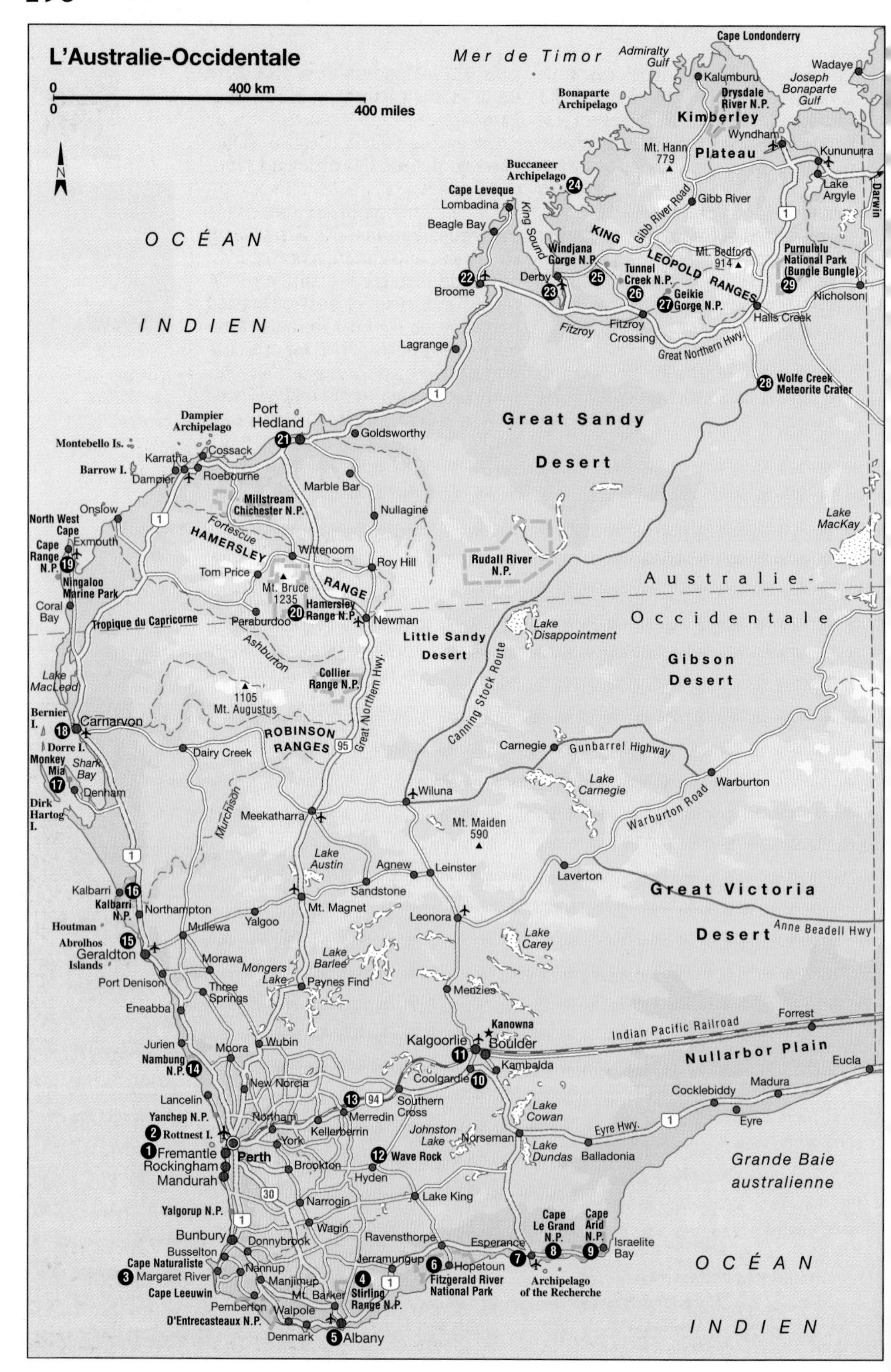
L'Australie-Occidentale
0
400 km
0
400 miles
N
Mer de Timor
OCÉAN
INDIEN
Great Sandy
Desert
Little Sandy
Desert
Gibson
Desert
Great Victoria
Desert
Nullarbor Plain
Australie-
Occidentale
Grande Baie
australienne
OCÉAN
INDIEN
Kimberley
Plateau
KING
LEOPOLD
RANGES
HAMERSLEY
RANGE
ROBINSON
RANGES
Tropique du Capricorne
Cape Londonderry
Admiralty Gulf
Kalumburu
Drysdale River N.P.
Joseph Bonaparte Gulf
Wadaye
Bonaparte Archipelago
Wyndham
Kununurra
Lake Argyle
Darwin
Mt. Hann 779
Buccaneer Archipelago
Cape Leveque
Lombadina
Beagle Bay
King Sound
Gibb River Road
Gibb River
Windjana Gorge N.P.
Mt. Bedford 914
Purnululu National Park (Bungle Bungle)
Derby
Tunnel Creek N.P.
Geikie Gorge N.P.
Broome
Nicholson
Halls Creek
Fitzroy
Fitzroy Crossing
Great Northern Hwy.
Lagrange
Wolfe Creek Meteorite Crater
Dampier Archipelago
Port Hedland
Goldsworthy
Montebello Is.
Cossack
Karratha
Barrow I.
Dampier
Roebourne
Marble Bar
Millstream Chichester N.P.
Onslow
Nullagine
North West Cape
Fortescue
Cape Range N.P.
Exmouth
Wittenoom
Roy Hill
Rudall River N.P.
Lake MacKay
Tom Price
Ningaloo Marine Park
Mt. Bruce 1235
Coral Bay
Hamersley Range N.P.
Paraburdoo
Newman
Lake Disappointment
Ashburton
Canning Stock Route
Lake MacLeod
Collier Range N.P.
1105 Mt. Augustus
Bernier I.
Carnarvon
Dorre I.
Dairy Creek
Carnegie
Gunbarrel Highway
Monkey Mia
Shark Bay
Denham
Lake Carnegie
Warburton
Warburton Road
Dirk Hartog I.
Wiluna
Murchison
Meekatharra
Mt. Maiden 590
Lake Austin
Agnew
Leinster
Laverton
Kalbarri
Kalbarri N.P.
Sandstone
Northampton
Mt. Magnet
Leonora
Houtman Abrolhos Islands
Mullewa
Yalgoo
Anne Beadell Hwy
Lake Carey
Geraldton
Morawa
Lake Barlee
Mongers Lake
Port Denison
Three Springs
Paynes Find
Menzies
Eneabba
Kanowna
Forrest
Indian Pacific Railroad
Jurien
Moora
Wubin
Kalgoorlie
Boulder
Eucla
Nambung N.P.
Kambalda
Coolgardie
New Norcia
Madura
Lancelin
Cocklebiddy
Southern Cross
Yanchep N.P.
Northam
Merredin
Lake Cowan
Eyre
Rottnest I.
Kellerberrin
Eyre Hwy.
York
Johnston Lake
Norseman
Fremantle
Perth
Wave Rock
Lake Dundas
Balladonia
Rockingham
Brookton
Mandurah
Hyden
Lake King
Narrogin
Yalgorup N.P.
Cape Le Grand N.P.
Cape Arid N.P.
Bunbury
Wagin
Ravensthorpe
Esperance
Israelite Bay
Busselton
Donnybrook
Cape Naturaliste
Nannup
Jerramungup
Hopetoun
Margaret River
Manjimup
Fitzgerald River National Park
Archipelago of the Recherche
Cape Leeuwin
Mt. Barker
Stirling Range N.P.
Pemberton
Walpole
D'Entrecasteaux N.P.
Denmark
Albany
1
95
94
30

considérable de grottes calcaires ouvertes au public (**Mammoth**, **Lake** et **Jewel** sont les plus connues). La visite n'est pas sans danger car certaines grottes effondrées laissent dans le sol d'énormes cavités béantes qui atteignent parfois 100 m de profondeur. Le littoral de la Margaret River est l'un des plus fréquentés de l'État, non seulement pour les impressionnants rouleaux qui attirent les surfeurs, mais aussi pour les vignobles de la région, qui produisent d'excellents crus.

Cape Leeuwin, au sud, est le point de rencontre des océans Indien et Pacifique Sud. C'est d'ici que partit Matthew Flinder lorsqu'il entreprit, en 1790, son tour de l'Australie.

Dans les terres, le **Pemberton National Park** est la région des forêts de karris et de jarrahs, variétés d'eucalyptus géants qui peuvent dépasser 100 m de hauteur. Les plus intrépides pourront grimper au sommet de l'impressionnant **Gloucester Tree**, où a été aménagé, à 60 m de hauteur, un poste de surveillance afin de prévenir les incendies.

Un peu plus à l'est, le **Stirling Range National Park** ❹ est la seule zone montagneuse d'Australie-Occidentale à connaître des chutes de neige (le point culminant est Bluff Knoll, à 1 037 m).

Plus au sud sur la côte s'étend la ville d'**Albany** ❺, qui fut le site de la première colonie de la partie occidentale de l'Australie. Explorée en 1791 par le capitaine George Vancouver, la baie de **King George Sound** (deux fois plus large que la baie de Sydney) vit débarquer, le jour de Noël 1826, le major Lockyer. La baie, très protégée, ouvrait aux Britanniques de nouvelles perspectives de colonisation. Ce site exceptionnel permit à Albany de devenir un grand port baleinier puis, avec l'arrivée des vapeurs en provenance de Grande-Bretagne, une escale de ravitaillement en charbon.

Cette petite ville de 15 000 habitants, bordée d'un front de mer d'une rare élégance, est parmi les plus pittoresques d'Australie, avec de nombreux exemples d'architecture victorienne (la **poste**, la plus ancienne de l'État, l'**église Saint-Jean-l'Évangéliste**, érigée en 1848).

Albany est ceinte de collines d'où les bons marcheurs découvriront le paysage alentour. Sur **Strawberry Hill**, on peut encore voir la résidence de l'État, construite en 1836 pour le gouverneur sir Richard Spencer. Au sommet du mont Clarence s'élève un monument dédié aux victimes de la bataille de Gallipoli (avril-décembre 1915) qui, jusqu'à la crise du canal de Suez de 1956, se trouvait à Port-Saïd, en Égypte.

La beauté des paysages des parcs nationaux des environs est saisissante. De nombreux chemins de randonnée y ont été aménagés. A 185 km au nord-ouest d'Albany, le **Fitzgerald River National Park** ❻, avec ses percées sur l'océan et son massif montagneux (le Barrens Range), est l'un des plus beaux.

Carte p. 298

Les sommets du massif des Stirling Ranges, qui s'étirent sur 96 km. Son point culminant, Blukk Knoll (1 037 m), est l'un des rares d'Australie à connaître des chutes de neige. Toolbrunup Peak offre quant à lui de magnifiques point de vue. Ces pics peuvent faire l'objet d'agréables randonnées d'une demi-journée.

Le port d'**Esperance** ❼ est à l'extrémité orientale de l'État, au sud des gisements aurifères de Norseman et de Kalgoorlie. Les premiers colons britanniques s'installèrent dans la région en 1863, mais c'est la découverte de gisements d'or, dans les années 1890, qui transforma Esperance en port important.

A **Cape Le Grand** ❽ et **Cape Arid** ❾, on peut observer une multitude d'oiseaux de mer. Les visiteurs peuvent camper au milieu de paysages fantastiques.

Au large, le **Recherche Archipelago** s'égrène en une centaine d'îles où nichent toutes sortes d'animaux (oiseaux, manchots, otaries).

L'or de Kalgoorlie

En venant de la frontière de l'Australie-Occidentale, on traverse l'immense plaine désertique de **Nullarbor**, qui porte bien son nom (« nul arbre »), avant d'arriver à **Norseman**, cité minière où prend fin l'Eyre Highway (à 725 km de l'Australie-Méridionale).

Vers le nord, à 200 km, **Coolgardie** ❿ est l'avant-poste du pays des filons d'or. En septembre 1892, Arthur Baylay et William Ford découvrirent près de Coolgardie un filon si important que la nouvelle se répandit et attira des milliers de prospecteurs. On retira bientôt 85 kg d'or par mois. Dès 1900, la ville comptait 15 000 habitants, d'innombrables hôtels, une demi-douzaine de banques, trois brasseries et pas moins de sept quotidiens différents. Mais les pénibles conditions de vie liées à la chaleur et au manque d'eau, feront d'innombrables victimes. En 1905, le filon s'épuisa, les mineurs désertèrent le site et Coolgardie n'échappa pas à son destin de ville fantôme.

Les récentes découvertes de nickel dans la région ont néanmoins permis à certaines anciennes villes minières, comme **Laverton**, de reprendre du service.

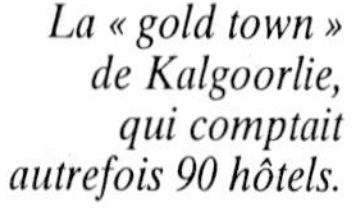

La « gold town » de Kalgoorlie, qui comptait autrefois 90 hôtels.

Kalgoorlie ⓫ est en revanche toujours en pleine activité, ce qui fait d'elle la plus ancienne des cités minières australiennes exploitées.

En 1893, l'Irlandais Paddy Hannan découvrit un filon sur ce site et s'aperçut vite qu'il était probablement le plus riche du continent tout entier: il mesurait 3 km de long, ce qui lui valut le nom de Golden Mile. L'eau venant à manquer, on construisit un pipeline qui partait d'un réservoir à proximité de Perth, à plus de 500 km de là... Aujourd'hui, le fameux Golden Mile est exploité sur plus de 800 km² et jusqu'à une profondeur de 1300 m; il a déjà livré plus de 1200 t d'or pour un rapport excédant le milliard de dollars et continue à livrer 241 millions de grammes d'or par an.

La proximité des mines de nickel de **Kambalda** a aidé à constituer un bassin minier solide, alors que l'or était autrefois le seul métal recherché. À Kambalda, un soin tout particulier a été apporté à l'aménagement urbain et au respect de la nature, ce qui n'est pas le cas de Kalgoorlie.

L'agglomération de Kalgoorlie-Boulder est devenue le grand centre minier du sud-est de l'Australie-Occidentale. L'intéressant **Golden Mile Museum** retrace l'épopée des premières ruées vers l'or. Mais le plus séduisant demeure sans doute la découverte de la **Hannan North Tourist Mine**, ancienne mine située au beau milieu du filon historique. Ouvertes en 1898, ces galeries ne sont plus exploitées depuis les années 1960. Un ascenseur descend à 60 m sous terre, et un ancien mineur mène une visite guidée des galeries.

VILLES FANTÔMES ET BLÉ

Un rapide survol de la région révèle la présence de plusieurs villes fantômes comme **Gwalia** et **Kanowna**, qui, en 1905, comptait 12000 habitants, 16 hôtels et une liaison ferroviaire avec Kalgoorlie. D'autres ne

Carte p. 298

Tous les bars des « gold towns » ne sont pas des lieux chargés d'histoire !

tarderont pas à les imiter : leurs habitants ne sont plus qu'une poignée et ne se font pas d'illusions sur leur avenir. Ici et là, on trouve encore les traces d'un passé prospère : hôtels de luxe pour clientèle brusquement enrichie, bureaux pour transactions faramineuses.

La principale attraction du Sud-Ouest, à 310 km de Perth, près du village de **Hyden**, est sans conteste le phénomène géologique de **Wave Rock** ⓬, énorme vague de granite sculptée par l'érosion.

A l'ouest des grands gisements aurifères, les fermiers s'occupent de récolter la seconde richesse dorée de l'État : le blé. En plein cœur de cette région céréalière, **Merredin** ⓭ est une petite ville active de 4000 habitants, fondée en 1891 à proximité d'un point d'eau. Elle servit de relais aux prospecteurs qui accouraient vers les gisements d'or. Depuis, Merredin est devenue un centre de recherches agronomiques où l'on s'attache à augmenter le rendement des terres à blé. Sa fête annuelle est l'une des plus prestigieuses de l'État. La ville est magnifique au mois de novembre, quand les jacarandas sont en fleur.

Northam (6600 habitants) est le centre agricole de la partie occidentale de cette région céréalière, à une centaine de kilomètres de Perth. Située au bord de l'Avon, qui baigne la fertile vallée qui porte son nom, l'**Avon Valley**, Northam appartient à une région qui a joué un rôle déterminant dans la colonisation de l'Ouest australien. C'est en découvrant cette vallée prometteuse de 150 km de long que l'explorateur Robert Dale comprit qu'une colonisation durable était possible. Les localités de la vallée ont été fondées peu de temps après la fondation de Perth.

Les plus beaux vestiges de cette époque se trouvent à **York** (ne pas manquer l'architecture extravagante de l'hôtel de ville), à **Toodyay** et à **Mahogany Creek**.

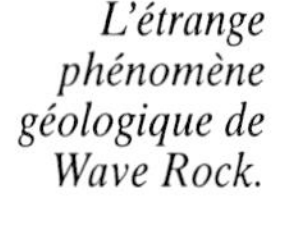

L'étrange phénomène géologique de Wave Rock.

AU NORD DE PERTH

La route qui relie Perth à Darwin (4 342 km) est l'une des plus longues et des plus désolées. A 130 km de Perth, par la Great Northern Highway, on gagne **New Norcia**, petite localité de 150 habitants qui a su conserver l'étrange atmosphère héritée de ses origines. New Norcia fut en effet fondée en 1846 par des bénédictins espagnols venus y établir une mission destinée à la conversion des Aborigènes. Le monastère est encore habité par des bénédictins. Si la plupart des édifices de New Norcia ne sont pas ouverts au public, les façades, le musée et la galerie d'art suffisent néanmoins à satisfaire la curiosité de chacun.

La Brand Highway, au nord de Perth, longe le **Darling Range** (à l'est), et les occasions ne manquent pas de bifurquer vers la côte.

Ainsi, il ne faut manquer le détour vers le **Nambung National Park** ⓮, à 29 km au sud de Cervantes : à l'intérieur du parc national, le **Pinnacles Desert**, le « désert des pénitents », est un vaste champ de tours calcaires, de tailles et de formes variées (de la grosseur d'un doigt à celle d'un camion), qui semblent pousser dans les dunes. Lorsque des explorateurs hollandais, à bord de leurs navires, aperçurent ces « pénitents » pour la première fois, ils crurent que c'était les ruines d'une cité très ancienne. Ce ne sont en réalité que des formations géologiques naturelles, des amas de calcaire formés autour des racines de plantes qui poussaient sur des dunes stables il y a trente mille ans. Avec la disparition de la végétation, les dunes ont commencé à bouger, exhumant ces curieuses structures.

Un peu plus haut sur la côte, le port de **Jurien** jouit d'une superbe situation, au bord d'une baie entourée d'un arc de dunes. Son port est spécialisé dans la pêche au homard.

Ceux à qui cette découverte aura mis l'eau à la bouche seront ravis d'arriver à **Port Denison**, près de **Dongara** (170 km plus loin). A Port Denison, capitale australienne de ce succulent crustacé, 400 bateaux de pêche travaillent en effet sans relâche.

Avec ses 20 000 habitants, **Geraldton** ⓯ est la capitale administrative de cette partie du littoral et bénéficie d'excellentes conditions climatiques qui attirent pêcheurs et baigneurs sur les superbes plages de sable au nord et au sud de **Champion Bay**.

C'est au XVIe siècle que les **Houtman Abrolhos Islands** (64 km au large des côtes) furent découvertes et baptisées. Leurs eaux dangereuses provoquèrent de nombreux naufrages. Des vestiges de cette époque tourmentée sont exposés au **Maritime Museum** de **Geraldton**.

Pour avoir une vue panoramique sur la région, il faut se rendre sur **Waverley Heights**.

Quelques pêcheurs peuvent tenter leur chance à **Sunset Beach**, sur la **Greenough** ou à **Drummond's Cove**. La rivière offre de nouveaux pay-

Carte p. 298

Les curieuses tours calcaires du Pinnacles Desert, que les explorateurs hollandais prirent autrefois pour les ruines d'une cité très ancienne. Ces amas de calcaire se sont formés autour des racines de plantes qui poussaient sur des dunes stables il y a trente mille ans.

sages et permet de se baigner dans des eaux paisibles.

Les **Ellendale Bluffs** sont des falaises au pied desquelles on trouve un point d'eau permanent. Il ne faut pas non plus manquer de visiter la **Chapman Valley**, particulièrement belle au printemps, quand sortent les fleurs sauvages.

A la fin du XIXe siècle, **Northampton** (à 48 km au nord de Geraldton) était une sorte d'excroissance lointaine de Perth, dont les bâtiments avaient été construits par des forçats (l'actuel **Chiverton House Museum**, par exemple). Le cimetière de Gwalia Church abrite les tombes de ces forçats ou colons libres qui comptèrent parmi les pionniers de l'Australie-Occidentale.

A 20 km plus loin se trouvent **Horrock Beaches**, un bel ensemble de plages de sable et de baies.

Si le **Lake Hutt** (près de **Port Gregory**) n'est pas à sec, on assiste à un des étranges phénomènes naturels communs en Australie : au soleil de midi, les eaux du lac virent en effet au rose en raison de la réfraction de la lumière et de la présence de pigments dans l'eau.

Avec 190 000 ha qui encadrent les derniers méandres de la Murchison River, le **Kalbarri National Park** 16 recouvre un ensemble de gorges et de falaises dressées au-dessus de l'océan.

A l'endroit où le fleuve se jette dans l'océan Indien, le site de **Red Bluff** est marqué par des formations de grès multicolores.

Au sud de Carnarvon s'étendent les péninsules et les criques de **Hamelin Pool** et **Denham Sound**. Ces deux immenses bassins sont protégés au nord-est par **Dirk Hartog Island**, ainsi baptisée en hommage au capitaine hollandais qui, au XVIIe siècle, fut sans doute le premier Européen à poser le pied dans l'Ouest australien.

En dépit de leur nom, les eaux de **Shark Bay** (« baie du requin ») atti-

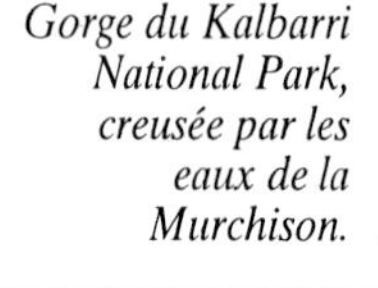

Gorge du Kalbarri National Park, creusée par les eaux de la Murchison.

rent bien des visiteurs. Nul danger, cependant : près de Denham, à **Monkey Mia** ⓱, des dauphins, lentement apprivoisés par les pêcheurs locaux, ont pris l'habitude de s'approcher sans crainte du rivage et des baigneurs.

A 1 000 km au nord de Perth, juste au sud du tropique du Capricorne, se situe **Carnarvon** ⓲. Traversée par le cours de la **Gascoyne**, elle est à l'image des villes de la côte orientale placées sous les mêmes latitudes : hivers chauds, bananeraies et faune tropicale luxuriante. Peu après l'arrivée tardive des premiers colons (en 1876), on construisit une rue principale large de 40 m, afin de permettre aux convois de dromadaires venus de l'arrière-pays d'y manœuvrer. Le port est surtout fréquenté par les amateurs de pêche au gros.

Les baigneurs fréquentent la plage de **Pelican Point**, 5 km au sud-ouest de la ville.

Miaboolya Beach, à 22 km de Carnarvon, mérite une visite, ainsi que le puits artésien de **Bibbawarra**, dont l'eau atteint 70° C.

Plus au nord, le littoral devient très spectaculaire, avec notamment le **Lake McLeod** (lac océanique), des falaises, des criques et des étendues sauvages.

De l'autre côté du tropique du Capricorne, **Exmouth** est une des villes les plus récentes du continent, construite pour abriter la base navale américaine de North-West Cape, qui fut en service jusqu'au début des années 1990.

Le **Cape Range National Park** ⓳ s'étend au sud-ouest d'Exmouth sur un promontoire calcaire aride et découpé par l'érosion. Les passionnés de la pêche comme les amateurs de marche seront séduits par le spectacle des fonds marins et des falaises rouges de **Yardie Creek Gorge**, qui se reflètent dans les eaux de l'estuaire. A bord de bateaux à fond transparent, on peut observer l'incroyable flore marine qui offrira d'intenses émotions aux plongeurs.

Carte p. 298

L'État d'Australie-Occidentale a la côte la moins peuplée du monde.

Au sud, les récifs coralliens du **Ningaloo Reef Marine Park**, parfois à 20 m du rivage, s'étirent sur 260 km de long, et abritent 250 espèces de corail et plus de 500 de poissons.

La **Coral Bay**, à 1132 km de Perth, est le lieu idéal pour pêcher ou plonger sur le Ningaloo Reef.

LES RICHESSES MINÉRALES DU PILBARA

Au nord d'Exmouth, le **Pilbara** est l'une des régions les plus passionnantes de l'État. C'est ici que se concentrent ses principales richesses minérales, dont témoignent les cratères de mines que l'on rencontre. Toutes les villes du Pilbara sont des *company-towns*, villes dirigées par des compagnies minières et vouées à l'extraction du minerai. Le fer extrait à Tom Price ou Mount Newman est acheminé par chemin de fer sur la côte, puis expédié dans des unités de traitement, en Australie ou dans d'autres points du globe.

Le Nord-Ouest fut exploré pour la première fois par William Dampier en 1688 et 1699. De nombreux sites de la côte ont été baptisés du nom de ses navires : *Buccaneer*, *Cygnet* et *Roebuck*.

L'**archipel de Dampier** (Dampier Archipelago), qui comprend **Barrow Island**, abrite notamment d'importants gisements sous-marins de gaz naturel. Au contraire de ce que l'on pourrait penser, leur exploitation, en perpétuelle croissance, n'a pas provoqué de pollution excessive ; au contraire Barrow Island a été classée réserve naturelle, et ses richesses écologiques sont – jusqu'à présent du moins – bien préservées.

Roebourne, la plus ancienne colonie du secteur, fut même la capitale du Nord-Ouest, mais son rôle économique a considérablement diminué depuis l'implantation des villes minières.

Non loin de là, **Cossack** est devenue une ville fantôme depuis le déplacement des activités perlières

Tous les jours, les dauphins viennent à Monkey Mia réclamer leur ration.

vers Broome et au-delà. Certains bâtiments anciens ont été récemment restaurés, mais le passage d'un cyclone en 1984 a retardé un programme de rénovation.

Néanmoins, une petite excursion en amont de la **Fortescue River** révèle un magnifique paysage verdoyant autour de Millstream, point d'eau vital pour de nombreuses localités du Pilbara. Le **Millstream-Chichester National Park** séduira les naturalistes autant que les randonneurs et les pique-niqueurs.

Dans cette même région se trouve le superbe **Hamersley Range National Park** ⑳. Il suffit de prendre la direction de **Wittenoom** pour explorer ses gorges et ses falaises de toute beauté.

Si l'on désire avoir une idée des quantités de minerai de fer produites dans la région, il faut rejoindre le port industriel de **Port Hedland** ㉑, qui reçoit des tonnages records pour l'Australie. Construit sur une île, il est relié au continent par trois grandes digues. Une autorisation est nécessaire pour pénétrer dans la zone portuaire, mais les énormes minéraliers qui attendent leur chargement à quai sont loin de passer inaperçus. La Mount Newman Mining Company organise des visites en autobus de ses installations. Port Hedland peut décourager le visiteur par plus d'un aspect : la ville est située dans une région tropicale régulièrement balayée par des cyclones, ses eaux sont infestées de requins (la baignade y est donc très souvent déconseillée) et son paysage industriel est en apparence assez peu séduisant. Cependant, la pêche y est excellente et l'on trouve dans les environs de nombreuses peintures aborigènes ainsi qu'une riche faune aviaire.

On peut se baigner en toute sécurité à **Pretty Pool**, à quelques kilomètres de là.

A moins de 200 km au sud-est de Port Hedland, **Marble Bar**, typique petit village de pionniers d'Australie-Occidentale, doit son existence à la découverte d'un gisement d'or en 1891. Cela suffit à convaincre jusqu'à 5 000 personnes de s'y installer ; 300 irréductibles résistent encore...

A 10 km au sud, on rejoint la mine d'or de **Cornet**, toujours en activité, où l'on peut visiter son musée.

Les perles de Broome

Lorsqu'on vient par le sud, la route traverse des paysages monotones qui séparent Port Hedland et Broome, puis décrit un arc de cercle en suivant la portion de littoral connue sous le nom d'**Eighty Mile Reach**.

Dans les années 1920, **Broome** ㉒ fut la capitale mondiale de l'industrie perlière : une flotte de 300 bateaux se disputait alors les coquilles nacrées du nord-ouest de l'Australie. En réalité, le trésor recherché n'était pas la perle, mais la nacre, qui servait à la confection de bijoux et surtout de boutons. Les perles représentaient un simple (et heureux !) bonus pour les pêcheurs.

Carte p. 298

Les bateaux perliers qui ont fait la renommée de Broome ont aujourd'hui presque tous disparu. Les perles sont désormais cultivées dans des fermes isolées de la région. Le Broome Historical Society Museum. comprend plusieurs salles sur l'industrie perlière.

L'avènement du plastique, après la Seconde Guerre mondiale mit un frein brutal au commerce de la nacre. L'apparition des perles de culture permit heureusement à Broome de survivre, mais cette activité se déroule dans des fermes isolées de la région. Les bateaux perliers ont presque tous disparu du port, et leurs équipages ne suffisent plus à faire vivre les hôtels de la ville. Le **quartier chinois** (Chinatown) est le quartier historique de Broome, même si la communauté chinoise n'en occupe plus qu'une petite partie (les pêcheurs de perles étaient en grande majorité asiatiques, chinois et surtout japonais, comme l'atteste le cimetière japonais de la ville). Chinatown est la grande curiosité de Broome : un véritable décor de western, avec maisons et trottoirs en bois, boutiques et restaurants chinois, enseignes en plusieurs langues, etc.

La région de Broome est le cadre d'un étonnant phénomène lumineux surnommé le *Golden Staircase to the Moon* (l'« escalier d'or vers la lune »), qui se produit lorsque la lune se reflète dans l'océan à marée basse, durant les grandes marées d'équinoxe.

A **Gantheaume Point**, à marée basse, l'océan découvre des empreintes de dinosaures, sans doute vieilles de cent trente millions d'années !

La très longue plage de **Cable Beach** (22 km) doit son nom à un câble de communication sous-marin mouillé entre Broome et Java à la fin du XIXe siècle. Elle est aujourd'hui le site d'un important essor touristique haut de gamme, avec un parc zoologique, des élevages de crocodiles et des randonnées à dos de dromadaire. Au mois d'août la fête de la Perle (*Shinju Matsuri* ou *Festival of the Pearl*) est le grand rendez-vous de Broome, tant pour les touristes que pour les pêcheurs, mineurs ou fermiers de la région.

La région du Kimberley est l'une des plus reculées du continent. Avec un peu de chance, dans l'une des rares petites villes de la région, on pourra tomber sur un « general store » à la devanture clinquante.

Le Kimberley

Région sauvage et accidentée, le **Kimberley** est la véritable dernière frontière australienne. A peine 26000 personnes vivent sur ce territoire grand comme le Royaume-Uni et le Japon réunis. En dépit de gros investissements, les visiteurs y sont rares. Cette terre de pionniers est la région la plus reculée du continent mais aussi l'une des plus belles ; le spectacle de la nature y prend des proportions peu communes.

Par la route, Broome et **Kununurra** sont les deux portes d'accès au Kimberley. Perth se trouve à 2000 km de là, aussi le Kimberley apparaît-il souvent comme une extension du Territoire du Nord pour les vacanciers de la région de Darwin en mal de grands espaces sauvages.

A 216 km au nord-est de Broome, **Derby** ㉓ (10000 habitants) est le chef-lieu administratif de l'immense région d'élevage du West Kimberley. Au contraire de Broome, Derby est restée une paisible petite ville.

L'immensité du Kimberley fait de l'avion un moyen de locomotion indispensable. Un survol de **King Sound** et de l'**archipel de Buccaneer** ㉔ est le meilleur moyen de découvrir cette constellation d'îles, de baies, de falaises rouges et de plages désertes. Ceux qui n'apprécient pas l'avion peuvent opter pour une croisière (au départ de Broome). Pour retrouver la civilisation il faut rejoindre la station de vacances de **Cockatoo Island** ou la ville minière de **Koolan Island**.

De Derby, il y a deux possibilités : suivre la confortable (et non inondable) Great Northern Highway, ou bifurquer vers la **Gibb River Road** (surnommée Beef Road), qui traverse le cœur du Kimberley.

A 7 km après Derby se trouve un baobab géant qui, à l'époque coloniale, aurait servi à enfermer des forçats lors de convoyages. Proches cousins des baobabs d'Afrique du Sud, ils sont surnommés « arbres-bouteilles » à cause de l'obésité de leur tronc, qui peut atteindre 10 m de circonférence.

La **Windjana Gorge** ㉕, à 145 km à l'est, a été classée parc national. Elle présente un paysage spectaculaire de falaises abruptes dominant du haut de leurs 90 m le lit de la Lennard River (qui ne coule qu'à la saison des pluies). On y voit aussi des peintures aborigènes.

Tunnel Creek ㉖, 35 km plus loin, est un tunnel de 750 m de long creusé par l'érosion et peuplé de chauves-souris. Pour s'y aventurer (la largeur varie de 3 à 15 m), il est indispensable de se munir d'une bonne lampe.

Mieux vaut éviter de visiter la région à la saison des pluies (en raison de crues aussi soudaines que dangereuses) ainsi que l'été (à cause de la canicule). Quoi qu'il en soit, il convient de toujours lire attentivement les panneaux concernant l'état des routes.

A l'est de Derby, près de **Fitzroy Crossing**, on découvre la **Geikie**

Carte p. 298

La magnifique Manning Gorge, située à 306 km de Derby.

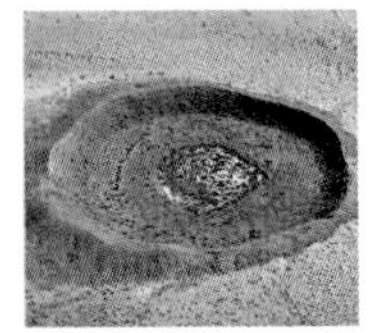

L'impressionnant cratère de météorite de Wolf Creek atteint 50 m de profondeur et 850 m de diamètre.

Gorge ㉗ (dans un petit parc national de 8 km sur 3 km). La profondeur du fleuve peut atteindre 17 m à la saison des pluies, submergeantle camping. L'été, le lit s'assèche et seuls quelques points d'eau subsistent.

Sur la partie orientale des gorges, **Fossil Downs** est un immense domaine privé de 405 000 ha. Il fut fondé en 1886, au bout de la plus longue conduite de bétail (5 600 km depuis la Nouvelle-Galles du Sud). C'est le seul ranch du Kimberley appartenant encore aux descendants d'une véritable famille de pionniers, les MacDonald.

La Great Northern Highway traverse le sud du Kimberley et rejoint la ville nouvelle de **Halls Creek** qui, avec ses hôtels climatisés et ses supermarchés, sert de base à l'industrie de la région. Les vestiges de la ruée vers l'or de 1884 ne manquent pas dans les environs. Quelques prospecteurs y tentent encore leur chance.

A 130 km au sud de Halls Creek, le cratère de météorite de **Wolf Creek** ㉘ est le deuxième plus grand du monde ; il prend toute sa dimension lorsqu'on le survole en avion.

Le Bungle Bungle Range

A 110 km au nord de Halls Creek, une bifurcation (réservée aux véhicules tout-terrain) mène à l'un des plus beaux sites du monde : le **Bungle Bungle Range**. Les *Bungles* couvrent une superficie de 770 km^2 : il s'agit d'un labyrinthe de tours, de colonnes, de dômes, de cônes (hauts de plus de 100 m) avec des stries horizontales jaunes (silice) et noires (lichen) formées par un mélange de sable et d'algues.

A l'intérieur des gorges et des canyons du **Purnululu National Park** ㉙, on découvre des grottes, des cavernes bordées de palmiers et des plages de sable blanc. Ce petit paradis terrestre n'était connu que d'une poignée de personnes avant qu'un

Croisière sur la Geikie Gorge.

journaliste ne divulgue l'information au monde entier en 1983. On a découvert des vestiges d'habitation prouvant que la tribu aborigène des Kidja connaissait ce site depuis des siècles. Des agences de tourisme, installées à Kununurra (et, dans une moindre mesure, à Halls Creek), proposent des excursions en avion.

Au nord du Purnululu National Park, la mine de diamants d'**Argyle**, découverte en 1979, est la plus grande du monde, avec une production annuelle de 5 t. On y extrait des diamants roses uniques au monde (visites par avion au départ de Kununurra).

Wyndham est le port d'Australie-Occidentale situé le plus au nord. En pleine expansion malgré le récent développement de Kununurra, Wyndham bénéficie de sa situation au pied d'un bassin alimenté par cinq fleuves, les King, Pentecost, Durack, Forest et Ord Rivers. Des crocodiles rôdent sur les berges, guettant une proie, animal tombé à l'eau au cours d'un chargement ou baigneur imprudent (il y a deux morts par an en moyenne).

La construction d'un barrage sur l'Ord River devrait permettre d'augmenter considérablement les surfaces cultivables de l'est du Kimberley. Fondée à la fin des années 1950, **Kununurra** est à l'origine de ce programme d'irrigation; la cité bénéficie en outre d'une fréquentation touristique croissante.

Au sud de la ville, dans le **Carr Boyd Range**, le lac artificiel d'Argyle est l'une des principales réserves d'eau de la région. Des excursions sont régulièrement organisées sur ses eaux.

L'Ord River en crue menace régulièrement ses alentours. Ce fut le cas du domaine ancestral des Durack, grande famille de pionniers du Nord-Ouest, et de l'**Argyle Downs Homestead**, qui fut déplacé afin d'échapper à la montée des eaux. Il abrite un musée consacré aux pionniers.

Carte p. 298

Coucher de soleil sur les « Bungle Bungles ».

LAKE DOVE VIA
LAKE WILKS
BALLROOM FOREST

LA TASMANIE

A 200 km du continent australien – distance à couvrir pour franchir le détroit de Bass – se trouve l'État insulaire de la Tasmanie : un monde à part, détaché des États voisins, qui se sent parfois comme un territoire d'outre-mer méconnu et négligé des Australiens.

La Tasmanie mesure 296 km du nord au sud et 315 km d'est en ouest au point le plus large. Ses 500 000 habitants se concentrent sur les côtes nord et est, ainsi que dans les villes de Hobart (la capitale) et de Launceston. Située à la hauteur des quarantièmes rugissants, la Tasmanie bénéficie d'un climat maritime tempéré avec d'abondantes précipitations (3 600 mm par an sur la côte est). La forêt couvre 3 millions d'hectares, mais la nature présente une variété inattendue de paysages de plaines, de vallées et de hauts plateaux cernés de pics déchiquetés se reflétant dans les eaux assoupies d'innombrables lacs.

Les principales ressources de l'île sont les mines, la forêt, l'élevage, l'agriculture et l'industrie, laquelle bénéficie d'une production hydroélectrique très bon marché.

La Tasmanie a un très riche capital architectural, historique et naturel. Le lobby écologiste, très actif, s'acharne en effet depuis plus de vingt ans à préserver ces régions restées vierges qui caractérisent la Tasmanie.

UNE HISTOIRE SANGLANTE

L'île fut découverte par le navigateur hollandais Abel Janszoon Tasman (1603-1659) en 1642. Il la baptisa terre de Van Diemen en l'honneur du gouverneur général des Indes hollandaises. Bien que les Britanniques en aient pris possession dès 1803, la Tasmanie ne reçut son nom actuel qu'en 1856. D'autres explorateurs suivirent les traces de Tasman : Cook en 1777, Bligh en 1788 et le Français Baudin en 1802. Ce fut cette dernière expédition qui poussa le gouvernement britannique à implanter une colonie sur l'île, de peur que les Français ne s'approprient le territoire.

L'isolement de la Tasmanie en fit une colonie pénitentiaire idéale. Ainsi, dès les années 1820, Macquarie Harbour et Maria Island abritèrent des camps de prisonniers, jusqu'à ce que fût construit, en 1832, le pénitencier de Port Arthur. Au même moment, les colons libres entraient en conflit avec les Aborigènes. Lorsque les fermiers blancs entreprirent de délimiter leurs propriétés éclata une véritable guerre de frontière. En 1828, la loi martiale fut proclamée afin de débarrasser le territoire de sa population indigène. Les rares survivants furent envoyés sur Flinders Island, où ils moururent des suites de maladies. Cette hécatombe du peuple aborigène de Tasmanie demeure un des chapitres les plus désolants de l'histoire coloniale du pays.

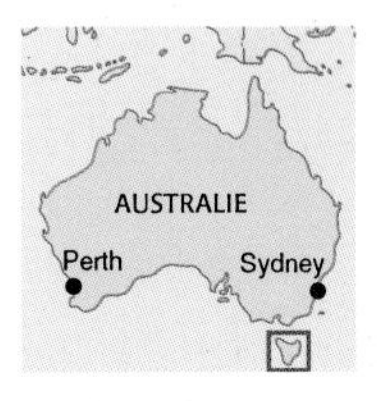

Pages précédentes : Lake Dove et Cradle Mountain.

La Tasmanie, ancienne colonie pénitentiaire, a ouvert au public de nombreux établissements carcéraux. A Port Arthur, on peut voir les fers des anciens prisonniers (à droite). L'île possède néanmoins de nombreuses autres richesses, tel le Cradle Mountain National Park (à gauche), qui compte de nombreux chemins de randonnée balisés.

La côte nord-ouest

La plupart des visiteurs débarquent dans la ville de **Devenport** ❶. Occupant une position centrale, en bordure de la **Mersey River**, Devonport compte 23 000 habitants. Son activité économique est principalement tournée vers l'exportation des productions locales (laine, pommes, légumes et baies).

La *highway* qui conduit à Stanley (pointe nord-ouest de l'île, à 133 km de Devonport) est bordée sur la gauche de pâturages verdoyants et de collines, et sur la droite de plages et de villages de bord de mer.

La petite ville de **Penguin** doit son nom aux colonies de manchots qui vivent dans les parages. La municipalité en a fait un atout touristique et va jusqu'à équiper ses rues de poubelles en forme de manchot !

Un peu plus loin, **Burnie** s'est spécialisée dans la fabrication de pâte à papier, devenue la principale activité de la ville. Une industrie assez polluante (surtout du point de vue des odeurs) pour rendre désagréable la traversée de la ville un jour de vent.

But de l'excursion, **Stanley** ❷ (700 habitants) est un joli village de pêcheurs niché au pied de Circular Head, rocher aplati surnommé *The Nut* (« la noix »). Ce village a très peu changé depuis le XIXe siècle. Fondé en 1826, Stanley fut le quartier général de la compagnie de la terre de Van Diemen, à qui la Couronne avait octroyé une concession afin de coloniser la région. Le Company Store, construit en 1844, domine toujours le front de mer, tandis que la **Highfield House**, bâtiment de basalte bleu édifié en 1828, trône au sommet d'une colline. C'est là que s'étaient établis les dignitaires de la compagnie. Entièrement restaurée, elle est désormais ouverte au public.

A l'ouest de Stanley, on rejoint **Smithton** et **Cape Grim** ❸, qui a la réputation d'être l'endroit le plus venteux d'Australie. Bien des

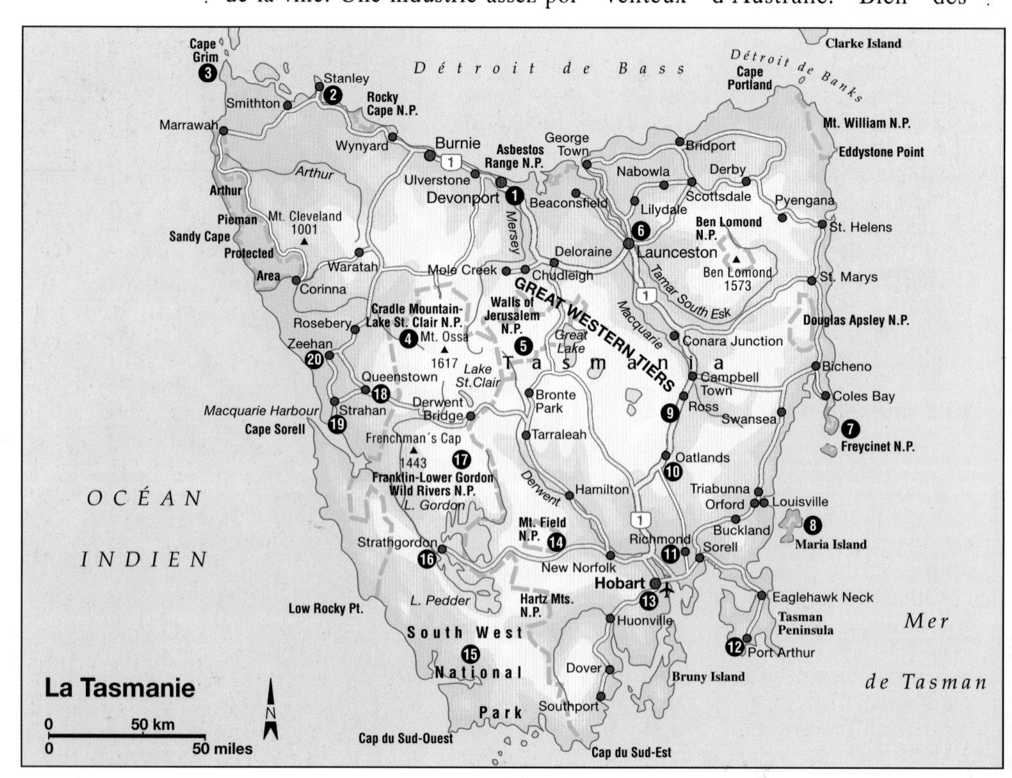

navires s'y sont échoués au XIXe siècle. La compagnie de la Terre possède toujours des fermes dans cette région sauvage et reculée.

Une série de vallées perpendiculaires à la côte longent ensuite les contreforts du massif montagneux qui occupe le centre de l'île et conduit à des fermes pittoresques.

Depuis **Ulverstone** (9 500 habitants), sur l'embouchure de la Leven River, une route tortueuse prend la direction de Castra et de Nietta Gorge.

En chemin, on traverse le **Leven Canyon** par de petites routes sinueuses bordées de champs de pavots (en fleur au mois de janvier), cultivés à des fins pharmaceutiques sous strict contrôle gouvernemental. Puis on atteint le départ du sentier de randonnée qui remonte la gorge de Nietta ; à cet endroit, on peut rebrousser chemin et prendre la direction de Wilmot, point d'accès au **Cradle Mountain-Lake Saint Clair National Park** ❹.

Une excursion de sept jours permet de relier Cradle Mountain aux rives du Lake Saint Clair (les deux extrémités du parc) par un sentier de randonnée souvent boueux. Les conditions climatiques peuvent très vite changer (les chutes de neige ne sont pas rares). Il est possible de camper ou de profiter de confortables refuges (aménagés à une journée de marche les uns des autres).

De plus courtes promenades sont aussi possibles dans la partie nord du parc, qui est la plus accessible et qui offre l'une des vues les plus magnifiques de Tasmanie : du parc de stationnement, on aperçoit **Cradle Mountain** et **Doven Lake** (un chemin de randonnée permet d'en faire le tour en deux heures). D'autres excursions, de difficultés variables, permettent d'atteindre les **Twisted Lakes** et le sommet de Cradle Mountain.

Le parc national inclut l'un des plus beaux sites montagneux de Tasmanie, doté d'une flore et d'une

Carte p. 316

Randonneur admirant la vue sur Cradle Mountain.

LE TIGRE DE TASMANIE

Son long corps jaune au dos rayé et sa mâchoire d'acier lui donnaient l'aspect d'un loup terrifiant. Le Tigre de Tasmanie (thylacine) était en fait un marsupial. Jusqu'à l'introduction de moutons sur l'île, il se nourrissait principalement d'oiseaux et de wallabies . Afin de protéger leurs troupeaux, les fermiers organisèrent de nombreuses battues en vue d'éliminer ce redoutable prédateur, décimant du même coup l'espèce. Les quatre derniers tigres furent capturés en 1908 dans la ferme de Woolnorth (au nord-ouest de la Tasmanie) et envoyés dans un zoo de Hobart. Ils ne purent malheureusement pas s'adapter et le dernier spécimen de l'espèce mourut en 1936, trois mois avant que l'espèce ne soit déclarée en voie de disparition. Certains Tasmaniens affirment en avoir rencontré d'autres depuis – témoignages qui ne furent jamais corroborés.

faune particulièrement riches. Les forêts pluviales tempérées, les forêts d'eucalyptus, les mousses, les fougères, les prairies, les essences tropicales constituent un habitat idéal pour les opossums, les wombats, les kangourous nains, les kangourous de Bennett et les célèbres diables de Tasmanie, petits animaux nocturnes difficiles à apercevoir mais identifiables à leurs cris rauques.

La Cradle Mountain et les falaises du **Walls of Jerusalem National Park** ❺ voisin font partie d'un vaste ensemble de hauts plateaux qui s'élèvent peu à peu à partir des côtes ouest et sud de l'île. Ils occupent les deux tiers de la superficie totale de la Tasmanie. L'altitude est en général supérieure à 900 m et culmine à plus de 1 500 m. La région a reçu le surnom de « terre des trois mille lacs ». Du **Great Lake** (lac le plus haut d'Australie) partent tous les cours d'eau, fleuves et rivières qui descendent vers les vallées de l'île, taillant de profondes gorges.

LE NORD

De Devenport, en roulant vers l'est sur la Bass Highway, on rejoint vite (à moins de 100 km de là) **Launceston**.

A mi-chemin, **Deloraine** est une petite cité historique de 2 000 habitants située dans la vallée de la Meander River et cernée par les hauteurs de **Quamby Bluff** (1 226 m) et de **Western Tiers**. Fondée en 1823, Deloraine compte encore de nombreuses maisons coloniales classées par le National Trust of Australia.

A 20 km de là, les grottes calcaires de **Mole Creek** valent le détour ; on peut aussi visiter un parc zoologique, le **Trowunna Wildlife Park**, qui présente des espèces difficiles à observer dans les conditions naturelles.

Construite au fond de l'estuaire de la **Tamar River**, **Launceston** ❻ est la deuxième ville de Tasmanie (65 000 habitants) et le grand centre

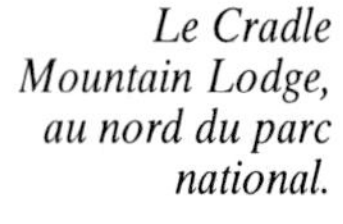

Le Cradle Mountain Lodge, au nord du parc national.

économique d'une bonne moitié de l'État. Ses parcs, ses jardins, le charme tranquille de ses rues et de ses bâtiments anciens (les bâtiments administratifs) lui ont valu le surnom mérité de *Garden City*.

Ici, le développement économique ne s'est pas fait au détriment de l'environnement. La plupart des curiosités locales sont proches les unes des autres. A 10 mn de marche, la **Cataract Gorge** est l'une des plus connues : ces gorges somptueuses sont bordées de falaises verticales qui surplombent la South Esk River à l'endroit où elle se jette dans la Tamar. Un sentier a été tracé en 1899 le long de la face nord ; il rejoint un immense bassin naturel, qui appartient à une réserve de 158 ha. A 10 mn du centre de la ville, un parc de loisirs (avec restaurant et piscine) a été aménagé au pied des falaises.

Les **Penny Royal Mills** constituent un parc d'attractions qui s'étend autour d'un ancien moulin (datant de 1825) qui se trouvait à l'époque à 60 km de la ville. Il est devenu le prétexte d'une vaste exposition de machines du XIXe siècle utilisant les énergies hydraulique et éolienne. Lauceston est également connue pour ses fabriques de laine, toujours en activité, qui proposent leur production à la vente.

Il ne faut pas manquer d'emprunter la **Wine Route** (la « route des vins ») et de visiter ces vignobles, qui, depuis les années 1970, produisent quelques-uns des meilleurs crus australiens (selon certains experts, les variétés tasmaniennes de chardonnay et de pinot noir seraient plus résistantes que celles du continent).

Un circuit en boucle de 65 km longe la Tamar jusqu'au pont futuriste de **Batman Bridge** et revient sur l'autre rive à travers de superbes paysages de vergers.

Près de **Nabowla**, à 26 km au nord-est de **Lilydale**, de vastes champs de lavande fleurissent de décembre à janvier.

Carte p. 316

Les domaines viticoles proches de Launceston proposent des dégustations.

Des milliers de lacs se cachent dans les hauteurs de la Tasmanie.

La côte orientale

La **Tasman Highway** quitte Launceston vers l'est puis bifurque au sud en longeant la côte orientale sur presque toute sa longueur, jusqu'à Hobart. Cette route de 434 km, qui passe plusieurs cols de montagne, n'est pas toujours très large, mais son revêtement est en bon état et le trajet se fait facilement dans la journée. Vers le nord-est, la Tasman Highway traverse une région agricole luxuriante avant de serpenter à travers des forêts et des collines couvertes de fougères en direction d'un col connu sous le nom de **Sidling to Scottsdale**.

On rejoint ensuite **Derby**, au bord de la Ringarooma River, ancienne cité de cabanes et de baraquements de l'époque d'exploitation des mines d'étain (1876-1929).

La Tasman Highway poursuit vers le sud-est et **Pyengana**. Un détour de 10 km conduit aux belles cascades de **Saint Columba Falls**.

Une vingtaine de kilomètres plus loin, **Saint Helens** ouvre ses portes. Petite ville de 3 000 habitants, elle n'en est pas moins la plus importante de toute la côte.

Au sud, la route longe une plage de 20 km (avec de belles vagues pour le surf), atteint **Scamander**, bifurque vers l'intérieur des terres, passe un col de montagne avant **Saint Marys** et redescend sur la côte par le col d'**Elephant Pass**, qui offre au passage de superbes vues plongeantes sur l'océan.

Passé Saint Helens, la route ne quitte plus l'océan jusqu'à **Bicheno**, cernée d'un côté par les montagnes et les forêts, et de l'autre par les champs et les plages. L'économie de ce minuscule port repose sur le tourisme et, dans une moindre mesure, sur la pêche.

A 10 km au sud de Bicheno, une bifurcation de 26 km (sur une bonne route en gravier) mène à **Coles Bay**. Le charme de cette minuscule station de vacances et la beauté du

La magnifique vue sur Wineglass Bay récompense les randonneurs qui ont arpenté la Freycinet Peninsula.

Freycinet National Park ❼ voisin suffisent à compenser le trajet de retour par la même route, nécessaire pour reprendre la Tasman Highway.

Coles Bay se niche au pied de falaises de granite rouge de plus de 300 m de hauteur, les **Hazards**. Une heure de marche à travers la péninsule conduit à la magnifique plage de **Wineglass Bay**, qui s'étend au-delà de la barrière naturelle des Hazards.

De **Swansea**, autre petit port de pêche touristique, la Tasman Highway continue à longer la côte jusqu'à **Triabunna**. Ce port d'un millier d'habitants est encore très actif grâce aux exploitations forestières de la région et aux ressources de la pêche.

Maria Island ❽, à 21 km au large, est l'un des grands sites de cette portion du littoral. Colonie pénitentiaire de 1825 à 1832, Maria Island est devenue un sanctuaire ornithologique de toute beauté que l'on peut rejoindre en bateau ou en avion. Les vestiges du village carcéral de **Darlington** ont été remarquablement bien préservés, mais dans un cadre aussi séduisant, il est difficile d'imaginer le sort des bagnards. Le village d'**Orford** abrite encore les ruines des bâtiments dans lesquels étaient enfermés les forçats avant leur transfert sur Maria Island. Un bac fait aujourd'hui navette pour les campeurs et randonneurs qui souhaitent visiter le parc national.

Après avoir franchi la **Prosser River**, la Tasman Highway remonte la rive à travers des gorges pour atteindre le vieux village de **Buckland**, qui a une jolie église de 1846.

Pendant les 62 derniers kilomètres de route, on traverse un ensemble de collines avant de redescendre sur **Sorell**, les faubourgs est de Hobart et le **Tasman Bridge**.

La Midland Highway peut être une alternative à la route côtière. A partir de Launceston, elle traverse trois des villages coloniaux les plus célèbres. **Ross** ❾, établie en 1821,

Carte p. 316

Habitant de Wineglass Bay.

LA COLONIE PÉNITENTIAIRE

L'ancienne colonie pénitentiaire de Port Arthur, dans la presqu'île de Tasman, à 110 km de Hobart, est le site historique le plus fréquenté de Tasmanie. A partir de 1832 et jusqu'à 1877, bien après la fin de la déportation en 1853, Port Arthur regroupa les bagnards et les repris de justice les plus dangereux de la colonie. Ce site isolé fut choisi pour empêcher toute évasion : même si des condamnés avaient pu s'enfuir de la prison, ils n'auraient jamais pu échapper aux gardes et aux molosses postés sur l'isthme d'Eaglehawk Neck, large de 100 m seulement ; les eaux glaciales étaient, disait-on, infestées de requins.

Étrangement, cet ancien lieu d'infamie est installé dans un site d'une beauté frappante : les vastes ruines s'étendent parmi les collines ondoyantes de la superbe baie de Carnavon.

Un village prospère se développa autour de la prison, avec ses fermes, ses boutiques et même le premier chemin de fer du pays, tracté par les forçats. Les bâtiments du pénitencier primitif étaient en bois, et les ruines actuelles sont surtout celles des constructions des années 1840.

Au départ du centre d'information, l'itinéraire de visite conduit à un long bâtiment trapu aux murs de grès : le pénitencier (Penitenciary). Cet édifice, le plus connu de Port Arthur, est un ancien moulin à farine réaménagé en prison. Deux feux de brousse, vers la fin des années 1890, n'en laissèrent que les quatre murs. Un sentier à gauche conduit à l'un des rares bâtiments de bois à avoir survécu aux flammes : la maison du Commandant (Commandant's House).

Le sentier s'éloigne de la baie, passe près des ruines sinistres de l'hôpital et mène à la prison modèle (Model Prison), construite en 1850 selon les principes de punition « radicale ». Au lieu de tortures physiques, les détenus étaient soumis à une privation sensorielle totale : enfermés dans des cellules exiguës vingt-trois heures par jour, ils devaient porter des masques et marcher enchaînés en faisant des va-et-vient pendant l'unique heure de promenade. Les « fortes têtes » étaient isolés dans l'obscurité absolue plusieurs jours de suite. Un tel traitement entraîna plus de cas de folie que de réhabilitation. D'ailleurs, une fois la prison fermée, Port Arthur fut reconverti en asile d'aliénés.

Le musée tout proche expose des collections de costumes de bagnards, de fouets, de chaînes et de martinets. Le circuit se termine par la pittoresque « église des bagnards » (Convict Church), de style néo-gothique.

Le billet d'entrée comprend la visite du port en bateau (départ du centre d'information). Des vedettes se rendent également deux fois par jour à Isle of the Dead (l'île aux Morts), le cimetière de la colonie pénitentiaire. Un forçat solitaire y vivait, faisant office de fossoyeur.

Pour rendre les ruines encore plus évocatrices, des « promenades fantômes » nocturnes (Ghost Tours) conduisent les curieux à travers les recoins les plus lugubres du site, tandis que les guides leur content les anecdotes les plus macabres de l'histoire de Port Arthur.

Un mannequin monte la garde au musée de Port Arthur.

montre avec fierté son pont de grès, considéré comme le plus beau d'Australie. Ses 186 sculptures ont été réalisées par un *convict* du nom de Daniel Herbert.

Plus au sud, à une demi-heure, **Oatlands** ⑩ possède une des plus grandes collections de bâtiments coloniaux ; 136 sont antérieurs à 1837.

Un petit détour de 17 km permet d'aller visiter le village de **Richmond** ⑪ (400 habitants). Cette pittoresque localité est sans doute l'endroit de Tasmanie où le charme de l'époque coloniale a été le mieux préservé. Le Richmond Bridge, qui figure sur tant de cartes postales, fut construit par des forçats en 1823, au moment de la fondation du village. Ce pont routier est le plus vieux d'Australie. La prison, dont la construction est antérieure de cinq ans à la fondation du pénitencier de Port Arthur, est aussi la mieux conservée du pays. Parmi les bâtiments anciens, citons encore la première église catholique édifiée en Australie, la cathédrale Saint-Jean (1837), le tribunal, l'ancienne poste, ou la Bridge Inn (auberge transformée en musée des transports).

Colonie pénitentiaire de 1830 à 1877, **Port Arthur** ⑫ recevait les prisonniers condamnés pour des crimes commis dans la colonie.

Afin de préserver des sites côtiers remarquables, la péninsule a été classée parc national. A **Eaglehawk**, l'érosion a taillé dans le roc des récifs, des grottes, des passages souterrains (**Tasman Arch**, **Tessellated Pavement** et **Remarkable Cave** sont les curiosités géologiques les plus célèbres) qui attirent un nombre croissant de visiteurs.

HOBART

C'est sur l'estuaire de la Derwent que s'est installée **Hobart** ⑬, la plus européenne des capitales australiennes. Avec un paysage de montagnes, le fleuve enjambé par un

Carte p. 316

Vestiges du pénitencier de la colonie de Port Arthur.

Le Tasmanian Museum and Art Gallery a pris place dans une ancienne maison coloniale datant de 1808.

petit pont et seulement 180 000 habitants, Hobart donne l'impression d'une cité tranquille et confortable au climat très tempéré.

La première tentative d'implantation coloniale remonte à 1803, à l'époque où la Tasmanie s'appelait encore Van Diemen's Land. Le gouverneur King décida d'y envoyer 35 forçats et une dizaine de soldats afin de fonder une colonie pénitentiaire et d'éviter une éventuelle implantation des Français. Le site de Risdon Cove se révéla vite impropre à l'installation ; en 1804, la colonie descendit s'installer dans l'estuaire de la Derwent, emplacement actuel de la ville. Quand le gouverneur Macquarie arriva en 1811, il fut horrifié par le désordre régnant. Il appliqua immédiatement un plan afin de rendre la ville plus présentable. Prêts et subventions furent octroyés à la ville tandis que les forçats étaient employés par les colons.

La Derwent Valley devint vite prospère : au bout de quelques années, les navires de Hobart reçurent des cargaisons de laine et de grain à destination de la Grande-Bretagne. Le port devint d'autant plus actif qu'il servit de base aux expéditions de baleiniers et de phoquiers américains dans le Pacifique et l'Antarctique. Ce rôle maritime prépondérant est célébré le 26 décembre de chaque année par le départ d'un classique des courses à la voile, la Sydney-Hobart (la *Blue Water Classic*).

A certains endroits, les rives du fleuve sont distantes de 2 km. L'élégant **Tasman Bridge**, qui les relie, qui porte encore des traces de la tragédie de 1975, lorsqu'un navire le heurta, causant la mort d'une douzaine d'automobilistes.

Battery Point, près du port, a pratiquement conservé son allure du XIXe siècle et apparaît comme l'un des plus beaux quartiers coloniaux australiens. Ce dédale de ruelles, où les maisons anciennes semblent s'appuyer les unes contre les autres, évoque avec beaucoup de force le

Battery Point est un authentique village colonial.

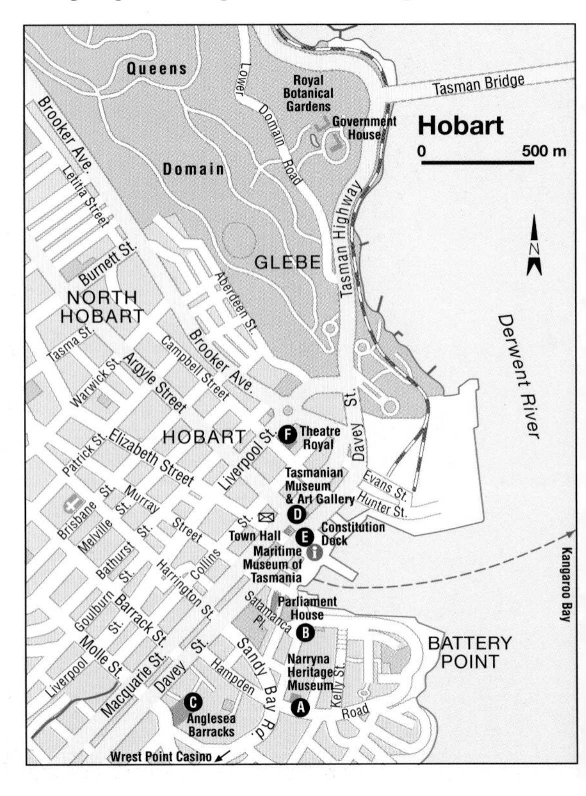

souvenir de certains quartiers anglais.

L'église anglicane **Saint-Georges** domine le quartier de toute sa hauteur : les travaux de construction ont débuté en 1836 et son clocher n'a été achevé qu'en 1847. Elle est l'œuvre de James Blackburn et de John Lee Archerdes, architectes célèbres de la Tasmanie coloniale.

Le quartier comprend également le **Narryna Heritage Museum** Ⓐ (ouv. du mar. au ven. de 10 h à 17 h, du sam. au dim. de 14 h à 17 h ; entrée payante). Ce musée a pris place dans une demeure coloniale entièrement décorée de meubles d'époque.

A **Salamanca Place** Ⓑ, une rangée d'anciens entrepôts de grès longe le front de mer. Salamanca Place était autrefois le quartier général des riches marchands de Hobart, laissé à l'abandon jusqu'à ce que, à la fin des années 1960, un groupe d'artistes décide de transformer un des entrepôts en atelier. Une véritable renaissance des lieux s'en suivit. Salamanca est aujourd'hui le quartier d'une petite, mais néanmoins active communauté artistique. Des galeries, des restaurants et cafés, ainsi qu'un marché artisanal, ont investi les lieux avec succès.

Au total, Hobart compte près de 80 monuments classés et protégés par le National Trust. La ville reçoit ainsi la visite de tous les passionnés d'architecture et d'histoire coloniale. On peut ainsi visiter le camp militaire le plus ancien du pays, **Anglesea Barracks** Ⓒ (ouv. le jeu. de 9 h à 12 h 30), établi en 1811. On remarque les canons du XVIIIe siècle qui étaient embarqués sur les navires militaires et l'architecture des baraquements les plus anciens (1814).

Les forçats formaient le principal contingent d'ouvriers et de maçons, et leur travail commençait par l'extraction de la pierre. De cette époque date le bassin qui se trouve devant la **Parliament House** ainsi que la pierre qui servit à construire le bâtiment des douanes, en 1835 (futur Parlement de Tasmanie).

Carte p. 324

Coucher de soleil sur Salamanca Place, à Port Arthur.

Juste au nord du Parlement, le **Maritime Museum of Tasmania** Ⓓ (ouv. tlj. de 9 h à 17 h, entrée payante) est également logé dans une maison coloniale des années 1830. Chacun des objets exposés évoque l'univers maritime de cet État insulaire.

Dans Macquarie Street, plusieurs bâtiments d'époques différentes ont été investis par le **Tasmanian Museum and Art Gallery** Ⓔ (ouv. tlj. de 10 h à 17 h ; visites guidées du mer. au sam. à 14 h 30). Une section « histoire naturelle » présente la faune tasmanienne (passée et présente) ; une autre s'attache aux objets et œuvres d'art aborigènes ; une troisième est consacrée à la période coloniale.

Les habitants de la capitale ont un sens aigu de la valeur de leur patrimoine. Aussi le tourisme est-il différent, parfois moins frivole qu'ailleurs. Ce goût pour le calme et le passé n'exclut cependant pas les lignes modernes du **Wrest Point Casino**, l'implantation d'hôtels et d'excellents restaurants de fruits de mer.

Un peu plus au nord se tient le **Theatre Royal** Ⓕ, que l'acteur Laurence Olivier avait qualifié de *« meilleur petit théâtre du monde »*. Construit en 1834, c'est le premier théâtre d'Australie, à qui l'on a rendu sa beauté originelle après l'incendie qu'il a subi en 1984.

Sur la Lyell Highway

Environ 250 km séparent Hobart de Queenstown. La Lyell Highway longe le cours de la Derwent sur 80 km, jusqu'à Ouse, puis grimpe dans les hauteurs du centre de l'île vers les installations hydroélectriques.

Les amateurs de chocolat remarqueront l'usine Cadbury à **Claremont** (14 km après Hobart), qui est ouverte au public.

On rejoint ensuite **New Norfolk** (à 32 km), centre du commerce d'une région spécialisée dans la culture du houblon.

Au kilomètre 53, la bifurcation mène au **Lake Pedder** et au **Lake**

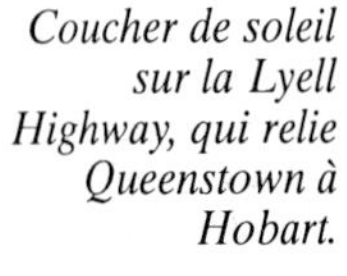

Coucher de soleil sur la Lyell Highway, qui relie Queenstown à Hobart.

Gordon, dans les hauteurs sauvages du Sud-Ouest.

Le **Mount Field National Park** ⓮, accessible par la route de Strathgordon, à 20 km du croisement, découvre des paysages splendides. Ce parc national et celui de Freycinet furent les premiers fondés en Tasmanie. Les deux joyaux du parc national de Mount Field sont les **Russell Falls**, grandes cascades qui tombent 30 m plus bas dans des gorges couvertes de fougères, et celles, plus modestes, de **Horseshoe Falls** (au-dessus des précédentes).

Le Lake Pedder et le Lake Gordon font partie du vaste **South West National Park** ⓯. Au début des années 1970, un projet de construction d'un barrage mit le Lake Pedder au centre d'une grande controverse. Cette construction devait en effet provoquer l'inondation d'une magnifique plage de sable blanc. La lutte des écologistes fut acharnée, mais vaine, et la plage fut submergée. Le lac n'est qu'à deux heures et demie de route. La pêche y est renommée, et un service de la ville de **Strathgordon** ⓰ y propose des croisières.

De retour sur la Lyell Highway, de nombreuses routes secondaires mènent à des sites montagneux remarquables et à d'innombrables coins de pêche à la truite. On peut louer des chalets à **Bronte Park** et à **Tarraleah**.

L'accès au **Lake Saint Clair**, dans le Cradle Mountain National Park, était réservé aux *bushmen* les plus intrépides jusqu'à la construction de la *highway*, dans les années 1930. Un petit bac sillonne les eaux du lac en direction de Cradle Mountain.

A l'ouest de **Derwent Bridge**, la Lyell Highway grimpe les pentes du **King William Range** puis redescend à travers les gorges du **Mount Arrowsmith**. La route quitte ensuite le plateau et se met à serpenter au-dessus du précipice.

Plus loin au sud, par temps clair, on distingue les 1410 m du sommet du **Frenchman's Cap**, qui fait partie

Carte p. 316

A gauche, le diable de Tasmanie est l'emblème des gardes forestiers ; ci-dessous, l'Anzac War Memorial de Queenstown.

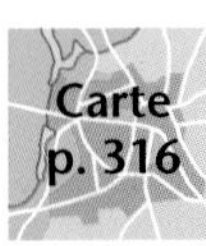

Le pin huon, conifère unique en Tasmanie. a une croissance si lente que certains arbres ont plus de deux mille ans.

Page de droite, Cape Raoul, sur la péninsule de Tasman.

du **Franklin-Lower Gordon Wild Rivers National Park** ⓱.

A l'endroit où la route franchit la Collingwood River, on voit l'été les amateurs de rafting se préparer à descendre cette rivière pour rejoindre la **Franklin River** puis Macquarie Harbour (l'expédition dure une semaine environ).

La Lyell Highway longe ensuite le **Raglan Range** puis franchit le col de **Victoria Pass** avant de traverser **Queenstown** ⓲, site de l'une des plus grandes catastrophes écologiques australiennes, provoquée par les nuages de soufre issus des mines de Queenstown dont on a extrait, depuis 1988, 20 t d'or, 500 t d'argent et autant de cuivre.

Les hauteurs du **Mount Owen**, autrefois couvertes d'une abondante végétation, sont dénudées.

La côte occidentale

Le port de **Strahan** ⓳, à 40 km de Queenstown, est déserté par les cargos, découragés par les courants contraires et les bancs de sable de Hells Gate, à l'entrée de Macquarie Harbour. Strahan est devenue une petite ville tranquille dont l'économie est entièrement tournée vers la pêche et le tourisme. Les bâtiments du front de mer ont été brillamment restaurés et les quais réinvestis par les plaisanciers. En 1983, un projet de barrage à l'embouchure de la Franklin River allait faire disparaître de nombreux sites naturels. Les écologistes sont néanmoins parvenus à faire classer les deux rivières au patrimoine mondial de l'Unesco.

Zeehan ⓴, à 37 km au nord de Queenstown, fut, dès la fin des années 1880, une ville minière spécialisée dans l'extraction de l'argent. A son apogée elle comptait plus de 5000 habitants et près de 30 hôtels. Cette prospérité fut aussi courte qu'intense : les mines cessèrent presque toute activité dès 1908. La plupart des bâtiments qui faisaient de Zeehan la quatrième ville de Tasmanie sont encore visibles. A elle seule, la collection de minéraux présentée au **West Coast Pioneers Memorial Museum** vaut le détour.

A partir de Zeehan, la Murchison Highway traverse un spectaculaire paysage de montagnes situées au nord-est de Burnie.

A un quart d'heure de Zeehan, les **Montezuma Falls** sont les deuxièmes plus importantes chutes d'eau de Tasmanie.

Tullah est, quant à elle, la dernière ville de la côte ouest avant que la *highway* fasse une boucle pour rejoindre **Burnie**. Avant sa construction, seule une ligne de chemin de fer, construite dans les années 1940, desservait la ville.

Une autre route se dirigeant vers le nord permet de rejoindre **Waratah** et **Marrawah**. Surnommée *« la route vers nulle part »* par ses opposants, cette piste de gravier n'est en principe praticable que par les véhicules tout-terrain. Elle traverse les contrées isolées et sauvages du **Tarkine Wilderness**, vastes étendues de forêts pluviales tempérées.

Il est possible de pratiquer de nombreuses activités sur les fleuves et les rivières de l'île de Tasmanie ; l'une des plus appréciées est la descente en « raft » (radeau gonflable), ou encore le canoë, sport plus paisible, comme ici sur le cours de la Franklin River.

INFORMATIONS PRATIQUES

AVANT LE DÉPART

PASSEPORT ET VISAS

Un passeport en cours de validité et un ETA (Electronic Travel Authority) sont exigés. La réglementation change souvent, aussi est-il préférable de se renseigner auprès de l'ambassade pour connaître les dernières formalités d'entrée. L'ETA remplace le visa de tourisme, valable de un à quatre ans pour des séjours de six mois maximum. Son obtention est gratuite pour les séjours ne dépassant pas trois mois. Il ne donne pas le droit de travailler sur place, ni d'entreprendre des études de plus de trois mois durant le séjour. Un examen radiologique pulmonaire peut être exigé des personnes ayant l'intention d'étudier pendant plus d'un mois.

Le visa "Vacances et Travail", permet un séjour d'un an et autorise à travailler selon certaines conditions. Il s'adresse aux visiteurs de 18 à 35 ans.

Les visas sont délivrés auprès des services consulaires de l'ambassade d'Australie ou sur Internet (*www.eta.immi.gov.au*).

À tout moment, les autorités peuvent exiger la présentation d'un billet d'avion aller-retour et de devises en quantité suffisante pour la durée du séjour.

Ambassades d'Australie et représentations à l'étranger

France
4, rue Jean-Rey, 75724 Paris cedex 15,
tél. 01 40 59 33 06 ; www.austgov.fr
Consulat général d'Australie à Nouméa
19, rue du Maréchal-Foch, tél. (687) 27 24 14 ;
www.australianconsulatenoumea.embassy.gov.au
Belgique
Rue Guimard 6-8, 1040 Bruxelles,
tél. 2 - 286 0500 ; www.austemb.be
Canada
Suite 710, 50 O'Connor Street, Ottawa, Ontario,
K1P 6L2, tél. 250 - 236 0841 ; fax 613 - 236 4376 ;
www.ahc-ottawa.org
Suisse
56-58, rue Moillebeau, 1211 Genève 19,
tél. 22 - 799 91 00 ; fax 22 - 799 91 78 ;
www.embassy.gov.au

RENSEIGNEMENTS TOURISTIQUES

Conseils et renseignements peuvent être obtenus auprès des services téléphoniques des offices du tourisme. Brochures envoyées sur demande.
En Europe, numéro unique : *tél. 990 - 022 000*
Au Canada : *tél. 800 433 28 77*
En France : *Minitel : 3615 OT AUSTRALIE*
*www.australia.com (*Tourism Council Australia*)*
Site d'informations : *www.csu.edu.au/australia*

SANTÉ

Aucun vaccin n'est exigé sauf pour les voyageurs ayant récemment visité une région infectée par la variole, le choléra ou la fièvre typhoïde. L'Australie ne connaît pas de maladies infectieuses endémiques et s'en préserve avec vigilance : chaque avion et ses occupants sont désinfectés à l'aérosol.

Avant le départ, il est recommandé de souscrire une assurance-voyage. Les services médicaux et hospitaliers sont d'excellente qualité mais onéreux.

VÊTEMENTS À EMPORTER

En général, les Australiens s'habillent de manière assez décontractée. Toutefois, dans les hôtels de luxe ou les grands restaurants de Sydney et de Melbourne, veste et cravate pour les messieurs et jupe ou robe pour les dames sont recommandés. L'été, prévoir au moins un vêtement chaud pour les coups de froid occasionnels. Sinon, une garde-robe légère suffit. Maillot de bain, lunettes de soleil et crème solaire sont de rigueur. L'hiver, dans les États du Sud-Est, des vêtements chauds, un imperméable et un parapluie sont nécessaires.

Pour les randonnées dans l'*outback*, il faut de bonnes chaussures de marche et un chapeau de soleil. Les excursions sur la Grande Barrière de Corail exigent des chaussures légères.

ALLER EN AUSTRALIE

EN AVION

Des vols quotidiens relient les aéroports internationaux majeurs, Sydney et Melbourne, aux autres continents. Adélaïde, Darwin, Perth, Brisbane, Cairns, Townsville et Hobart ont aussi des aéroports internationaux.

D'Europe, il faut compter environ vingt-deux heures d'avion pour se rendre à Sydney. La plupart des liaisons comprennent une escale en Asie. La compagnie australienne Qantas assure trois liaisons directes hebdomadaires Paris–Sydney via Singapour.

Simplification appréciable, la taxe d'aéroport, auparavant perçue au retour, est désormais incluse dans le prix du billet.

Compagnies aériennes

Ansett Australia Airlines
Tél. 0820 816 816
Air New Zealand
9, rue Daru, 75008 Paris, tél. 01 40.53 82 23 ;
fax 01 40 53 82 22 ; www.airnz.com

British Airways
Tél. 0825 825 400 ;
www.british-airways.com
Cathay Pacific Airways
8, rue de l'Hôtel-de-Ville,
92522 Neuilly-sur-Seine cedex,
tél. 01 41 43 75 75 ; fax 01 41 43 75 00 ;
www.cathaypacific.com
Lufthansa
Tél. 0802 020 030 ; www.lufthansa.com
Qantas
Tél. 0850 820 500 ; www.qantas.com
Thai Airways International
23, avenue des Champs-Élysées, 75008 Paris,
tél. 01 44 20 70 80 ; fax 01 45 63 75 69 ;
www.thaiair.com

Les compagnies Qantas et Ansett Australia Airlines proposent des pass qui permettent d'acheter, à prix réduits, des billets utilisables sur leurs lignes intérieures. Attention, la plupart de ces tarifs ne sont valables que si les billets sont achetés avant l'arrivée en Australie.

En bateau

Certaines compagnies proposent de faire le voyage par voie maritime (compter six semaines environ).

P and O Nedloyd
19, rue des Mathurins, 75009 Paris,
tél. 01 46 99 21 00 ; www.ponl.com/ecommerce

À SAVOIR SUR PLACE

Douanes

À l'arrivée, les objets personnels sont exempts de droits de douane. En outre, les voyageurs âgés de plus de 18 ans peuvent importer 250 cigarettes ou 250 g de tabac, 2,25 l d'alcool et des biens soumis à droits de douane jusqu'à une valeur de 900 $A.

L'importation d'animaux, de plantes et de nourriture est rigoureusement prohibée. Ce contrôle, qui concerne plus spécifiquement les légumes et les fruits, pourra être réitéré sur place, au passage de certaines frontières d'État à État. Les chats et les chiens sont placés en quarantaine (jusqu'à trois mois).

Monnaie et devises

L'unité monétaire est le dollar australien ($A), qui se divise en cents.

L'importation de devises n'est pas limitée, mais il est interdit de quitter le pays avec plus de 5 000 $A.

Les chèques de voyage, libellés en quelque monnaie que ce soit, sont aisément changés dans les aéroports internationaux, les banques, les hôtels, les motels... Les cartes les plus utilisées sont American Express, Diners Club, MasterCard et Visa.

Gouvernement et économie

Depuis 1901, les six anciennes colonies britanniques d'Australie ont le statut de royaume fédéral indépendant doté d'un régime parlementaire inspiré des institutions de la Grande-Bretagne. La Fédération australienne connaît trois niveaux de gouvernement : le niveau fédéral, celui de l'État et le niveau local.

Le Parlement se compose de deux chambres : le Sénat et la Chambre des représentants. Le chef du parti majoritaire à la Chambre des représentants est nommé premier ministre et dirige le gouvernement fédéral. Nommé par le gouvernement fédéral, le chef de l'État, ou gouverneur général, est le représentant de la Couronne britannique en Australie.

Au niveau fédéral, le vote est obligatoire. Le mode de scrutin, le vote proportionnel préférentiel, est assez complexe. Il repose sur un classement des candidats par ordre de préférence. Les deux principaux partis politiques sont l'Australian Labor Party, le parti travailliste, et la coalition formée par le Liberal Party (conservateur), et le National Party.

Après douze ans de gestion travailliste (1983-1995), l'Australie est devenue un des pays industrialisés les plus libéraux. Le clivage traditionnel libéraux-travaillistes a fait place à une opposition entre « réalistes » (qui se tournent vers la zone Asie-Pacifique) et « sentimentaux » (qui veulent garder un lien privilégié avec la Grande-Bretagne).

L'Australie est membre du Commonwealth et signataire, avec les États-Unis et la Nouvelle-Zélande, du traité de l'ANZUS, dont l'objectif est de préserver la stabilité dans la zone Asie-Pacifique. Elle est partie prenante du projet de l'APEC (Coopération économique de la zone Asie-Pacifique) adopté en 1994 et qui prévoit une zone de libre-échange entre les 18 pays membres (mise en place en 2010).

En novembre 1999, après de vifs débats, lors d'un référendum, la population s'est prononcée contre l'instauration de la république et l'émancipation vis-à-vis de la Grande Bretagne.

Géographie

Le territoire australien s'étend sur 7 682 300 km² (quatorze fois la France), avec 4 000 km d'est en ouest et 3 200 km du nord au sud. Les côtes australiennes, longues de 36 738 km, sont baignées par trois océans et quatre mers. Du fait de sa séparation précoce des autres continents, le territoire australien a évolué de façon partiellement isolée, avec une flore et une faune très particulières.

La population totale s'élève à 20 millions d'habitants, majoritairement d'origine européenne. La communauté aborigène compte environ 410 000 individus. Près de la totalité de la population est rassemblée le long de la côte sud-est et dans la partie sud-ouest du continent.

La Great Dividing Range, qui court sur presque toute la longueur de la partie orientale du continent, sépare une mince bande côtière fertile de l'intérieur du pays. À l'ouest de cette chaîne s'étend une vaste région de plaines basses et sèches, pratiquement inhabitée.

Plus à l'ouest, le paysage est totalement désertique et c'est au sein de cette région aride que s'élèvent les monolithes comme Ayers Rock ou les Olgas, et que l'on rencontre d'immenses lacs salés.

Au sud de l'Australie-Occidentale, une falaise côtière de 100 m de haut et de 1 500 km de long sépare le continent de l'océan Indien. Le nord du pays, avec ses anciens plateaux, est un peu plus élevé que le reste du territoire. Le long de la côte du Queensland, la Grande Barrière de Corail s'étire sur 2000 km.

Fuseaux horaires

L'Australie s'étend sur trois fuseaux horaires. Le fuseau oriental (Tasmanie, Victoria, Nouvelle-Galles du Sud, Queensland) avance de 10 h sur le méridien de Greenwich, 9 h par rapport à la France, le fuseau de l'Australie centrale avance de 9 h 30, et celui de l'Australie-Occidentale, de 8 h.

Lorsqu'il est midi à Perth, il est 13 h 30 à Darwin et à Adélaïde, 14 h de Cairns à Hobart et 5 h à Paris. Certaines régions n'adoptent pas l'horaire d'été, comme l'Australie-Occidentale et le Queensland. Les autres États avancent d'une heure d'octobre à mars.

Climat

Située dans l'hémisphère sud, l'Australie présente un régime saisonnier inverse de ceux de l'Europe ou de l'Amérique du Nord. Le printemps s'étend de septembre à novembre, l'été de décembre à février, l'automne de mars à mai et l'hiver de juin à août.

Les variations saisonnières sont de moins en moins sensibles à mesure qu'on remonte vers le nord. Jusqu'à Darwin (la région des moussons), il n'existe que deux saisons : chaude et sèche, ou chaude et humide. La température au nord de Brisbane est élevée toute l'année. En règle générale, dans tout le pays, de novembre à mars, il fait très chaud (de 30° à 40° C). De Décembre à mars, Darwin subit la mousson. L'hiver, période idéale pour visiter cette région, les journées sont tièdes, le ciel dégagé et les nuits fraîches.

Dans le Sud, à l'exception des villes, les hivers peuvent être froids et enneigés dans les régions montagneuses. En juillet et en août, le froid peut être rigoureux à Melbourne, et le temps plutôt gris et triste. La Tasmanie est la région la plus froide en cette saison. Dans le centre de l'Australie, les températures d'été sont trop élevées pour le tourisme. Au contraire, en hiver, les nuits sont fraîches et les journées ensoleillées et tièdes.

Les périodes des vacances scolaires sont aussi inverses : ainsi Noël coïncide avec les grandes vacances de l'été. Pour éviter les foules touristiques locales et les grosses chaleurs, il est recommandé de partir au printemps ou en automne.

Jours fériés

1er janvier : nouvel an
26 janvier : Australia Day
Mars-avril : vendredi, samedi et lundi de Pâques
25 avril : Anzac Day
2e lundi de juin : anniversaire de la reine
Début octobre : fête du Travail
25 décembre : Noël
26 décembre : Boxing Day

Les dates des vacances scolaires et de la fête du Travail varient d'un État à l'autre. L'Australie connaît aussi d'autres manifestations importantes comme les festivals culturels (la Biennale des arts d'Adélaïde, le Festival d'été de musique de Melbourne...) et les grandes compétitions sportives (l'Australian Cup de Melbourne est un jour férié).

Électricité

L'Australie est équipée en 220-240 V. Les prises sont à trois fiches plates et nécessitent un adaptateur.

Heures d'ouverture

En général, les magasins sont ouverts de 9 h à 17 h en semaine, de 9 h à 16 h le samedi et pour la plupart le dimanche de 10 h à 16 h. Des nocturnes, le jeudi ou le vendredi jusqu'à 21 h, sont pratiquées dans les grandes villes.

Les restaurants et les snacks, les librairies et quelques épiceries sont ouverts tard le soir, parfois tout le week-end.

Les grands supermarchés peuvent être ouverts jour et nuit. Les banques sont ouvertes de 9 h 30 à 16 h du lundi au jeudi, et jusqu'à 17 h le vendredi. Toutes les banques, les postes et la plupart des magasins ferment les jours fériés.

Presse et audiovisuel

L'Australie compte deux quotidiens nationaux, *The Australian* et *The Australian Financial Review*, 10 quotidiens métropolitains et 38 régionaux. Il existe plus de 400 titres hebdomadaires ou bimensuels locaux. Le quotidien de Melbourne est *The Age* et celui de Sydney, *The Sydney Morning Herald.* Il se publie aussi 120 journaux communautaires aborigènes. Il est possible de trouver des quotidiens étrangers chez des marchands de journaux et dans certaines librairies.

Les services de radiotélédiffusion publics sont assurés par ABC (Australian Broadcasting Corporation), qui propose un service national de télévision et quatre chaînes de radio, et par SBS (Special Broadcasting Service). De plus, il existe une quarantaine de chaînes de télévision commerciales.

POSTE

Les bureaux de poste sont ouverts du lundi au vendredi de 9 h à 17 h. Le service est efficace mais les tarifs sont assez élevés. Il est possible de recevoir son courrier poste restante à la poste de la ville où l'on séjourne, service aussi offert à ses membres par les bureaux de l'American Express.

TÉLÉPHONE

En cas d'urgence, composer le 000, ou le 112 depuis un mobile. Les communications locales coûtent 40 cents, pour une durée illimitée. Il existe des téléphones à pièces et à carte. les commerçants affichant le sigle Phonecard vendent des cartes téléphoniques. Des appels longues distances en automatique (STD) sont possibles depuis les téléphones publics. Les appels internationaux peuvent se faire de toute cabine reliée ISD. Les communications depuis l'Australie sont parmi les moins chères au monde.

Les numéros se composent de 8 chiffres, auxquels s'ajoutent 4 préfixes : (02) pour la Nouvelle-Galles du Sud et l'ACT, (03) pour la Tasmanie et le Victoria, (07) pour le Queensland et (08) pour l'Australie-Méridionale, l'Australie-Occidentale et le Terrritoire du Nord.

OFFICES DU TOURISME

– Australian Capital Territory
Canberra and Region Visitors Center
330 Northbourne Avenue,
Dickson ACT 2602, tél. 02 - 6205 0044 ;
www.canberratourism.com.au
– Australie-Méridionale
South Australian Tourism Commission
18 King William Street, Adelaide, SA 5000,
tél. 08 - 8303 2249 ; www.southaustralia.com
– Australie-Occidentale
Western Australian Tourism Commission
Niveau 9, 2 Mill Street, Perth, WA 6000,
tél. 08 - 9262 1700 ; www.westernaustralia.net
– Nouvelle-Galles du Sud
Tourism New South Wales
140 George Street, The Rocks, Sydney, NSW 2000,
tél. 02 - 9240 8788 ; www.visitnsw.com.au
– Queensland
Tourism Queensland House
30 Makerston Street, Brisbane, QLD 4000,
tél. 07 - 3535 3535 ; www.qttc.com.au
-Territoire du Nord
Northern Territory Tourist Commission
Tourism House, 43 Mitchell Street, Darwin,
NT 0800, tél. 08 - 8951 8550 ; www.nttc.com.au
– Tasmanie
Tasmanian Travel and Information Centre
Niveau 2, 22 Elizabeth Street, Hobart, TAS 7000,
tél. 03 - 6230 8235 ; www.discovertasmania.com.au
– Victoria
Victoria Visitors Information Centre
Federation Square, Melbourne, VIC 3001,
tél. 03 - 9658 9658 ; www.visitvictoria.com

Ces bureaux sont ouverts en général de 9 h à 17 h du lundi au vendredi, et le samedi matin. On y trouve des brochures, des cartes, des listes d'hôtels...De plus, la plupart des villes ont un office du tourisme local.

AMBASSADES

Ambassade de France
6 Perth Avenue, Yarralumla, ACT 2600,
tél. 02 - 6216 0100 ; fax 02 - 6216 0127 ;
ambafrance-au.org
Consulat français
Niveau 26, St Martins Tower, 31 Market Street,
Sydney, NSW 2000 ;
www.consulfrance-sydney.org/leconsulat
Ambassade de Belgique
19 Arkana Street, Yarralumla, ACT 2600,
tél. 02 - 6273 2501
Haut-commissariat du Canada
Commonwealth Avenue, Canberra, ACT 2600,
tél. 02 - 6270 4000 ; www.canada.org.au
Ambassade de Suisse
7 Melbourne Avenue, Forrest, ACT 2603,
tél. 02 - 6162 8400

COMMENT SE DÉPLACER

AVION

Les deux principales compagnies aériennes assurant des vols intérieurs sont Qantas et Ansett Australia Airlines. Elles relient entre elles toutes les grandes villes ainsi que les principales régions de l'Australie. D'une manière générale, le tarif des vols est plutôt élevé.

Durées de vol

Sydney-Melbourne	1 h 25
Sydney-Perth	4 h 05
Melbourne-Adélaïde	1 h
Melbourne-Canberra	50 min
Brisbane-Sydney	1 h
Brisbane-Melbourne	2 h
Adélaïde-Alice Springs	2 h
Perth-Adélaïde	3 h
Canberra-Sydney	35 min

Qantas et Ansett proposent toutes deux des pass qu'il faut acheter avant l'arrivée en Australie ainsi que des forfaits payables sur place. Les touristes bénéficient de 30% de remise sur les vols intérieurs Qantas.

En outre, de petites compagnies aériennes desservent des villes de moindre importance ou des régions isolées.

Le Victoria et la Tasmanie sont desservis par Southern Australia Airlines. Cette dernière relie aussi la Nouvelle-Galles du Sud tout comme Eastern Australia Airlines, Kendell, Impulse, Hazelton ou Aero Pelican. Des lignes d'Airlink et Skywest sont ouvertes en Australie-Occidentale. Quant à Canberra, les compagnies Eastern Australia Airlines et Southern Australia Airlines y atterrissent. Cette dernière et Kendell assurent des vols pour l'Australie-Méridionale. Le Queensland est desservi par Sunstate et Flightwest.

Compagnies aériennes

AOM
Niveau 22, 25 Blight Street, Sydney, NSW 2000, tél. 02 - 9223 4444 ; fax. 02 - 9223 4433
Air France
Niveau 13, 115 Pitt Street, Sydney, NSW 2000, tél. 02 - 1300 390 190
Air New Zealand
Niveau 7, 50 Queen Street, Melbourne, VIC 3000, tél. 03 - 9613 4850
British Airways
10 Bridge Street, Sydney, NSW 2000, tél. 02 - 9258 3300
Cathay Pacific
Niveau 3, International Terminal, Sydney Kingsford Smith Airport, Mascot, NSW 2020 ; www.cathaypacific.com
Lufthansa
143 Macquarie Street, Sydney, NSW 2000, tél. 02 - 9367 3896
Qantas Airways
144 North Terrace, Adélaïde, SA 5000 ; www.qantas.com.au

CAR

Les compagnies Greyhound et McCafferty's assurent un service régulier entre les principales villes d'Australie. Cependant, il existe une quantité d'autres compagnies, ce qui suppose une guerre des tarifs et des services. Il faut cependant tenir compte de la superficie du territoire et prévoir la validité du pass en conséquence. Par exemple, le trajet Sydney-Adélaïde dure vingt-quatre heures, et Alice Springs-Townsville vingt-six heures.

La plupart des cars offrent un grand confort, avec des sièges-couchettes, la vidéo, des sanitaires et l'air conditionné. Les arrêts de car, tous équipés de douches et de boutiques, sont très bien entretenus.

Greyhound Pioneer Australia
Niveau 3, Transit Centre Roma Street, Brisbane, QLD 4000, tél. 07 - 3236 3035 ; fax 07 - 3258 1910
Stuarts Coaches
339 Greenwell Point Road, Worrigee, NSW 2541, tél. 02 - 4421 0332

TRAIN

Nettement plus cher que le car, le train dessert le territoire de façon plus sporadique. Les principales lignes longent les côtes sud et est et relient les villes de Cairns, Brisbane, Sydney, Melbourne et Adélaïde.

Les lignes au départ d'Adélaïde rejoignent la fameuse Indian Pacific, qui relie Sydney à Perth par Melbourne. Cette ligne de 3 955 km qui traverse le désert du Nullarbor est la plus longue ligne droite ferroviaire du monde. Le voyage, très confortable et spectaculaire, dure soixante-cinq heures.

Autre trajet de choix, la ligne empruntée par The Ghan, qui relie Adélaïde à Darwin. The Overland transporte de nuit les voyageurs de Melbourne à Adélaïde.

L'Ausrail Pass, ou Flexipass, permet des trajets illimités sur tout le territoire. Il n'est valable que pour les touristes étrangers et sa validité varie entre quatorze jours et trois mois.

Countrylink
Tél. 02 - 8202 2000 ; www.countrylink.info
Rail Australia
Tél. 08 - 8213 4592 ; www.railaustralia.com.au

BATEAU

Pour relier la Tasmanie et le Victoria, une ligne maritime, la Spirit of Tasmania, propose des liaisons au départ de Melbourne et de Sydney.

Spirit of Tasmania
Tél. (Melbourne) 132 010, (Sydney) 1800 634 906 ; www.spiritoftasmania.com.au

VOITURE

Trois grandes compagnies de location de voitures couvrent tout le territoire, ainsi que plusieurs compagnies locales. Les trois principales sont Avis, Hertz et Budget. Les petites compagnies sont moins chères et proposent des contrats spéciaux, mais n'offrent pas toujours les mêmes services et avantages que les plus importantes, qui ont des bureaux dans presque toutes les villes et dans tous les aéroports et les gares.

L'âge minimal requis pour louer un véhicule est en général vingt-cinq ans. Certaines compagnies acceptent les conducteurs âgés de vingt et un à vingt-cinq ans moyennant une surprime. Il est recommandé de détenir un permis international.

Il est aussi possible de louer des camping-cars, des 4 x 4, des motos, des scooters et des bicyclettes dans les stations balnéaires. On peut louer des 4 x 4 chez Avis, Hertz et Budget et des 4 x 4 aménagés en camping-car chez Brits (*tél. 1800 331 454*). Avant de signer son contrat d'assurance, il faut le vérifier avec attention : en général, les voitures de location ne sont pas assurées sur les pistes. Quant aux 4 x 4, des conditions spéciales sont imposées.

Les distances à parcourir entre deux villes peuvent être très importantes. En Australie, on conduit à gauche ; la priorité à droite est la règle et la ceinture de sécurité est obligatoire pour tous les passagers. La vitesse est limitée à 100 ou 110 km/h, à 60 km/h en ville. Le réseau routier est de qualité inégale. Des autoroutes relient les très grandes villes, mais les routes principales (*highways*) sont à deux voies. La police procède à de nombreux contrôles du taux d'alcoolémie ; ce dernier étant limité à 0,05 g d'alcool dans le sang. Un retrait automatique de permis et une forte amende sont infligés en cas de non-respect de la loi.

Sorti des agglomérations, il est facile de se retrouver sur une piste. En cas de long trajet, il faut prévoir des pauses régulières afin d'éviter l'endormissement au volant dû à la monotonie des paysages. Dans l'*outback*, d'autres mesures de sécurité s'imposent, comme annoncer son départ et son arrivée à l'hôtel afin que des secours puissent être envoyés en cas de retard. Dans les régions de Cape York et de Kimberley, il est fréquent de rouler en convoi pour s'assurer une assistance mutuelle. Ne jamais oublier d'emporter des outils, des pneus de secours, des pièces de rechange et surtout 20 l d'eau par personne.

Pour acheter une voiture d'occasion, il est préférable de s'adresser à des particuliers. Chaque État a une Automobile Association prête à fournir tous les renseignements nécessaires, ainsi que des cartes routières. Il est recommandé d'adhérer à ces associations qui proposent, entre autres services, des dépannages en cas d'accident. Les adresses sont les suivantes :

Adélaïde
Royal Automobile Association of South Australia (RAA)
41 Hindmarsh Square, Adélaïde, SA 5000, tél. 08 - 8202 4500 ou *8223 4555 ; www.raa.net*

Brisbane
Royal Automobile Club of Queensland (RACQ)
261 Queen Street, Brisbane, QLD 4001, tél. 07 - 3361 2468 ; www.racq.com.au

Canberra
National Roads and Motorists Association (NRMA)
Canberra Centre Shop CG5, 6 City Walk, Civic, Canberra City, ACT 2601, tél. 02 - 6243 8880 ; www.nrmas.com.au

Darwin
Automobile Association of the Northern Territory (AANT)
81 Smith Street, Darwin, NT 0800, tél. 08 - 8981 3837 ; www.aant.com.au

Hobart
Royal Automobile Club of Tasmania (RACT)
À l'angle de Patrick & Murray Streets,Hobart, TAS 7000, tél. 03 - 6238 2200 ; www.ract.com.au

Melbourne
Royal Automobile Club of Victoria (RACV)
Little Collins Street, Melbourne, VIC 3000, tél. 03 - 9790 2211 ; www.racv.com.au

Perth
Royal Automobile Club of Western Australia (RACWA)
832 Wellington Street, West Perth, WA 6839, tél. 08 - 9421 4444 ; www.rac.com.au

Sydney
National Roads and Motorists Association (NRMA)
74-76 King Street, Sydney, NSW 2000, tél. 132 132 ; www.nrma.com.au

AUTO-STOP

Efficace sur les grands axes, mais illégal dans la plupart des États et déconseillé dans les autres. Le risque d'agression est réel. Déconseillé aux femmes seules.

TRANSPORTS URBAINS

Toutes les grandes villes proposent divers titres de transports, comme des pass de trajets illimités pour 1 à 7 jours. S'adresser aux centres d'informations locaux.

Sydney

Aéroport–centre-ville
Les trains Airlink circulent toutes les 10 min et rallient la gare centrale en 1/4 h.

Train
Sans nul doute le moyen de transport le plus rapide, les trains, gérés par Cityrail (*www.cityrail.info*), circulent entre 4h30 et 0h. Ils desservent le centre de Sydney aux gares de Wynyard, Museum, Town Hall, Central et North Sydney ; les banlieues ouest jusqu'à Lithgow, Sud jusqu'à Bomaderry et Nord jusqu'à la Hunter Valley.

Bus
Terminus à Circular Quay, Wynyard et Central Railway Station. Informations à l'angle d'Alfred et Loftus Streets ; *www.sydneybuses.info*.
Au départ de Circular Quay, les bus touristiques Red Sydney Explorer font découvrir 26 sites de la ville (*dép. ttes les 20 min entre 8h40 et 17h20 ; montée et descente libres sur tout le parcours*).
Un autre circuit touristique, opéré par Blue Bondi Explorer, couvre les banlieues Est jusqu'à Watsons Bay depuis Circular Quay ou Bondi Beach (*dép. ttes les 30 min entre 8h45 et 16h15*).

Ferry
Moyen de transport le plus agréable et le plus usité, il est emprunté quotidiennement par les Sydneysiders. Départs de Circular Quay pour Manly traversée 30 min en ferry, ou 15 min à bord du Jetcat ; pour Kirribilli traversée 10 min. Différentes croisières partant du quai n°4 permettent de découvrir le port. Les ferries vont aussi à Taronga Zoo, Watsons Bay... Toujours depuis Circular Quay, il est possible de remonter la Paramatta River à bord du Rivercat. Renseignements au bureau d'informations situé sur Circular Quay ; *www.sydneyferries.info*.

Métro
Light Rail : de Central Station à Lilyfield en passant par Paddy's Market, le Star City Casino, Pyrmont... (*24h/24 de Central à Star City, dép. ttes les 10-15 min de 6h à 0h, ttes les 30 min de 0h à 6h ; de Central à Lilyfield, dim.-jeu. de 6h à 23h, ven.-sam. de 6h à 0h, dép. ttes les 10-15 min*).
Monorail : boucle de sept arrêts entre le centre-ville, Darling Harbour et Paddy's Market (*dép. ttes les 3 à 5 min, lun.-jeu. de 7h à 22h, ven.-sam. de 7h à 0h, dim. de 8h à 22h ; www.metromonorail.info*).

Taxi
Course : prise en charge 2,80 $A puis 1,62 $A/km. Tarif majoré de 20 % entre 22h et 6h. Surtaxe de 1,40 $A pour une réservation téléphonique.
Informations *www.nswtaxi.org.au*
Premier Cabs *131 017*
Taxis Combined *133 300*
Legion Cabs *131 451*
RSL Cabs *02 - 9581 1111*
Les taxis de mer sont plus chers mais offrent une alternative originale aux transports habituels.
Water Taxis Combined *02 - 9555 8888*
Yellow Water Taxis *02 - 9299 0199*

Canberra

Aéroport-centre-ville
Compter 7 $A env. par la navette et 16 $A en taxi.

Bus
La compagnie ACTION est moderne et pratique.
On peut aussi visiter la ville à bord d'un bus rouge à impériale *(tél. 131 710 ; www.action.act.gov. au)*.

Vélo
Le vélo est un bon moyen de visiter Canberra : la ville est plate et les pistes cycables nombreuses. Location à l'heure, à la journée ou à la semaine. Plans des pistes disponibles à l'office de tourisme ou en librairie.

Melbourne

Aéroport-centre-ville
Taxi de 36 à 50 $A. La navette Skybus, coûte 15 $A et propose un départ toutes les 30 min.

Vélo
Melbourne, assez plate, est agréable à visiter à vélo. Des pistes cyclables longent la Yarra River, le Maribyrnong et le Merri Creek.
Informations Bicycle Victoria, *446 Collins Street, tél. 03 - 8636 8888 ; www.bv.com.au*.

Métro Bus Train Tram Ferry
Le service de transports Metlink ou The Met, compte parmi les meilleurs d'Australie. Environ 750 trams couvrent la grande banlieue.
Les bus circulent dans les zones non desservies par les trams.
Les trains assurent la liaison avec les banlieues.
Le Met Shop, situé à l'angle de Little Collins et Swanston Street, propose un kit d'informations.

Taxi
Après minuit, il n'y a plus de transports en commun et le taxi est le seul moyen de transport possible (*Melbourne City Taxis, tél. 131 008*).

Adélaïde et l'Australie Méridionale

Aéroport-centre-ville
Bus tlj. entre 4h50 et 12h. Le taxi coûte 15 $A.
La navette Skylink relie les aéroports aux principaux hôtels (*dép. ttes les 30 min ; tél. 08 - 8332 0528 ; www.skylinkadelaide.com*).

Métro Bus Train Tram Ferry
Outre les bus et les trains, Adélaïde propose un tram qui relie Victoria Square à la banlieue balnéaire de Glenelg. Un bus gratuit dessert le circuit de shopping de la ville, le long de King William Street (*dép. ttes les 5 min entre 7 h 40 et 21 h 20*).
Les bus GGC, également gratuits, font découvrir les principaux sites touristiques de la ville (*dép. ttes les 15 min ; plans disponibles à l'office du tourisme).*
Informations Office of Public Transport's Info Centre, *à l'angle de King William et Currie Streets, tél. 08 - 7210 1000 ; www.adelaidemetro.com.au.*

Vélo
La Linear Park and Walking Track, qui longe la Torrens River sur 35 km, est une des plus belles pistes cyclables d'Australie. Location de vélos à Linear Park Bike *(tél. 08 - 8223 6271)* ou Cannon Street Backpackers (*Franklin Street*). Le City Bike Scheme permet d'en emprunter pour 2 h, au-delà desquelles la location revient à 6 $A/h *(www.bikesa.asn.au ; Cycling Information Centre, 46 Hurtle Square, tél. 08 - 8232 2644).*

Brisbane et le Queensland

Aéroport-centre-ville
Des bus et des trains fréquents relient l'aéroport au centre-ville et à la Gold Coast à toute heure.
Informations Trans-info Service *(tél. 131 230).*

Bus
En plus des bus réguliers, la ville compte les Cityxpress buses, qui desservent les banlieues, et les Rockets qui circulent pendant les heures de pointe.

Train
Le service de trains est très performant. Départs de Roma Street, Central et Brunswick vers les banlieues. Transport Information Centre en centre-ville.

Darwin et le Territoire du Nord

Aéroport – centre-ville
Des navettes desservent Darwin et Alice Springs.
Le taxi coûte 24 $A pour Darwin et entre 25 et 30 $A pour Alice Springs.

Bus
Darwin et Alice Springs disposent toutes deux de services de bus qui relient les quartiers des hôtels au centre d'affaires (CBD). Des bus rapides, fréquents et confortables, lient Alice Springs, Darwin et Ayers Rock.
À Darwin, les transports sont gérés par Darwinbus *(tél. 08 - 8924 7666).*
À Alice Springs, les bus de la compagnie ASBUS, partent de Railway Terrace.
Les bus Greyhound Australia (*tél. 131 499 ; www.greyhound.com.au*) parcourent quotidiennement les 460 km qui séparent Alice Springs d'Ayers Rock.

Train
The Ghan, l'unique voie ferrée d'Australie, traverse le pays sur 3000 km, d'Adélaïde à Darwin. Pauses possibles à Alice Springs et Katherine.
Informations *tél. 132 147 ; www.gsr.co.au*

Voiture
La location de voiture, 4x4 ou camping-car est un bon moyen de parcourir l'État, les sites à visiter étant souvent assez éloignés les uns des autres.
Pour voyager dans le *bush*, ne pas négliger les précautions à prendre : réserves d'eau, véhicule en bon état, protection de la peau, prévenir de son départ...
Prendre des auto-stoppeurs peut être dangereux.
Une autorisation peut être nécessaire pour pénétrer sur les terres aborigènes.

Avion
Les trois sites touristiques majeurs, Darwin, Alice Springs et Ayers Rock sont desservis par la compagnie Qantas (*tél. 131 131 ; www.qantas.com.au*).

Perth et l'Australie Occidentale

Aéroport-centre-ville
Taxi 20 à 31 $A pour Perth, et 44 $A pour Fremantle.
Navette *(tél. 08 - 9277 7958)* 11 à 13 $A pour Perth. Il faut réserver pour Fremantle *(tél. 08 - 9335 1614).*

Métro Bus Train Trams Ferry
Transperth compte cinq lignes de bus dans le centre-ville, quatre trains, dont un à destination de Fremantle et des ferries sur Swan River. "The Perth Tram" (qui est en réalité un bus) dessert un circuit de sites touristiques.
Informations Transperth, *Plaza Arcade*, *tél. 136 213 ; www.transperth.wa.gov.au.*
Des ferries à grande vitesse partent de Perth, Fremantle et Hillarys à destination de Rottnest Island.
Des trains quittent Kalbarri, Meekathara, Kalgoorlie, Esperance, Albany et Augusta à destination de l'Australie Méridionale.
Informations Transwa, *tél. 08 - 9326 2600 ; www.transwa.wa.gov.au.*

CULTURE ET LOISIRS

MONUMENTS HISTORIQUES

Il est recommandé d'adhérer au National Trust pour visiter les monuments historiques (*historic buildings*). Cet organisme veille à leur préservation et à leur restauration. Le National Trust est propriétaire de nombreux édifices ouverts au public. Pour les membres du National Trust ayant acquitté leur cotisation annuelle (47 $A/personne ou 65 $A/famille), l'entrée est gratuite. Il faut se renseigner aux adresses suivantes pour adhérer :

Australia Council of National Trusts
14-71 Constitution Avenue, Campbell ACT 2612, tél. 02 - 6247 6766 ; www.nationaltrust.org.au
ACT Canberra
1er étage, North Building Civic Offices, Civic Square, Canberra ACT 2608, tél. 02 - 6230 0533 ; www.actnationalrust.org.au
Australie-Méridionale
2/27 Leigh Street, Adelaïde 5000, tél. 08 - 8212 1133 ; www.nationaltrustsa.org.au
Australie-Occidentale
The Old Observatory, 4 Havelock Street, West Perth, WA 6005, tél. 08 - 9321 6088
Nouvelle-Galles du Sud
National Trust of Australia, Observatory Hill, The Rocks, Sydney, NSW 2000, tél. 02 - 9258 0123
Queensland
Rdc, 91-95 William Street, Brisbane, QLD 4000, tél. 07 - 3229 1788 ; www.nationaltrustqld.org
Tasmanie
Franklin House, 413 Hobart Road, Franklin Village, Launceston, TAS 7249, tél. 03 - 6344 6233
Territoire du Nord
2, Kahlin Avenue, Darwin, NT 0820, tél. 08 - 8981 2848
Victoria
Tasma Terrace, 4 Parliament House, East Melbourne, VIC 3002, tél. 03 - 9656 9800 ; www.nattrust.com.au

MUSÉES ET MONUMENTS

Sydney

Office du tourisme
19 Castlereagh Street, tél. 132 077

Le quartier historique (The Rocks)
Sous le pont de Sydney Harbour. À parcourir à pied pour découvrir ses pittoresques rues pavées, ses maisons et ses entrepôts anciens. La visite peut commencer au centre de renseignement (*106 George Street North*). Les entrepôts ont été transformés en restaurants ou boutiques comme **Argyle Centre** et **Rocks Centre**. Les endroits les plus intéressants sont The Argyle Cut, Miller's Point, les hôtels **Lord Nelson** et **Hero of Waterloo**, le **Colonial House Museum**, **Cadman's Cottage**, le **Sydney Observatory** et le **National Trust Centre**.

Sydney Harbour Bridge
Le pont surnommé « le vieux cintre » relie la rive sud à la rive nord de la baie, soit le centre de la ville au quartier des affaires. Sa construction a été achevée en 1932. On peut le traverser à pied, en train ou en voiture (péage), et même s'y arrêter. À pied, une très agréable promenade le long de Circular Quay jusqu'à l'Opéra est possible. Le pilier sud-est abrite un musée, ouv. tlj. de 10h à 17h. Des visites guidées mènent au sommet du pilier central (*tél. 8174 7777*).

Opéra de Sydney
Guichet : *tél. 02 - 9250 7777*
Renseignements : *tél. 02 - 9250 7111*
Visites guidées quotidiennes entre 9 h et 17 h, ou visite des coulisses, à 7h, incluant un petit déjeuner dans la Green Room (*tél. 02 - 9250 7250*). Symbole international de l'Australie, il fut commencé en 1959 et inauguré en 1973, après moult scandales financiers et manœuvres politiques. Les murs curvilignes de cet édifice ultramoderne s'élèvent à 67 m de hauteur. Les dimanches, une grande animation règne autour du bâtiment en raison des orchestres de rue et des restaurants.

Tour de Sydney (Sydney Tower)
Market Street
Ouv. lun.-ven. de 9 h 30 à 22 h 30, sam. de 9 h 30 à 23 h 30, dim. de 9 h 30 à 22 h 30. Haute de 305 m, cette tour héberge un restaurant tournant ainsi qu'une galerie d'observation offrant des points de vue exceptionnels sur la ville et même sur les **Blue Mountains**.

Les parcs
L'est de la ville comprend trois superbes parcs : les **Royal Botanic Gardens, The Domain, Hyde Park**. En banlieue se trouve le **Centennial Park**.

Près de l'Opéra s'étendent les très agréables **Jardins botaniques royaux** (ouv. du lever au coucher du soleil), fondés en 1816 et qui comprennent plus de 400 espèces réparties sur 27 ha. **The Domain** est une immense pelouse où s'expriment le dimanche après-midi, perchés sur des caisses, des orateurs en mal de public. Quant à **Hyde Park**, il se trouve au cœur de la ville et abrite la fontaine Archibald et le mémorial de l'Anzac. **Centennial Park**, qui accueille notamment des cyclistes et des cavaliers, mêle le bush à de vastes pelouses.

Galerie d'art (Art Gallery of New South Wales)
Art Gallery Road, The Domain ; www.artgallery.nsw.gov.au
Ouv. jeu.-mar. de 10 h à 17 h, mer. de 10h à 21h, elle abrite une collection d'art aborigène, australien et européen.

Musée australien (Australian Museum)
À l'angle de William & College Streets, City;
www.austmus.gov.au
Ouv. tlj. de 9 h 30 à 17 h. Le plus grand musée du continent. Histoire naturelle australienne et histoire des Aborigènes.

Powerhouse Museum
500 Harris Street, Ultimo ; www.phm.gov.au
Ouv. tlj. de 10 h à 17 h. Installé dans une ancienne centrale électrique, ce musée étonnant est consacré à la science, la technologie, l'art décoratif et l'histoire sociale. Belles présentations interactives.

Musée d'Art contemporain
(Museum of Contemporary Art, MCA)
140 George Street, The Rocks, Sydney;
www.msma.com.au
Ouv. tlj. de 10 h à 17h. Dominant Circular Quay West, dans un très beau bâtiment Arts deco, ce musée abrite des pièces contemporaines du monde entier.

La Perouse Museum
Botany Bay National Park, Anzac Parade,
La Perouse (à 15 km au sud de Sydney)
Ouv. tlj. de 10 h à 16 h 30. Consacré au navigateur français, arrivé à Botany Bay en 1788.

Autres musées
Le **Museum of Sydney** propose des expositions sur la ville. Sur Circular Quay se trouve le **Justice and Police Museum** (*8 Philip Street*). Sur Macquarie Street est installé un musée consacré à la vie des forçats (**Hyde Park Barracks Museum**). **Vaucluse House** (*Wentworth Road*), **Elizabeth Bay House** (*7 Onslow Avenue*), **Elizabeth Farm** (*70 Alice Street, Rosehill*), **Susannah Place** (*58-64 Gloucester Street, The Rocks*) et **Rose Seidler House** (*71 Clissold Road, Wahroonga*) comptent parmi les plus belles maisons coloniales de Sydney.

Autres curiosités
Derrière le quartier des affaires se trouve Kings Cross, ses sex-shops, ses bars et quelques bons restaurants comme **Bayswater Brasserie**, **Mesclun**, **Darley Street Thai** et **Fishface**. Les quartiers adjacents de Potts Point, Elizabeth Bay et Darlinghurst sont bien moins sordides. On peut y faire de jolies promenades parmi des maisons anciennes situées dans des rues bordées d'arbres. Nombre de bistros et de cafés permettent de faire des haltes agréables.

Le quartier de **Paddington**, surnommé « *Paddo* », vaut le détour pour ses maisons victoriennes, ses galeries d'art et son marché aux puces du dimanche.

Le **zoo de Taronga** (Taronga Park Zoo), ouv. tlj. de 9 h à 17 h, est l'un des plus beaux au monde. On y accède par le bac partant de la jetée n° 2 de Circular Quay.

Deux parcs nationaux se situent à une demi-heure de Sydney : **Ku-ring-gai Chase National Park** est à 25 km au nord et permet de faire de très belles promenades dans le bush et d'admirer des gravures aborigènes. **The Royal National Park** (30 km au sud) offre aussi de très belles randonnées et des plages.

Les plages
Il est possible d'aller sur les plages de Sydney même si elles sont bondées les week-ends d'été. Non loin de South Head, **Lady Jane Beach** est une plage réservée aux nudistes.

Sydney et ses alentours offrent 32 km de plages. La plus célèbre est **Bondi Beach**, accessible depuis le centre après 45 min d'autocar, 30 min en train et autobus ou 10 min en voiture. Non loin de cette superbe plage se trouve un autre endroit de rêve : **Tamarama**, suivi de **Bronte Beach**. Les meilleurs endroits pour le surf sont plus au sud : **Maroubra** et **Cronulla** sont deux spots célèbres. Au nord, le port et les plages de **Manly** sont très populaires.

Excursions dans les alentours
Points West : à l'ouest de Sydney se trouvent trois villes remontant à la création de la colonie : Parramatta, Windsor et Richmond. Des maisons et bâtiments construits dès la fin du XVIIIe siècle sont ouverts au public.
Featherdale Wildlife Park : non loin de Parramatta, ce parc permet d'observer les oiseaux et d'approcher des koalas (*tél. 02 - 9622 1644*).
The Blue Mountains : situées à 65 km à l'ouest de Sydney, ces montagnes de la Great Dividing Range sont un lieu de repos apprécié. Reliée à Sydney par chemin de fer, Katoomba est la ville principale de ce lieu de villégiature.
Hunter River Valley : cette région de vignobles est située à 160 km au nord de Sydney. On peut visiter la plupart des caves. Néanmoins, mieux vaut éviter les mois d'été en raison de la chaleur.
Sur le chemin, un arrêt à **Old Sydney Town** (70 km au nord de la ville moderne) permet d'admirer une réplique de la Sydney d'antan grâce à la reconstitution des premiers bâtiments et de bateaux.

Canberra

Office du tourisme
Northbourne Avenue, Dickson, tél. 02 - 6205 0044

Nouveau Parlement (New Parliament House)
www.aph.gov.au
Ouv. tlj. de 10 h à 17 h. Situé sur la Capitol Hill, cet édifice spectaculaire construit sur 32 ha est entouré

de jardins. Sa construction fut achevée en 1988 pour le bicentenaire de l'Australie : c'est l'un des monuments les plus visités du pays.

Bibliothèque nationale (National Library)
www.nla.gov.au
Ouv. lun.-jeu. de 9 h à 21 h, ven.-sam. de 9 h à 17 h et dim. de 13 h 30 à 17 h. Ce bâtiment moderne, ouvert en 1968, propose d'intéressantes expositions (*visites guidées : tél. 02 - 6262 1111*).

Haute Cour de justice (High Court)
www.hcourt.gov.au
Ouv. lun.-jeu. de 9 h 45 à 16 h 30. Inauguré par la reine en mai 1980, cet édifice offre une impressionnante structure d'un design ultramoderne. Avec l'Opéra de Sydney, c'est l'une des plus grandes réussites architecturales contemporaines. Le hall d'entrée, d'une hauteur de 24 m, est encerclé de volées d'escalier ouvertes qui mènent aux différentes cours. Un pont relie les bâtiments de la Haute Cour à la Galerie nationale.

Galerie nationale australienne
(National Gallery of Australia)
www.nga.gov.au
Ouv. tlj. de 10 h à 17 h. Cet édifice très moderne, qui a ouvert ses portes au public en octobre 1982, abrite une très belle collection d'art australien (de l'art aborigène aux artistes contemporains), ainsi que des chefs-d'œuvre de l'art européen.

Centre national des sciences et de la technologie
(Questacon-National Science and Technology Centre)
King Edward Terrace, tél. 02 - 6270 2800 ; www.questacon.edu.au
Ouv. tlj. de 10 h à 17 h. Inauguré en 1990, ce centre est le fruit d'un projet australo-nippon. Il présente des expositions scientifiques.

Mémorial (Australian War Memorial)
www.awm.gov.au
Ouv. tlj. de 10 h à 17 h. Ce monument est l'un des plus visités de Canberra.

Hôtel royal de la Monnaie (The Royal Australia Mint)
Denison Street, Deakin ; *www.ramint.gov.au*
Ouv. lun.-ven. de 9 h à 16 h, sam.-dim. de 10 h à 16 h. On peut y assister à la frappe des pièces. C'est un des ateliers de frappe de monnaie les plus modernes au monde.

Jardins botaniques (National Botanic Gardens)
Clunies Ross Street ; www.anbg.gov.au
Ouv. tlj. : mar.-déc. de 9 h à 17 h, jan.-fév. de 9 h à 20 h. Ils sont consacrés à la flore australienne. Une forêt tropicale y a été recréée.

Melbourne

Office du tourisme
À l'angle de Swanston & Flinders Streets, dans l'hôtel de ville (Town Hall).

City Square
Point de rencontre des habitants de la ville, City Square, situé entre Swanston et Collins Streets, est orné de fontaines et de pelouses sans compter les nombreux bars et magasins.

The National Gallery
180 St Kilda Road, www.ngv.vic.gov.au
Ouv. mar.-dim. de 10 h à 17 h, entrée gratuite. Le Ian Potter, à la National Gallery, possède la collection d'art australien la plus belle et la plus complète au monde. Le NGV (National Gallery of Victoria), Ouv. mer.-lun. de 10 h à 17 h, présente des œuvres du monde entier.

Victoria Arts Centre
St Kilda Road, tél. 03 - 9281 8000 ; www.vicartscentre.com.au
Le Victoria Arts Centre comprend le Hamer Hall et le State Theatre, Playhouse et le George Fairfax Studio, ainsi que deux salles d'exposition et un café. Il est facilement identifiable grâce à sa cime laser de 115m de haut. Des visites du centre et des coulisses peuvent être organisées.

Musée pénal
(Old Melbourne Gaol and Penal Museum)
Russell Street
Ouv. tlj. de 9 h à 17 h. C'est là que fut pendu le célèbre hors-la-loi Ned Kelly.

Rives de la Yarra et Southbank
(The Yarra River and Southbank)
Le long de la rivière Yarra, la diversité est au rendez-vous : des ponts anciens, des pistes cyclables, des parcs ou encore le nouveau quartier du Southbank. Ce dernier propose de multiples bars et restaurants ainsi que des boutiques et des hôtels de luxe.

Jardins
Surnommé l'« État des jardins », le Victoria mérite bien cette appellation et sa capitale en est la preuve. Les **Jardins botaniques royaux** (The Royal Botanic Gardens), qui s'étirent entre Alexandra Avenue et Domain Road, et leurs 12 000 espèces de plantes réparties sur 41 ha, sont réputés être les plus beaux de tout le continent.

Le **Kings Domain** comprend des jardins ouverts du lever au coucher du soleil. Le mémorial de la Première Guerre mondiale y a été érigé (The Shrine of Remembrance) ; en face se trouve le cottage du gouverneur La

Trobe. Une scène de spectacle en plein air (**Sydney Myer Music Bowl**) y est aussi installée.
Les ormes des **jardins de Treasury et Fitzroy** (Treasury and Fitzroy Gardens) attendent les promeneurs. La **maison du capitaine Cook** (Captain Cook's Cottage), ouv. tlj. de 9 h à 17 h, construite à l'origine dans le Yorkshire, a été remontée en 1934 dans les jardins de Fitzroy.
Marché de la reine Victoria (Queen Victoria Market) Ce marché centenaire se tient en matinée à l'angle de Peel et Victoria Streets, les mardi, jeudi, vendredi, samedi et dimanche.

Melbourne Cricket Ground (MGM)
Stade des jeux Olympiques de 1956, il accueille 100 000 spectateurs et abrite la **galerie australienne du Sport et le Musée olympique** (Australian Gallery of Sport & Olympic Museum), ouv. tlj. de 10 h à 15 h.

Zoo (Royal Melbourne Zoo)
Situé à Parkville, ouv. tlj. de 9 h à 17 h, ce zoo est l'un des plus anciens au monde. La section des papillons et la forêt des gorilles méritent une visite.

Musée de la Science et de la Technologie
(Science Works Museum)
2 Booker Street, Spotswood
Ouv. tlj. de 9 h à 17 h, le Science Works Museum présente ses collections de manière interactive très plaisante.

Excursions dans les alentours
La **chaîne de Dandenong** et ses vertes collines attirent les amateurs de nature.

Le train touristique à vapeur Puffing Billy emmène en deux heures les moins courageux de Melbourne (*dép. de Belgrave*) jusqu'à **Emerald Lake Park**.

Au nord-est de Melbourne, dans la vallée de la rivière Watts, le **Healesville Wildlife Sanctuary**, ouv. tlj. de 9 h à 17 h, est célèbre pour ses enclos naturels.

Connue pour ses spots de surf, **Phillip Island** est reliée à la terre par un pont. Ses manchots attirent à la tombée de la nuit de nombreux observateurs.

Les agences de voyages locales proposent un circuit qui longe l'océan jusqu'au **parc national de Campbell**, où se trouvent les étonnantes formations géologiques dites des **Douze Apôtres**.

Adélaïde

Office du tourisme
Mall Information Centre, à l'angle de Queen & Albert Streets.

On peut découvrir la ville en empruntant l'autobus (Adelaide Explorer) qui dessert tous les endroits touristiques (*dép. du 10 King William Street*).

King William Street est la rue la plus large d'Australie. On y trouve la poste, des banques et les bureaux. Bordée d'arbres, North Terrace est l'autre grande artère où se trouvent le Parlement, l'église de la Sainte-Trinité (1838), la maison du gouvernement, le musée et la galerie d'art d'Australie-Méridionale, la bibliothèque de l'État et l'université.

Galerie d'art d'Australie-Méridionale
(Art Gallery of South Australia)
Elle abrite l'une des plus belles collections d'art contemporain du continent.

Centre des festivals
(Adelaide Festival Centre)
Au nord de North Terrace, au bord de la Torrens River. Deux mille places ont été prévues tant à l'auditorium qu'à l'amphithéâtre extérieur; deux salles de théâtre ainsi qu'une collection d'art et des restaurants attendent les visiteurs. L'orchestre symphonique d'Adélaïde, la compagnie State Theatre et des vedettes internationales s'y produisent. Le centre accueille aussi en février-mars des années paires le festival des arts d'Adélaïde.

Jardins botaniques (Botanic Gardens)
Non loin du centre, ils s'étendent sur près de 688 ha, dont 16 ha de végétation australienne native et une collection de renommée mondiale de nénuphars.

Zoo
Frome Road
Ouv. lun.-sam. de 9 h 30 à 17 h et dim. de 10 h à 17 h. Proche des jardins botaniques, connu pour ses oiseaux australiens, il est accessible par le bateau *Popeye* au départ du Festival Centre.

Glenelg
Glenelg est un faubourg plein de charme, avec ses maisons anciennes et sa superbe plage. On peut s'y rendre en 30 min par un tramway historique (*dép. de Victoria Square*).

Excursions dans les alentours
Barossa Valley : cette célèbre région des vins est à 65 km au nord-est d'Adélaïde. Pour participer à des dégustations de vins, mieux vaut faire un circuit d'une journée, organisé par une agence (compter 50 à 60 $A, déjeuner compris).
Mount Lofty : à 30 min de voiture d'Adélaïde, ce mont (771 m) offre un très beau panorama sur la ville. Plusieurs parcs permettent de faire de belles promenades au milieu d'une flore variée.
Hahndorf : le plus ancien village allemand du continent perpétue ses traditions grâce à l'organisation de fêtes et festivals comme celui consacré à la bière,

organisé en janvier (Schuetzenfest Beer Festival). Dans Main Street se trouve le centre de renseignement, ouv. de 10 h à 16 h.
Kangaroo Island : troisième île d'Australie par la superficie, elle a une faune et une flore exceptionnelles. Des plages et des sentiers de randonnées attendent les visiteurs, qui peuvent se rendre sur l'île grâce à des voyages organisés individuels proposés par les agences d'Adélaïde.

Brisbane

Des visites de la ville en autobus (*City Sights*) sont organisées au départ de Post Office Square (*dép. ttes les 45 min*). Le billet permet de prendre l'autobus à volonté pendant toute une journée. A côté de Post Office Square se trouve la compagnie Brisbane City Ferrys (*tél. 07-3399 4768*), qui organise une promenade de trois heures sur la rivière le dimanche (*dép. de Botanic Gardens* et *Edward Street*). Réservation conseillée.

Pour découvrir les bâtiments anciens, on pourra se procurer la brochure des City Council's Heritage Trails (*Old Government House, 2 George Street, tél. 07-3229 1788*).

Hôtel de ville (City Hall)
King George Square, City
Ouv. de 9 h à 15 h 30. Construit en 1930, c'est le plus grand hôtel de ville australien. Sa terrasse offre une vue exceptionnelle. En outre, il abrite un musée et une galerie d'art au rez-de-chaussée.

Parlement (Parliament House)
À l'angle de Alice & George Streets
Cet édifice, construit en 1868, est un exemple de l'architecture de style Renaissance française.

Vieux Moulin à vent et Observatoire
(Old Windmill & Observatory)
Wickham Terrace
Construit en 1829, cet ancien moulin transformé en observatoire météorologique est l'un des plus vieux bâtiments de Brisbane.

Centre culturel du Queensland
(The Queensland Cultural Centre)
Face au Victoria Bridge, ce complexe (*tél. 07-3840 7208*) regroupe des cafés, deux théâtres, une salle de concert, deux musées. Le Queensland Museum organise des expositions sur les sciences naturelles, l'art mélanésien et la photographie, tandis que la Queensland Art Gallery est consacrée à la peinture.

Parcs et jardins
Le long de la rivière, les **Jardins botaniques** (Botanic Gardens), ouv. tlj. du lever au coucher du soleil, s'étendent sur 20 ha. Fondés en 1855, ils sont consacrés à la flore tropicale et on peut y voir des arbres anciens, tel le figuier de Moreton Bay. Toujours au bord de l'eau, les amateurs de fleurs pourront aller à **Newstead Park**, qui entoure la plus ancienne résidence de Brisbane, Newstead House (*Breakfast Creek Road*).

South Bank Parklands
La rive sud de la Brisbane River a été transformée à la fin des années 80 en un quartier très agréable grâce à l'ouverture de restaurants, de cafés et d'une plage artificielle. Celle-ci permet la baignade dans cette ville dépourvue d'accès naturels à l'océan. La reconstitution de la forêt tropicale et la présence d'animaux (koalas, crocodiles, serpents) offrent des promenades dépaysantes. Une serre à papillons et une pagode népalaise attendent aussi les visiteurs.

Lone Pine Koala Sanctuary
Ouv. tlj. de 7 h 30 à 16 h 45. À 11 km de Brisbane à **Fig Tree Pocket**, cette réserve animalière est la première à avoir protégé les koalas. Plus d'une centaine y sont visibles, ainsi que des émeus, des oiseaux-lyres et des wombats. La visite de cette réserve est souvent proposée dans les circuits en autocar, incluant aussi un arrêt dans le **parc de Mount Coot-tha**. Outre sa vue magnifique, ce dernier comprend un **dôme tropical** (Tropical Display Dome), une forêt tropicale, un jardin japonais et le plus grand **planétarium** du continent (Sir Thomas Brisbane Planetarium).

Darwin

Office du tourisme
33 Smith Street, dans le Mall.

Musée du Territoire du Nord
(Northern Territory Museum of Arts & Sciences)
Conacher Street
Ouv. tlj. de 10 h à 17 h. Il comprend une collection d'art aborigène du Territoire du Nord et une exposition sur le cyclone Tracy.

Iles Tiwi (Bathurst et Melville)
Il est possible de visiter ces îles seulement à la saison sèche (mai à septembre) et à condition de passer par une agence gérée par les Aborigènes (*Tiwi Tours : tél. 618-8981 5115*).

Gorge de Katherine
Destination de prédilection de l'agence Bill Harney's Jankanginya Tour (*tél. 1800 089 103*). Il est possible d'y être initié à la vie du bush, à la flore et aux légendes aborigènes.

Ayers Rock (Uluru)
Situé à 440 km (soit six heures de voiture) d'Alice Springs, le plus grand monolithe au monde est acces-

sible par avion. L'escalade est autorisée même si les Aborigènes, propriétaires des lieux, tentent de la faire interdire, en raison de la valeur sacrée du site.

La compagnie aborigène **Kurkara Tours** propose des visites originales (*tél. 1800 89 11 01*).

Les Olgas (Kata Tjuta) et **King's Canyon** sont aussi des destinations appréciées. Raids à dos de chameau et vols en montgolfière y sont possibles.

Perth

Office du tourisme
Albert Facey House, Forrest Place

King's Park
Se promener dans le bush en pleine ville est possible dans ce parc de 504 hectares qui consacre également une part importante à la flore d'Australie-Occidentale.

London Court
Galerie commerciale construite à l'imitation d'une rue anglaise du XVIe siècle.

Musée de l'Australie-Occidentale
(Western Australian Museum)
Francis Street
Ouv. lun.-ven. de 10 h 30 à 17 h, sam.-dim. de 13 h à 17h. Collection d'art aborigène et de squelettes de baleines.

Galerie d'Art (Art Gallery)
47 James Street
Ouv. tlj. de 10 h à 17 h. Collection de peinture australienne.

Vieux Moulin (Old Mill)
Après le Narrows Bridge
C'est un des bâtiments les plus célèbres de la ville. Construit en 1835, il a été très bien restauré et abrite désormais un musée des pionniers.

Excursions
Les vignobles de la **Swan River Valley**, le **Cavershan Wildlife Park** et **Rottnest Island** sont des excursions agréables. Cette dernière, située au large des côtes de Fremantle et surnommée « *Rotto* », est très appréciée pour ses superbes plages.

Hobart

Tasmanian Travel and Information Centre
À l'angle de Elizabeth & Davey Streets,
tél. 03 - 6230 8233.

L'architecture géorgienne est à l'honneur dans Davey Street, Macquarie Street, Battery Point et Salamanca Place. Le quartier des docks en bord de mer (Waterfront Dock Area), le **Maritime Museum** (*Secheron Road*), la **caserne** (Anglesea Barracks) et la **brasserie Cascade Brewery** méritent une visite.

Parcs nationaux

L'Australie compte plus de 3 000 parcs nationaux, dont douze inscrits sur la liste du patrimoine mondial de l'Unesco : les parcs de Kakadu et d'Uluru-Kata Tjuta, le sanctuaire de la vie sauvage de Tasmanie, les forêts ombrophiles centre-orientales, les Tropiques humides du Queensland, Shark Bay, la région des lacs Willandra, la Grande Barrière, les sites fossilifères de mammifères de Riversleigh et de Naracoorte, et les îles Fraser et Lord Howe. Plus de 50 millions d'hectares, soit 6,4% du territoire, sont ainsi protégés.

Pour visiter les parcs nationaux, on peut se renseigner auprès des organisations responsables des parcs dans chaque État, sauf pour ceux d'Uluru-Kata Tjuta, de Jervis Bay et des îles Christmas et Norfolk.

Department of the Environment and Heritage
GPO Box 787, Canberra ACT 2601,
tél. 02 - 6274 1111 ; www.deh.gov.au/parks

– ACT Canberra
National Parks and Wildlife Service
6 Rutledge Street, Queanbeyan ACT 2620,
tél. 02 - 6297 614 ; www.act.gov.au

– Australie-Méridionale
Environment & Heritage
91-97 Grenfell Street, Adelaïde, SA 5000,
tél. 08 - 8204 1910 ; www.environment.sa.gov.au/dehaa

– Australie-Occidentale
Conservation & Land Management (CALM)
40 Jull Street, Armadale, WA6112,
tél. 08 - 9334 0333 ; www.naturebase.net

– Nouvelle-Galles du Sud
National Parks & Wildlife Service
59 Goulburn Street, The Rocks, Sydney, NSW 2000,
tél. 02 - 9995 5000 ; www.nationalparks.nsw.gov.au

– Queensland
National Parks & Wildlife Service
160 Ann Street, Brisbane, QLD 4000,
tél. 07 - 3227 8185 ; www.epa.qld.gov.au

– Tasmanie
Parks & Wildlife Service
134 Macquarie Street, Hobart 7000,
tél. 1300 135 513 ; www.parks.tas.gov.au

– Territoire du Nord
Parks & Wildlife, Northern Territory
Goyder Centre, 25 Chung Wah Terrace,

Palmerston, NT 0830, tél. 08 - 8999 4555 ;
www.nt.gov.au/nreta.parks
– Victoria
Parks Victoria
Niveau 10, 535 Bourke Street, Melbourne, VIC 3000, tél. 03 - 8627 4699 ; www.parkweb.vic.gov.au

SPORTS

Sports nautiques

Outre le surf, sport où ils ont acquis une réputation internationale, les Australiens pratiquent la plongée sous-marine, le ski nautique, la voile. La saison de la voile s'étend de septembre à mai.

Sydney

Des courses et des régates ont lieu presque tous les week-ends. Les courses les plus réputées sont celles des « 18-footers », des catamarans très rapides. Les régates ont lieu tous les samedis et le bac des spectateurs part de Circular Quay à 13 h 30.

La course la plus spectaculaire est la Sydney-Hobart qui, depuis 1945, attire des concurrents du monde entier. Son départ a lieu tous les 26 décembre.

D'octobre à fin mars, les clubs nautiques organisent des *surf carnivals*, compétitions de *surfboats* (barques que l'on propulse dans les grosses vagues du Pacifique), de planches de surf et de relais. Ces courses ont lieu la plupart des samedis. Il existe aussi des compétitions d'amateurs en été et en automne.

Grande Barrière et nord du Queensland

Le Reef est un endroit extraordinaire pour la plongée sous-marine. Mais les conditions peuvent y être dangereuses et il est vivement recommandé de s'adresser à l'un des organismes suivants avant de s'y aventurer.

Australian Underwater Federation
42 Toyer Avenue, Sans-Souci, Sydney, NSW, tél. 02 - 9529 6496
Cet organisme édite un guide très détaillé de la Grande Barrière.

Queensland Holiday Xperts
30 Makerston Street, Brisbane, QLD 4000, tél. 07 - 3535 4557 ; www.qhx.com.au
Ce tour operator propose des circuits, des hôtels ou des attractions touristiques dans le Queensland.

Courses hippiques

Sydney

La ville compte six hippodromes. Le plus central et le plus important est celui de Randwick.

Par ailleurs, des courses sont au programme toute l'année à Canterbury, Rosehill et Warwick Farm et les courses au trot en nocturne se déroulent les vendredis soir à Harold Park Paceway.

Enfin, des courses de lévriers sont organisées tous les samedis soir à Wentworth Park.

Melbourne

Le premier mardi de novembre est un jour férié en raison de la Melbourne Cup, la course hippique la plus prestigieuse, qui se tient à Flemington. Les autres hippodromes de la ville sont Caulfield, Mooney Valley et Sanddown.

Football

Sydney

Le rugby à treize, *rugby league*, est le plus pratiqué à Sydney. La saison se déroule en hiver, entre autres, au Sydney Football Stadium à Moore Park.

Melbourne

Le *footie*, la règle australienne de football, est très populaire à Melbourne. D'avril à septembre, des matches sont organisés tous les week-ends.

Cricket

Sydney

L'été, l'un des sports les plus pratiqués à Sydney est le cricket. D'octobre à mars, des parties se déroulent au Sydney Cricket Ground, à Moore Park.

Melbourne

La saison pour les compétitions internationales de cricket s'étend de décembre à février, au Melbourne Cricket Ground.

SPECTACLES ET FESTIVALS

Sydney

Le quotidien *Sydney Morning Herald* sort le vendredi un supplément « Metro » qui donne les programmes.

Sydney Opera House
tél. 02 - 9250 7777
Programmes, renseignements et réservations.

Seymour Centre
À l'angle de City Road & Cleveland Street, tél. 02 - 9351 7944
Compagnies de théâtre contemporain.

Darlinghurst Theatre
119 Greenknowe Avenue, Potts Point, tél. 02 - 9331 3107

Le **Griffin Theatre** (*Kings Cross*), le **New Theatre** (*Newtown*), et, à l'université de Sydney, le **Footbridge Theatre** proposent aussi des spectacles intéressants. Les films commerciaux sont à l'affiche dans les grandes salles de George Street.
Quant au festival du film de Sydney, il se tient dans le vieux théâtre **State Movie Theatre**.
Les salles d'art et d'essai du quartier de Paddington comme le **Dendy**, le **Verona** ou l'**Academy** ont une programmation intéressante.

Canberra

Le quotidien *Canberra Times* propose dans son édition du jeudi la section « Good Times », qui donne les programmes, ainsi que le mensuel gratuit *BMA*. Le Canberra Festival célèbre en mars la fondation de la ville tandis qu'en septembre et en octobre, la Floriade est consacrée aux floraisons.

Canberra Theatre Centre
Civic Square
Propose toutes sortes de spectacles de théâtre et de musique. C'est autour de Civic Square que se concentrent aussi la majorité des salles de cinéma.

Melbourne

Le quotidien *The Age* publie chaque vendredi « The Entertainment Guide », petit cahier qui donne les programmes pour la semaine. Les scènes de Melbourne sont connues pour la qualité des pièces présentées.
L'année commence avec le Festival de musique, puis, en mars, c'est au tour de la fête familiale **Moomba**. Capitale du rire australien, la ville accueille en avril le **Melbourne International Comedy Festival**. Deux mois plus tard a lieu le festival du film de Melbourne. En octobre, c'est au tour de l'**International Festival of Arts** de renommée mondiale d'être à l'honneur avec le Fringe Festival et sa fête de rue, et le Writers Festival.

Comedy Theatre
240 Exhibition Street
Her Majesty's
219 Exhibition Street
La Mama
205 Faraday Street, Carlton
The Last Laugh
Athaenum Theatre, 188 Collins Street
Princess Theatre
163 Spring Street
Regent Theatre
191 Collins Street
Malthouse
113 Sturt Street, Southbank
Red Stitch
2 Chapel Street, St Kilda

Les cinémas d'art et d'essai sont l'**Astor** à Saint Kilda, le **Kino** à Collins Street, le **Cinema Nova** à Carlton et l'**ACMI** à Federation Square.

Adélaïde

L'édition du jeudi de l'*Advertiser* ou les magazines gratuits comme *Adelaide Review* et *Rip It Up* recensent les événements culturels.

Le Festival des arts est un événement culturel majeur organisé tous les deux ans au mois de février. Outre des expositions d'art, des lectures de poésie et la Semaine des écrivains, le théâtre, la danse et la musique sont à l'honneur. Les différentes manifestations se tiennent au **Festival Centre** (*King William Street, City, tél. 08 - 8216 8600*).
Le cinéma d'art et d'essai est à l'honneur au **Nova** et au **Palace** *(Rundle Street)*, au **Trak** *(Toorak Gardens)*, au **Picadilly** (*North Adelaide*) et au **Capri** (*Goodwood*).
La vieille gare de North Terrace abrite un casino.

Brisbane

Le quotidien *The Courier Mail* donne les programmes dans son édition du jeudi. On pourra également consulter les deux journaux gratuits *Time Off* et *The Rave*.

Performing Arts Complex
Queensland Cultural Centre, South Bank, Brisbane
Powerhouse
119 Lamington Street, New Farm

Perth

Le supplément « Revue » du *West Australian Newspaper* de l'édition du jeudi donne les programmes. En février et mars, la ville vit au rythme du festival.

Perth Entertainment Centre
Wellington Street
Perth Concert Hall
5 Saint George's Terrace

VIE NOCTURNE

Sydney
Les concerts sont annoncés dans la section « Metro » du *Herald* du vendredi. Les meilleurs endroits pour écouter du rock se trouvent dans les quartiers de Surry Hills, Newtown et Glebe.

On peut se renseigner sur les dates des spectacles sur le site Internet *www.sydney.citysearch.com.au*

The Basement
29 Reiby Place
Boîte de jazz.
Kinsela's
383 Bourke Street, Darlinghurst
Boîte de nuit.
Riva
Park Grand Hotel, Castlereagh Street
Boîte de nuit.
Rogue's
16 Oxford Street, Paddington
Boîte de nuit.
Soup Plus
1 Margaret Street
Boîte de jazz.

The Gaelic Club
64 Devonshire Street, Surry Hills
Musique rock.
Hopetoun Hotel
416 Bourke Street, Surry Hills
Musique rock.
Annandale Hotel
À l'angle de Parramatta Road & Nelson Street
Musique rock.
Vanguard
42 King Street, Newtown
Boîte de jazz.

Canberra
La législation libérale de la ville permet à quelques bars d'être ouverts jour et nuit. Le plus célèbre, le **Canberra Casino** (*21 Binara Street*), accueille ses clients du vendredi au lundi matin (4 h).

ANU Union Bar
Australian National University

Melbourne
Les pubs de la ville sont le cadre de concerts de rock ou de jazz, comme les bars à vins de Brunswick Street à Fitzroy. Pour connaître les programmations des concerts, écouter, sur la bande FM, les radios 3RRR, 3MMM ou 3PBS.

The Esplanade Hotel (Espy)
11 Upper Esplanade, St Kilda
Prince of Wales Bandroom
29 Fitzroy Street, St Kilda
Corner Hotel
57 Swan Street, Richmond
Hi-Fi Bar
125 Swanston Walk
Northcote Social Club
301 High Street, Northcote
Bennetts Lane
25 Bennetts Lane
Molly Blooms
39 Bay Street, Port Melbourne

Adélaïde
Écouter de la musique dans les pubs et à l'Adelaide Festival Centre est une des grandes distractions locales. Pour connaître les programmations, se reporter à l'édition du jeudi de l'*Advertiser*. Hindley Street, jadis considérée comme le quartier rouge de la ville, ne choque plus personne aujourd'hui, on y trouve de nombreux bars et restaurants, mêlés à des clubs de striptease et aux habituels noctambules.

The Adelaide Casino
North Terrace, City

Brisbane
Les noctambules se retrouvent au **Grand Orbit**, un complexe regroupant restaurants, bars et boîtes de nuit. Le quartier de Fortitude Valley compte de nombreux endroits à la mode.

The Dubliner
283 Elizabeth Street
Boîte de jazz.

Perth
Plusieurs publications, comme *Scoop* et *Perth's Cultural Guide* sont disponibles dans les hôtels et au Western Australian Visitor Centre. Des détails paraissent aussi dans le *West Australian Newspaper* et chaque jeudi dans *X-Press*. Les dernières nouvelles se trouvent également sur le site *www.citysearch.com.au*

Achats

Sydney
Le quartier commerçant de Sydney est situé entre Martin Place, George Park et Elizabeth Streets. C'est là que se trouvent les grands magasins tels David Jones et Myer, le Queen Victoria Building, restauré avec élégance, et de nombreuses galeries commerciales comme The Royal Arcade, Strand Arcade, Imperial Arcade, Centrepoint Shopping Arcade… Les opales et les articles confectionnés en peau de mouton sont intéressants.

Les boutiques sont aussi nombreuses autour de Martin Place et de Pitt Street Mall.

Les marchés de Paddington, à l'angle d'Oxford Street et de Newcombe, sont un but traditionnel de promenade le samedi après-midi, tout comme les marchés de The Rocks durant tout le week-end.

Canberra
London Circuit est le centre d'affaires de Canberra. Autour de Civic Square se trouvent boutiques et grands magasins. Chaque quartier a son centre commercial. Au sud du lac, le Manuka Shopping Centre, ouv. lun.-jeu. de 9 h à 17 h 30, ven. de 9 h à 21 h, sam. de 9 h à 17 h 30, dim. de 10 h à 16 h, est particulièrement agréable. Le Old Bus Depot Market, à Kingston, ouv. sam. de 10 h à 16 h, regroupe tous types de stands, de la bijouterie à l'épicerie. Un samedi par mois, il est remplacé par un marché de produits régionaux.

Melbourne
Magasins et centres commerciaux attirent des clients de toute l'Australie. Des tour-opérateurs (*Shopping Spree Tours, tél. 03 - 9596 6600*) se sont même spécialisés sur cette destination ! Collins Place et

Bourke Street sont réputées pour leurs grands magasins et leurs boutiques, dont Myers et David Jones. Le Melbourne Central, le QV Centre, sur Swanston Street, et GPO, à l'angle de Bourke et Elizabeth Streets méritent aussi une visite. Melbourne abrite aussi des galeries marchandes plus anciennes : La Royal Arcade date de 1870. Le Sportsgirl Centre et Australia on Collins sont des endroits agréables.

En banlieue, de nombreux centres commerciaux ont été construits : celui de Chadstone est le plus grand de tout l'hémisphère sud.

Des boutiques de mode un peu onéreuses se trouvent sur Chapel Street, dans le quartier de South Yarra, et sur Toorak Road. Les plus jeunes trouvent leur bonheur sur Brunswick Street (Fitzroy).

Les grands marchés sont très populaires à Melbourne. Le Queen Victoria Market, situé sur Victoria Street, dans North Melbourne, mérite une visite comme le marché de Prahran qui attire tous les gourmands. Le dimanche se tient sur Collins Place un marché d'artisanat australien.

Adélaïde

C'est sur Rundle Street que sont situées la plupart des boutiques intéressantes d'Adélaïde. Tout à l'est de cette rue se trouvent les marchés East End avec leurs vêtements colorés et bijoux artisanaux.

Les vins peuvent être achetés directement dans de nombreuses exploitations viticoles de Barossa Valley, Clare Valley, McLaren Vale, Adelaide Hills et du Coonawarra. Le Retail Art and Craft Shop du Tandanya National Aboriginal Institute vend des objets d'art, des livres, de la musique et des vêtements aborigènes.

Brisbane

Queensland Aboriginal Creatives, sur George Street, est la meilleure boutique d'artisanat aborigène. Brisbane a l'un des plus grands centres commerciaux du pays, le Myer Centre, avec un grand magasin, plus de 200 boutiques et restaurants et un parc d'attractions. Il y a aussi des galeries marchandes comme Wintergarden, sur le Mall. Pour chiner, le Riverside Market se tient chaque dimanche au Riverside Centre. Les stands des marchés de la South Bank proposent des vêtements et de l'artisanat du vendredi soir au dimanche. Au Brisbane Powerhouse, à New Farm, se tient le Farmer's Market le deuxième et le quatrième samedi du mois.

Darwin

Darwin est, avec Alice Springs, le meilleur endroit pour acheter des objets d'artisanat aborigène en Australie. Il ne faut pas manquer la visite de l'Aboriginal Fine Arts, à l'angle de Mitchell et Knuckley Streets. Il est facile de trouver des pierres précieuses locales, comme les perles de Paspaley et les diamants d'Argyle.

Alice Springs

Des boutiques d'art aborigène ont ouvert à chaque coin de rue. Dirigé par une association aborigène, la **CAAMA Shop** (*Hartley Street*) mérite le détour. Une visite s'impose aussi à la **Gallery Gondwana** sur le Saint Todd Mall.

Perth

La ville est surtout réputée pour sa production d'opales et l'artisanat aborigène. L'artère commerçante est Hay Street. Tous les quartiers commerçants qui partent de cette rue, Piccadilly, City, Trinity, Plaza et Carillon sont piétons. Les marchés de Wanneroo et du Subiaco Pavilion sont très vivants.

Hobart

Salamanca Place rassemble des boutiques, des restaurants, des galeries, et de l'artisanat de qualité.

OÙ SE RESTAURER

Après avoir joui d'une réputation calamiteuse, la cuisine australienne a trouvé ses lettres de noblesse grâce à la qualité de ses chefs et à la saveur de ses produits.

Dans les villes, les nombreux restaurants offrent une grande diversité : cuisine italienne, française, grecque, libanaise, japonaise, chinoise, indienne, indonésienne ou américaine et anglaise sont à l'honneur. Sur la côte, les restaurants de fruits de mer sont excellents.

La réglementation sur l'alcool étant très stricte en Australie, il existe trois catégories de restaurants : les restaurants qui ont une licence pour la vente de l'alcool ; les BYO (Bring Your Own), qui sont des établissements où l'on peut apporter son alcool ; les cafés ou les fast-foods, où la consommation d'alcool est interdite.

L'Australie a d'excellents vignobles. Les plus réputés sont ceux de la Barossa Valley, en Australie-Méridionale, et de la Hunter Valley, en Nouvelle-Galles du Sud.

L'alcool national est la bière – les Australiens en sont les troisièmes consommateurs au monde. La bière australienne est excellente. La Cooper et la Cascade, que l'on trouve respectivement en Australie-Méridionale et en Tasmanie, sont les plus réputées. À Sydney, on boit de la Toohey. De nombreux pubs fabriquent leur propre bière. En général, la bière australienne est fortement alcoolisée, mais il existe des bières légères « LA » (Light Alcohol).

Le *cooler* est un mélange de vin blanc et de jus de fruits qui se boit glacé.

Sydney

Le succès de la cuisine moderne et celle issue du bush permettent toutes les audaces, d'où le nombre d'endroits servant de la cuisine moderne dite italienne ou asiatique.

The Sydney Morning Herald Good Food Guide et *Cheap Eats in Sydney* sont les bibles des gourmets.

Cuisine nouvelle

Guillaume at Bennelong
Sydney Opera House, Bennelong Point, tél. 02 - 9241 1999 ; www.guillaumeatbennelong.com.au
Claudes
10 Oxford Street, Woollahra, tél. 02 - 9331 2325
Cottage Point Inn
2 Anderson Place, Cottage Point, tél. 02 - 9456 1011
Lotus
22 Challis Avenue, Potts Point, tél. 02 - 9326 9000 ; www.merivale/lotus
Rockpool
107 George Street, The Rocks, tél. 02 - 9252 1888

Cuisine chinoise

Fu-Manchu
249 Victoria Street, Darlinghurst, tél. 02 - 9360 9424
Golden Century
393-399 Sussex Street, tél. 02 - 9212 3901

Cuisine japonaise

Yoshii
115 Harrington Street, The Rocks, tél. 02 - 9247 2566
Tsukasa
200 Crown Street, East Sydney, tél. 02 - 9361 3818

Cuisine thaïe

Sailors' Thai
106 George Street, The Rocks, tél. 02 - 9251 2466

Cuisine indienne

Oh ! Calcutta !
251 Victoria Street, Darlinghurst, tél. 02 - 9360 3650 ; www.ohcalcutta.com.au

Autres cuisines

The Bathers Pavilion
4 The Esplanade, Balmoral, tél. 02 - 9969 5050 ; www.batherspavilion.com.au
Buon Ricordo
108 Boundary Street, Paddington, tél. 02 - 9360 6729 ; www.buonricordo.com.au
Cuisine italienne.
Catalina Rose Bay
1, Sunderland Avenue, Lyne Park, Rose Bay, tél. 02 - 9371 0555
Diethnes
336 Pitt Street, City, tél. 02 - 9267 8956
Cuisine grecque.
Doyles on the Beach
11 Marine Parade, Watsons Bay, tél. 02 - 9337 2007
Jonah's
69 Bynya Road, Palm Beach, tél. 02 - 9974 5599
Cuisine méditerranéenne.
The Summit
Niveau 47, Australia Square, 264 George Street, tél. 02 - 9247 9777
Iku Wholefoods
25a Glebe Point Road, Glebe, tél. 02 - 9692 8720
cuisine végétarienne.
The Pier
594 New South Head Road, Rose Bay, tél. 02 - 9327 4187
Fruits de mer.

Canberra

Qu'ils servent des spécialités chinoises, japonaises, malaises ou turques, les nombreux restaurants de la ville sont hautement recommandables. La cuisine moderne est aussi à l'honneur.

Cuisine nouvelle

Aubergine
18 Barker Street, Griffith, tél. 02 - 6260 8666
Courgette
54 Marcus Clark Street, Capital Centre, tél. 02 - 6247 4042

Autres cuisines

The Chairman & Yip
108 Bunda Street, Civic Centre, tél. 02 - 6248 7109
Cuisine chinoise
Fekerte's
74/2 Cape Street, Dickson, tél. 02 - 6262 5799
Cuisine éthiopienne
Ottoman Cuisine
À l'angle de Boughton & Blackall Street, Barton, tél. 02 - 6273 6111
Cuisine ottomane

Melbourne

Melbourne est la capitale gastronomique de l'Australie. Elle compte aussi les meilleurs restaurants italiens du continent.

La plupart des restaurants bon marché sont des BYO, comme ceux de Brunswick Street (Fitzroy). Lygon Street (Carlton), même si elle est un peu touristique, offre un bon choix de restaurants italiens. Dans le même quartier, Little Bourke Street est réputée pour ses restaurants chinois. Chapel Street (South

Yarra) et le nouveau Southgate Development (près de la rivière) sont des endroits à la mode aux prix parfois excessifs. Dans le quartier de Saint Kilda, les bars et les restaurants de Fitzroy Street sont fréquentés par une clientèle jeune. Un peu plus loin, ceux situés en bord de mer sont bondés les week-ends..

Cuisine nouvelle

Ezard at Adelphi
187, Flinders Lane, tél. 03 - 9639 6811
Jacques Reymond
78 Williams Road, Windsor, tél. 03 - 9525 2178
Valdo's Charcoal Grill
61 Bridge Road, Richmond, tél. 03 - 9428 5833
The Stokehouse
30 Jacka Boulevard, Saint Kilda, tél. 03 - 9525 5555

Cuisine italienne

Cafe Di Stasio
31 Fitzroy Street, Saint Kilda, tél. 03 - 9525 3999
Becco
11-25 Crossley Street, tél. 03 - 9663 3000 ; www.becco.com.au
Pellegrini's Espresso Bar
66 Bourke Street, tél. 03 - 9662 1885

Cuisine chinoise

Bamboo House
47 Little Bourke Street, tél. 03 - 9662 1565
Chine on Paramount
Boutiques 9-10, Paramount Centre, 101 Bourke Street, tél. 03 - 9663 6556
Flower Drum
17 Market Lane, tél. 03 - 9662 3655

Cuisine japonaise

Akita
34 Courtney Street, North Melbourne, tél. 03 - 9326 5766
Kenzan
Collins Place, 45 Collins Street, tél. 03 - 9654 8933

Cuisine grecque

Jim's Greek Tavern
32 Johnston Street, Collingwood, tél. 03 - 9419 3827

Autres cuisines

Abla's
109 Elgin Street, Carlton, tél. 03 - 9347 0006
Cuisine libanaise
Lemongrass
176 Lygon Street, Carlton, tél. 03 - 9662 2244
Cuisine thaïe
Toofey's
162 Elgin Street, Carlton, tél. 03 - 9347 9838
Fruits de mer

Adélaïde et les alentours

Adélaïde est le bastion de la cuisine moderne australienne. Les hôtels de luxe comprennent pour la plupart d'excellents restaurants. Placée sous la houlette du père fondateur de la nouvelle cuisine, le chef Cheong Liew, le **Grange Restaurant** du Hilton vaut le détour comme le **Blake's**, au Hyatt Regency.

Derrière le Mall d'East End District, Rundle Street concentre nombre de restaurants grecs, italiens, indiens et thaïs. Dans Gouger Street, fruits de mer et cuisine chinoise sont à l'honneur, comme chez **Ying Chow**, une des meilleures adresses bon marché de la ville.

The Grange
Hilton Adelaide, 233 Victoria Square, tél. 08 - 8217 1000 ; www.adelaide.hilton.com
Amalfi Pizzeria Ristorante
29 Frome Street, tél. 08 - 8223 1948
Botanic Gardens Restaurant and Kiosk
Botanic Gardens, North Terrace, tél. 08 - 8223 3526 ; www.botanicgardenrestaurant.com.au
Ying Chow
114 Gouger Street, tél. 08 - 8211 7998
Cuisine chinoise
Red Ochre Restaurant
War memorial Drive, North Adelaide, tél. 08 - 8211 8555 ; www.redochre.com.au
Rigoni's
27 Leigh Street, tél. 08 - 8231 5160
Cuisine italienne
The Oxford Hotel
101 O'Connell Street, tél. 08 - 8267 2652
Universal Wine Bar
285 Rundle Street, tél. 08 - 8232 5000
Bar à vins

Brisbane

La cuisine nouvelle est très appréciée à Brisbane, et depuis quelques années les restaurants et les bistros, ouverts tard le soir, se sont multipliés. Les restaurateurs tirent profit avec talent des nombreux produits tropicaux de la région, comme les poissons de la Grande Barrière, les crabes, les crevettes, et des fruits comme les mangues, les papayes ou les avocats.

Cuisine nouvelle

E'cco Licensed Bistro
101 Boundary Street, tél. 07 - 3831 8344

Cha Cha Char
Eagle Street Pier, Waterfront Place, tél. 07 - 3211 9944 ; www.chachachar.com.au
Indigo Galichet's
695 Brunswick Street, New Farm, tél. 07 - 3254 0275
Il Centro
Eagle Street Pier, Waterfront Place, tél. 07 - 3221 6090 ; www.il-centro.com.au
Bruno's Table
85 Miskin Street, Toowong, tél. 07 - 3371 4558

Fruits de mer

Brett's Wharf Seafood Restaurant
449 Kingsford Smith Drive, Hamilton, tél. 07 - 3868 1717
Pier Nine Oyster Bar & Seafood Grill
Eagle Street Pier, tél. 07 - 3229 2194

Autres cuisines

Green Papaya
898 Stanley Street, tél. 07 - 3217 3599
Cuisine vietnamienne
Oshin
1er étage, Koala House, à l'angle de Adelaide & Creek Streets, tél. 07 - 3229 0410
Cuisine japonaise

Noosa

La qualité et l'abondance des fruits de mer font de cette ville un des centres culinaires de l'Australie.

Berardo's on the Beach
Sur la plage, Hastings Street, tél. 07 - 5447 5666 ; www.berardos.com.au
Lindoni's Ristorante
13 Hastings Street, tél. 07 - 5447 5111
River House Restaurant
301 Weyba Road, Noosaville, tél. 07 - 5449 7441 ; www.riverhouserestaurant.com.au

Cairns et Port Douglas

Ville touristique, Cairns ne se distingue pas par la qualité de ses restaurants. Bon nombre d'entre eux se trouvent dans les hôtels. *Spence Street* propose cependant quelques endroits bon marché comme Hog's Breath Cafe, Bangkok Thai ou Taj. Mais les meilleures adresses se trouvent dans la petite ville de Port Douglas, située au nord de Cairns, à une heure de route.

Red Ochre Grill
43 Shields Street, tél. 07 - 4051 0100
Cuisine australienne
Catalina
22 Wharf Street, Port Douglas, tél. 07 - 4099 5287
On the Inlet
3 Inlet Street, tél. 07 - 4099 5255 ; www.ontheinlet.com
Nautilus
17 Murphy Street, Port Douglas, tél. 07 - 4099 5330 ; www.nautilus-restaurant.com.au

Darwin

Même si la communauté asiatique a fait évoluer les habitudes alimentaires des Darwinois, bière et *fish and chips* à la main restent de rigueur, tradition oblige, pour admirer le coucher du soleil au Wharf Precinct. Le jeudi, on peut dîner les pieds dans l'eau à Mindil Beach, où un marché propose de nombreux étals de spécialités. Quant au Rendezvous Cafe (*Star Village, 32 Smith Street Mall*), il attire tous les amateurs de curry.

Cuisine nouvelle

Katie's Bistro
Knotts Crossing Resort, à l'angle de Giles & Cameron Streets, Katherine, tél. 08 - 8972 2511
Cornucopia Museum Cafe
Conacher Street, Fannie Bay, tél. 08 - 8981 1002
Rorke Drift Bar & Café
46 Mitchell Street, tél. 08 - 8941 7171
The Sound of Silence Dinner
Yulara, tél. 1300-880 835

Autres cuisines

Crustaceans on the Wharf
Stokes Hill Wharf, tél. 08 - 8981 8658
Fruits de mer
The Hanuman
28 Mitchell Street, tél. 08 - 8941 3500
Cuisine thaïe
Mindil Beach Sunset Market
Mindil Beach, tél. 08 - 8981 3454
Cuisine asiatique
Rendezvous Cafe
Star Village, 32 Smith Street Mall, tél. 08 - 8981 9231
Cuisine de Singapour
Nirvana
6 Dashwood Crescent, tél. 08 - 8981 2025
Cuisine thaï
Dragon Court
Skycity Darwin, Gilruth Avenue, Mindil Beach, tél. 08 - 8943 9999
Cuisine cantonaise

Perth

Perth et Margaret River proposent un très bon choix de restaurants. Fremantle se distingue grâce à ses cafés-restaurants au bord de l'eau servant des fruits de mer.

Cuisine nouvelle

King Street 44
44 King Street, tél. 08 - 9321 4476
Flutes Café
Brookland Valley Vineyard, Caves Road, Willyabrup, tél. 08 - 9755 6250 ; www.flutes.com.au
Fraser's Restaurant
Fraser Avenue, King's Park, tél. 08 - 9481 7100
Coco's Restaurant
85 The Esplanade, South Perth, tél. 08 - 9474 3030 ; www.cocosperth.com

Cuisine française

The Loose Box
6825 Great Eastern Highway, Mundaring, tél. 08 - 9295 1787

Autres cuisines

Joe's Oriental Diner
Hyatt Regency, 99 Adelaide Terrace, tél. 08 - 9225 1268
Cuisine asiatique
The Oyster Bar Mead's Mosman Bay
15 Johnson Parade, Mosman Park, tél. 08 - 9383 3388
Fruits de mer
Perugino Restaurant
77 Outram Street, West Perth, tél. 08 - 9321 5420
Cuisine italienne

Hobart et ses environs

Les meilleurs restaurants de la ville sont concentrés sur le front de mer, et plus particulièrement sur Salamanca Place, à Battery Point. Les restaurants de fruits de mer, eux, sont installés dans le quartier des Docks.

Cuisine nouvelle

Moorilla Estate
Moorilla Estate, 655 Main Road, Berriedale, tél. 03 - 6277 9900 ; www.moorilla.com.au
Mummaluka
89 Salamanca Place, tél. 03 - 6224 2929
Retro Cafe
À l'angle de Salamanca Place & Montpelier Retreat, tél. 03 - 6223 3073

Fruits de mer

Mure's Upper Deck Restaurant
Victoria Dock, tél. 03 - 6231 1999
Prossers on the Beach
Beach Road, Long Point, Sandy Bay, tél. 03 - 6225 2276
Kelley's Seafood Restaurant
5 Knopwood Street, Battery Point, tél. 06 - 6224 7225

Autres cuisines

Orizuru Sushi Bar
Victoria Dock, tél. 03 - 6231 1790
Cuisine japonaise
Vanidol's
353 Elizabeth Street, North Hobart, tél. 03 - 6234 9307
Cuisine asiatique
Siren's
6 Victoria Street, tél. 03 - 6234 2634

OÙ LOGER

Hôtels

Les hôtels sont classés en cinq catégories : les $$$$$, généralement les hôtels des grandes chaînes internationales ; les $$$$ offrent un service de première qualité et correspondent approximativement à un quatre étoiles ; les $$$, bien entretenus et confortables ; les $$, simples et modestes, sont souvent des motels ; les $, établissements de type auberge de jeunesse, équipés de dortoirs et de chambres collectives.
Nombre d'hôtels proposent des studios ou des bungalows indépendants tout équipés où l'on peut préparer soi-même ses repas, laver son linge, etc.
Le système de B & B (Bed & Breakfast), location d'une chambre chez l'habitant, est aussi très répandu. Pour réserver depuis la France : **Tourisme chez l'habitant,** *15, rue des Pas-Perdus, 95800 Cergy, tél. 01 34 25 44 44*. Sur place, le **BBFA** (B & B and Farmstay Australia), association de tous les B & B du pays, (*www.australianbedandbreakfast.com.au*) fournit tous les renseignements nécessaires.
La liste qui suit est indicative et non exhaustive, les établissements y sont répertoriés par État, puis par ville ou par région, et par catégorie. Les prix varient selon les saisons et les circonstances (festivals, etc.).

La Nouvelle-Galles du Sud

Sydney
Gamme de prix :

$	25 - 55 $A
$$	55 - 185 $A
$$$	50 - 300 $A
$$$$	160 - 420 $A
$$$$$	450 - 1350 $A

- $
Jolly Swagman Hostel
Kings Cross, tél. 02 - 9358 6400 ; fax. 02 - 9334 0125

Sinclairs of Bondi
11 Bennett Street, Bondi,
tél. 04 - 1434 2010 ; fax 02 - 9371 1149 ;
www.sinclairsbondi.com.au
À 500m de Bondi. Cuisine aménagée à disposition.
YWCA
5-11 Wentworth Avenue,
tél. 02 - 9264 2451 ; fax 02 - 9285 6289
Une centaine de lits. Établissement propre, sûr et bien équipé.

– $$
Australian Sunrise Lodge
485 King Street, Newtown,
tél. 02 - 9550 4999 ; fax 02 - 9550 4457 ;
www.australiansunriselodge.com
Chambres doubles, triples et familiales dans une banlieue estudiantine sympathiquement bohème.
Broadway University Motor Inn
25 Arundel Street, Glebe,
tél. 02 - 9660 5777 ; fax 02 - 9660 2929 ;
www.goldchain.com.au
Face à l'université de Sydney, un endroit connu pour son ambiance festive et ses nombreux cafés.
Cremorne Point Manor
6 Cremorne Road, Cremorne Point,
tél. 02 - 9953 7899 ; fax 02 - 9904 1265 ;
www.cremornepointmanor.com.au
Demeure ancienne restaurée. Accès facile par bac au centre.

- $$$
Coogee Bay Boutique Hotel
9 Vicar Street, Coogee,
tél. 02 - 9665 0000 ; fax 02 - 9664 2103 ;
www.coogeebayhotel.com.au
Pub classé monument historique en bord de mer.
Regents Court
18 Springfield Avenue, Potts Point,
tél. 02 - 9358 1533 ; fax 02 - 9358 1833 ;
www.regentscourt.com.au
Chambres très spacieuses, terrasse sur le toit. Un hôtel étonnamment calme en plein Kings Cross.
The Grantham
1 Grantham Street, Potts Point,
tél. 02 - 9357 2377 ; fax 02 - 9358 1435 ;
www.thegrantham.com.au
Appartements fonctionnels. Bon rapport qualité/prix.
The Hotel Bondi
178 Campbell Parade, Bondi Beach,
tél. 02 - 9130 3271 ; fax 02 - 9130 7974 ;
www.hotelbondi.com.au
Le pub historique de Bondi, récemment rénové. Le pub étant très bruyant, il ne faut loger dans cet hôtel que si les chambres avec vue sur mer, plus calmes, sont disponibles.

– $$$$
Oaks Hyde Park Plaza
38 College Street,
tél. 02 - 9331 6933 ; fax 02 - 9331 6022 ;
www.theoakgroup.com.au
Grands studios fonctionnels avec cuisine équipée.
Simpsons of Potts Point
8 Challis Avenue, Potts Point,
tél. 02 - 9356 2199 ; fax 02 - 9356 4476 ;
www.simpsonspottspoint.com.au
Maison ancienne superbement restaurée.
Medina on Crown Executive
359 Crown Street, Surry Hills,
tél. 02 - 8302 1000 ; fax 02 - 9361 5965 ;
www.medinaapartments.com.au
Petits appartements dans des jardins tropicaux.
The Waldorf Apartment Hotel
57 Liverpool Street,
tél. 02 - 9261 5355 ; fax 02 - 9261 3753 ;
www.warldorf.com.au
Tour flambant neuve de 102 chambres, vues sur la ville et sur Darling Harbour.

– $$$$$
Hotel Inter-Continental
À l'angle de Bridge & Phillip Streets,
tél. 02 - 9253 9000 ; fax 02 - 9240 1240 ;
www.sydney.intercontinental.com
Situées sur Circular Quay, à quelques minutes de l'Opéra, les chambres offrent une magnifique vue sur le port.
Park Hyatt Sydney
7 Hickson Road, The Rocks,
tél. 02 - 9241 1234 ; fax 02 - 9256 1555 ;
www.sydney.park.hyatt.com
Le plus luxueux de Sydney, réputé pour son service irréprochable et son confort.
Quay West Sydney
98 Gloucester Street, The Rocks,
tél. 02 - 9240 6000 ; fax 02 - 9240 6060 ;
www.mirvac.com.au
Dans une des tours modernes donnant sur le port, des appartements avec terrasses et une piscine intérieure.
Sheraton on the Park
161 Elizabeth Street,
tél. 02 - 9286 6000 ; fax 02 - 9286 6686 ;
www.sheraton.com/sydney
Récemment rénové. Vastes chambres avec salles de bains en marbre. Face aux jardins de Hyde Park.
The Observatory Hotel
89-113 Kent Street,
tél. 02 - 9256 2222 ; fax 02 - 9256 2233 ;
www.observatoryhotel.com.au
Les suites les plus somptueuses de Sydney. Étonnante piscine intérieure sous un plafond étoilé. Très bon restaurant.

Environs de Sydney

Gamme de prix :

$$$$	130 - 580 $A
$$$$$	200 - 735 $A

Blue Mountains

– $$$$$

Blueberry Lodge and The loft
Waterfall Road, Mount Wilson,
tél./fax 02 - 4756 2022
Chalet dans un village historique des Blue Montains.

Lilianfels Blue Mountains
Lilianfels Avenue, Katoomba,
tél. 02 - 4780 1200 ; fax 02 - 4780 1300 ;
www.liliansfels.com.au
Piscine intérieure, salle de gym, restaurant.

Nouvelle-Galles du Sud rurale

– $$$$$

Milton Park
Horderns Road, Bowral,
tél. 02 - 4861 1522 ; fax 02 - 4861 7962 ;
www.milton-park.com.au
Domaine élégant englobant une centaine d'hectares de jardins historiques.

Peppers Fairmont Resort
1 Sublime Point Road, Leura, tél. 02 - 4784 4144 ;
fax 02 - 4784 1685 ; www.peppers.com.au
Établissement réputé pour ses activités sportives (golf).

Nord de Sydney

Gamme de prix :

$$$$	110 - 370 $A
$$$$$	200 - 735 $A

– $$$$

Byron Bay Beach Club
Près de la plage, Bayshore Drive, Byron Bay,
tél. 02 - 6685 8000 ; fax 02 - 6685 6916 ;
www.byronbaybeachresort.com.au
78 bungalows dans un parc du front de mer.

Pelican Beach Resort Australis
Pacific Highway, Coffs Harbour,
tél. 02 - 6653 7000 ; fax 02 - 6653 7066 ;
www.australishotels.com
Cet établissement vaste et bien tenu propose souvent des forfaits spéciaux. Immense piscine paysagée.

Peppers Convent
Halls Road, Pokolbin, tél. 02 - 4998 7764 ;
fax 02 - 4998 7323 ; www.peppers.com.au
Dans un ancien couvent, des chambres d'hôtes et le restaurant *Robert's*.

Peppers Guest House
Ekerts Road, Pokolbin, tél. 02 - 4993 8999 ;
fax 02 - 4998 7739 ; www.peppers.com.au
D'immenses jardins. Restaurant *Chez Pok*.

– $$$$$

Casuarina Country Inn
Hermitage Road, Pokolbin, Hunter Valley,
tél. 02 - 4998 7888 ; fax 02 - 4998 7692 ;
9 suites avec superbe vue sur les jardins et le vignoble.

Kims Beachside Hideaway
Charlton Avenue, sur la plage, Toowoon Bay,
tél. 02 - 4332 1566 ; fax 02 - 4333 1544 ;
www.kims.com.au
Lieu de villégiature réputé depuis plusieurs générations.

Pips Beach Houses
14 Childe Street, Byron Bay, tél. 02 - 6685 5400
Ambiance romantique des dunes de Belongil Beach.

Rae's on Watego's
8 Marine Parade, Watego's Beach, Byron Bay,
tél. 02 - 6685 5366 ; fax 02 - 6685 5695
Chambres avec vue sur l'océan, cuisine gastronomique. Pas d'enfant de moins de 13 ans.

L'ACT

Canberra

Gamme de prix :

$	27 - 70 $A
$$	150 - 170 $A
$$$	150 - 280 $A
$$$$	150 - 460 $A
$$$$$	535 - 1035 $A

– $

Canberra YHA Hostel
7 Akuna Street, Canberra City,
tél. 02 - 6248 9155 ; fax 02 - 6249 1731 ;
www.yha.com.au
Une des meilleures auberges YHA de toute l'Australie. Location de vélos.

Victor Lodge
29 Dawes Street, Kingston,
tél. 02 - 6295 7777 ; fax 02 - 6295 2466 ;
www.victorlodge.com.au
Chambres avec lits jumeaux ou superposés et salles de bains communes. Location de vélos.

– $$

Hotel Heritage
203 Goyder Street, Narrabundah, tél. 02 - 6295 2944 ;
fax 02 - 6239 6310 ; www.domahotelscanberra.com.au
Chambres et appartements familiaux à 12 min du centre-ville.

– $$$

Diplomat Boutique Hotel
À l'angle de Canberra Avenue & Hely Street,
Griffith, tél. 02 - 6295 2277 ; fax 02 - 6239 6432 ;
www.diplomat.com.au
Hôtel de charme à 3 km du centre.

Forrest Inn and Apartments
30 National Court, Forrest,
tél. 02 - 6295 3433 ; fax 02 - 6295 2119 ;
www.forrestinn.com.au
Près du Parlement et de la National Gallery. Chambres avec vues sur le parc.
Oxley Court Serviced Apartments
À l'angle de Oxley & Dawes Streets, Kingston,
tél. 02 - 6295 6216 ; fax 02 - 6239 6085 ;
www.oxleycourt.com.au
Studios spacieux et indépendants proches du centre. Parfait pour les familles et les petits groupes.

– $$$$
Canberra Rex Hotel
150 Northbourne Avenue, Braddon,
tél. 02 - 6248 5311 ; fax 02 - 6248 8357 ;
www.canberrarexhotel.com.au
À quelques pas du centre d'affaires, piscine couverte, sauna, gymnase. Restaurant *Millies.*
Olims Canberra Hotel
À l'angle de Limestone & Ainslie Avenues, Braddon,
tél. 02 - 6243 0000 ; fax 02 - 6243 0001
Classé monument historique.
Rydges Canberra
London Circuit, Canberra City,
tél. 02 - 6247 6244 ; fax 02 - 6257 3071 ;
www.rydges.com
Belle vue sur le lac et les montagnes. Plusieurs bars sympathiques.
The Crowne Plaza Hotel Canberra
Binara Street, City,
tél. 02 - 6247 8999 ; fax 02 - 6257 4903 ;
www.parkroyal.com.au
Service de restauration dans les chambres 24 h/24, salle de remise en forme, parking souterrain.

– $$$$$
Hyatt Hotel Canberra
Commonwealth Avenue, Yarralumla,
tél. 02 - 6270 1234 ; fax 02 - 6281 5998 ;
www.hyatt.com.au
Soigneusement restauré, l'hôtel Canberra fait partie du patrimoine Arts deco de la ville.

Environs de Canberra

Gamme de prix :

$$$$	110 - 240 $A

– $$$$
Brindabella Station
Brindabella Valley Station, Brindabella,
tél. 02 - 6236 2121 ; fax 02 - 6236 2128 ;
www.brindabellastation.com.au
Demeure historique située dans le bush, entre deux parcs nationaux. 5 chambres.

Le Victoria

Melbourne

Gamme de prix :

$	20 + $A
$$	55 - 85 $A
$$$	80 + $A
$$$$	150 + $A
$$$$$	250 + $A

– $
Melbourne Metro YHA
78 Howard Street, North Melbourne,
tél. 03 - 9329 8599 ; fax 03 - 9326 8427 ;
www.yha.com.au
Immense établissement très bien équipé. Possibilité de petit déjeuner et de repas.
The Hotel Y
489 Elizabeth Street, tél. 03 - 9329 5188 ;
fax 03 - 9329 1469 ; www.ycma.net
Ancien mais confortable, bien surveillé et bien tenu. Douche et cabinets dans toutes les chambres.

– $$
Georgian Court
21-25 George Street, East Melbourne,
tél. 03 - 9419 6353 ; fax 03 - 9416 0895 ;
www.georgiancourt.com.au
B & B confortable. 31 chambres, repas possible presque tous les soirs.
Olembia Guest House
96 Barkly Street, Saint Kilda, tél. 03 - 9537 1412 ;
fax 03 - 9537 1600 ; www.olembia.com.au
Maison d'hôtes confortable et chaleureuse avec dortoirs, chambres doubles et simples.
The Nunnery
116 Nicholson Street, Fitzroy,
tél. 03 - 9419 8637 ; fax 03 - 9417 7736 ;
www.babs.com.au/nunnery
Chambres confortables à différents niveaux de prix. Hébergement de type dortoir pour moins de 20 $A.
The Victoria Hotel
215 Little Collins Street, tél. 03 - 9653 0441 ;
fax 03 - 9650 9678 ; www.victoriahotel.com.au
Chambres de catégorie luxe, standard ou bon marché. Très bien situé.
Les autres hôtels bon marché sont concentrés autour de Spencer Street, près des gares routière et ferroviaire.
L'**Explorer Inn**, *16 Spencer Street, tél. 03 - 9621 3333*, est un hôtel neuf, simple mais confortable.

– $$$
Albert Heights Serviced Apartments
83 Albert Street, East Melbourne, tél. 03 - 9419 0955 ;
fax 03 - 9419 9517 ; www.albertheights.com.au
Studios modernes, indépendants et très bien équipés. Jardins, piscine.

Batmans Hill Hotel
623, Collins Street, tél. 03 - 9614 6344 ;
fax 03 - 9614 1189 ; www.batmanshill.com.au
Dans une demeure historique.
Carlton Clocktower Quest Inn
255 Drummond Street, Carlton, tél. 03 - 9349 9700 ;
fax 03 - 9349 2542 ; www.clocktower.com.au
Studios neufs et élégants.
Hotel Grand Chancellor
131 Lonsdale Street, tél. 03 - 9656 4000 ;
fax 03 - 9662 3479 ; www.ghihotels.com.au
Chambres confortables récemment rénovées.

– $$$$
Adelphi
187 Flinders Lane,
tél. 03 - 9650 7555 ; fax 03 - 9650 2710 ;
Ultramoderne. Superbe panorama depuis le bar et la piscine du dernier étage.
Le Meridien at Rialto
495 Collins Street,
tél. 03 - 9620 9111 ; fax 03 - 9614 1219 ;
Dans un immeuble historique.
Vibe Savoy
630 Little Collins Street, tél. 03 - 9622 8888 ;
fax 03 - 9266 8818 ; www.vibehotels.com.au
Hôtel des années 1920, récemment rénové. Ambiance intime et élégante de club.

– $$$$$
Hotel Como
630 Chapel Street, South Yarra,
tél. 03 - 9824 0400 ; fax 03 - 9824 1263 ;
www.mirvachotels.com.au
C'est là que descendent les gens riches et célèbres…
Sheraton Towers Southgate
1 Southgate Avenue, Southbank, tél. 03 - 8696 8888 ;
fax 03 - 9690 6581 ; www.sheraton.com
Ambiance très « british ».
The Sofitel
25 Collins Street, tél. 03 - 9653 0000 ;
fax 03 - 9650 4261 ; www.sofitelmelbourne.com.au
Conçu par I. M. Pei.
The Windsor
103 Spring Street,
tél. 03 - 9633 6000 ; fax 03 - 9633 6001 ;
www.thewindsor.com.au
Palace conçu en 1883, le plus vieil hôtel de luxe de Melbourne, et le plus renommé. Service excellent.

Environs de Melbourne

Gamme de prix :

$$	55 - 85 $A
$$$	80 - 180 $A
$$$$	140 - 200 $A
$$$$$	200 - 400 $A

– $$
Amaroo Caravan Park and YHA Hostel
À l'angle de Church & Osborne Streets, Cowes,
tél. 03 - 5952 2548 ; fax 03 - 5952 3620
Pour les petits budgets, la meilleure adresse de la ville principale de Phillip Island. Hôtel accueillant qui propose la location de caravanes et de vélos. Possibilité de se restaurer.

– $$$
« Mt Ophir » Estate
Stillards Lane, Rutherglen, tél. 03 - 6032 8920 ;
fax 03 - 6074 9911 ; www.mount-ophir.com
Installé dans d'anciens chais et dans deux habitations de quatre chambres chacune. Élevage d'émeus et de cerfs, vignobles, forêts, ferme biologique.
Pension Grimus
149 Breathtaker Road, Mount Buller,
tél. 03 - 5777 6396 ; fax 03 - 5777 6127
www.pensiongrimus.com.au
Idéal pour séjourner à Mount Buller, principale station de ski du Victoria. Hôtel chaleureux et soigné, tenu par un couple de skieurs bien connus dans le pays. Toutes les chambres disposent d'un Jacuzzi. Les familles avec enfants sont les bienvenues (possibilité de baby-sitting).
Southern Grampians Cottages
33-35 Victoria Valley Road, Dunkeld,
tél. 03 - 5577 2457 ; fax 03 - 5577 2489 ;
www.grampianscottages.com.au
Bungalows en plein bush avec cuisine, cheminée, Jacuzzi. Proche d'un parc national, avec possibilités de randonnées pédestres.

– $$$$
Comfort Inn Shamrock
À l'angle de Pall Mall & Williamson Streets, Bendigo, tél. 03 - 5443 0333 ; fax 03 - 5442 4494 ;
www.shamrockbendigo.com.au
Hôtel de province grandiose, datant de la ruée vers l'or. De la chambre bon marché aux suites de luxe.
Cumberland Lorne
150 Montjoy Parade, Lorne, tél. 03 - 5289 2400 ;
fax 03 - 5289 2256 ; www.cumberland.com.au
Suites, superbes vues et activités de loisirs.

– $$$$$
Lake House
King Street, Daylesford, tél. 03 - 5348 3329 ;
fax 03 - 5348 3995 ; www.lakehouse.com.au
Cette résidence luxueuse au bord du lac Daylesford compte l'un des meilleurs restaurants du Victoria.
Mount Buffalo Chalet
Mount Buffalo, tél. 03 - 5755 1500 ;
fax 03 - 5755 1892 ; www.mtbuffalochalet.com.au
Vues sur la Great Dividing Range et la vallée.

L'Australie-Méridionale

Adélaïde

Gamme de prix :

$	20 + $A
$$	40 - 90 $A
$$$	100 - 250 $A
$$$$	180 - 270 $A
$$$$$	360 - 600 $A

– $

YMCA

Adelaide Youth Hostel
135 Waymouth Street, tél. 08 - 8414 3010 ;
fax 08 - 8414 3015 ; www.yha.com.au
Très bien placée, mais 16 lits seulement.

Adelaide Backpackers Inn
112 Carrington Street, tél. 08 - 8223 6635 ;
www.adelaidebackpackersinn.net.au
Glace et tarte aux pommes offertes tous les soirs !

– $$

Glenelg Beach Hostel
1-7 Moseley Street, Glenelg, tél. 08 - 8376 0007 ;
fax 08 - 8376 0677 ; www.glenelgbeachhotel.com.au
120 lits, du dortoir à l'appartement familial.

Princes Lodge
73 Lefevre Terrace, North Adelaide, tél. 08 - 8267 5566 ;
fax 08 - 8239 0787 ; www.princeslodge.com.au
Accueil sympathique. Service de petits déjeuners.

– $$$

Chifley On South Terrace
226 South Terrace, tél. 08 - 8223 4355 ;
fax 08 - 8232 5997 ; www.chifleyhotels.com
Juste en face des jardins de South Parklands.

International Hotel Adelaide
62 Brougham Place, North Adelaide,
tél. 08 - 8267 3444 ; fax 08 - 8239 0189
Superbement placé au nord d'Adélaïde.

Mercure Grosvenor Hotel
125 North Terrace, tél. 08 - 8407 8888 ;
fax 08 - 8407 8866 ; www.mercure.com.au
Face au nouveau casino, en plein centre ville.

– $$$$

All Seasons Adelaide Meridien
21–37 Melbourne Street, North Adelaide,
tél. 08 - 8267 3033 ; fax 08 - 8239 0275 ;
www.adelaidemeridien.com.au
Suites standard et luxe.

North Adelaide Heritage Apartments & Cottages
109 Glen Osmond Road, Eastwood,
tél./fax 08 - 8272 1355 ; www.adelaideheritage.com
Cet organisme gère de nombreux B & B installés dans des demeures historiques des quartiers bourgeois du nord de la ville.

Stamford Grand
Moseley Square, Glenelg, tél. 08 - 8376 1222 ;
fax 08 - 8376 1111 ; www.stamford.com.au
Chambres avec vues sur l'océan et les Adelaide Hills.

– $$$$$

Hyatt Regency Adelaide
North Terrace, tél. 08 - 8231 1234 ;
fax 08 - 8231 1120 ; www.adelaide.hyatt.com
Des chambres luxueuses et un casino, dans une gare classée monument historique.

Stamford Plaza Adelaide
150 North Terrace, Adelaide, tél. 08 - 8461 1111 ;
fax 08 - 8231 7572 ; www.stamford.com.au
Petits déjeuners et buffets dans le délicieux jardin en terrasse. Au centre, avec vue sur la cité.

Environs d'Adélaïde

Gamme de prix :

$$	55 - 85 $A
$$$	80 - 220 $A
$$$$	110 - 240 $A
$$$$$	580 - 1350 $A

– $$

The Underground Motel
Catacomb Road, Coober Pedy,
tél. 08 - 8672 5324 ; fax 08 - 8672 5911
Installé dans une mine. Accueillant et confortable.

– $$$

Arkoola Tourist Resort & Wildlife Sanctuary
Arkoola, via Port Augusta, tél. 08 - 8648 4848 ;
fax 08 - 8648 4846 ; www.arkaroola.com.au
Dans l'immense réserve d'Arkoola/Mount Painter, à la flore et à la faune abondantes.

Desert Cave Hotel
Hutchison Street, Coober Pedy, tél. 08 - 8672 5688 ;
fax 08 - 8672 5198 ; www.desertcave.com.au
Hôtel souterrain de luxe installé dans la plus célèbre mine d'opales de l'*outback*.

Langmeil Cottages
89 Langmeil Road, Tanunda, tél./fax 08 - 8563 2987 ;
www.langmeilcottages.com
Bungalows indépendants. Barbecues, vélos, piscine.

– $$$$

Collinsgrove Homestead
Eden Valley Road, Angaston, tél. 08 - 8564 2061 ;
fax 08 - 8564 3600 ; www.collingrovehomestead.com.au
Demeure historique très tranquille dans les Barossa Ranges, au milieu de grands jardins anglais.

Lighthouse Keeper's Cottage
Kangaroo Island,
tél. 08 - 8559 7235 ; fax 08 - 8559 7364 ;
www.parks.sa.gov.au/flinderschase

Établissement situé sur l'île presque sauvage de Kangaroo Island. Réservations auprès de National Park & Wildlife, South Australia, Flinders Chase National Park, Kangaroo Island.

Padthaway Homestead
Riddoch Highway, Padthaway,
tél. 08 - 8765 5039 ; fax 08 - 8765 5099 ;
www.padthawayestate.com
Superbe demeure du XIXe siècle au cœur des vignobles du Padthaway, producteurs de vins fins proche des champagnes. 6 chambres, salons confortables avec cheminées.

– $$$$$

Thorngrove Country Manor
2 Glenside Lane, Stirling, tél. 08 - 8339 6748 ;
fax 08 - 8370 9950 ; www.slh.com
À 20 min d'Adélaïde, une folie néogothique. Kitsch mais tout le luxe d'un cinq étoiles : suites, mobilier antique, restaurant raffiné.

Le Queensland

Brisbane

Gamme de prix :

$	20 - 74 $A
$$	55 - 120 $A
$$$	99 - 280 $A
$$$$	95 - 600 $A
$$$$$	275 - 3500 $A

– $

Brisbane City YHA Hostel
392 Upper Roma Street,
tél. 07 - 3236 1004 ; fax 07 - 3236 1947 ;
www.yha.com.au
Auberge bien aménagée, à proximité du centre, conçue pour les randonneurs. Restaurant très bon marché.

Brisbane Palace Backpackers
308 Edward Street,
tél. 07 - 3211 2433 ; fax 07 - 3211 2466 ;
www.palacebackpackers.com.au
Cet établissement situé face à Central Station abrite également le célèbre Down Under Bar.

– $$

Acacia Inner City Inn
413 Upper Edward Street,
tél. 07 - 3832 1663 ; fax 07 - 3832 2591
Accueil amical et ambiance sympathique pour cet établissement au cœur de la ville.

Spring Hill Terraces
260 Water Street, Spring Hill,
tél. 07 - 3854 1048 ; fax 07 - 3852 2121 ;
www.springhillterraces.com
Des studios modernes et indépendants et des chambres à petit prix, à 5 min du centre.

– $$$

Il Mondo Boutique Hotel
25-35 Rotherham Street, Kangaroo Point,
tél. 07 - 3392 0111 ; fax 07 - 3392 0544
Décoration singulière pour chaque chambre. Proche de Kangaroo Point.

Ryans on the River
269 Main Street, Kangaroo Point,
tél. 07 - 3391 1011 ; fax 07 - 3391 1824 ;
www.ryans.com.au
Belle demeure bien située, en face du centre, accessible par une courte traversée en bac.

The Chifley on George Hotel
103 George Street, tél. 07 - 3221 6044 ;
fax 07 - 3221 7474 ; www.chifleyhotels.com
Hôtel de charme de 99 chambres, redécoré avec élégance et simplicité en mai 1997.

– $$$$

Carlton Crest Hotel
King George Square, tél. 07 - 3229 9111 ;
fax 07 - 3229 9618 ; www.carltonhotels.com.au
Deux hôtels sous la même enseigne : le Crest Tower ($$$$) et le Carlton Tower ($$$$$).

Hotel Watermark Brisbane
551 Wickham Terrace,
tél. 07 - 3831 3111 ; fax 07 - 3832 1290 ;
www.albertparkhotel.com.au
Vue sur le parc depuis ce quatre étoiles du centre. Service impeccable.

Mercure Hotel
85-87 North Quay, tél. 07 - 3237 2300 ;
fax 07 - 3236 1035 ; www.mercurebrisbane.com.au
Confortable, à quelques minutes à pied du centre.

– $$$$$

Conrad Treasury
130 William Street,
tél. 07 - 3306 8888 ; fax 07 - 3306 8880 ;
www.conradtreasury.com.au
Bel immeuble du XIXe siècle. Casino.

Quay West Suites Brisbane
132 Alice Street, tél. 07 - 3853 6000 ;
fax 07 - 3853 6060 ; www.mirvachhotels.com.au
Hôtel luxueux surplombant les Jardins botaniques.

Stamford Plaza Hotel
Dans les Botanic Gardens, Edward Street,
tél. 07 - 3221 1999 ; fax 07 - 3221 6895 ;
www.stamford.com.au
Le palace le plus raffiné de Brisbane.

Le Queensland du Sud

L'*outback*

Gamme de prix :

$$$$$	A$ 185 - 500

Talgai Homestead
Allora-Ellinthorp Road, Allora, Southern Darling Downs, tél. 07-4666 3444 ; fax 07-4666 3780
À 2 h de Brisbane, cette résidence gérée par le National Trust propose 6 suites.

La Gold Coast
Gamme de prix :

$$	75 - 120 $A
$$$$	1635 - 3310 $A

– $$
Les motels comme le **Sunset Court** à Surfers Paradise (*tél. 07-5539 0266*) sont de bons exemples d'hébergements bon marché de la région : fonctionnels, souvent équipés de cuisine, et à proximité de la plage.

Broadwater Keys Quest Inn
125 Frank Street, Labrador ; tél. 07-5531 0839 ; fax 07-5591 3675 ; www.broadwaterkeys.com.au
Bungalows indépendants à 100 m de la plage ; possibilité de forfaits week-end.

– $$$$
Sheraton Mirage Resort and Spa
Sea World Drive, Broadwater Spit Main Beach, tél. 07-5591 1488 ; fax 07-5591 2299 ; www.sheraton.com
Service dans les chambres 24 h/24, équipements sportifs, plusieurs restaurants gastronomiques.

La Sunshine Coast
Gamme de prix :

$$$$$	275 - 1350 $A

Hyatt Regency Coolum Golf Resort & Spa
1 Warran Road, Coolum, tél. 07-5446 1234 ; fax 07-5446 2957 ; www.coolum.hyatt.com
Coolum est réputée pour sa plage magnifique. L'établissement possède un parcours de golf, 9 piscines et 9 courts de tennis.
Noosa Blue Resort
16 Noosa Drive, Noosa, tél. 07-5447 5699 ; fax 07-5447 5485 ; www.noosablue.com.au
Hôtel perché sur Noosa Hill offrant des suites luxueuses avec spas.

Fraser Island
Gamme de prix :

$$$$$	260 - 450 $A

Kingfisher Bay Resort and Village
North White Cliff, Fraser Island, tél. 07-4120 3333 ; fax 07-4127 9333 ; www.kingfisherbay.com
L'unique hôtel de luxe de l'île. Accessible par bac ou par catamaran depuis Uranga. Possibilité de visite des plus beaux sites de l'île ; location de véhicules tout terrain.

Le parc national de Lamington
Gamme de prix :

$$$	100 - 295 $A

Binna Burra Mountain Lodge
Beechmont, tél. 07-5533 3622 ; fax 07-5533 3747 ; www.binnaburralodge.com.au
Installé dans une réserve du Patrimoine mondial, dotée d'un réseau de plus de 150 km de sentiers de randonnée. Les forfaits comprennent le logement en bungalow, les repas, les activités (varappe, promenades guidées en forêt tropicale, observation des oiseaux et des chauve-souris...).
O'Reilly's Rainforest Guest House
Lamington National Park Road, Via Canungra, tél. 07-5544 0644 ; fax 07-5544 0638 ; www.oreillys.com.au
Depuis plus de 80 ans, la famille qui dirige cette hôtellerie organise des visites de la région en compagnie de naturalistes. À 2 h de route au sud-ouest de Brisbane.

Le Far North Queensland
Gamme de prix :

$$	25 - 170 $A
$$$$	95 - 365 $A
$$$$$	385 - 1825 $A

– $$
Gilligan's Backpackers Hotel & Resort
57-89 Grafton Street, Cairns, tél. 07-4041 6566 ; fax 07-4041 6577 ; www.giligansbackpacker.com.au
Construit en 2004, cet établissement luxueux propose des chambres avec l'air conditionné et des balcons.
Port O'Call Lodge
Port Street, Port Douglas, tél. 07-4099 5422 ; fax 07-4099 4595 ; www.portocall.com.au
Parfait pour les randonneurs. Dortoirs, chambres individuelles, possibilité de cuisiner, bar, piscine.
The Reef Retreat
10-14 Harpa Street, Palm Cove, tél. 07-4059 1744 ; fax 07-4059 1745 ; www.reefretreat.com.au
Environnement tropical, plages idylliques.
Yungaburra Pub
6-8 Kehoe Place, Yungaburra, tél. 07-4095 3515 ; fax 07-4095 3202 ; www.yungaburrapub.com.au
Un bel exemple de l'architecture fédérale dans le village calme de Yungaburra. Idéalement situé pour

aller explorer Atherton Tablelands. Chambres simples mais bien décorées.

– $$$$

Archipelago Studio Apartments
72 Macrossan Street, Port Douglas, tél. 07 - 4099 5387 ; fax 07 - 4099 4847 ; www.archipelago.com.au
Appartements indépendants donnant sur Macrossan Street, à 50 m de Four Mile Beach.

The Lakes Cairns Resort & Spa
2 Greenslopes Street, Cairns, tél. 07 - 4053 9411 ; fax 07 - 4053 9405 ; www.thelakescairns.com.au
Tout près des jardins botaniques, un hôtel au design très étudié dans un décor naturel.

– $$$$$

The Reef Hotel Casino
À l'angle de Wharf & Spence Streets, Cairns, tél. 07 - 4030 8888 ; fax 07 - 4030 8788 ; www.reefcasino.com.au
L'hôtel le plus récent et le plus luxueux de Cairns.

Sheraton Mirage Port Douglas
Davidson Street, Port Douglas, tél. 07 - 4099 5888 ; fax 07 - 4099 4424 ; www.sheraton-mirage.com.au
Tout le raffinement d'un cinq étoiles, y compris un lagon-piscine de 2 ha et un golf de 18 trous.

Séjours « nature »

Installés en pleine forêt tropicale, ces hôtels permettent de vivre au cœur de la nature et de découvrir l'environnement à travers de nombreuses activités.
Gamme de prix :

$$$	25 - 170 $A
$$$$	220 - 590 $A
$$$$$	320 - 1680 $A

– $$$

Cape Trib Beach House
Cape Tribulation Road, tél. 07 - 4098 0030 ; fax 07 - 4098 0120 ; www.capetribbeach.com.au
Dortoirs et bungalows familiaux aussi près de l'océan que l'autorisent les autorités du National Park. Cuisines, buanderies, piscine et bar.

Chambers Wildlife Rainforest Lodge
Eacham Close, Lake Eacham, Atherton Tablelands, tél./fax 07 - 4095 3754 ; www.rainforest-australia.com
Appartements tout équipés dans 486 ha de forêt tropicale, à proximité d'un lac de cratère, Lake Eacham. Observation des animaux de la forêt, randonnées dans le bush. À 10 min des commerces.

Red Mill House
Daintree Village, tél./fax 07 - 4098 6233 ; www.redmillhouse.com.au
Maison ancienne offrant un excellent B & B. Réservation sur place pour les excursions sur la rivière organisées par Chris Dahlberg (*tél./fax 07 -4098 7997*) à la découverte des oiseaux de la région.

– $$$$

Cape Tribulation Exotic Fruit Farm B & B
Lot 5 Nicole Drive, Cape Tribulation, tél. 07 - 4098 0057 ; fax 07 - 4098 0067 ; www.capetrib.com.au
Séjour au goût fruité dans un verger exploité toute l'année en permaculture.

Silky Oaks Lodge and Healin Waers Spa
Finlayvale Road, Mossman River Gorge, tél. 07 - 4098 1666 ; fax 07 - 4098 1983 ; www.silkyoakslodge.com.au
Proche de la forêt tropicale de Daintry. Chalets climatisés. Baignade dans la Mossman River, canotage, safaris en 4 x 4, excursions sur la Grande Barrière de corail. Déconseillé aux enfants de moins de 6 ans.

The Horizon at Mission Beach
PO Box 150, Mission Beach, tél. 07 - 4068 8154 ; fax 07 - 4068 8596 ; www.thehorizon.com.au
Sur le site historique de Tam O'Shanter Point, entouré par la forêt tropicale, avec vues panoramiques sur Dunk et Bedarra Islands. Les vastes vérandas donnent sur la mer. Plage privée.

– $$$$$

Daintree Eco Lodge & Spa
20 Daintree Road, Daintree, tél. 07 - 4098 6100 ; fax 07 - 4098 6200 ; www.daintree-ecolodge.com.au
Pavillons luxueux au cœur de la forêt, au bord de la Daintree River. Forfait 3 nuits à tarif réduit.

Kewarra Beach Resort
Kewarra Beach, tél. 07 - 4057 6666 ; fax 07 - 4057 7525 ; www.kewarra.com.au
À 20 min de Cairns, luxueux bungalows dans la végétation tropicale en bord de mer.

Peppers Bloomfield Lodge
PO Box 966, Cairns, tél. 07 - 4035 9166 ; fax 07 - 4035 9180 ; www.bloomfieldlodge.com
Bungalows avec vue sur la mer de Corail. Excursions en 4x4 jusqu'à Cooktown et ses environs. Forfait de 3 nuits au minimum en pension complète, vols depuis Cairns inclus.

Voyages Coconut Beach Rainforest Resort
Cape Tribulation Road, Cape Tribulation, tél. 07 - 4098 0033 ; fax 07 - 4098 0047 ; www.voyages.com.au
Caché dans la forêt tropicale, à quelques minutes à pied de la plage, l'hôtel possède son propre bateau pour les promenades sur la Grande Barrière.

Cape York

Punsand Bay Camping Resort
Via Bamaga, Cape York,
tél. 07 - 4069 1722 ; fax 07 - 4069 1403
Cet établissement, qui propose des bungalows ou camping au choix, donne accès à quelques-uns des sites les plus beaux de la péninsule de Cape York : forêt tropicale et plages désertes à perte de vue.

Grande Barrière de Corail et Whitsunday Islands

Gamme de prix :

$	27 - 70 $A
$$$	150 - 520 $A
$$$$	240 - 1400 $A
$$$$$	620 - 4500 $A

– $

Great Keppel Youth Hostel
Great Keppel Island,
tél. 07 - 4939 8655 ; fax 07 - 4939 8755
Destination très demandée (réserver longtemps à l'avance). Location de matériel de plongée, randonnées dans le bush parmi de nombreuses autres activités.

– $$$

Brampton Island
Via Mackay,
tél. 07 - 4951 4499 ; fax 07 - 4951 4097 ;
www.brampton-island.com
Dans un parc national riche en vie sauvage. Nombreuses activités (golf, catamaran...). Excursions sur le récif. Club gratuit pour les enfants de 3 à 14 ans.

Dunk Island
Via Townsville,
tél. 07 - 4068 8199 ; fax 07 - 4068 8528 ;
www.dunk-island.com
Ile couverte de forêt tropicale. Sentiers de randonnée, ferme australienne, pêche sportive. 4 catégories de chambres. Garde d'enfants.

Fitzroy Island Resort
Fitzroy Island, PO Box 2120, Cairns,
tél. 07 - 4051 9588 ; fax 07 - 4052 1335
Bungalows indépendants et maisonnettes de plage avec équipements communs.

Great Keppel Island Resort
Via Rockhampton, tél. 07 - 4939 5044 ;
fax 07 - 4939 1775 ; www.gkeppel.com.au
Plus de 60 activités proposées, depuis le ski nautique et la voile jusqu'au parachutisme.

Island Leisure Resort
4 Kelly Street, Nelly Bay, Magnetic Island,
tél. 07 - 4778 5000 ; fax 07 - 4778 5042 ;
www.islandleisure.com.au
17 bungalows indépendants à 50 m de la plage.

Pumpkin Island
Au sud de North Keppel Island, tél. 07 - 4939 4413 ;
www.pumpkinisland.com.au
5 bungalows meublés, alimentés à l'énergie solaire, pour 5 à 6 personnes. Il faut prévoir draps et nourriture et organiser la traversée avec le propriétaire.

– $$$$

Daydream Island Resort and Spa
Whitsunday Islands, Mackay, tél. 07 - 4948 8488 ;
fax 07 - 4948 8499 ; www.daydream.net.au
Conçu pour une clientèle familiale. Multiples activités, y compris un cinéma en plein air. Excursions vers le récif extérieur et la plage de Whitehaven.

Green Island Resort
PO Box 898, Cairns, tél. 07 - 4031 3300 ;
fax 07 - 4052 1511 ; www.greenislandresort.com.au
À 45 min de Cairns par catamaran rapide, un hôtel de luxe bâti sur un îlot corallien, récemment rénové.

Heron Island Resort
Via Gladstone, tél. 07 - 4972 9055 ;
fax 07 - 4972 0244 ; www.heronisland.com
À la fois l'un des plus beaux sites de plongée du monde, un parc national de toute beauté, une réserve d'oiseaux et un lieu de reproduction des tortues. Elles viennent y pondre en été, et les bébés naissent entre décembre et avril. Les baleines apparaissent en août et en septembre. À la saison des amours, les oiseaux indigènes sont rejoints par les espèces migratrices qui viennent nicher et élever leurs petits dans les forêts de pisonias. Ni téléphone ni télévision dans les chambres. Cuisine tropicale. Excursions jusqu'à l'île déserte de Wilson.

Orpheus Island Resort
Private Mail Bag 15, Townsville Mail Center,
tél. 07 - 4777 7377 ; fax 07 - 4777 7533 ;
www.orpheus.com.au
25 chambres en bord de plage et 6 villas de grand luxe. Particulièrement destiné aux couples.

– $$$$$

Bedarra Island Resort
Bedarra Island, via Mission Beach,
tél. 1800 134 044 ; www.bedarraisland.com
Paradis pour une clientèle riche et célèbre. 16 villas de grand luxe dissimulées dans la végétation en front de mer. Pas d'enfants de moins de 15 ans.

Hayman Island Resort
Great Barrier Reef, North Queensland,
tél. 07 - 4940 1234 ; fax 07 - 4940 1567 ;
www.hayman.com.au
Hôtel moderne surplombant une immense piscine et la mer. Crèche et babysitting. Lieu de lunes de miel populaire.

Lizard Island
Via Cairns, tél. 07 - 4060 3999 ;
fax 07 - 4060 3991 ; www.lizardisland.com.au

Lizard, la plus septentrionale des îles de la Barrière, offre d'excellents sites de plongée et des eaux merveilleusement calmes où prolifèrent les palourdes géantes. Pêche sportive. Cuisine raffinée. Enfants de moins de 6 ans déconseillés.

Darwin et le Top End

Darwin

Gamme de prix :

$	20 + $A
$$	125 - 135 $A
$$$	130 - 340 $A
$$$$	155 - 620 $A
$$$$$	230 - 1300 $A

– $

Frogs Hollow Backpackers
27 Lindsay Street, tél. 08 - 8941 2600 ;
fax 08 - 8941 0758 ; www.frogs-hollow.com.au
Neuve et spacieuse. Jacuzzi, service de renseignements, navette gratuite pour East Point.

– $$

Steeles at Larrakeyah
4 Zealandia Crescent, tél. 08 - 8941 3636 ;
www.steeles-at-larrakeyah.com.au
B & B calme, proche du centre commerçant et des Botanic Gardens.

– $$$

Botanic Gardens Apartments
17 Geranium Street, tél. 08 - 8946 0300 ;
fax 08 - 8981 0410 ; www.botanicgardensapts.com.au
Appartements surplombant les Jardins botaniques et la mer.
Mirambeena Tourist Resort
64 Cavenagh Street, tél. 08 - 8946 0111 ;
fax 08 - 8981 5116 ; www.mirambeena.com.au
Avec piscine dans un jardin tropical.
Palms City Resort
64 The Esplanade, tél. 08 - 8982 9200 ;
fax 08 - 8981 9575 ; www.palmcityresort.com
Chambres d'hôtel modernes dans des villas tropicales avec balcons et barbecues.

– $$$$

Marrakai Luxury All Suites
93 Smith Street, tél. 08 - 8982 3711 ;
fax 08 - 8981 9283 ; www.marakai.com.au
Studios avec balcons. Piscine. Navette gratuite pour l'aéroport, baby-sitting, barbecues.
Novotel Atrium Darwin
À l'angle de Peel Street & The Esplanade,
tél. 08 - 8941 0755 ; fax 08 - 8981 9025 ;
www.accorhotels.com.au
Piscine, restaurants, barbecues.
Parap Village Apartments
39 Parap Road, Parap,
tél. 08 - 8943 0500 ; fax 08 - 8941 3465 ;
Grands studios « standards » ou de luxe. 2 piscines.
Saville Park Suites
88 The Esplanade,
tél. 08 - 8943 4333 ; fax 08 - 8943 4388 ;
www.savillesuites.com.au
Dominant le port et les parcs tropicaux de la ville, appartements ou chambres d'hôtel classiques.

– $$$$$

Crowne Plaza Darwin
32 Mitchell Street, tél. 08 - 8982 0000 ;
fax 08 - 8981 1765 ; www.crowneplaza.com.au
Tour de grand luxe en plein centre. Belles vues sur le port et la ville.
Skycity Darwin
Gilruth Avenue, tél. 08 - 8943 8888 ;
fax 08 - 8943 8999 ; www.skycitydarwin.com.au
Un casino en bord de plage, attenant à un terrain de golf et aux Botanic Gardens.

Le Top End et les environs de Darwin

Gamme de prix :

$$$	105 - 240 $A
$$$$$	140 - 310 $A

– $$$

All Seasons Katherine Frontier Motor Inn
Cypress Street, Katherine,
tél. 08 - 8972 1744 ; fax 08 - 8972 2790 ;
www.accorhotels.com.au
Entre Darwin et Alice Springs. 2 catégories.
Gagudju Lodge
Cooinda, tél. 08 - 8979 0145 ; fax 08 - 8979 0148 ;
www.gagudjulodgecooinda.com.au
Proche des marais de Yellow Water. Studios confortables et chambres bon marché.

– $$$$$

Gagudju Crocodile Hotel
1 Flinders Street, Jabiru (Kakadu),
tél. 08 - 8979 9000 ; fax 08 - 8979 9088 ;
www.gagudju-crocodile.holidayinn.com
Seul hôtel de grand luxe du parc national de Kakadu, il est en forme de crocodile géant. Piscine.
Seven Spirit Bay Wilderness Resort
Garig Gunak National Park, Cobourg Peninsula,
tél. 08 - 8979 0281 ; fax 08 - 8979 0284 ;
www.sevenspiritbay.com
Dans la péninsule de Cobourg, propriété des Aborigènes, « habitations » avec salles de bains à ciel ouvert dans des jardins tropicaux. Découverte de la faune et de la flore avec des guides aborigènes. Forfaits en pension complète.

Alice Springs et Ayers Rock (Uluru)

Gamme de prix :

$	25 + $A
$$	60 + $A
$$$	120 + $A
$$$$	145 - 420 $A
$$$$$	145 - 900 $A

– $

Pioneer Youth Hostel
À l'angle de Parsons Street & Leichhardt Terrace, Alice Springs, tél. 08 - 8952 8855 ; fax 08 - 8952 4144 ; www.yha.com.au
Dortoir très simple.

– $$

Todd Tavern
1 Todd Mall, tél. 08 - 8952 1255 ; fax 08 - 8952 3830 ; www.toddtavern.com.au
Le seul pub traditionnel d'Alice Springs. Repas servis de 7h à 21h.

– $$$

Desert Palms Resort
74 Barrett Drive, Alice Springs, tél. 08 - 8952 5977 ; fax 08 - 8953 4176 ; www.desertpalms.com.au
Villas indépendantes avec vérandas. Piscine.

– $$$$

Alice Springs Resort
34 Stott Terrace, Alice Springs, tél. 08 - 8951 4545 ; fax 08 - 8953 0995 ; www.alicespringsresort.com.au
Chambres confortables. Piscine.
Kings Canyon Resort
Luritja Road, Watarrka National Park, tél. 08 - 8956 7442 ; fax 08 - 8956 7410 ; www.kingscanyonresort.com.au
Chambres de toutes catégories.
***Outback* Pioneer Hotel and Lodge**
Yulara Drive, Yulara ; tél. 08 - 8957 7888 ; fax 02 - 9339 4555 ; www.voyages.com.au
À Ayers Rock. Chambres individuelles ou dortoir.

– $$$$$

Crowne Plaza Alice Springs
82 Barrett Drive, Alice Springs, tél. 08 - 8950 8000 ; fax 08 - 8952 3822 ; www.ichotelsgroup.com
Très belle vue sur la chaîne des monts MacDonnell.
Sails in the Desert Hotel
Yulara Drive, Yulara, tél. 1300 134 044 ; fax 02 - 9339 4555 ; www.voyages.com.au
À Ayers Rock. Connu pour ses « voiles » suspendues qui le protègent du soleil brûlant du désert.

L'Australie-Occidentale
Perth, Fremantle et les environs

Gamme de prix :

$	26 + $A
$$	53 - 95 $A
$$$	80 - 180 $A
$$$$	185 - 490 $A
$$$$$	200 - 500 $A

– $

YMCA Jewell House
180 Goderich Street, Perth, tél. 08 - 9325 8488 ; fax 08 - 9221 4694 ; www.ymcajewellhouse.com
Chambres claires et confortables.

– $$

Flag Motor Lodge
129 Great Eastern Highway, Rivervale, tél. 08 - 9277 2766 ; fax 08 - 9479 1304 ; www.flagmotorlodge.com.au
Studios bon marché, certains avec cuisine équipée. Restaurant. Repas servis dans les chambres. Piscine, cars pour la ville.
The Witch's Hut
148 Palmerston Street, Perth, tél. 08 - 9228 4228 ; fax 08 - 9228 4229 ; www.witchshat.com
Résidence victorienne rénovée.

– $$$

Bel Eyre Motel
285 Great Eastern Highway, Belmont tél. 08 - 9277 2733 ; fax 08 - 9479 1113 ; www.beleyremotel.com.au
Navettes gratuites pour l'aéroport. Piscine.
Hotel Ibis Perth
334 Murray Street, tél. 08 - 9322 2844 ; fax 08 - 9321 6314 ; www.ibishotels.com.au
Au centre de Perth. Restaurants, bars.
Kings Hotel
517 Hay Street, Perth, tél. 08 - 9325 6555 ; fax 08 - 9221 1539 ; www.kingshotel.com.au
À proximité du Mall et de la Swan River.
Ocean Beach Hotel
À l'angle de Eric Street & Marine Parade, Cottesloe Beach, tél. 08 - 9384 2555 ; fax 08 - 9383 5405 ; www.obh.com.au
Chambres spacieuses et repas copieux. Face à la plage.

– $$$$

Esplanade Hotel – Fremantle
À l'angle de Marine Terrace & Essex Street, Fremantle, tél. 08 - 9432 4000 ; fax 08 - 9430 4539
Immeuble typique de l'époque de la ruée vers l'or.

Seasons of Perth
37 Pier Street ; tél. 08 - 9325 7655 ;
fax 08 - 9325 7383 ; www.seasonsofperth.com.au
Rénové avec goût, le Seasons est devenu un hôtel de charme. Grande piscine chauffée, bar, café.
Pier 21 Apartment Hotel
7-9 John Street, North Fremantle,
tél. 08 - 9336 2555 ; fax 08 - 9336 2140 ;
www.pier21club.com.au
Paisible, sur les berges de la Swan River.

– $$$$$
Rendezvous Observation City Hotel
The Esplanade, Scarborough Beach,
tél. 08 - 9245 1000 ; fax 08 - 9245 1345 ;
www.rendezvoushotels.com
Ultramoderne, en bordure de l'océan Indien.
Sheraton Perth
207 Adelaide Terrace, Perth,
tél. 08 - 9224 7777 ; fax 08 - 9224 7788 ;
www.sheraton.com/perth
Vues splendides sur la Swan River ou sur la ville.
The Loose Box
6825 Great Eastern Highway, Mundaring,
tél. 08 - 9295 1787 ; fax 08 - 9295 3111 ;
www.loosebox.com
À 35 km de Perth, des bungalows indépendants pour les clients du restaurant.

Région de Perth

Australie-Occidentale, Margaret River, le Sud-Ouest
Gamme de prix :

$$$	100 - 150 $A
$$$$$	310 - 485 $A

– $$$
Margaret River Holiday Cottages
Lot 2, Boodjioup Road, Margaret River,
tél./fax 08 - 9757 2185
Dans un parc. Bungalows de 2 chambres. Idéal pour les familles. Randonnées dans le bush à la découverte des fleurs sauvages et des kangourous.

– $$$$$
Cable Beach Club Resort
Cable Beach Road, Broome,
tél./fax 08 - 9757 2185 ; www. cablebeachcub.com
Bungalows de grand luxe avec vérandas ouvrant sur la belle plage de Cable.
Cape Lodge,
Caves Road, Yallingup,
tél. 08 - 9755 6311 ; fax 08 - 9755 6322 ;
www.capelodge.com.au
Belle demeure au milieu de jardins, lac privé. 15 chambres luxueuses et suites, dont 7 avec Jacuzzi.

El Questro
Gibb River Road, Kununurra, tél. 08 - 9169 1777 ;
fax 08 - 9161 1383 ; www.elquestro.com.au
Important élevage de bétail en lisière de Chamberlain Gorge. Activités typiques : pêche au barramundi, baignade dans les sources, observation des crocodiles, rassemblement de troupeaux… Forfaits.

La Tasmanie

Hobart

Gamme de prix :

$	20 + $A
$$	55 - 85 $A
$$$	80 - 180 $A
$$$$	110 - 240 $A
$$$$$	200 - 500 $A

– $
Adelphi Court YHA
17 Stoke Street, Newtown, tél. 03 - 6228 4829
De type auberge de jeunesse ou pension de famille.
Central City Backpackers
138 Collins Street ; tél. 03 - 6224 2404
Dortoirs et chambres individuelles.

– $$
Hobart Tower Motel
300 Park Street, Newtown,
tél. 03 - 6228 0166 ; fax 03 - 6278 1056
Chambres spacieuses, confortables et bien équipées. Petits appartements pour les familles.
Montgomery Private Hotel
9 Argyle Street, tél. 03 - 6231 2660
Confortable, clair et propre.

– $$$
Crelin Lodge
1 Crelin Street, Battery Point,
tél. 1800 030 776 ; fax 03 - 6223 3995
Appartements avec 1 ou 2 chambres.
Tantallon Lodge Edwardian B&B Guest House
8 Mona Street, Battery Point, tél./fax 03 - 6224 1724
Belle maison d'époque édouardienne.

– $$$$
Lenna of Hobart
20 Runnymede Street, Battery Point,
tél. 03 - 6232 3900 ; fax 03 - 6224 0112
Hôtel de style colonial idéalement situé à Battery Point, au-dessus de Salamanca Place.
Rydges Hobart
À l'angle de Argyle & Lewis Streets, North Hobart,
tél. 03 - 6231 1588 ; fax 03 - 6231 1916 ;
www.rydges.com.au
Dans la verdure de North Hobart. Suites de luxe.
À 5 min du centre-ville.

Quest Serviced Apartments
Hobart Brooker Avenue, tél. 03 - 6236 9656
Appartements spacieux à 5 min de voiture du centre-ville.

– $$$$$
Hotel Grand Chancellor
1 Davey Street,
tél. 03 - 6235 4535 ; fax 03 - 6223 8175
Dans le quartier historique des Docks.

Environs de Hobart

Gamme de prix :

$$	80 - 180 $A
$$$	110 - 240 $A
$$$$$	240 + $A

– $$
Bronte Park Highland Village
Bronte Park, tél. 03 - 6289 1126
À 1/2h de route de Lake Street, Clair. Chalets bien conçus, restaurant bon marché servant d'excellent poisson. Accès par la Tasmanian Wilderness Transport depuis Launceston ou Devonport.
King Island Holiday Village
Grassy, King Island, tél. 03 - 6461 1177
Cette petite île verdoyante de Bass Strait est un excellent lieu de séjour. On y trouve le meilleur bœuf et le meilleur fromage à la crème d'Australie. Elle est aussi la capitale des naufrages de l'hémisphère sud (plus de 60 navires coulés en 200 ans). Grassy n'a guère plus de 50 habitants. L'hébergement apparemment sommaire y est en fait confortable et raffiné. Vols directs depuis Wynyard ou Melbourne ; location de voiture possible.

– $$$
Boat Harbour Beach Resort
tél. 03 - 6445 1107 ; fax 03 - 6445 1027 ;
www.boatharbourbeachresort.com
Ambiance « vieille Europe » tout à fait pittoresque. Hébergement confortable, excellent restaurant.
Penny Royal Motel & Apartments
147 Paterson Street, Launceston, tél. 03 - 6331 6699 ; fax 03 - 6334 4282 ; www.leisureinns.com.au
Vieux moulin transformé, avec chambres et studios.
Port Arthur Lodge
Arthur Highway, Port Arthur, tél. 03 - 6250 2888 ; fax 03 - 6250 2999 ; www.portarthurlodge.com
Chalets en rondins avec cheminées en bordure d'une rivière calme. Proche du site de Port Arthur.
Silver Ridge Retreat
Mount Roland, tél. 03 - 6491 1727 ;
www.silverridgeretreat.com.au
Retraite idyllique au pied du mont Roland. À 40 min seulement de Cradle Mountain.

– $$$$$
Cradle Mountain Lodge
Cradle Mountain,
tél. 03 - 6492 1303 ; fax 03 - 6492 1309 ;
www.cradlemounainlodge.com.au
Conseillé pour sa proximité immédiate avec Cradle Mountain, l'établissement est victime de son succès.
Franklin Manor
The Esplanade, Strahan,
tél. 03 - 6471 7311 ; fax 03 - 6471 7267 ;
www.franklinmanor.com.au
Plusieurs types d'hébergement possibles. Chambres dans la demeure historique et ses annexes. Réputé pour son restaurant.
Freycinet Lodge
Freycinet National Park, via Coles Bay,
tél. 03 6257 0101 ; fax 03 - 6257 0278
Complexe hôtelier respectueux de l'environnement sur une côte intacte. Confortables bungalows avec accès à de minuscules plages. Bar et restaurant panoramiques sur Great Oyster Bay. Observation des baleines (en saison), plongée avec les phoques, randonnées pédestres, excursions.

Auberges de jeunesse

Youth Hostel Australia (YHA) propose plus de 140 auberges de jeunesse. Il faut la carte de la fédération nationale, qu'on peut acheter avant le départ ou aux adresses suivantes, sauf pour les auberges dites associées.

Youth Hostel Australia
422 Kent Street, Sydney, NSW 2001,
tél. 02 - 9261 1111
Australie-Méridionale
135 Waymouth Street, Adelaide, SA 5000,
tél. 08 - 8414 3000
Australie-Occidentale
300 Wellington Street, Perth WA 6000,
tél. 08 - 9287 3300
Nouvelle-Galles du Sud
11 Rawson Place, Sydney NSW 2000,
tél. 02 - 9281 9444
Queensland
450 George Street, Brisbane, QLD 4000,
tél. 07 - 3236 1680
Tasmanie
38 Criterion Street, Hobart, TAS 7000,
tél. 03 - 6234 9617
Territoire du Nord
Darwin Transit Centre, 69 Mitchell Street,
Darwin, NT 0800, tél. 08 - 8981 2560
Victoria
78 Hardware Lane, Merlbourne, VIC 3000,
tél. 03 - 9670 9611

LANGUE

L'anglais que l'on parle en Australie a un vocabulaire particulier, dont les termes sont tantôt empruntés aux langues aborigènes (comme *billabong*, *boomerang* ou *didgeridoo*), tantôt tombés en désuétude en Grande-Bretagne (comme pour le français parlé au Québec), et le plus souvent inspirés par le pays et le mode de vie local (par exemple, *billy*, *bush*, *outback*, *neck oil*...).

Across the ditch — Au-delà de la mer de Tasman (la Nouvelle-Zélande)
ACT — Australian Capital Territory (Canberra)
Alf — Australien stupide
Alice (The) — Alice Springs
Amber fluid — Bière
Ankle-biter — Jeune enfant
Anzac — Australian & New Zealand Army Corps (Première Guerre mondiale)
Arse — Cul, fessier
Arvo — Après-midi
Avago — Allons-y !

Back of Bourke — Loin dans l'*outback*
Bag of fruit — Costume
Bail up — Dérober, faire un hold-up
Banana bender — Habitant du Queensland
Bangers — Saucisses
Barbie — Barbecue
Barrack — Encourager
Bastard — Terme de tendresse (ou de dégoût)
Bathers — Maillot de bain (à Melbourne)
Battler — Un « battant »
Beaut — Excellent
Beergut — Explicite
BHP — Broken Hill Proprietary, société d'exploitation minière
Bible basher — Ministre du culte
Bickie — Biscuit
Bikey — Motocycliste
Billabong — Poche d'eau dans une rivière semi-asséchée
Billy — Bouilloire de fer-blanc pour l'eau du thé
Bitser — Chien bâtard
Bitumen — Asphalte
Black Stump (The) — Là où commence l'*outback*
Blind Freddie could have seen it — Grande évidence
Bloke — Mec
Bloody — Explétif universel
Blowie — Mouche à viande
Bludger, sponger — Parasite
Blue — Bataille
Bluey — Rouquin(e)
Bomb — Guimbarde, vieille bagnole
Bonzer — Génial
Boomer — Kangourou de grande taille
Boomerang — Arme de chasse aborigène
Boot — Coffre de voiture
Bottler — Super génial !
Bottlo — Marchand de vin
Buckley's Chance — Une chance sur cent
Bug — Petit crustacé comestible
Bullamakanka — Mythique, lieu très éloigné
Bull Dust — Foutaises
Bumper crop — Bonne moisson
Bunch of fives — Le poing
Bunyip — Monstre australien
Bush — Tout ce qui n'est pas la ville
Bushranger — Hors-la-loi

Cask — « Cubitainer »
Chemist — Pharmacien
Chook — Poulet
Chuck a U-ey — Faire un demi-tour
Chunder — Vomir
Clap trap — Bavardage inutile
Cobber — Ami
Cockie — Fermier
Come a gutser — Faire une grosse erreur
Compo — Rémunération
Coolabah — Bois d'eucalyptus
Cop it sweet — Accepter un échec
Corker — Un bon
Corroboree — Cérémonie aborigène
Cossie — Maillot de bain
Counter Lunch — Repas pris au bar
Cow Cockie — Cow-boy
Crissie — Noël
Crook — Cassé, mal fichu
Cropper (to come a) — Se dénouer
Cut lunch — Repas de sandwiches

Dag/daggy — Allure terrible
Daks — Pantalons
Damper — Pain sans levain cuit sur un feu de camp
Demo — Manifestation
Dero — Épave humaine, clochard
Didgeridoo — Instrument à vent aborigène
Digger — Soldat australien ou tout Australien
Dill — Idiot
Dingo — Chien sauvage australien
Dinkie die — La vérité
Dinkum — Vrai
Do yer block — Perdre son calme
Dob — Médire
Don't come the raw prawn — N'essaie pas de me berner
Drongo — Idiot
Dumper — Une grosse vague de surf

Dunny Toilette
Entree Amuse-gueules
Esky Rafraîchisseur

Fair dinkum Tout à fait authentique
Flash as a rat with a gold tooth Frimer
Flog Vendre
Footy Football
Footpath Trottoir

G'day Bonjour
Galah Idiot
Garbo Éboueur
Give it the flick S'en débarrasser
Gong (The) Wollongong
Good on ya Bien fait
Greenie Un conservateur
Grizzle Se plaindre
Grog Boisson alcoolisée
Gurgler (down the) Gaspillé

Heart starter Premier verre de la journée
Hoon Grande gueule
Humpy Hutte aborigène

Icey-pole Esquimau

Jackaroo Employé de ferme
Jillaroo Employée de ferme
Job Perforer
Jocks Caleçon
Joey Bébé kangourou
Journo Journaliste
Jumbuck Agneau

Kangaroos in his top paddock Un peu fou
Karked it Décédé
Kip Dormir
Kiwi Néo-Zélandais
Knackered Fatigué
Knock Critiquer
Knuckle Frapper

Lair M'as-tu-vu
Lamington Gâteau australien
Larrikin Voyou
Lingo Langage
Loaf Glander
Lob Arriver
Lolly Bonbon
Lurd Magouille

Mad as a cut snake Fou à lier
Mate Copain
Mick Un catholique
Middy « Demi » de bière (285 ml) en NSW
Milk Bar Petit restaurant de *fast-food* ou bazar
Mob Un groupe de personnes ou de choses
Mozzie Moustique
Mug Personne crédule

Nappy Couche, lange
Neck oil Bière
Nervy Crise de nerfs
Never-never Au fin fond du bush
Nick Voler
Nipper Gamin
Nit, nong Idiot
No-hopper Sombre idiot

Ocker L'Australien moyen
Off Qui a passé la date de péremption
Oodles Beaucoup
OS (de *overseas*) A l'étranger
Outback Le bush
Oz L'Australie (ironique)

Panic merchant Angoissé permanent
Pavlova Gâteau australien
Perve Faire de l'œil
Pie floater Tarte à la viande dans un bol de soupe de pois
Pie-eyed Soûl
Pinch Arrêter (ou voler)
Piss Uriner
Pissed Ivre
Pissed off En colère
Plonk Vin bon marché
Poker Machine à sous
Pom, Pommy Un Anglais
Poof, poofter Homosexuel masculin
Postie Postier
Prang Accident
Prawn Crevette

Queue Faire la queue

Ratbag Personnage excentrique
Ratshit Pouilleux, miteux
Ridgi-didge Authentique
Ripper Bien
Roo Kangourou
Roof rabbits Opossums ou rats dans le plafond
Root Relation sexuelle
Ropable Furieux
RSL Ligue d'anciens combattants
Running round like a chook with his head cuf off S'agiter en vain

Sack Virer
Salvo Membre de l'Armée du salut

Sanger	Sandwich
Schooner	Grand verre de bière (en NSW)
Scrub	Broussailles
Scunge	Personne désordonnée
Semi-trailer	Semi-remorque
Shandy	Panaché
She'll be apples	Ça sera bien
She's sweet	Tout va bien
Sheila	Une femme
Shonky	Pas fiable
Shoot through	Partir soudainement
Shout	Payer la tournée
Shove off	Partir
Sickie	Jour de congé, congé-maladie
Slats	Côtes
Smoke-o	La pause-thé
Snag	Saucisses
Spro	Bébé
Spunky	Belle allure
Squatter	Grand propriétaire terrien au début de la colonisation
Station	Grande ferme ou ranch
Stickybeak	Personne très occupée
Stinger	Méduse
Stirrer	Perturbateur
Stockman	Cow-boy
Strain the potatoes	Uriner
Strides	Pantalons
Strine	Australien vernaculaire
Stubby	Petite bouteille de bière
Stunned Mullet	Personne « sous le choc »
Swagman	Vagabond
Sydney or the bush	Tout ou rien
TAB	Officine (légale) de paris
Tall poppies	Grandes réussites
Tassie	Tasmanie
Taswegian	Habitant de la Tasmanie
Telly	Télévision
Tinnie	Boîte de bière
Togs	Maillot de bain
Tomato Sauce	Sauce Ketchup
Too Right !	Absolument !
Top End	Territoire du Nord
Trendy	A la mode
Tube	Boîte de bière ou intérieur d'une vague
Tucker	Nourriture
Turps	L'alcool en général
Two pot screamer	Personne qui tient mal l'alcool
Two up	Pile ou face
Uni	Université
Unit	Appartement
Up the creek	Qui a des problèmes
Urchin	Bébé, jeune enfant
Ute	Pickup
Vegemite	Pâte à tartiner à base de levure
Walkabout	Marcher de très longues distances
Wharfie	Docker
Whinge	Se plaindre, pleurnicher
Whip-round	Quête
Wobbly	Crise de nerfs
Wog	Petite grippe
Wowser	Rabat-joie, bégueule
Yabber	Bavard
Yack	Parler
Yahoo	Individu indiscipliné
Yakka	Travail
Yobbo	Plouc, péquenot
Yonks	Longtemps

BIBLIOGRAPHIE

Généralités

Dressler (Hauke), *Australie*, Vilo, 1994

Le Cam (Georges-Goulven), *L'Australie et la Nouvelle-Zélande*, Presses universitaires de Rennes, 1996

Talbot (Michael), *Les Australiens*, Presse de la Cité, 2003

Villeminot (Jacques et Betty-Paule), *Au commencement des temps, l'Australie*, Barthélémy, 1993 ; *Australie noire*, Autrement, hors série n° 37, 1989 ; *L'Ouest australien*, Solar, 1988 ; *Australie*, Autrement, hors série n° 7, 1984 ; *Australie, terre de fortune*, Laffont, 1971

Histoire

Bernard (Michel), *Histoire de l'Australie, de 1770 à nos jours*, L'Harmattan, 2000 ; *La colonisation pénitentiaire en Australie, 1788-1868*, L'Harmattan, coll. Chemins de la mémoire, 2000 ; *L'Age d'or australien : la ruée vers l'or et ses conséquences*, L'Harmattan, 1997

Cohen (Bernard), *Australie, manière d'être aux antipodes*, Ramsay, coll. « L'État des lieux », 1985

Horne (Donald), *The Lucky Country*, Penguin

Hugues (Robert), *La Rive maudite, naissance de l'Australie*, Flammarion, 1988

Lindqvist (Sven), *Terra Nullius*, Ed. Les Arènes, coll. Documents, 2007

Pons (Xavier), *Les mots de l'Australie*, Toulouse PU Mirail, coll. Les Mots de…, 2005 ; *L'Australie et ses populations*, Complexe, 1983

Pons (Xavier) et **Smith** (Corine), *Le débat républicain en Australie des origines à nos jours*, Ellipses Marketing, 1997

Redonnet (Jean-Claude), *L'Australie*, PUF, coll. « Que sais-je ? » n° 611

Littérature

Blackburn (Julia), *Daisy et les Aborigènes*, Calmann-Lévy, 1996

Bryson (John), *Le Chien du désert rouge*, Actes Sud, 1997

Cap (Fiona), *Ce sentiment océanique : mon retour au surf*, trad. Laurent Bury, Acte Sud, coll. Aventure, 2005

Carey (Peter), *L'Inspectrice*, 10/18, 1995

Clarke (Marcus), *La Justice des hommes*, Presses de la Renaissance, 1986

Coetzee (J-M), *L'homme ralenti*, trad. Catherine Lauga du Plessis, Seuil, coll. Cadre Vert, 2006

Davidson (Liam), *La Femme blanche*, Actes Sud, 1996

Elderkin (Susan), *Les voix*, trad. Alain Defossé, Seuil, coll. Cadre Vert, 2005

Flanagan (Richard), *Le livre de Gould : Roman en douze poissons*, trad. Delphine Chevalier et Jean-Louis Chevalier, Ed. Flammarion, 2005 ; *Dispersés par le vent*, trad. Delphine Chevalier et Jean-Louis Chevalier, Ed. 10/18, coll. Domaine étranger, 2004

Franklin (Miles), *Ma Brillante Carrière*, L'Aube, 1995

Garner (Hélène), *Monkey Grip*, Des Femmes, 1987

Hall (Rodney), *Secrets barbares*, 10/18, 1994

Jolley (Elizabeth), *Foxybaby*, Rivages, 1995

Jose (Nicholas), *Pour l'amour d'une rose noire*, Plon, 1997

Kennedy (Douglas) *Cul-de-sac*, trad. Catherine Cheval, Gallimard, coll. « Folio Policier », 2006

MacInnes (Colin), *Un été australien*, Gallimard, 1963

Malouf (David), *Harland et son domaine* (1986) ; *Je me souviens de Babylone* (1995), Albin Michel

McCullough (Colleen), *L'Espoir est une terre lointaine*, Poche, coll. Best, 2004

Moorhouse (Frank), *Un Australien garanti d'époque*, Petite maison, 1987 ; *Quarante, dix-sept*, Rivages, 1994

Tennant (Kylie), *Les trimandeurs*, Aube, coll. Regards Croisés, 2005

Upfield (Arthur), *La Mort d'un lac* (1991) ; *L'Homme des deux tribus* (1991) ; *L'Empreinte du Diable* (1992) ; *La Loi de la tribu* (1992) ; *L'os est pointé* (1994) ; *Les Sables de Windee* (1994) ; *Pas de trace dans le bush* (1994) ; *La Branche coupée* (1995) ; *Des ailes au-dessus du Diamantina* (1996) ; *Le Retour du broussard* (1996) ; *Chausse-trappe* (1997) ; *Le meurtre est secondaire* (1997), 10/18

White (Patrick), *Eden-Ville* (1951) ; *Le Char des élus* (1965) ; *Voss* (1967) ; *Les Échaudés* (1969), Gallimard

Winton (Tim), *Par-dessus le bord du monde*, trad. Nadine Gassie, Rivages, coll. Rivages poche, 2006 ; *Angelus*, trad. Nadine Gassie, Rivages, coll. littérature étrangère, 2006

Wright (Alexis), *Les Plaines de l'espoir*, trad. Sabine Porte, Acte Sud, coll. Babel, 2002 ; *Le Pacte en arc-en-ciel*, Acte Sud, coll. Antipodes, 2002

Témoignages

Matthews (Gordon), *Un fils australien*, Michalon, 1997

Morgan (Sally), *Talahue*, Métailié, 1997

Naipaul (Shiva), *Voyages inachevés*, 10/18, 1998

Religion

Eliade (Mircea), *Religions australiennes*, Payot, 2004

Moffit (Jan), *L'Arrière-pays australien*, Time Life, 1976

Nevermann (H.) et **Worms** (E.-A.), *Religions du Pacifique et de l'Australie*, Payot, 1972

Faune et flore

Cousteau (Jean-Jacques), *La Grande Barrière de corail*, Flammarion, 1990

Dossenbach (Hans), *Faune australienne*, Silva, 1986

Jiri (Félix), *Faune d'Australie et des mers du Sud*, Gründ, 1988

Presle (Frédéric), *L'Arche de Jervis : Un dernier paradis sous-marin*, Arthaud, 2004

White (Mary E.), *L'Odyssée des plantes : du Gondwana à l'Australie, 400 millions d'années d'évolution*, Maison rustique, 1988

Ethnologie

Elkin (Peter), *Aborigènes australiens*, Paris, Gallimard, coll. Bibliothèque des Sciences humaines, 1968

Glowczewski (Barbara), *Rêves en colère : Alliances aborigènes dans le Nord-Ouest australien*, Plon, coll. Terre Humaine, 2004 ; *Les Rêveurs du désert*, Actes Sud, 1996 ; *Du rêve à la loi chez les Aborigènes : mythes, rites et organisation sociale en Australie*, PUF, 1991

Muecke (Stephen) et **Shoemaker** (Adam), *Les Aborigènes d'Autralie*, Gallimard, coll. Découvertes, 2002

Politique & économie

Castejon (Vanessa), *Les Aborigènes et l'apartheid politique australien*, L'Harmattan, 2005

Swizzero (Serge), *L'économie australienne*, Le Publieur, 2004

Morris (Delphine D) et **Boccara** (Michel), *Rêve et politique des premiers Australiens : l'ancien futur de l'Australie*, L'Harmattan, 2000

CRÉDITS PHOTOGRAPHIQUES

Couverture : T. Allofs/Zefa/Hoa-Qui

AFP/Getty Images 85, 102, 103
Apa Photo Agency 209d, 218
Australian Tourist Commission 66, 143h, 156, 161, 180, 203, 214b, 249, 257T, 279h, 280h, 293, 295, 297, 317g, 325
Bill Bachman 68, 76, 169, 183, 275, 324h
Ian Beattie-Auscape 243h
Brendan Beime-Auscape 79
John Borthwick 254
David Bowden 208
Linda Carlock-Apa 204L
Sylvia Cordaiy Photo Library 120
David Curl-Anca 83
Andy Dalton-FootPrints 252T
Jerry Dennis 23, 88, 99, 105, 172, 186, 193, 195h, 210, 211, 213, 231, 243, 247, 276h, 283, 297h, 324
Jeff Drewitz-Wildlight 278
Edifice-Corbis 296
Emmler-laif-Katz 145, 258
John Fairfax Features 58
John Farmar-Sylvia Cordaiy 117g, 221, 224, 234, 251
Jean-Paul Ferrero-Auscape 158h, 324h, 328h
Getty Images 94, 100, 101
Glyn Genin-Apa 70, 135, 142
Graeme Goldin-Sylvia Cordaiy 10-1, 178-9, 181
Manfred Gottschalk 19, 124-5, 165, 170, 205, 229, 280, 282, 300, 304
Nick Hannah-FootPrints 262-3
Gary Hansen-Auscape 168
D. & J. Heaton 16-17, 114, 116, 246d
Heeb-Laif-Katz 189
Peter Hendrie-Image Bank 201
Dave G. Houser-Corbis 173
Phil Jarratt 126-7, 245
A. B. Joyce-Apa 175, 329
Catherine Karnow 67, 69
Alan Keohane-Impact 281, 284
Nan Kivell Collection-NLA 31
Kobal Collection 92, 93
Ford Kristo-Planet Earth 251h
Dennis Lane 74
Lansdowne Picture Library 8-9, 27, 33, 35, 36, 49, 50, 54, 82, 100, 117d, 159, 207, 209g, 212, 265, 301, 309, 315
Lodestone Press 56
Phil Lyon-Sylvia Cordaiy 303
David McGonigal 81, 149, 160, 230, 286, 299, 302, 307, 328, 330
Robert Mort-Getty Images 279
NHPA-ANT 119, 121, 236
Robbi Newman 47
Stewart Owen Fox 162, 244h
Ozsport 98
D. Parer & E. Parer-Cook 205h
D. Parer & E. Parer-Cook-Auscape 317d
Tony Perrottet 2-3, 12-13, 14, 20, 59, 62-3, 64-5, 71, 77, 78, 86-7, 107, 108, 112-3, 128-9, 134, 137, 138, 139, 143, 144, 145h, 146, 147, 148, 150-1, 154, 164, 184-5, 187, 191, 194, 195, 204R, 216-7, 219, 223, 227, 238-9, 241, 244, 246h, 248, 252, 253, 255, 256, 257, 259, 267, 285, 287, 288, 289, 312-3, 314, 318, 319, 320, 321, 322, 323, 326, 327
Martin Philbey 95
Planet Earth Pictures 115
Steve Pohlner-Apa 246g
Alain Proust-Cephas 228h
Carl & Anne Purcell-Corbis 237
Philip Quirk-Wildlight 306
Nick Rains-Sylvia Cordaiy 153, 171, 235, 261, 264
Mick Rock-Cephas 214T
Jean-Marc La Roque-Auscape 75, 190h, 210h
Photo Simons 166, 167, 228
South Australian Tourist Commission 225, 233
David Stahl 6-7, 21, 91, 177
Paul Steel 200
Tony Stone 18, 80, 260
Oliver Strewe-Wave Productions 130, 163, 198-9, 206, 215, 273, 290-1, 292, 305, 310, 311
Sydney Symphony Orchestra 90
Andrew Tauber-Apa 106
Tom Till-Auscape 250
Norman Tomalin-Alamy 272
Tourism New South Wales 176
Alexander Turnbull Library 51
Penny Tweedie 22, 26, 73
Voscar 211T
Murray Walmsley 158
Patrick Ward-Corbis 277
Steve Watkins-Natural Exposure 308, 310h
Dave Young-Planet Earth 109

Encadrés

Pp. 96-97. T. Perrottet, sauf 1 et 8 : J. Dennis ; 2 et 6 : S. Watkins-Natural Exposure. **Pp. 110-111.** 1 : Joy Skipper-Anthony Blake Photo Library ; 5 et 7 : J. Topps-Anthony Blake ; 2, 9 et 4 : M. Rock-Cephas ; 3 et 6 : Andy Christodolo-Cephas ; 8 : Cephas-*Wine* magazine. **Pp. 122-123.** 1, 2, 5 et 6 : NHPA-ANT ; 8 : Norbert Wu-Planet Earth ; 9 : J. Farmar-S. Cordaiy ; 3 et 10 : F. Kristo-Planet Earth ; 7 : D. Parer & E. Parer-Cook-Auscape ; 4 : NHPA-Pavel German. **Pp. 140-141.** J. Dennis, sauf 3 : Gary Warner-Museum of Sydney ; 4 : Marinco Kojdanovsky-Powerhouse. **Pp. 196-197.** J. Dennis, sauf 5 : T. Perrottet. **Pp. 270-271.** Toutes FootPrints. 1 : Emma Jane Lonsdale ; 9 et 3 : Adam Powell ; 2, 7, 4 et 5 : A. Dalton ; 6 : Alex Misiewicz ; 8 : Carlos Lima.

INDEX

A

B

C

Q

R

S

T

U

V

W

Y-Z